# INTRODUCTION
## A LA
## MYSTIQUE RHÉNANE

d'Albert le Grand
à Maître Eckhart

Alain de Libera
*Chargé de recherche au CNRS*

# INTRODUCTION A LA MYSTIQUE RHÉNANE

## d'Albert le Grand à Maître Eckhart

*Sagesse chrétienne*

O.E.I.L.
12, rue du Dragon
75006 PARIS

© O.E.I.L., 1984
ISBN : 2-86839-017-X
ISSN en cours

# REMERCIEMENTS

Ce livre est le résultat d'années de recherches et d'échanges avec mes amis du *Corpus Philosophorum Teutonicorum Medii Aevi*. Qu'ils y trouvent l'expression de ma gratitude. Je suis particulièrement reconnaissant à M. le Pr Dr Kurt Flasch (Bochum) qui m'a révélé l'étendue des présupposés philosophiques de la « mystique allemande », au Dr Burkhard Mojsisch (Bochum) qui, par la discussion et l'écrit, m'a aidé à pénétrer la pensée de Thierry de Freiberg, aux Drs Maria-Rita Pagnoni-Sturlese et Loris Sturlese (Pise) qui m'ont toujours si généreusement communiqué leurs travaux sur Berthold de Moosburg — même inédits.

Mes remerciements vont également à mes amis du CNRS, notamment à Alain Segonds pour l'aide et les encouragements qu'il m'a apportés.

Enfin, je remercie du fond du cœur Edouard Wéber O.P. qui m'a durant une année périodiquement accueilli à Saint-Jacques où il a soutenu et éclairé mon travail de ses conseils et de ses discernements. Ce livre lui doit beaucoup.

Il doit également beaucoup à ma mère qui l'a dactylographié avec autant de patience que de soin. Qu'elle en soit aussi tout spécialement remerciée.

Paris, le 11 février 1984

Alain DE LIBERA.

# CHAPITRE PREMIER

# L'ÉCOLE DE COLOGNE ET LA THÉOLOGIE RHÉNANE

La « mystique rhénane [1] », ce que l'on appelle parfois la « mystique allemande des XIIIe et XIVe siècles [2] », a été avant tout — l'expression est de M. Grabmann — le fruit de la « scolastique dominicaine allemande [3] ». « Allemande »... Le mot peut, aujourd'hui, surprendre. Pourtant, entre les années 1250 et 1350, l'Allemagne existe bel et bien... comme division « politico-administrative » de l'ordre des Prêcheurs [4]. « La Teutonie (Teutonia) est dès le XIIIe siècle (et si l'on veut, à partir de 1303, l'ensemble formé par la Teutonie et la Saxonie) une province bien déterminée, dotée [...] d'une large autonomie dans la juridiction et la représentation élective [5]. » C'est comme représentants de l'Allemagne qu'un Thierry de Freiberg ou un Eckhart de Hochheim siègent aux chapitres généraux de l'ordre de saint Dominique. L'idée de « scolastique dominicaine allemande », malgré le caractère « européen » de la culture philosophique et théologique des médiévaux, est donc à la fois géographiquement et historiquement justifiée. En fait, on peut même parler d'une véritable « culture philosophique allemande [6] », portée, travaillée et achevée par les dominicains. Cette culture, qui s'est développée indépendamment de l'enseignement prodigué à l'université de Paris, n'a pas été atteinte par le poids des condamnations successives qui y ont, jusqu'à un certain point, obéré l'élan spéculatif[7].

La «théologie rhénane» est l'expression directe, foisonnante, souvent difficile, parfois bouleversante, de cette liberté. Liberté relative — la condamnation d'Eckhart en témoigne — liberté tout de même, puisque, d'Albert le Grand, l'instituteur, à Berthold de Moosburg, le propagandiste, les théologiens rhénans n'ont jamais cessé de faire valoir leur propre fonds de lieux, de thèmes et de doctrines.

A la fois évêque de Ratisbonne et maître de l'université de Paris, Albert le Grand n'a pas été uniquement l'initiateur de ses confrères allemands en philosophie, en sciences et en théologie : il a aussi, et d'abord, exercé une influence déterminante sur la spiritualité dominicaine de sa province en lui imprimant ce que E. Filthaut a appelé «une tournure néoplatonico-dionysiaco-avicennienne[8]». L'expression souvent alléguée d'«Ecole dominicaine de Cologne» désigne l'ensemble capillaire d'influences et de dépendances à la fois textuelles et orales, livresques et personnelles, qui forme le réseau, on pourrait dire le terreau, de la mystique rhénane. Quel que soit le sens du terme «mystique», si l'Allemagne a produit ce qu'on appelle ici un «mysticisme spéculatif», là une «métaphysique-mystique», là encore une «métaphysique du Verbe», là enfin une «mystique de l'Essence», c'est à Albert qu'elle le doit. Cela ne signifie pas qu'il y ait eu une parfaite homogénéité de doctrines dans l'Allemagne des années 1250-1350. Si beaucoup de théologiens rhénans sont donnés, par leurs contemporains mêmes, pour des spirituels et, de ce fait, fréquemment rapprochés d'Albert, tout ce qui se dit, se prêche et se pense à cette époque entre Cologne et Strasbourg n'est pas «albertinien». Thomas d'Aquin existe et, avec lui, l'univers des

« premières polémiques thomistes » [9]. Certes, cet univers reste assez largement circonscrit à l'université de Paris, mais chacun sait qu'un Eckhart y a étudié et enseigné en pleine période des « Correctoires » et qu'il n'a pas dédaigné d'y polémiquer avec les adversaires franciscains de celui qui allait, dans la suite, devenir la principale référence de l'ordre des Prêcheurs [10]. L'histoire de la scolastique dominicaine allemande ne se confond donc pas avec celle de la théologie rhénane.

La théologie rhénane est la théologie de la mystique rhénane, son foyer, son assise, son aiguillon. C'est la théologie issue d'Albert, ce n'est pas toute la théologie allemande.

De fait, si l'on énumère tous les auteurs, philosophes, théologiens, spirituels, qui se sont illustrés en Allemagne à partir des années 1250, on constate que l'on a affaire à deux courants distincts, souvent irréductibles, parfois — rarement — convergents : un courant albertinien et un courant thomasien ou, si l'on préfère, « thomiste ». Cette différenciation quasi originaire dans la tradition allemande de la théologie s'institutionnalisera, pour ainsi dire, au xvᵉ siècle colonais avec les factions rivales de la Bursa Laurentiana et de la Bursa Montana [11]. On verra alors se formuler, et en un sens se fixer, un « albertisme colonais », lointain héritier de la théologie rhénane. Reste que dès le xiiiᵉ siècle, et si l'on excepte Eckhart, la mutuelle irréductibilité des enseignements d'Albert et de Thomas sera le bien commun de générations de penseurs.

Beaucoup de ces auteurs sont encore mal connus — pour ne pas dire inconnus. Leurs œuvres restent elles-mêmes largement inédites. Thierry de Freiberg, Berthold de Moosburg et Maître Eckhart sont des noms relativement familiers au public des historiens de la philosophie, de la théologie et de la spiritualité. Il n'en est pas de même d'Hugues Ripelin, d'Ulrich Engelbert, de Nicolas de Strasbourg, Jean Picard de Lichtenberg,

Jean de Fribourg, Jean et Gérard de Sterngassen, Henri de Lübeck, Jean de Dambach [12], Henri de Herford [13] ou Conrad de Halberstadt [14].

Notre titre l'indique, nous n'aborderons ici que les auteurs qui appartiennent véritablement à l'école d'Albert, tous néoplatoniciens, tous spirituels parce que théologiens [15], en un mot les « Rhénans », puisque la « mystique rhénane », dont nous voulons clarifier l'histoire, reste, à nos yeux, l'expression d'une théologie scolastique déterminée — la théologie d'Albert — qui, en son fond même, l'appelle et la suscite.

Nous essaierons avant tout de donner l'image d'une continuité : celle de la réflexion et de la prédication, de la pensée et de l'expérience, de l'effort intellectuel et de l'entrée dans l'Inconnu, car c'est cette continuité qui fait la spécificité de la théologie rhénane, à la fois et indissolublement philosophique et spirituelle. C'est elle qu'il nous faut expliquer et décrire dans son « adhésion » à des thèses néoplatonisantes « qui ont recueilli l'héritage sapientiel de la spéculation d'Albert [16] ». Ce faisant, nous n'aborderons pas expressément le problème de l'hétéro-thomisme ou de l'anti-thomiste supposé ou réel de la théologie issue de l'évêque de Ratisbonne, car, si Thierry de Freiberg s'est explicitement opposé à Thomas, il n'en a pas été de même d'Eckhart, qui a défendu certaines de ses doctrines sur la vision béatifique, ou d'Ulrich Engelbert de Strasbourg, qui a rédigé sa *Summa de summo bono* sans jamais penser, semble-t-il, aux enseignements du « vénérable frère Thomas d'Aquin [17] ». L'anti-thomiste est une caractéristique de la pensée de Thierry de Freiberg et de ceux qui l'ont suivi : ce n'est pas le caractère central de la théologie rhénane.

Nous étudierons les grandes figures de cette théologie : Hugues et Ulrich de Strasbourg, Thierry de Freiberg, Maître Eckhart, Berthold de Moosburg — figures assurément dominantes, mais aussi figures accessibles dans des textes et des documents à la fois solides et quelquefois nombreux. Nous laisserons ainsi de côté beaucoup d'auteurs, parmi eux, et à regret, Nicolas de Strasbourg dont l'œuvre est encore presque totalement inédite. Notre travail sera — le matériau lui-même l'exige — un reflet des connaissances actuelles et des recherches les plus récentes. Il n'en sera pas pour autant, du moins nous l'espérons, incomplet : nos cinq auteurs sont tous à leur manière des témoins accomplis de la spécificité de l'école d'Albert.

Dressons maintenant en quelques lignes le portrait intellectuel et littéraire de ceux dont nous ne parlerons plus : le courant «thomiste», d'abord, avec Jean et Gérard de Sterngassen, tous deux «indépendants de la culture néo-platonicienne» caractéristique de la théologie rhénane [18], Jean Picard de Lichtenberg, représentant sans doute le plus éminent de tout le thomisme colonais, et Henri de Lübeck, auteur de «la plus riche et la plus significative collection de *quodlibeta* de toute la scolastique dominicaine allemande» [19] » ; le courant très proche d'Albert, avec Nicolas de Strasbourg ; enfin la figure, plus ou moins marginale de Jean de Fribourg, dont la production littéraire est, de par sa nature même, sans rapport direct avec les thèmes traités par un Thierry, un Eckhart ou un Berthold.

**Gérard de Sterngassen** (Gerardus Korngin de Sternengassen)

Aumônier du couvent de Cologne entre 1310 et 1325, Gérard y a vécu aux côtés de Maître Eckhart, mais sans «en subir l'influence [20] ». Lecteur et «prédicateur mystique [21] » il a laissé un *Pratum animarum sive Medulla (Medela) languentis animae* et des sermons en moyen-haut allemand. Le *Pratum* est divisé en deux parties : la première est une théorie des vices de l'âme exposée à partir d'exemples tirés des vies des Pères du désert [22] et ponctuée par un traité sur la pénitence. La seconde est une étude des vertus et une doctrine de l'union mystique souvent « tirée littéralement de saint Thomas [23] » mais qui, dans sa description de la vie contemplative, « dépasse par son contenu la doctrine » de l'Aquinate [24]. Pour M. Grabmann, qui place lui aussi Gérard dans la lignée de Thomas, le *Pratum* est avant tout « un exposé systématique et synthétique des thèmes sur lesquels ont surtout prêché les mystiques orientés vers la pratique ». « Nous avons là, dit-il, une présentation complète de la contemplation mystique, de l'expérience mystique fondamentale, où manifestement l'aspect psychologique passe au second plan, cédant le pas à l'étude théologique [25]. »

Bibliographie :

Textes : — *Die predigete bruder Gerhart von Sterrengazzen zu Kolne in Deme Kloster zu sente Anthonius, in* : F. Pfeiffer, *Deutsche Mystiker des 14. Jahrhunderts,* I, , Leipzig, 1845, pp. 60-63.
— *Pratum animarum sive Medela languentis animae, in* : N. Appel, *Gerhard von Sterngassen und sein Pratum animarum* (Diss. Bonn), Saarlouis, 1934.

Études : — G. Gieraths, *Die deutsche Dominikanermystik des 14. Jahrhunderts*, Düsseldorf, 1956, pp. 33-34. « Gérard de Sterngassen », *in* : Dictionnaire de spiritualité, t. 6, col. 281-283.
— M. Grabmann, « Forschungen zur Geschichte der ältesten deutchen Thomistenschule des Dominikanerordens », *in* : *Mittelalterliches Geistesleben. Abhandlungen zur Geschichte der Scholastik und Mystik*, I, Münich, 1926, pp. 400-401.
— G. Löhr, *Die Kölner Dominikanischerschule vom 14. bis, zum 16. Jahrhundert*, Fribourg (Suisse), 1946, pp. 39-40.

**Jean de Sterngassen** (Iohannes Korngin, Iohannes de Sternengassen)

Frère du précédent. Est au couvent de Strasbourg en

1310-1316. Lecteur en 1320 (toujours à Strasbourg ?) Jean a laissé des sermons (liste des différentes éditions dans KAEPPELI, TH., *Scriptores Ordinis Praedicatorum Medii Aevi*, III, Rome, 1980, n° 2672, p. 16), un commentaire des *Sentences* (composé vers 1290-1295) et une question (*inc.* « Quaestio est utrum et angeli vel plures sint eiusdem speciei » — *cf.* à ce sujet GRABMANN M., « Forschungen zur Geschichte... », *loc. cit.*, pp. 395-396).

Bibliographie :

— V. DOUCET, *Commentaires sur les Sentences*, Quarrachi, 1954, n° 499, 960.
— E. FILTHAUT, « Johannes Tauler und die deutsche Dominikanerscholastik des XIII/XIV. Jahrhunderts », *in* : *Johannes Tauler. Ein deutscher Mystiker. Gedenkschrift zum 600. Todestag*. Hrsgb. von P. Dr E. Filthaut *O.P.*, Essen, 1961, p. 112.
— M. GRABMANN, « Forschungen zur Geschichte... », *loc. cit.*, pp. 392-400.
— G. LÖHR, *Die Kölner Dominikanischerschule...*, *loc. cit.*, pp. 38-39.

**Jean Picard de Lichtenberg** (Johannes Picardi de Lichtenberg)

Lecteur à Cologne à partir de 1303, lecteur des *Sentences* à Paris de 1305 à 1308, provincial de 1308 à 1310, maître en théologie à Paris en 1310-1311, conseiller et nonce d'Henri IV de 1311 à 1313, évêque de Regensbourg en 1313, Jean Picard de Lichtenberg est la principale figure du thomisme allemand de la première moitié du XIVe siècle. Son œuvre consiste en 38 *Quaestiones disputatae*, fruit probable de son lectorat colonais. Il s'agit du « plus ancien exemple attesté de questions universitaires disputées en Allemagne[26] ». Ces questions sont encore inédites, à l'exception de la question 20 (éd. par W. SENKO, *Mediaevalia philosophi-*

*ca Polonorum* VIII (1961), pp. 3-28) et de l'importante
question 22 («Utrum imago Trinitatis sit in anima vel
secundum actus vel secundum potentiam») éditée par
B. Mojsisch en appendice de son *Meister Eckhart.
Analogie, Univozität und Einheit*, Hambourg, 1983,
pp. 148-161.

En attendant l'édition complète des Questions (qui
formera le tome III, 1-2 du *CPTMA*), le lecteur
intéressé par la confrontation entre les thèses thomistes
orthodoxes de Picard et celles d'Eckhart sur le problème
de l'«Image» consultera avec profit B. MOJSISCH,
*Meister Eckhart...*, pp. 74-79.

Bibliographie :

— E. FILTHAUT, «Johannes Tauler ...», pp. 109-110.
— M. GRABMANN, «Forschungen zur Geschichte ...», pp. 410-
420.
— TH. KAEPPELI, *Scriptores*, II, Rome, 1975, pp. 527 *sqq.*
— A. LANDGRAFF, «Johannes Picardi de Lichtenberg *O.P.* und
seine *Quaestiones disputatae*», *Zeitschrift für Katholische
Theologie* 46 (1922), pp. 510-555.
— G. LÖHR, *Die Kölner Dominikanischerschule ...*, pp. 35 *sqq.*

## Henri de Lübeck

L'activité philosophique et théologique d'Henri de
Lübeck est attestée dans les années 1312-1396. Régent
du studium de Cologne avant 1325 (?), provincial de
Saxonie de 1325 (élection le 13 septembre à Erfurt) à
1336, puis vicaire général de ladite province jusqu'à
l'élection du nouveau provincial.

Admirateur de saint Thomas (qu'il cite notamment
sous le titre de «doctor noster frater Thomas»), Henri
est essentiellement connu comme l'auteur de trois
questions quodlibétales qui doivent avoir été discutées
entre 1323 et 1325 (*i.e.* à l'époque de la canonisation de
l'Aquinate), vraisemblablement à Cologne.

Ces questions « constituent un témoignage précieux sur les intérêts et les problèmes des étudiants dominicains allemands du début du XIVᵉ siècle[27] ». Avec les questions ordinaires de son confrère thomiste Jean Picard, elles offrent « un premier cadrage de la situation de l'instruction supérieure de l'Allemagne à l'âge de la mystique[28] ». Il s'agit de 71 questions qui touchent des thèmes philosophiques, théologiques, médicaux et scientifiques. Six d'entre elles ont été, jusqu'à présent, publiées (voir la liste dans GRABMANN M., « Forschungen zur Geschichte ... », pp. 425-428).

L'ensemble des trois quodlibets sera édité dans le tome IV, 1-3 du *CPTMA*. Lorsque le texte en sera disponible, on pourra peut-être prendre une mesure plus exacte du rôle joué par Henri dans l'histoire de la culture dominicaine allemande. Il semble, en effet, que ce thomiste ait été soucieux de préserver l'unité de l'école de Cologne, en pratiquant un « concordat » entre Thomas et Thierry de Freiberg dont L. Sturlese a donné quelques exemples (*cf.* « Beispiele zur Übereinstimmung von Quodl., I, 15 Heinrichs von Lübeck mit *De animatione caeli* von Meister Dietrich », *in* : « Gottebenbildlichkeit und Beseelung ... », pp. 231-233).

Bibliographie :

— P. GLORIEUX, *La Littérature Quodlibétique*, II, Paris, 1935, pp. 134-137.
— M. GRABMANN, « Forschungen zur Geschichte ... », pp. 421-428.
— G. LÖHR, *Die Kölner Dominikanischerschule ...*, *loc. cit.*
— M. SCHMAUS, *Der Liber Propugnatorius des Thomas Anglicus und die Lehrunterschiede zwischen Thomas von Aquin und Duns Scotus*, II, Teil : Die trinitarische Lehrdifferenzen, 1, Bd. : Systematische Darstellung und historische Würdigung (*Beiträge* XXIX/1), Münster/Westf., 1930, pp. 439-441.
— L. STURLESE, « Gottebenbildlichkeit und Beseelung des Himmels in den Quodlibeta Heinrichs von Lübeck O.P. »,

*Freibürger Zeitschrift für Philosophie und Theologie* 24 (1977), pp. 191-233.

## Nicolas de Strasbourg (Nicolaus de Argentina)

Études à Paris. Lecteur à Cologne, puis visiteur de la province de Teutonie à partir de 1325. Défenseur d'Eckhart lors de son procès, il fait appel au pape à plusieurs reprises (1327). Lui-même inquiété par l'évêque de Cologne à cause de sa «défense obstinée» du Thuringien, il est l'objet d'un procès en 1325-1331. Il n'en est pas moins définiteur de la province de Teutonie au chapitre général de Perpignan (1327).

En dehors des sermons allemands et d'un traité sur l'Antéchrist souvent repris ou plagié sur des auteurs aussi différents que R. Bacon, N. de Lyre et Jean Quidort, l'œuvre de Nicolas consiste, on l'a dit, dans cette *Summa philosophiae* (rédigée dans la seconde décennie du xiv<sup>e</sup> siècle), qui aborde tous les problèmes de la métaphysique, depuis la nature de la lumière jusqu'à celle du temps.

On a récemment pu trouver dans la *Summa* plusieurs références précises à Thierry de Freiberg, J. Picard et Maître Eckhart : la place de Nicolas dans l'école de Cologne ne se discute donc pas.

En attendant l'édition du *CPTMA*, tome V, 1-3, on lira dans un article récent de L. Sturlese («Eckhart, Theodorico e Picardi nella *Summa philosophiae* di Nicola di Strasburgo», *Giornale Critico della Filosofia Italiana* LXI (1982), pp. 183-306) un bon état de la question et quelques textes topiques (*Summa philosophiae*, II, tract. 21, quaest. 5 : *De tempore* et I, tract. 4, quaest. 9 : *De agente increato in speciali*).

Bibliographie :

— E. HILLENBRAND, *Nikolaus von Strassburg. Religiöse Bewegung und dominikanische Theologie im 14. Jahrhundert*

*(Forschungen zur oberrheinischen Landesgeschichte XXI)*,
Fribourg/Brisg., 1968.
— TH. KAEPPELI, *Scriptores...*, III, Rome, 1980, pp. 143-145.
— R. IMBACH, «Nicolas de Strasbourg», *in* : *Dictionnaire de
Spiritualité*, Fasc. 72/73, 1981, col. 301-302.

## Jean de Fribourg (Johannes de Friburgo)

Études de théologie à Strasbourg (et à Paris ?),
prieur du couvent de Fribourg en 1294. Mort avant 1304.
Auteur d'une *Summa confessorum* (vers 1297-1298) qui
a connu une grande diffusion aussi bien en latin qu'en
allemand. De par son sujet, cette somme ne contient
rien qui concerne directement notre problématique,
même si on y trouve « d'intéressantes vues sur la prière
et la prédication » (Filthaut). Il importe, toutefois, de
mentionner Jean, dans la mesure où il a été l'élève
d'Ulrich de Strasbourg auquel il rend hommage au début
de la *Summa* : « Ce que j'écris, je l'ai surtout tiré des
livres des docteurs [...] de [notre] ordre [...] notamment
de frère Ulrich, jadis lecteur à Strasbourg [...], car
même s'il n'a jamais été maître en théologie, sa science
ne se montre en rien inférieure à celle des maîtres,
comme en témoigne le livre qu'il a composé tant sur la
philosophie que la théologie. [29] » Jean s'inscrit donc,
pour ainsi dire, en marge de la théologie rhénane :
proche d'elle, mais sans rapport avec notre étude.

Bibliographie :

— L.E. BOYLE, « The *Summa confessorum* of J. of Freiburg and
the popularization of the moral teaching of saint Thomas and
of some of his contemporaries », *in* : *St Thomas Aquinas
1274-1974. Commemorative Studies*, II, Toronto, 1974,
pp. 245-278.
— E. Filthaut, «Johannes Tauler ...», pp. 108-109.
— A. FRIES, «Johannes von Freiburg, Schüler Ulrichs von
Strassburg», *Rech. de théol. ancienne et médiévale* 18 (1951),
pp. 332-340.

— TH. KAEPPELI, *Scriptores...*, II, Rome, 1975, pp. 428-436.
— P. MICHAUD-QUANTIN, *Sommes de casuistique et manuels de confession au Moyen Age*, Louvain-Lille, 1962, pp. 43-53.
— A. WALZ, «Hat Johann von Freiburg in Paris studiert?», *Angelicum* 11 (1934), pp. 245-249.

Ces quelques points d'histoire étant fixés, venons-en sans plus tarder au problème des sources.

## NOTES

1. Sur la «mystique rhénane», *cf.* M. DE GANDILLAC, «Tradition et développement de la mystique rhénane», *Mélanges de sciences religieuses* 3 (1946), pp. 37-60 et du même : «Eckhart et ses disciples», *in* : FLICHE-MARTIN, *Histoire de l'Église*, 13, Paris, 1956, pp. 403-427. Voir également le volume collectif *La mystique rhénane*. Colloque de Strasbourg 16-19 mai 1961, Paris, 1963.

2. L'expression de «Deutsche Mystik» a été principalement utilisée par les historiens allemands du XIXᵉ siècle et du début du XXᵉ siècle, notamment par W. PREGER, *Geschichte der deutschen Mystik in Mittelalter. Nach den Quellen untersucht und dargestellt*, 3. vol., Leipzig, 1874-1893 et A. SPAMER, *Texte aus der deutschen Mystik des 14. und 15. Jahrhunderts*, Iéna, 1912.

3. Voir à ce sujet M. GRABMANN, «Der Einfluss Alberts des Grossen auf das mittelalterliches Geistesleben», *in* : *Mittelalterliches Geistesleben*, II, Münich, 1936, pp. 325-413.

4. *Cf.* L. STURLESE, «Proclo ed Ermete in Germania. Da Alberto Magno a Bertoldo di Moosburg», *in* : *Beihefte zum Corpus Philosophorum Teutonicorum Medii Aevi*, Beih. 2 : *Von Meister Dietrich zu Meister Eckhart*, Hrsg. von K. FLASCH, Hambourg, 1984, p. 22.

5. L. STURLESE, «Proclo ed Ermete ...», *loc. cit.*

6. L. STURLESE, «Albert der Grosse und die deutsche philosophische Kultur des Mittelalters», *Freibürger Zeitschrift für Philosophie und Theologie* 28 (1981), pp. 133-147.

7. Sur les condamnations de 1277, *cf.* R. HISSETTE, *Enquête sur les 219 articles condamnés à Paris le 7 mars 1277* (Philosophes médiévaux XXII), Louvain-Paris, 1979.

8. E. FILTHAUT, «Johannes Tauler und die deustche Dominikanischerscholastik des XIII./XIV. Jarhrhunderts», *in* : *Johannes Tauler. Ein deustcher Mystiker. Gedenken zum 600. Todestag.*, Hrsg. von Pr. Dr. E. Filthaut O.P., Essen, 1961, p. 94.

9. Sur les premières polémiques thomistes et la littérature des Correctoires, *cf.* P. GLORIEUX, «Les Correctoires. Essai de mise au point», *Revue de théol. ancienne et médiévale* 14 (1947), pp. 287-304,

qui donne une bibliographie complète. Pour les sources postérieures
à 1947, *cf.* du même auteur : *Les premières polémiques thomistes*, II :
*Le « Correctorium Corruptorii Sciendum »*, éd. critique (Bibliothèque
thomiste XXXI), Paris, 1956, p. 8, note 1. Voir également M.D.
JORDAN, « The Controversy of the *Correctoria* and the Limits of
Metaphysics », *Speculum* 57 (1982), pp. 292-314.

10. *Cf.* à ce sujet L. STURLESE, « Alle origini della mistica
speculativa tedesca. Antichi testi su Teodorico di Freiberg »,
*Medioevo* III (1977), p. 22.

11. *Cf.* R. HEISS, « Der Aristotelismus in der Artistenfakultät
Köln », *in* : *Festschrift zur Erinnerung an die Gründung der alten
Universität i. J. 1388*, Cologne, 1938, pp. 310-312.

12. Sur Jean de Dambach (Johannes de Tambasco), *cf.*
TH. KAEPPELI, *Scriptores Ordinis Praedicatorum Medii Aevi*, II,
Rome, 1975, pp. 400-405.

13. Sur Henri de Herford, *cf.* TH. KAEPPELI, *Scriptores ...*, II,
pp. 197-198.

14. Sur Conrad de Halberstadt, *cf.* KAEPPELI, *Scriptores*, I,
Rome, 1970, pp. 276-278.

15. *Cf.* E. WÉBER, « Mystique parce que théologien : Maître
Eckhart », *La vie spirituelle* 652 (1982), pp. 730-749. L'opposition,
aujourd'hui consacrée, entre « mystique » et « théologie » n'a pas de
sens pour l'école théologique rhénane. Voir sur ce point J. KOCH,
« Zur Einführung », *in* : *Meister Eckhart, der Prediger. Festschrift
zum Eckhartgedenkjahr*. Hrsg. V. U.M. Nix und R. Öchslin,
Fribourg/Brisg., 1960, p. 21.

16. L. STURLESE, « Alle origini ... », p. 22.

17. Dans le cas d'Ulrich, l'influence décisive, pour ne pas dire
quasi exclusive, est celle d'Albert le Grand, notamment pour son *De
causis et processu universitatis* et son *Super Dionysium De divinis
nominibus*. Sur l'importance du *De causis* d'Albert, *cf.* L. STURLESE,
« Albert der Grosse und die deutsche philosophische Kultur ... »,
pp. 136-137 et M.R. PAGNONI-STURLESE, « A propos du néoplatonisme d'Albert le Grand. Aventures et mésaventures de quelques
textes d'Albert dans le commentaire sur Proclus de Berthold de
Moosburg », *Archives de Philosophie* 43 (1980), pp. 635-654.

18. E. FILTHAUT, « Johannes Tauler ... », pp. 112 *sqq.*

19. Voir sur ce point les analyses de M. GRABMANN, *in* :
« Forschungen zur Geschichte der ältesten deutschen Thomisten-
schule des Dominikanerordens », *Mittelalterliches Geistesleben*, I,
Münich, 1926, pp. 421 *sqq.*

20. G. GIERATHS, « Gérard de Sterngassen », *in* : *Dictionnaire de
spiritualité*, tome 6, col. 281.

21. *Cf.* TH. KAEPPELI, *Scriptores ...*, II, p. 40.

22. G. GIERATHS, « Gérard de Sterngassen », *loc. cit.*, col. 281.

23. G. GIERATHS, col. 282.
24. G. GIERATHS, *ibid.*
25. Cité et traduit par Gieraths, col. 282.
26. L. STURLESE, «Idea di un *Corpus Philosophorum Teutonicorum Medii Aevi*», à paraître.
27. L. STURLESE, «Idea ...», à paraître.
28. L. STURLESE, «Idea ...», *ibid.*
29. Jean de Fribourg cite fréquemment Ulrich, particulièrement des passages extraits du livre VI de la *Summa de summo Bono*, où il est question des vertus et des péchés. *Cf. Summa confessorum reverendi Patris Johanni de Friburgo* [...], jam primum parisiano prelo excussa impensis [...] Joh. Petit, Paris, 1519, questions 1 à 6, 8, 10, 14 à 18, 25 à 27, 30, 38, 41, 42, 44, 48, 49, 50 et *passim.*

# CHAPITRE II

# LES SOURCES
# DE LA THÉOLOGIE RHÉNANE

## L'INFLUENCE NÉOPLATONICIENNE

### Le néoplatonisme authentique

Le Moyen Age a connu deux formes de néoplatonisme : le néoplatonisme chrétien et le néoplatonisme authentique. Le néoplatonisme authentique n'a été véritablement reçu que par les premières générations des théologiens rhénans, grâce à la traduction des *Éléments de théologie* de Proclos. Avant la traduction de Guillaume de Moerbeke — sur laquelle nous reviendrons —, les médiévaux n'ont connu du néoplatonisme que ce qu'ils pouvaient en lire dans la patristique et la philosophie arabe.

La principale source néoplatonicienne non chrétienne du Moyen Age, qui a exercé une influence toute particulière sur les rhénans, est le *Livre du Bien pur*, ouvrage compilé au IXe siècle par un auteur arabe inconnu et traduit en latin au XIIe siècle sous le titre de *Liber de causis, Livre des causes*[1]. Albert le Grand et Thomas d'Aquin ont tous deux commenté cet ouvrage[2] longtemps attribué à ... Aristote[3]. C'est d'ailleurs

Thomas qui, le premier, s'est aperçu qu'il s'agissait là d'une « élaboration » des *Éléments* de Proclus.

A l'instar des *Éléments*, le *Livre des causes* se présente comme une suite de propositions éclairées chaque fois d'un commentaire. Toutefois, selon J. Koch[4], l'anonyme présente une caractéristique essentielle qui le distingue radicalement de son modèle : il ne reprend, ne commente ni ne cite aucune proposition proclusienne antérieure à la proposition 12 : « De tous les êtres, le principe et la cause toute première est le Bien[5] » — d'où (peut-être) le titre de *Livre du Bien pur*. Autrement dit, il ignore l'ensemble des propositions consacrées par Proclos à l'Un. Soit :

1. « Toute pluralité participe à l'Un sous quelque mode. »
2. « Tout ce qui participe à l'Un est à la fois un et non un. »
3. « Tout ce qui devient un le devient en participant à l'Un. »
4. « Tout ce qui est fait est autre que l'Un pur. »
5. « Toute pluralité est subordonnée à l'Un. »
6. « Toute pluralité est formée ou bien d'être unifiés ou bien d'hénades[6]. »

Le néoplatonisme du *Livre des causes* serait ainsi, d'après Koch[7], un néoplatonisme sans théorie de l'Un, un néoplatonisme sans la première hypostase — ce qui s'expliquerait aisément : la neutralité de l'« Un » (« unum » et non « unus ») étant inconciliable avec le concept islamique d'un Dieu personnel. Ainsi le Moyen Age aurait-il ignoré l'essentiel du néoplatonisme « historique ».

Cette analyse ne nous paraît correcte ni dans son principe ni dans ses conséquences.

Elle n'est pas correcte dans ses conséquences : ne connaissant pas l'hénologie de Proclus jusqu'à la traduction des *Éléments*, le Moyen Age n'en a pas pour autant ignoré l'hénologie tout court.

Parallèlement au *Livre des causes*, les médiévaux ont connu quelques rudiments d'hénologie par le biais de la littérature hermétique, qu'il s'agisse de l'*Asclepios* du Pseudo-Apulée, attribué à Hermès Trismégiste et cité par Alain de Lille dans son *De fide catholica* sous le titre de *Logostileos* («Verbe parfait»)[8], ou du *Livre des vingt-quatre philosophes* également attribué à Hermès, mais aujourd'hui identifié comme un autre écrit d'origine arabe[9]. C'est là qu'Alain de Lille et ses successeurs ont pu lire deux maximes (les *regulae* III et VII d'Alain) si souvent alléguées chez les Rhénans : «La monade a engendré la monade et réfléchit sur elle-même son ardeur[10].» «Dieu est une sphère intelligible dont le centre est partout et la circonférence nulle part[11].»

Par ailleurs, ce néoplatonisme «supplémenté»[12] par l'hermétisme offre, malgré tout, quelque idée de la monarchie de l'Un, puisque l'axiome premier qui ouvre et commande l'ensemble des *Regulae*, cette proposition immédiatement évidente, qui ne peut être prouvée par aucune autre mais, au contraire, les prouve toutes, est précisément : «La monade est ce par quoi toute chose est une[13].»

Enfin, sans même compter le célèbre texte du *De opere sex dierum*, où Thierry de Chartres identifie «Unité» et «Déité»[14], comment ne pas rappeler que Gundissalinus (Dominique Gundisalvi), le traducteur tolédan d'Avicenne, a écrit un *De unitate*, dans lequel on rencontre des formules comme «L'unité est ce par quoi toute chose est une et est ce qu'elle est» ou «Tout ce qui est, est précisément parce qu'il est un[15]», thèse boècienne, mais qui parallèlement à Boèce est aussi visiblement influencée par Ibn Gebirol, Avicenne et, au-delà, par Plotin[16].

L'analyse de Koch n'est pas non plus correcte dans son principe, car si la «Première cause» est appelée le «Bien», elle est aussi appelée l'«Un», non certes à propos des six premiers axiomes de Proclos, mais dans le

corps même du *Livre des causes*, comme en témoigne ce
texte : « Ce dont l'unité est fixée en soi et non
empruntée à autre chose est le *primum unum verum*
[...], mais ce en quoi l'unité est empruntée à autre chose
est en dehors du *primum unum verum*. Si donc l'unité est
empruntée à autre chose, c'est à un Premier *(uno
primo)* [17]. » De fait, si la Première cause, antérieure à
tout ce qui est, est « Bien », en tant que source de tout,
elle est aussi « Un », au sens où elle est la cause
« unique » de tout ce qui résulte d'elle. Certes, il est
loisible de disputer sur le sens de l'expression « primum
unum verum ». Que « unum » soit sujet ou attribut, il
n'en reste pas moins qu'il y a une théorie de l'Un dans le
*Livre des causes*. Le signe en est que le « Premier causé »
ou « Intelligence pure » est dit « simple » et non pas
« un ».

La doctrine du *Livre des causes*, avec ses rudiments
d'hénologie, constitue l'une des données fondamentales
de la théologie rhénane. De cette vision émanatiste,
spontanément organisée en hiérarchie intelligible, chacun privilégiera tel ou tel élément. Si l'on s'en tient aux
trois grandes thèses dégagées par É. Gilson [18] des
trente-deux propositions composant l'ouvrage : (1)
« Les formes causées par les premières Intelligences »,
elles-mêmes émanées de l'Intelligence pure ou Premier
causé, « engendrent à leur tour les âmes, dont l'âme
humaine, être intelligible d'ordre inférieur, mais qui
retient encore le privilège qu'ont les Intelligences de
saisir directement leur propre essence par mode d'intellection » ; (2) « Capable de connaître les choses éternelles, parce qu'elle est elle-même éternelle, toute
intelligence et toute âme intelligente possède naturellement en soi les sensibles, parce qu'elle est pleine de leurs
formes » ; (3) « Tout ce qui est dépend de l'Un comme de
la seule cause vraiment créatrice, mais en dérive par une
hiérarchie d'Intelligences et de formes intelligibles qui
ne causent qu'en vertu de la causalité de l'Un, et dont

l'efficace est donc moins une création proprement dite qu'une information », on voit clairement que la troisième est une esquisse des positions « avicennisantes » de la noétique d'Ulrich de Strasbourg et qu'elle anticipe aussi largement sa distinction entre « être par création » et « être par information ». Certes, un Eckhart rejettera fondamentalement le thème de la création par l'intermédiaire de la Première Intelligence, maladroite accommodation de la doctrine biblique de la création à la métaphysique « luxuriante des processions du monde à partir de Dieu [19] ». Mais même ainsi, la différenciation de l'Un et de l'Intelligence pure reste préservée, puisqu'elle se retrouve, en quelque façon, dans la doctrine de la création dans le Verbe [20]. Par ailleurs, il est incontestable que tous les théologiens rhénans ont au moins puisé dans le *Livre* une partie des instruments nécessaires à l'élucidation de leur problématique la plus générale : la théorie de l'intellect et de la causalité intelligible — songeons notamment au thème du « retour complet sur leur propre essence » caractérisant les êtres « qui se convertissent intellectuellement [21] ». Enfin, et sans même compter l'influence que l'œuvre a pu exercer dans l'école dominicaine allemande par le commentaire d'Albert, il suffit pour mesurer son importance de remarquer que c'est, de tous les textes néoplatoniciens, celui qui y est le plus souvent cité.

Parmi les ouvrages néoplatoniciens subsidiaires, aucun ne mérite le titre d'« authentique ». C'est le cas, notamment, du *De causis primis et secundis et de fluxu qui consequitur eas* [22] où, selon É. Gilson, « des lambeaux d'Avicenne sont grossièrement cousus » à d'autres lambeaux « arrachés à saint Augustin, Denys l'Aréopagite, Grégoire de Nysse et Jean Scot Erigène [23] ». La formule est sévère, mais elle met bien en lumière la pratique généralisée de l'intertextualité fondée sur « les affinités électives platoniciennes [24] », qui caractérise les « complexes théologiques » médiévaux où les thèses

communes aux néoplatonismes — chrétiens ou autres —
« s'emparent des cosmogonies arabes comme de leur
bien propre » et se les assimilent [25].

C'est dans un « complexe théologique » de ce genre,
préparé à Cologne par l'enseignement néoplatonicien
d'Albert, que la théologie rhénane s'enracine. C'est
donc sur un terrain parfaitement préparé par la synthèse
albertinienne que les *Éléments de théologie* de Proclos
sont arrivés. C'est pourquoi aussi, plus qu'ailleurs,
l'influence de Proclus s'y est exercée. C'est pourquoi,
enfin, ce milieu des théologiens allemands férus d'Albertisme (notamment du commentaire au *Livre des causes*,
quasiment recopié par Ulrich de Strasbourg au livre IV
de sa *Summa de summo Bono*) a été le seul à donner une
interprétation complète de l'œuvre proclusienne.

## Proclos latin et la théologie rhénane

Si, comme on vient de le voir, le Moyen Age latin a
longtemps connu le néoplatonisme par des sources
indirectes, le XIIIᵉ siècle a connu directement l'œuvre de
Proclus, « que l'on peut considérer comme l'un de ses
principaux propagateurs [26] ». De fait, outre la *Stoicheiôsis physikè* traduite vers 1160 par un auteur inconnu [27],
les théologiens des XIIIᵉ et XIVᵉ siècles ont disposé de
quatre traductions de Guillaume de Moerbeke : celle de
la *Stoicheiôsis théologikè* terminée en 1268 sous le titre
d'*Elementatio theologica*, celle des *Tria opuscula* achevée vers 1280-1281, celle du second livre du commentaire du *Timée* et celle du commentaire du *Parménide*
achevée peu avant 1286.

L'influence de ces traductions est encore mal
documentée. Deux faits cependant dominent : l'*Elementatio physica* est abondamment citée par Berthold de
Moosburg, figure d'aboutissement de la théologie
rhénane ; et, surtout, l'*Elementatio theologica* a intensément circulé dans les milieux dominicains allemands du

XIII<sup>e</sup> siècle finissant : Albert le Grand l'a connue, et avec lui Thierry de Freiberg et Maître Eckhart. Berthold de Moosburg l'a intégralement commentée. Enfin, les *Tria opuscula*, auxquels Tauler fait allusion dans ses sermons [28], ont été utilisés par Berthold. L'influence du commentaire sur le *Parménide* reste, en revanche, très contestée. R. Imbach [29] considère que « le logos eckhartien sur Dieu est la synthèse spéculative de la "Pensée de la Pensée" du livre XII de la *Métaphysique* d'Aristote ; du "Je suis celui qui suis" [Ex 3, 14] et de l'Un de Proclus », mais C. Steel [30], son éditeur, soutient qu'il « est invraisemblable qu'Eckhart ait connu le texte de l'*In Parmenidem* » : « Les citations et les références manquent », et « les données chronologiques elles-mêmes » rendent « l'hypothèse très difficile ». Le premier à avoir connu une copie de la traduction semble être, à nouveau, Berthold de Moosburg qui, dans son commentaire sur les *Éléments de théologie,* cite trois fois l'*In Parmenidem* [31]. Nous reviendrons sur ce point en examinant la théorie eckhartienne de l'Un de l'âme [32].

Cela posé, et quelles que soient les lacunes de notre documentation, la vigueur même de l'adhésion des théologiens rhénans aux enseignements de l'*Elementatio theologica* mérite l'attention.

Pour Thierry de Freiberg, Proclus est le « chercheur infatigable » (« diligens indagator ») [33] qui a su percevoir l'identité de la philosophie et de la théologie véritables, celui dont la parole s'accorde avec les écritures sur le chapitre même de la création dans le Verbe : « Au sujet de ce genre de processus causal, outre ce que l'Écriture de vérité décrit en disant que "tout a été fait dans le Verbe de Dieu" [Jn 1, 3-4] et [Hbr 11, 3] : "Grâce à la foi nous savons que les siècles ont été créés par le Verbe de Dieu" — Verbe qui est une conception ou naissance intellectuelle — outre, dis-je, l'autorité de l'Écriture, nous possédons le témoignage de la Philosophie. En effet, Proclus, à la proposition 171, déclare : "Tout esprit fait subsister ce qui vient après lui par son acte de pensée. Sa création réside dans son acte de penser, et sa pensée dans son acte créateur" et plus haut dans ce même livre, chapitre 34, commentaire : "De tout cela il ressort que l'esprit étant pour tous les êtres un objet d'aspiration, tous procèdent de l'esprit et que le monde entier tient de l'esprit sa substance, même s'il est doué de perpétuité [34]." »

Pour Berthold (paraphrasant la théorie dionysienne des mouvements de l'âme), Proclus est celui qui est parvenu à « la connaissance du Bien suprême », en philosophe (« il s'est élevé [...] à la connaissance du Bien suprême par le mouvement oblique, qui était le propre des philosophes. C'était une recherche laborieuse des premiers principes de tout ce qui existe, en divisant, en définissant, en se servant de principes communs, en progressant par raisonnement du connu à l'inconnu, en s'élevant des sensibles aux intelligibles et, de là, passant d'un intelligible à l'autre, jusqu'à parvenir à ce qui est absolument dernier ») et en inspiré (« il s'est élevé par un mouvement direct jusqu'à la connaissance de Dieu [...] selon l'unition [...], non par une motion oblique de l'esprit, mais par une vision directe ») [35].

On sait, enfin, que Tauler lui-même parlera dans un célèbre sermon des « grands maîtres Platon et Proclus » qui ont « exposé au public, avec une netteté merveilleuse, la connaissance que le public n'aurait pas pu acquérir par lui-même » [36].

On le voit, Proclus est bien l'« interlocuteur privilégié » [37] de la culture philosophique de la théologie rhénane. On le retrouvera présent d'un bout à l'autre de son aire. Il ne suffit pas, cependant, à individualiser la pensée dominicaine allemande de la fin du XIIIe siècle.

Synthèse complexe, difficile, d'influences parfois complémentaires, souvent contradictoires, la théologie rhénane n'est pas née de la simple rencontre de la pensée scolastique avec l'univers proclusien. Son promoteur essentiel reste Albert le Grand et, à travers lui, le monde d'un néoplatonisme indirect ou oblique, ici aristotélisé, là christianisé, dont il a, le premier de tous les latins, su prendre la formidable mesure.

## Le néoplatonisme chrétien

L'expression de « néoplatonisme chrétien » n'est sans doute guère heureuse. Elle a été, en tout cas, vivement attaquée à propos du « néoplatonisme d'Augustin ». L'expression de « christianisme néoplatonisant » paraît préférable, dans la mesure même où les « néoplatoniciens chrétiens » sont essentiellement des chrétiens qui instrumentent leur théologie à l'aide de tel ou tel philosophème néoplatonicien. Cependant, il est bon de conserver ici la formule puisque nous n'entendons qualifier que le néoplatonisme hérité par la théologie rhénane. L'expression de « néoplatonisme chrétien » n'a ainsi pour fonction que de souligner l'appartenance de telle ou telle thèse philosophique à l'un des « complexes théologiques » auxquels nous avons fait allusion précédemment.

Pour le monde latin, É. Gilson [38] distingue deux grands complexes, l'un issu d'Augustin, l'autre de Boèce : « Il est [...] certain que la métaphysique platonicienne de l'*ousia* a servi de principe directeur à tout un groupe de théologiens chrétiens pour penser leur christianisme, et que saint Augustin est leur ancêtre dans le monde latin. D'autres se sont inspirés plutôt de la métaphysique plotinienne de l'Un, et, parmi les latins, c'est plutôt à Boèce qu'ils empruntent leur technique. » Ces complexes étant des « organismes d'idées » entre lesquels les « formes intermédiaires et les communications mêmes ne manquent pas », on peut, peut-être, préférer à cette analyse la distinction proposée par J. Koch [39] entre « néoplatonisme augustinien » et « néoplatonisme dionysien ».

L'influence de Boèce ne se discute pas, ni sur la pensée médiévale, où elle n'a jamais cessé de se maintenir, ni sur la théologie rhénane [40]. Il ne semble pas, cependant, qu'il y ait eu au Moyen Age le sentiment d'une incompatibilité ou d'une divergence sensible entre Augustin et Boèce, surtout si la pensée de l'un a effectivement fourni un « principe directeur » là où l'autre n'a apporté que des « techniques ». En revanche, comme le souligne Koch, la distinction entre les néoplatonismes augustinien et dionysien paraît une donnée réellement fondamentale de l'histoire de la théologie médiévale : en témoignent l'ampleur et la persistance même des efforts faits ... pour les concilier [41].

Koch nous semble, malgré tout, avoir quelque peu surestimé cette ampleur et cette persistance.

De fait, au XIIIᵉ siècle, c'est sur des positions « augustinisantes » que l'université de Paris condamne en 1241 et 1244 sinon la notion dionysienne des « théophanies », du moins l'usage qu'en font certains théologiens [42] pour résoudre le problème de la vision béatifique. Au moment même où Albert le Grand commence son enseignement parisien, ce sont encore des « augustinisants » qui professent une doctrine de la connaissance de Dieu fondée sur le seul amour caritatif, doctrine que résume bien une formule que Bonaventure attribue à saint Bernard : « Où échoue l'intellect, là réussit l'amour » (« ubi deficit intellectus, ibi proficit affectus ») [43].

Quant au texte de Denys lui-même, dont il va de soi que l'autorité reste absolue, les théologiens cherchent moins, en général, à le concilier avec Augustin qu'à l'y assimiler purement et simplement. C'est ainsi que Thomas de Verceil (Thomas Gallus) affirme que l'intellect n'est pas la plus haute puissance de l'âme, qu'il a au-dessus de lui une faculté plus noble, l'« étincelle de la syndérèse » (« scintilla synderesis ») qui, en tant qu'affect principal (« affectio principalis ») de l'âme, est seule capable de l'unir à Dieu [44]. Cette affirmation qui rappelle les thèses de Bonaventure sur le primat de la puissance affective [45], fait de l'*henôsis* ou unition «la pointe suprême de l'amour», là même où Denys dit simplement que cette puissance «dépasse la nature de l'âme», mais précise ensuite que la «connaissance selon l'unition», qui «dépasse toute intelligence», a lieu quand «l'intelligence» elle-même «détachée d'abord de tous les êtres, puis sortie d'elle-même, s'unit aux rayons plus lumineux que la lumière même, et grâce à ces rayons, resplendit là-haut dans l'insondable profondeur de la sagesse [46]».

La réduction de la noétique dionysienne à une dimension purement affective sera prolongée et amplifiée dans les années 1270 par le thème de la supériorité de la volonté sur l'intellect, prélude à la dispute universitaire de Maître Eckhart contre Gonzalve d'Espagne en 1302-1303.

C'est contre ce repli «augustinisant» que va se faire la réaction d'Albert qui, fort de la noétique et de la cosmogonie qu'il hérite d'Avicenne et d'Averroès, va proposer une nouvelle conception des théophanies, qui lui permettra de restaurer la dimension proprement intellectuelle de la «connaissance selon l'unition». Cette conception nouvelle, qui sera adoptée par toute l'école rhénane, ne s'opposera pas à la noétique d'Augustin. L'accord entre Denys et Augustin — et non la réduction de l'un à l'autre — sera ainsi véritablement et explicitement recherché, cela grâce à une réévaluation de la théorie augustinienne de l'âme, telle que l'expose particulièrement le *De Trinitate*.

La mise en évidence de cet «accord» prendra, évidemment, des formes diverses. Thierry de Freiberg l'accomplira dans l'identification de l'intellect agent des «Philosophes» avec le «fond secret de l'âme» («abditum mentis») , trouvant dans la noétique insufflée par Albert de quoi donner un sens nouveau à la théorie

dionysienne de la « sortie » de l'âme vers la « profondeur
cachée » de la Sagesse. Eckhart, de son côté, lui fera
écho en identifiant « l'étincelle de la syndérèse » avec
l'intellect, avant de reconnaître dans l'« unition » une
connaissance selon l'Un, antérieure à la distinction des
puissances de l'âme, en deçà même de la diffusion de
l'intellect et de la volonté.

La convergence de Denys et d'Augustin est, sans
doute, paradoxale pour un lecteur moderne, dans la
mesure où ces deux théologies de l'illumination sont,
l'une, solidaire d'une vision hiérarchique de l'univers où
l'union théomorphique s'effectue selon une loi de
médiation qui vaut pour toutes les formes d'activité
théarchique manifestées dans la hiérarchie : la purification, la contemplation, l'illumination, la connaissance, la
perfection, l'union elle-même[47], alors que l'autre est,
pour ainsi dire, immédiate. Les deux théologies s'accordent bien pourtant sur l'essentiel : la conversion de
l'âme est partie intégrante de la vie de l'Absolu.
Autrement dit : c'est comme « métaphysique de la
conversion » que les néoplatonismes d'Augustin et de
Denys s'accordent dans la théologie rhénane.

La « métaphysique de la conversion » est une expression jadis forgée par É. Gilson en distinction d'avec la
« métaphysique de l'Exode » — point de départ des
ontothéologies modernes identifiant l'Être et Dieu sur la
base de la révélation du « Nom » faite à Moïse, Ex 3,
14 : « Je suis celui qui suis[48]. » La métaphysique de la
conversion fait de l'être qui est Dieu le pôle d'une
conversion de l'âme qui la constitue en lui. Chez Denys,
cette « conversion » désigne un mouvement anagogique
qui tourne les intelligences vers l'Un et qui, à la fois,
réalise et exprime le cycle de l'amour divin[49]. Chez
Augustin, c'est le mouvement de reconnaissance intérieure par lequel l'âme revient à ce qui lui est plus
intérieur qu'elle-même, à ce Soi clivé de la raison dans
l'âme raisonnable, autre en moi-même, moi-même,

autre moi-même[50]. Chez les deux auteurs, toutefois, l'être en qui l'âme vient s'établir est défini de manière ascétique : pour Denys, l'être divin est « surêtre » et néant, pour Augustin, c'est l'« être même », l'*ipsum esse*, l'être-Lui, la vérité — mais cachée dans l'âme et, pour ainsi dire, en exclusion interne à la pensée qui s'en avise. La « conversion constitutive d'être » est donc toujours pensée comme une entrée dans le désert de l'Être, comme une ascèse de l'être-même, par laquelle Dieu se donne dans et comme la pureté même de l'être, et où l'âme reçoit le don en se perdant dans l'uni-formité divine, par-delà toutes les distinctions de l'acte, de la puissance ou de l'opération. La conversion est l'adhésion à un Dieu conçu et vécu comme cet Un caché en Lui-même, qui est le Soi de toutes choses.

D'Albert le Grand à Eckhart, la théologie rhénane cherchera à penser cette ipséité secrète de l'être-même, qui fait du « fond secret de l'âme » (Augustin) et de la « ténèbre de l'inconnaissance » (Denys) l'origine unanime de toutes les processions.

Mais c'est chez Albert que tout se noue. C'est lui qui fait de la rencontre entre l'hénologie dionysienne et l'ontologie d'Augustin le ciment d'une nouvelle théologie de l'Être-Un dont la théologie rhénane est le déploiement dans l'espace de la culture dominicaine allemande. C'est donc la pensée d'Albert qu'il faut, avant tout, considérer, si l'on veut comprendre les origines de la « mystique allemande ».

## L'héritage albertinien

On ne saurait mieux caractériser la pensée théologique d'Albert le Grand, marquer ses sources et indiquer ses orientations les plus générales que dans ces quelques lignes d'É. Gilson[51] : « L'attestation suprême de l'efficace et de la présence divines se fonde [...] pour lui sur la doctrine augustinienne et dionysienne de l'illumination, philosophiquement confirmée par Alfarabi, Avicenne, Algazel et Gundissalinus. Le thème du *de fluxu entis* conflue chez lui avec le thème *de luce*.» De fait, l'essentiel est là : la synthèse des deux formes du néoplatonisme chrétien, l'augustinisme et le dionysianisme, grâce à l'émanatisme d'Avicenne ; la convergence de la théologie de l'être avec une noétique de la lumière.

Mais le même É. Gilson ajoute aussitôt que ce confluent «charrie dans un flot puissant une masse de données où les générations suivantes vont trouver de quoi nourrir vingt doctrines différentes [52]».

Comment, dans ces conditions, parler d'«héritage albertinien»? Comment caractériser une école, l'école «rhénane», par sa supposée fidélité à une doctrine dont tant de pensées diverses, sans doute même antagonistes, ont pu se réclamer?

De deux façons. D'une part, en dégageant de l'œuvre d'Albert lui-même un corps d'énoncés typiques. D'autre part, en considérant les emprunts effectifs des théologiens rhénans à la pensée de leur maître. Voilà pour l'«héritage». Cela suffit-il pour caractériser une «école»? On pourrait en douter.

Heureusement l'histoire elle-même nous a laissé un tel corps d'énoncés présentés et fondus dans un exposé scolaire.

Ce manifeste de l'albertisme, point de départ de la théologie rhénane en tant que telle, est le manuel compilé à partir de l'œuvre d'Albert par son élève et disciple Hugues Ripelin de Strasbourg. Cette œuvre, le *Compendium theologicae veritatis* (Court Traité de la vérité théologique) est l'exposé systématique d'une théologie albertinienne, tissé de nombreux emprunts aux textes mêmes. C'est donc un manuel d'albertisme en même temps qu'une sorte d'anthologie muette, faite sinon de main de maître, du moins de main autorisée.

Cet abrégé, par essence fidèle à son modèle, a connu une diffusion considérable au xiv<sup>e</sup> siècle, particulièrement en Allemagne, ce, d'autant plus qu'il a été d'emblée attribué à Albert le Grand lui-même, puis constamment édité sous son nom.

Tous les auteurs rhénans ont dû lire et relire ce livre en faisant leurs études et dans le cours de leurs travaux ultérieurs. Il y ont trouvé de quoi se former à une pensée, puis de quoi garantir la leur.

Y-ont-ils tout trouvé ? C'est évidemment hors de question. Quelle que soit la qualité de l'adaptation, elle ne pouvait contenir tout l'original. Son intérêt pouvait être pédagogique puis normatif. Il pouvait difficilement être spéculatif. Le contresens, les lacunes, l'incompréhension même sont souvent plus créateurs que les aide-mémoire. Et l'on pourrait, après tout, appliquer à Hugues ce que Gilson disait d'Albert : cette compilation pourrait bien à son tour avoir contenu la matière de « vingt doctrines différentes ».

Nous avons donc décidé de traiter séparément l'héritage albertinien et sa première formulation scolaire, dans l'espoir que le jeu entre la reconstruction rétrospective de l'un et la construction prospective de l'autre nous permettrait de mesurer, au sein même de la tradition rhénane, la force et la complexité de ses fidélités et de ses ruptures, et donc, ainsi, de faire toute sa part à l'histoire.

Voyons maintenant le « legs d'Albert ». L'héritage albertinien consiste — en une large mesure — dans ce qu'il a lui-même hérité. En ce sens, la théologie rhénane doit d'abord à son maître de lui avoir transmis ses propres sources : Denys et Augustin, naturellement et aussi, on l'a dit, la philosophie arabe (Alfarabi, Avicenne, Algazel) et l'« augustinisme avicennisant » (Gundissalinus). Mais ce n'est pas tout. Albert a aussi reçu Averroès, la philosophie hermétique (le *Livre des vingt-quatre philosophes*), le *Livre des causes* et la philosophie judaïque (le *Guide des Égarés* de Maïmonide, la *Source de vie* d'Ibn Gebirol).

L'héritage albertinien, pris comme héritage d'Albert, est donc formé par la rencontre exceptionnellement forte et féconde des trois religions du Livre (judaïsme, christianisme, islam), des néoplatonismes instrumentant leurs théologies respectives et de la noétique péripatéticienne cultivée par les grands philosophes arabes.

Pareille diversité peut étonner. Elle va pourtant bien dans le sens de ses sources. « Comme les néoplatoniciens grecs et arabes, Albert est persuadé que la vérité philosophique complète est dans l'accord de Platon et d'Aristote : "Sache", dit-il dans sa *Métaphysique*, "qu'on ne devient un philosophe accompli qu'en connaissant les deux philosophies d'Aristote et de Platon[53]." »

Pourquoi, dans ces conditions, ne deviendrait-on pas aussi un théologien accompli en connaissant les différentes philosophies et les différentes théologies ? La philosophie n'est-elle pas, comme la théologie, « foncièrement orientée vers le fondement suprême, vers la pensée divine qui, créatrice, est créatrice au plus haut degré lors de l'illumination intellective qu'expérimente le philosophe[54] » ?

Comme le rappelle É. Gilson[55], « Albert le Grand (saint Albert le Grand) est une âme intensément religieuse, dont l'immense savoir se développe toujours finalement en contemplation ». Il a donc bien pu (facilement ou difficilement) trouver dans la « langue » des « philosophes », « ce que tous les chrétiens savaient déjà, ou devraient savoir, sur l'illumination de l'âme humaine par Dieu[56] ».

L'héritage albertinien résiderait alors dans la manière dont Albert a reçu, compris, organisé, médité, travaillé ses propres sources. C'est cette « contemplation » qui traverse, emporte, finalise tout l'effort de la connaissance et qui transfigure, pour finir, l'accumulation des données.

N'en doutons pas, l'idée albertinienne d'une nécessité spirituelle de la connaissance a largement contribué à fonder la théologie rhénane.

Examinons maintenant ses trois sources principales.

## *Augustin : la théologie de la béatitude*

La pensée d'Augustin est trop connue pour que nous ayons à en réexposer ici ne fût-ce que les lignes de force. On peut, en revanche, isoler dans son œuvre les quelques thèmes privilégiés qui ont exercé une influence notable sur Albert et, plus encore peut-être, sur ses disciples.

Le premier de ces thèmes est incontestablement celui de la métaphysique de la conversion, du retour de l'âme à son Principe.

Tel que l'entend Augustin, le retour vers Dieu est un mouvement d'amour caritatif ; mais, chose importante, cet effort, cette tension constitutifs d'être peuvent être également exposés en termes de connaissance. Ainsi formulé, le retour de l'âme se laisse concevoir comme un passage de la science à la sagesse. La théologie a pour fin la béatitude, c'est, en un sens, une science éminemment pratique. Se retourner vers Dieu c'est donc, d'abord, se détourner du sensible pour se tourner vers l'intelligible. Ce mouvement est accompli par ce qu'Augustin appelle la « raison supérieure ». Il aboutit à une contemplation intellectuelle qui est essentiellement distincte et opposée à l'activité de la « raison inférieure », tournée vers les réalités muables et corruptibles du monde sensible. La coupure du sensible et de l'intelligible s'exprime donc au niveau noétique par la distinction de deux « visages de l'âme » ou de deux « raisons ». Cette idée se retrouve diversement modulée dans toute la théologie rhénane. Il faut notamment souligner qu'Eckhart s'y réfère volontiers, sans parler, évidemment, de Thierry de Freiberg qui, à travers le prisme de la noétique arabe, en fait la clef de voûte de son système.

Certes, Augustin répète à satiété que l'éclat de la lumière divine est trop fort pour la « raison supérieure », même soutenue par la grâce, et il laisse, en quelque sorte, à la volonté le privilège de réussir là où, selon la formule tantôt attribuée à saint Bernard [57], l'intellect ne peut « qu'échouer ». Ce volontarisme, on l'a vu, a laissé une empreinte décisive sur la théologie « latine » et fourni l'essentiel de la position « affective » ou « caritative » des plus acharnés adversaires de la théologie rhénane. C'est lui qui, notamment, a inspiré les contradicteurs parisiens d'Eckhart [58]. On aurait tort, pour autant, de négliger le rôle de l'amour dans la théologie issue d'Albert. Eckhart justement — Eckhart surtout — lui accordera une place de choix dans cette espèce d'apophatique de l'amour qui ponctue sa théologie des missions divines [59].

Reste, pour l'instant, que le principal apport d'Augustin aux théologiens dominicains de Cologne réside, avant tout, dans l'idée que le bonheur est la finalité propre, absolue, invincible de la pensée et de l'effort théologiques. Comme l'écrit É. Gilson [60] : « La seule raison de philosopher est d'être heureux. »

Albert le Grand a hérité cette conception d'Augustin. Pour lui, c'est incontestable, la théologie est une science qui est ultimement une sagesse [61] obtenue de la Cause première elle-même. C'est en ce sens une science affective [62], *ad pietatem*, qui prend le vrai comme *summe beatificans*, un savoir dont « l'objet propre est le fruible » [63], un savoir qui ne s'occupe que d'arriver au « bonheur parfait » [64], à la béatitude proposée par la Révélation [65]. La conversion augustinienne est donc pour Albert, comme pour tous ses successeurs, une conversion au bonheur.

On l'a dit, toutefois, la noétique augustinienne a été

réévaluée et reprise *mutatis mutandis* par les Rhénans. C'est là le second point sur lequel il faut absolument insister.

La théorie augustinienne de la *mens* est, en effet, le socle sur lequel ils ont pu élaborer ce qu'on pourrait appeler leur propre « noétique de la conversion ».

Il y a toutefois — et c'est là toute la difficulté — deux manières de concevoir ou de construire la métaphysique de la conversion. Le première est « émanatiste », en elle prédomine un élément « avicennien » et « dionysien » : la conversion concerne l'univers tout entier, elle suppose une médiation, une initiation et un perfectionnement par et dans la hiérarchie intellectuelle. La seconde est, si l'on peut dire, « immanentiste » ou « immédiatiste » ; en elle, c'est l'élément « augustinien » qui prédomine : la conversion est surtout l'affaire de l'âme humaine, elle ne suppose rien d'autre que la noblesse de l'intellect et elle se fait ou se réalise immédiatement. Si l'on cherche des oppositions tranchées, on peut ainsi déterminer deux courants dans la théologie rhénane. Le premier sera celui d'Ulrich de Strasbourg, pour qui la reconnaissance de la dignité de l'intellect et de la nature intellectuelle de Dieu fonde, instaure ou laisse place à une progression, à une histoire, à une odyssée de l'intellect. Le second est celui de Thierry de Freiberg et de Maître Eckhart : la reconnaissance de la nature intellectuelle de Dieu et de l'intellectualité en tant que telle fonde ou appelle l'idée d'une immédiateté de la conversion.

Il va de soi que, d'un auteur à l'autre, les thèmes s'échangent et souvent se recoupent. Il est clair, par ailleurs, que le projet même de la théologie rhénane — la conciliation d'Augustin et de Denys — interdit par principe de retrouver à tout moment les antagonismes et les incompatibilités qu'on s'efforçait précisément de surmonter.

Si l'on revient à la théorie augustinienne de la *mens*, on constate, en tout cas, qu'elle fournit au moins l'impulsion décisive qui permet à un Thierry de Freiberg de penser l'impensable, autrement dit de placer la connaissance de Dieu au principe même de la vie de l'âme.

La *mens* d'Augustin est — l'expression fera florès jusque chez Eckhart — « quelque chose de l'âme » (« aliquid eius ») elle est — autres expressions sans cesse reprises par le Thuringien — comme sa « tête » (« caput »), son « œil » (« oculus ») ou son « visage » (« facies »). La *mens* n'est donc pas l'âme, mais ce qui « excelle » en elle (« non igitur anima, sed quod excellit in anima "mens" vocatur »)[66]. Ce « quelque chose », cet « aliquid », est appelé ailleurs « la profondeur plus secrète de la mémoire » (« abstrusior profunditas nostrae memoriae »)[67] — de la « mémoire », c'est-à-dire du trésor des « raisons vraies » (« verae rationes »)[68] — ; « la partie la plus haute de l'âme humaine » (« principale mentis humanae »)[69] ; « le secret de l'âme » (« abditum mentis »)[70].

La fonction de l'*abditum mentis* est d'être principe constitutif de la pensée ou *cogitatio* : en tant que dépôt secret des « raisons vraies », le *fonds* secret de l'âme est aussi le *fond* ou le *fondement* de la pensée. C'est le siège d'un savoir qui, en lui-même, reste impensé, car « il y a une différence entre ne pas connaître », ne pas savoir « une chose » *(nosse)* et « ne pas y penser » *(cogitare)*, dans la mesure où « il peut se faire qu'un homme connaisse une chose à quoi il ne pense pas[71] ».

La pensée ou *cogitatio* est donc, en un sens, l'ex-plication d'une connaissance *(notitia* ou *nosse)* préalable. Toutefois, c'est moins le passage d'« une connaissance implicite » à une « connaissance explicite »[72], que la procession d'un savoir caché dans le fond de l'âme jusque dans une pensée qui s'en saisit à l'extérieur. Cette procession (hors) de l'*abditum* est donc véritablement constitutive d'être pour la pensée : « Nous portons dans le secret de notre âme certaines connaissances *(quasdam notitias)* de certaines choses, qui, en quelque sorte, se produisent au grand jour *(quodam modo procedere in medium)* et se trouvent pour ainsi dire mieux mises en lumière sous le regard de l'âme *(atque in conspectu mentis velut apertius constitui)*, lorsque nous y pensons *(quando cogitantur)* [73].» La pensée est ainsi déterminée comme le résultat d'une procession au cours de laquelle un «savoir» qui est caché dans l'*abditum* est découvert, ou mieux, «ouvert» dans un *conspectus*, un regard, une saisie. La *cogitatio cogitans*, la pensée pensante, si l'on préfère : l'acte de pensée, est donc toujours fondé dans un dépôt préalable et n'existe que comme l'extériorisation de ce dépôt. Autrement dit, selon la formule de B. Mojsisch [74], la pensée n'est rien d'autre que l'*abditum mentis* pris dans son altérité : «[Die] cogitatio [...] als Begründetes des abditum mentis nichts anderes ist als das abditum mentis in seiner Andersheit.»

Si l'on songe maintenant que c'est dans le «secret de l'âme» que réside «l'image de Dieu» [75] ou, «mieux encore, que c'est l'*abditum* lui-même» qui est «ce par quoi l'âme connaît Dieu ou peut le connaître» [76], on comprend mieux que, par-delà les polémiques avec les «augustinisants» sur la suprématie de l'amour ou de la connaissance, les théologiens rhénans se soient malgré tout, et toujours si énergiquement, réclamés d'Augustin.

De fait, l'*abditum* n'est pas seulement le fondement de la pensée extérieure, il est, en lui-même et comme image, relation au Principe dont il est l'image. La connaissance véritable est donc récurrente. Connaître véritablement, c'est connaître non plus de l'extérieur, *in medio*, c'est connaître à l'intérieur — *sine medio* — dans l'«homme intérieur», c'est-à-dire l'«intellectus» ou la «mens»; c'est revenir à l'image, ce qui a lieu quand l'homme se re-connaît en image comme l'image de son créateur, «a quo factus est» [77].

Autrement dit, et c'est là le décisif, la reconnaissance

de l'image comme image se fait dans l'image elle-même
à travers la pensée : il s'agit, en somme de faire
coïncider dans l'image le savoir et la pensée : là où était
le savoir, la pensée doit advenir[78]. C'est cette reconnaissance qui est la sagesse, disons la « participation de
sagesse »[79], c'est elle seule qui peut nous rendre
heureux.

Albert, on l'a dit, accepte cette conception de la
sagesse comme béatitude, et tous ses disciples avec lui.

Mais ici, il faut véritablement distinguer entre
Augustin et les « augustinisants ».

Pour mettre en œuvre la conception augustinienne de
la sagesse comme béatitude, l'épistémologie augustinienne suffirait peut-être. Celle des augustinisants ne
suffit pas[80]. Albert va donc compléter, retoucher,
reformuler l'original à l'intérieur d'une théorie de l'âme,
dont il emprunte la partie la plus notable à Avicenne...
C'est là le point où la théologie rhénane va s'instaurer en
rupture avec la tradition des maîtres de l'université de
Paris.

### Avicenne : la noétique de l'émanation

Albert le Grand, c'est notoire, n'estime guère la
théorie de l'âme que lui livre la tradition philosophique
et théologique de ses prédécesseurs : « J'abhorre absolument, écrit-il, les discours que tiennent les maîtres
latins[81]. » Rien d'étonnant donc, si le premier et le plus
important des deux grands emprunts albertiniens à la
pensée arabe, le plus durable, le plus créateur après lui,
est noétique : c'est la théorie avicennienne de l'âme-
substance.

On peut la résumer ainsi : l'âme n'est pas essentiellement forme du corps[82]. Aristote a raison de dire qu'elle
est « forme du corps », c'est là sa fonction, mais ce n'est
pas son essence. En ce qui concerne l'essence de l'âme,
c'est Avicenne qui a raison : l'âme est « une substance

intellectuelle ». Les âmes ne sont donc pas individuées par les corps auxquels elles sont jointes. Ce serait le cas si elles étaient essentiellement formes d'un corps ; mais ce n'est pas le cas, puisque l'information d'un corps n'est qu'une de leurs fonctions. Les âmes sont donc en elles-mêmes distinctes les unes des autres.

Albert précise : chaque âme, en tant que possible, est quelque chose — *quod est* — de distinct, quelque chose que Dieu actualise en lui donnant un être — *quo est*. Cette distinction du *quod est* et du *quo est* reprend la différenciation boècienne de *id quod est* et *esse*[83]. Par « quod est » (mot à mot : « ce qui est »), Albert entend ce qui est distinct en soi-même avant d'avoir reçu l'existence ou « quo est » (mot à mot : « ce par quoi c'est »). Thomas d'Aquin traduira par « substance » ou « essence » et « être », en décrivant l'ange comme composé non de matière et de forme mais d'essence et d'existence[84]. Pour Albert, le vocabulaire boècien sert un propos spécifiquement avicennien : penser la distinction de l'âme en deçà même de son être. L'âme est, pour lui, composée d'une puissance qui, en quelque sorte, l'a distinguée, en elle-même, comme essence, pour Dieu, et d'un acte qui la distinguera, au-dehors, comme être, pour elle-même.

Cette composition est originaire. Autrement dit, elle s'applique à des « principes constitutifs » qui, si l'on peut ainsi parler, sont purement ontologiques. Pour que quelque chose soit, il faut quelque chose et il faut de l'être. *Quod est* et *quo est* ne sont pas, pour autant, des composants réels de l'âme, mais la différenciation originaire de sa substance. C'est la substance comme différence originaire.

Sur cette base, Albert déplie le reste de sa noétique. L'âme qui est, et pour autant qu'elle « est », a deux parties, qui toutes deux émanent de la différence originaire de ses principes constitutifs : l'intellect possible *(intellectus possibilis)* qui flue du principe potentiel, l'intellect agent *(intellectus agens)* qui flue du principe actif : « Nous disons que l'intellect agent est une partie de l'âme. Nous avons montré, en effet, plus haut, que la diversité des propriétés et des puissances de l'âme provenait de la diversité des principes qui la composaient, principes qui sont le "ce qui est" et le "ce par quoi c'est", ou l'acte et la puissance, si l'on prend ces noms au sens large. Et c'est pourquoi nous disons que l'intellect agent est une partie de l'âme fluant de "ce par quoi c'est" ou de l'acte, et que l'intellect possible est une partie fluant de "ce qui est" ou de la puissance [85]. »

Les termes d'«intellect agent» et d'«intellect possible» reprennent une distinction aristotélicienne du *De anima* [86], entre l'«intellect capable de tout produire» et l'«intellect capable de tout devenir». Pour Albert, cependant, l'intellect «poiétique» n'est pas un simple *habitus* jouant le rôle d'une forme pour l'intellect «pathétique». L'intellect agent est l'image même de Dieu en l'âme : « C'est une lumière qui est en nous cause première de la connaissance, universellement capable de causer l'intelligible, et continuellement occupée à la causer [87]. » L'intellect possible n'est pas là uniquement pour tout supporter. Sa passion est, c'est l'expression même d'Aristote, un «devenir». Si donc l'intellect possible est cette capacité de «tout devenir» que l'intellect agent vient informer en y faisant passer les intelligibles de la puissance à l'acte, autrement dit, si l'intellect possible s'actualise dans les intelligibles qui s'actualisent en lui, la vie même de l'âme peut être décrite comme une actualisation progressive. L'âme a un destin créé : c'est l'actualité.

Sur ce point, on le verra, Albert et Avicenne s'accordent. Une différence profonde les sépare néanmoins : chez Avicenne, intellect agent et intellect possible diffèrent bien selon l'acte et la puissance ; toutefois, l'intellect possible, seul, est une partie de l'âme, il est même sa partie suprême. L'intellect agent, lui, est une substance séparée, unique pour tous les hommes, « trésor des concepts », qui transmet les formes intelligibles aux différents intellects possibles[88]. C'est cette doctrine que reprend Gundissalinus (qu'Albert appelle « Toletanus », « le Tolédan ») : l'intellect possible, en se tournant vers les images sensibles ou « phantasmes » *(phantasmata)* des choses, se prépare, se « dispose » à recevoir l'illumination de l'intellect agent qui, seul, lui fait voir (« illumine ») les phantasmes et émane en lui les contenus intelligibles qui les assument[89].

Telle n'est évidemment pas la doctrine d'Albert, pour qui l'intellect agent est une partie de l'âme comme l'intellect possible. Il n'est donc pas unique — il y en a autant que d'âme individuelles.

Séparé d'Avicenne sur la pluralité des intellects agents, Albert va cependant très vite le retrouver. De fait, le rôle épistémologique de l'intellect agent est d'extraire les formes intelligibles des phantasmes, d'épurer les représentations sensibles des caractéristiques d'origine matérielle qui individualisent et particularisent les formes qui s'y trouvent présentées. Ce rôle ne peut, toutefois, être pleinement joué sans le secours de la « lumière de l'intellect incréé » dont il est l'image. Ainsi la capacité abstractive de l'intellect agent ne suffit pas à la connaissance vraie, fût-elle simplement naturelle.

C'est ici que l'on revient à Avicenne : certes, l'intellect agent est une partie de l'âme et non une substance transcendante, mais il a « besoin pour connaître d'une lumière plus abondante que la sienne propre » : « Ampliori lumine quam sit lumen agentis intellectus, sicut est radius divinus, vel radius revelationis angelicae[90]. » Albert va donc assimiler la doctrine du grand philosophe iranien, « pour qui posséder une science n'était que l'aptitude acquise à se tourner vers l'Intelligence agente pour en recevoir l'intelligible »[91], à sa propre tradition chrétienne : on ne peut connaître le vrai sans grâce, car «même si on a la science habituelle de quelque chose, on n'actualisera ce savoir virtuel qu'en se tournant vers la lumière de l'Intellect incréé [92]».

Dès lors, si la connaissance des mystères révélés suppose, par excellence, une «lumière noétique supranaturelle» qui «élève notre intellect à ce qui le dépasse» [93], le simple niveau de la connaissance naturelle est aussi bien, en lui-même et, si l'on peut dire, dès lui-même, une illumination.

On le voit, dans cette christianisation d'Avicenne, Albert jette les bases de la «noétique spéculative» des Rhénans en même temps qu'il retrouve l'inspiration profonde du néoplatonisme : la métaphysique de la conversion. En effet, la conversion à l'Intellect — le mouvement par lequel l'âme se tourne par son intellect agent vers la lumière incréée du Premier intellect — n'est pas seulement génératrice de connaissance : de par le statut même de l'activité intellectuelle, elle est, pour l'âme, constitutive d'être. L'actualisation progressive de l'intellect possible et la dialectique augustinienne du *magis* et du *minus esse* [94] se retrouvent ainsi homologuées l'une par l'autre.

Ici se situe le second emprunt décisif d'Albert à Avicenne : la théorie des degrés de l'intellect.

On sait qu'Avicenne fait de toute âme le lieu d'une dynamique d'acquisition : l'Intellect agent ou Intelligence séparée étant le pôle unique pour toute l'espèce humaine, le principe et la fin de la conversion intellectuelle constitutive d'être pour l'âme. Cette téléologie de l'âme, qui est en même temps une archéologie, comprend différentes étapes, différents états, différentes stases d'actualité, successivement et hiérarchiquement ordonnées [95]. Au premier degré, l'intellect n'est absolument rien, il est «nu et vide», pure aptitude, «potentia absoluta». Au deuxième degré, doté par l'expérience d'images et de sensations, il est intellect possible, «intellectus possibilis», au sens d'une capacité à faire *(potentia facilis).* Autrement dit : il est à la fois en puissance de connaissance et connaissance en puissance. Pour connaître véritablement, il lui faut se tourner vers l'Intelligence agente séparée. C'est elle, en effet, qui va émaner en lui les formes intelligibles correspondant aux images sensibles qu'il a accumulées. Cette conversion à l'Intelligence est un acte de connaissance. Entendons par là que l'intellect possible est actualisé par l'Intelligence agente, qu'il est actualisé par l'intelligible qu'il reçoit, qu'il est actualisé comme l'intelligible qu'il reçoit. En effet, l'essentiel de cette épistémologie réside en cela que l'acte de connaissance y est pensé comme une actualisation du connaissant dans l'actualité du connu. La forme intelligible émanée de l'Intelligence agente dans l'intellect possible l'actualise dans la stricte mesure où il se fait lui-même son propre contenu intelligible. Sujet et objet sont donc, pour Avicenne, dans une relation telle que le sujet s'actualise en devenant son objet.

La forme intelligible acquise est bien ainsi constitutive d'être pour l'intellect possible, ce qui n'est pas sans conséquence sur l'âme elle-même, puisque, c'est clair, l'intellection acquise est indistinctement un nouveau degré d'actualité acquis par l'intellect possible et un nouveau degré d'intellectualité acquis par l'âme l'intellective.

C'est cette triple stase dans le processus général de la connaissance que désigne le terme d'«intellectus adeptus», troisième degré de l'intellect.

Comme tout acte, la conversion intellective peut être répétée. Retrouvant le thème aristotélicien classique de la consolidation de l'*habitus* par la pratique, Avicenne montre que cette répétition même augmente la capacité de l'intellect à connaître : l'intellect acquis devient ainsi «véritablement acquis», *intellectus in habitu*. Il est, en quelque sorte, devenu mien. L'itérabilité de l'acte de connaissance entraîne donc un progrès continu vers l'Intelligence séparée.

Au-dessus de l'intellect acquis se trouvent, selon Albert, les degrés supérieurs, pour ne pas dire ultimes, de l'intellect saint, de l'intellect assimilé et de l'intellect divin ou divinisé, qui manifestent la téléologie proprement spirituelle de la connaissance. De fait, si la règle de la connaissance est, pour l'âme, identique à la règle de l'être, c'est que ces deux règles forment, dans leur interaction même, l'unique règle d'un destin spirituel.

Dans sa noétique, où l'âme humaine est dotée de deux intellects — possible et agent — au titre de puissances émanées des principes constitutifs de son essence, Albert réussit à préserver l'essentiel de la théorie avicennienne des degrés de l'intellect. C'est que, pour lui, le procès de la connaissance est, dans sa visée dernière, une assimilation à Dieu. Ainsi donc le progrès épistémologique est-il toujours un devenir intelligible, une actualisation graduelle de l'intellect possible, par laquelle l'homme se fait toujours plus intellect et, comme tel, toujours plus homme, puisque l'intellect est la seule chose qui soit véritablement lui en lui-même. Cependant, comme cette ipséité est en même temps l'image de Dieu en l'âme, le devenir soi le mène en Lui, au-delà de lui-même, vers l'Intellect divin.

L'activité noétique est alors constitutive d'être, non certes dans l'essence même de Dieu, mais dans les similitudes où l'intellect s'actualise.

Autrement dit : ce qui actualise l'intellect possible, c'est l'intellect agent — image de Dieu dans sa pure intellectualité —, et il l'actualise dans le flux des intelligibles émané de Dieu, intelligibles qui le font être de plus en plus purement intellect.

Par l'acte de connaissance, par la pratique répétée de l'activité intellectuelle, bref, par l'étude (« studium »), l'intellect se conquiert toujours plus lui-même en l'homme, l'homme se conquiert toujours plus lui-même en accomplissant son destin : l'assimilation à Dieu qui correspond à sa nature intellectuelle[96].

### Denys : la théologie de l'union mystique

La noétique avicennienne d'Albert, complétée sur certains points par celle d'Averroès[97], instrumente une métaphysique extatique inspirée du néoplatonisme dionysien.

De fait, Albert retient pour absolument essentielle la thèse dionysienne de la divinisation de l'âme comme but de la création, telle que l'expriment *les Noms divins*[98] : « Mais Dieu [...] est partout présent grâce à sa Providence et [...] il devient tout en tout par son pouvoir d'universel salut. Assurément, par lui-même il demeure immuable dans sa propre identité et indivisible dans l'unicité de son incessante opération, mais, grâce à son indéfectible puissance, il se communique en Lui-même pour les déifier à tous ceux qui se tournent vers lui. » Cette déification entendue comme l'illumination théarchique par laquelle l'homme devient en quelque sorte Dieu en Dieu est le thème fondamental que l'évêque de Ratisbonne emprunte à Denys.

La manière dont il l'élabore va lui permettre d'établir sur une base noétique ferme une continuité de l'expérience de l'homme viateur et de celle du Bienheureux, que ses successeurs ne feront qu'accentuer, voire pousser à la limite.

En effet, glosant une formule de Philippe le Chancelier[99], selon laquelle la vérité révélée vient « informer la conscience » du croyant, Albert écrit : « La foi est une lumière informant l'intellect » et « lui communique une tension vers la fin[100]. » Cette tension ou conversion vers le « vrai qui béatifie » correspond à la « tournure » extatique de l'âme vers le Principe chez Denys, laquelle réplique et exprime, dans le mouvement ascendant de la « remontée », la diffusion non moins extatique de Dieu dans le mouvement descendant de sa communication.

L'innovation d'Albert, décisive pour l'histoire de la théologie rhénane consiste d'abord — au niveau de l'homme viateur — à lire cette conversion en termes de noétique avicennienne, comme une information de l'intellect (« intellectus ») par la « lumière de foi [101] ». On est ici au cœur d'une véritable théologie de l'intellect : de fait, la simultanéité dionysienne de la communication de Dieu et de la conversion vers le Principe exprime un caractère réel de la descente de la lumière divine. Toutefois, si cette descente est bien, comme le dit Denys, une « communication de Dieu en Lui-même », il faut nécessairement admettre que ce en quoi il descend est de nature, c'est-à-dire de naissance, « déiforme ». Ce lieu de naissance est l'intellect.

Esquissé dans la connaissance de foi, le double mouvement de descente et de remontée de l'Absolu en lui-même s'accomplit essentiellement dans la vision bienheureuse. La théorie avicennienne des degrés de l'intellect a ainsi pour corrélat naturel la doctrine dionysienne de la déification : l'union bienheureuse est véritablement le *télos* du cycle de l'Absolu.

Reste à penser ce « lieu » qui est Dieu en l'âme et où Dieu se communiquant à l'âme reste en « Lui-même ».

Pour ce faire, Albert va opérer la synthèse de trois sources distinctes : la théorie dionysienne de l'illumination théarchique, la théorie avicennienne de la lumière intellectuelle et la théorie averroïste du « contact » de l'âme avec l'Intelligence séparée.

Cette noétique complexe bouleverse toutes les données traditionnelles de la théologie de la vision béatifique, puisqu'elle lui permet d'affirmer : (1) que l'union bienheureuse est une « conjonction » de l'intellect de l'homme et de l'essence divine, par laquelle Dieu se donne à l'intellect exactement comme il se donne à son propre intellect [102] ; (2) que cette conjonction est donc purement intellective, « en un unique esprit », conformément à 1 Co 6, 17 ; (3) que cette union intellective met en contact direct Dieu lui-même et l'intellect agent [103].

La vision bienheureuse apparaît donc bien comme anticipable dans la connaissance de foi : le *medium* est le même, c'est l'intellect — l'intellect qui, on l'a déjà dit, est l'image même de Dieu en l'âme. On comprend, dans ces conditions, que le « contact noétique » de Dieu avec l'intellect en Dieu lui-même puisse servir de modèle à la connaissance de foi de l'homme viateur.

C'est là, il faut l'avouer, une innovation considérable. Mais Albert ne s'en tient pas là.

Le thème dionysien de l'illumination théarchique l'amène irrésistiblement à affronter le problème de l'union, proclamée par Denys au terme de sa *Théologie mystique*, puisque, pour lui, la théophanie de la ténèbre mystique et la connaissance de foi théologale sont tout un. De fait, cette union dite « mystique » au sens où elle est « cachée » en Dieu lui-même par-delà toute espèce de différenciation et d'opérations, cette union qui est l'objet ultime de la théologie mystique a la même structure que la connaissance de foi !

L'innovation absolue d'Albert s'accomplit dans l'affirmation du caractère purement intellectif de ce « pâtir Dieu », de cet « état théopathique » que Denys attribue à Hiérothée [104].

L'union « mystique » est une union d'ordre noétique, « unitio intellectiva » [105], une union de l'âme à Dieu « par l'adhésion de l'intellect », « per adhaesionem intellectus [106] ».

Comme l'écrit É. Wéber [107] : « Dans la théophanie de la ténèbre mystique, c'est-à-dire dans la connaissance de foi théologale, le Rayon divin vient toucher l'esprit créé et le convertir en le ramenant dans l'unité du Père. Cette venue de Dieu dans l'ordre intellectif réalise le thème traditionnel des "missions" divines dans l'âme. Au titre de théophanie, elle suscite dans l'intelligence créée qui l'accueille par sa foi "une impulsion relevant de la lumière de gloire". »

La théologie rhénane se constitue sur cette base.

CONCLUSION

Les « spirituels » rhénans et allemands ne se sont pas trompés sur la visée ultime de la théologie rhénane telle que l'avait, en quelque sorte, programmée l'enseignement d'Albert.

Un texte anonyme trouvé à Coblence [108] en trace, en quelques lignes, les principaux axes.

Un élève y demande à « Maître Thierry » (« Meyster Dietrich ») comment « arriver à la lumière surnaturelle qui plane au-dessus de la raison » humaine, à cette lumière « dont saint Augustin et saint Denys ont parlé dans leurs écrits ». C'est bien là — nous espérons l'avoir montré — la question centrale : la déification de l'âme. Question placée d'emblée — Albert oblige — sous l'invocation des deux grandes théories de l'illumination héritées du christianisme « néoplatonisant ».

La réponse de Thierry, telle que la présente l'anonyme de Coblence, n'est sans doute pas totalement fidèle à son enseignement authentique. C'est, si l'on peut dire, une réponse pratique, la définition d'un genre de vie, sinon celui d'une « école », au moins celui d'un groupe et, pourquoi pas de « Jedermann », de « Tout-un-chacun », où qu'il se trouve et s'il le veut : « Alors ledit Maître Thierry répondit et dit : cela personne ne peut l'intimer à un autre. Celui qui doit arriver à la lumière, il faut qu'il étudie [« qu'il lise »], et qu'il prie Dieu intérieurement qu'il lui révèle la lumière. Il faut qu'il étudie avec application […], qu'il vive détaché [« leben abgescheidenlich »], intérieurement [« ynnerlich »], purement [« luterlich »] [109]. »

A lire ce témoignage, on ne peut douter : la *théologie* rhénane a bien pour fin « l'union mystique », c'est bien, comme on l'a suggéré en commençant, une théologie de la mystique rhénane.

Nul ne songe évidemment à contester qu'un Maître Eckhart mérite le qualificatif de « spirituel ». Il faut, cependant, savoir et souligner que, pour leurs contemporains mêmes, des figures comme celles de Thierry de Freiberg — de tous les théologiens rhénans le plus « intellectuel » et le plus difficile — étaient elles aussi — et déjà — regardées comme celles de « spirituels » authentiques.

En témoignent ces quelques vers d'une nonne du Haut-Rhin qui, semble-t-il, mettent Thierry sur un pied plus élevé qu'Eckhart lui-même, ou, au moins sur un pied d'égalité, si l'on se refuse à hiérarchiser la « hauteur » et la « sagesse »[110] :

« Le haut Maître Thierry
veut nous rendre heureux.
Il parle purement
du tout, *in principio*.
Il nous fait prendre envol
sur les ailes de l'aigle.
Il veut nous engloutir l'âme
dans le Fond infondé.

Sois détaché !

Le sage Maître Eckhart
veut nous parler du néant :
Qui n'y entend rien
peut bien s'en plaindre à Dieu.
La lumière divine
n'a pas brillé en lui.

Sois détaché ! »

Les deux versions de l'union mystique ici

présentées[111] : la déification comme dévoilement d'une divinité déjà présente comme néant (pour Eckhart), le retour à l'être pur dans l'idée incréée, *in principio* (pour Thierry) expriment plus ou moins complètement les thèses véritables de leurs auteurs. Eckhart lui-même fait du « retour *in principio* » un simple moment dans la remontée de l'âme au-delà de ses « essences » créées et incréées[112].

Il n'en reste pas moins que la doctrine de Thierry est, non moins que la sienne, donnée pour une doctrine de vie : le « Lesemeister » est toujours en même temps « Lebemeister ». Cette vie qu'insuffle l'esprit de la théologie rhénane est recueillie comme telle dans l'expérience spirituelle. L'anonyme conclut[113] :

> « Je ne puis exprimer
> ce qui a été dit :
> Il faut s'anéantir
> dans le monde créé.
> Allez dans l'incréé !
> Perdez-vous tout entiers !
> C'est là qu'on se retrouve
> entièrement dans l'essence ».

Concluons à notre tour. Nous espérons que les pages qui suivent restitueront au lecteur un peu de l'élan spirituel qui, c'est incontestable, a animé d'emblée la réflexion philosophique et théologique des « théologiens rhénans ».

## NOTES

1. *Cf.* O. BERDENHEWER, *Die pseudo-aristotelische Schrift « Über das reine Gute »*, *bekannt unter den Namen « Liber de causis »*, Fribourg/Brisg., 1882 (reprint Francfort/Main, 1957). Edition du texte médiéval latin par A. PATTIN, *Tijdschrift voor Filosofie* 28 (1966), pp. 134-203.

2. *Cf.* pour Albert le Grand, *De causis et processu universitatis*, *in* : *Opera omnia*, éd. A. Borgnet, tome 10, Paris, 1891, pp. 361-619. Pour Thomas d'Aquin, *cf. S. Thomae de Aquino Super Librum de causis expositio*, éd. H.D. SAFFREY, *O.P.* (Textus Philosophici Friburgensis 4/5), Fribourg-Louvain, 1954. Dans son « Introduction », le père Saffrey présente une vue d'ensemble sur la diffusion du *Liber* au Moyen Age et sur sa dépendance par rapport à Proclus (*cf.* pp. XV-XXXII).

3. Sur les conséquences de cette attribution, *cf.* É. GILSON, *La philosophie au Moyen Age. Des origines patristiques à la fin du XIVᵉ siècle*, Paris, ²1962, p. 345.

4. J. KOCH, « Augustinischer und Dionysischer Neuplatonismus und das Mittelalter », *in* : *Kleine Schriften*, I (Storia e Letteratura. Raccolta di Studi e Testi 127), Rome, 1973, p. 17. Sur le sens réel de la substitution de la « Causa prima » à l'Un Proclien, *cf.* l'analyse de H.D. SAFFREY, « Introduction », p. XXV.

5. Pour le texte original de Proclos, *cf. The Elements of Theology*, éd. E.R. DODDS, Oxford, ²1963. Pour la traduction latine *cf.* C. VANSTEENKISTE, « Elementatio theologica a Guilelmo de Moerbeke translata (textus ineditus) », *Tijdschr. voor Filosofie* 13 (1951), pp. 263-302, 491-531. Nous citons ici la traduction française de J. TROUILLARD, *Proclos. Éléments de théologie. Traduction, introduction et notes*, Paris, 1965. Le texte de la prop. 12 s'y lit pp. 68-69. Il s'agit de la proposition IX du *Livre des causes* (« Omnis intelligentiae fixio et essentia est per bonitatem puram quae est causa prima »). *Cf. Liber de causis, ed. cit.*, § VIII (prop. IX), n° 79, p. 66, 47-48. Voir à ce sujet le commentaire de THOMAS D'AQUIN, *Super Librum de causis expositio, ed. cit.*, p. 58, 4-23.

6. *Cf.* TROUILLARD, pp. 61-64.

7. *Cf.* J. Koch, «Augustinischer und Dionysischer Neuplatonismus …», *loc. cit.*, pp. 17-18.

8. *De fide catholica contra haereticos*, III, 3 ; PL 210, 404D-
405A : «Le même Mercure, dans le livre intitulé *Logostileos*
c'est-à-dire *Verbe parfait*, écrit : "Le Dieu suprême a fait un second
Dieu, et il l'a aimé comme son Fils unique, et il l'a appelé Fils de sa
bénédiction éternelle." Avec quelle élégance cet Hermès Mercure se
serait-il exprimé, s'il avait dit "a engendré" au lieu de "a fait" ! » *Cf.*
sur ce point É. Gilson, *La philosophie au Moyen Age*, p. 313. Noter
qu'Alain cite également le *Liber de causis* sous le titre d'*Aphorismi
de essentia summae bonitatis, in : De fide catholica…*, I, 30 ; PL 210,
334C. L'*Asclepios* a été plusieurs fois édité comme apocryphe parmi
les œuvres d'Apulée, *cf.* par exemple : *Apulei Madaurensis opuscula
quae sunt de philosophia*, éd. A. Goldbacher, Vienne, 1886.

9. Le *Livre des XXIV philosophes* (ou *XXIV sages*), apocryphe
hermétique du xiiᵉ siècle, a d'abord circulé sous le titre de *Liber de
propositionibus sive de regulis theologiae*. Consulter, sur ce point,
l'édition et l'introduction de Cl. Baeumker, «Das pseudo-
hermetische *Buch der vierundzwanzig Meister*», *in : Abhandlungen
aus dem Gebiete der Philosophie und ihrer Geschichte. Eine Festgabe
zum 70. Geburtstag Georg Freiherrn von Hertling*, Fribourg/Brisg.,
1913, pp. 17-40. Le même texte est réimprimé dans les *Beiträge*
XXV/1-2 (1927), pp. 194-214.

10. *Cf. Liber XXIV philosophorum*, éd. Baeumker, *loc. cit*,
p. 208 ; *Magister Alanus de Insulis. Regulae Caelestis Iuris*, éd.
N.M. Häring, *AHDLMA* XLVIII (1982), p. 127 ; *De fide catholica…*, III, 4 ; PL 210, 405D.

11. *Liber XXIV philosophorum, ed. cit.*, p. 205 ; *Regulae
Magistri Alani, ed. cit.*, p. 131.

12. *Cf.* É. Gilson, *La philosophie au Moyen Age*, p. 313.

13. *Liber XXIV philosophorum*, p. 202 ; *Regulae Magistri Alani*,
p. 124. Voir également *De fide catholica…*, III, 4 ; PL 210, 405C-D
(sur l'unité comme origine de la «pluralité divisible») et Dominicus
Gundissalinus, *Liber de unitate*, éd. P. Correns, *Beiträge* I/1
(1893), p. 3.

14. «Unitatem igitur deitatem esse necesse est.» Voir sur ce
point R. De Vaux, O.P., *Notes et textes sur l'Avicennisme latin*
(Bibliothèque thomiste XX), Paris, 1934, p. 89, note 3 qui rectifie
une lecture fautive d'Hauréau.

15. «Unitas est qua unaquaeque res una est, et est id quod est» ;
«Quidquid est ideo est quia unum est.» *Cf.* Gundissalinus, *Liber de
unitate, ed. cit*, pp. 3-8.

16. Pour Boèce, *cf. In Isagogen Porphyrii commenta, ed. sec.*, I,
10 ; *CSEL* XXXX, V, III, p. 162, 2. Pour Avicenne, *cf. Metaphysica*,
III, 1 ; Venetiis 1508, fol. 78ra. Sur Gebirol et Plotin voir les

remarques de G<small>ILSON</small>, *La Philosophie au Moyen Age*, p. 379. Noter qu'Albert le Grand reprend cette formule dans le *Liber de praedicabilibus*, éd. A. Borgnet, *in* : *Opera omnia*, tome 1, Paris, 1890, p. 21a : «Dicunt enim quod Boethius et Aristoteles et Avicenna dicunt, quod omne quod separatum in natura est, ideo est quia unum numero est.» Sur ce point, *cf.* A. D<small>E</small> L<small>IBERA</small>, «Théorie des universaux et réalisme logique chez Albert le Grand», *Revue des sciences philosophiques et théologiques* 65 (1981), p. 57.

17. *De causis*, § XXXI (prop. XXXII), n° 218, *ed. cit.*, p. 114, 3-8. *Cf.* le texte parallèle du *De causis primis et secundis et de fluxu qui consequitur eas, in* : R. D<small>E</small> V<small>AUX</small>, *Notes et textes...*, p. 89, 2-12.

18. Pour tout ceci, *cf.* É. Gilson, *La Philosophie...*, pp. 378-379.

19. É. G<small>ILSON</small>, *La Philosophie...*, p. 382. Pour la critique eckhartienne de la création par la Première Intelligence, *cf. In Genesim*, § 21 ; *LW* I, p. 202, 3-8. Texte latin et traduction française dans A. D<small>E</small> L<small>IBERA</small>, É. W<small>EBER</small> et É. Z<small>UM</small> B<small>RUNN</small>, *Commentaire de la Genèse*, § 21, *in* : *L'Œuvre latine de Maître Eckhart*, I, Paris, 1984, pp. 272-273.

20. Le thème de la création dans le Verbe est exposé avec force dans *In Gen.*, §§ 3-5 ; *LW* I, pp. 186, 13-189, 6 (trad. française *Comm. Gen., ed. cit.*, §§ 3-5, pp. 240-247). Il va de soi qu'on ne saurait assimiler le Verbe divin, deuxième Personne de la Trinité, à la Première Intelligence d'Avicenne. Certes, on note que Maître Eckhart identifie lui-même le «Principe» de la «création *in principio*» à ce qu'il appelle «la nature de l'intellect» («natura intellectus») en s'appuyant à la fois sur l'Écriture (Ps 135, 5 : «qui fecit caelos in intellectu») et sur le *Livre des causes*, § VII (prop. VIII), n° 77, *ed. cit.*, p. 65, 31-33 («Intelligentia ipsa est causa rerum quae sunt sub ea per hoc quod est intelligentia»). Toutefois, cette identification est précisément tournée de manière polémique contre la thèse avicennienne de la création «ex necessitate naturae» exposée en *Met.*, IX, 4 ; Venetiis 1508, fol. 104va. Voir sur ce point *In Gen.*, § 6 ; *LW* I, p. 189, 7-15 (trad. française, *loc. cit.*, pp. 246-247).

21. *Cf. Liber de causis*, § VI (prop. VII), n° 68-69, pp. 62, 81-82. 63, 86-87 («significatio quidem illius [intelligentiae] est reditio sui super essentiam suam [...] sed ipsa stat fixa secundum suam dispositionem»), § XIV (prop. XV), n° 124, p. 79, 50-51 ; n° 128, pp. 79, 65-80, 69 («Omnis sciens qui scit essentiam suam est rediens ad essentiam suam reditione completa [...] Et non significo per reditionem substantiae ad essentiam suam, nisi quia est stans, fixa per se, non indigens in sui fixione et sui essentia re alia regente ipsam, quoniam est substantia simplex, sufficiens per se ipsam») reprise de Proclos, *Element. theol.*, prop. 83, *in comm.* ; Vansteen-kiste, p. 296 («Omne enim quod in operari ad se ipsum conversivum

est, et substantiam habet ad se ipsam convertentem et in se ipsa entem»), Trouillard, p. 111 («Tout ce qui a le pouvoir de convertir vers soi-même son agir possède aussi une substance qui se concentre en elle-même et qui est intérieure à elle-même»). Le «retour complet sur soi» («reditio completa») est retrouvé par Eckhart dans la «conversion réflexive» («conversio reflexiva»), la «résidence» («mansio») et la «fixation» («fixio») de l'Être signifié, selon lui, par l'énoncé d'Ex 3, 14 («Je suis celui qui suis»). Mais il est également allégué (pour les Intelligences) par Thierry de Freiberg, notamment dans le *De intellectu et intelligibili*, éd. B. Mojsisch, *in : Dietrich von Freiberg, Opera omnia*, I : *Schriften zur Intellekttheorie, mit e. Einl. von K. Flasch*, Hambourg, 1977, p. 141, 50-62 (I, 8, 2) et p. 176, 32-44 (II, 38, 1).

    22.   Pour ce texte, *cf.* R. DE VAUX, *Notes et textes...*, pp. 88-140 et *ibid.*, pp. 63-80, «La date, les sources et la doctrine du *Liber de causis primis et secundis*». L'influence de cette œuvre (préservée seulement dans trois manuscrits) sur la théologie rhénane paraît peu probable. Albert le Grand pourrait l'avoir connue. R. DE VAUX allègue en ce sens un intéressant passage de la *Summa de creaturis* (*quaest*. 80, a. 1 ; Borgnet 35, p. 648) où le maître de l'école de Cologne rapporte un argument des partisans de l'éternité du monde fondé sur l'affirmation que «l'Un ne peut donner naissance qu'à l'un» ou, si l'on préfère, que la «Première cause ne peut produire qu'un seul effet» (De Vaux, pp. 54-55). Cet argument est le suivant : «Les Maîtres font cette objection [à la doctrine traditionnelle de la création] : Le même étant uniforme dans sa façon d'être ne peut faire que le même. Mais Dieu est un être qui est le même et qui est uniforme dans sa façon d'être. Donc il fait toujours le même. S'il a donc créé le monde, c'est de toute éternité qu'il l'a créé.» Le principe invoqué («Idem eodem modo se habens natum est facere idem») est emprunté au *De generatione et corruptione* d'Aristote, cependant, comme le note De Vaux, la réponse d'Albert est «dirigée contre des disciples d'Avicenne» (De Vaux, p. 55). Il est possible, dans ces conditions, que l'argument dans son entier révèle une «diffusion du système cosmique d'Avicenne» (p. 56) chez certains de ses anciens collègues de la faculté des arts, diffusion qui s'expliquerait par l'influence du *Liber de causis primis et secundis*. Le point est important, dans la mesure où la même discussion se retrouve chez Eckhart, *In Genesim*, §§ 10-12 ; trad. pp. 258-261. Toutefois, cela est clair, si le *Liber* a exercé ici une influence sur Eckhart, elle a été purement négative. Une influence plus positive pourrait, peut-être, être relevée dans le réemploi de certains fragments de Jean Scot Erigène, abondamment cité tout au long de l'ouvrage. Mais on se heurte ici à deux inconnues : d'une part, l'importance de l'érigénisme dans l'école de Cologne (Jean Scot étant un auteur que l'on ne peut

citer que de façon «muette»), d'autre part, les sources de la connaissance d'Erigène dans le milieu des disciples d'Albert. Pour prendre un seul exemple, l'influence réelle de l'Irlandais sur un Eckhart est encore à déterminer. Certains passages de *In Genesim* évoquent Jean Scot : nous en avons signalé quelques-uns dans les notes de notre traduction (§ 3, pp. 241-242 ; § 5, p. 246 ; § 7, pp. 248-251, etc.). On peut aussi penser au thème développé dans le sermon *Nolite timere eos qui corpus occidunt* : «Toutes les créatures se rassemblent dans ma raison afin que je les prépare toutes à retourner à Dieu» (*cf. Maître Eckhart, Traités et sermons*, traduits de l'allemand par F.A. et J.M. avec une introduction par M. de Gandillac, Paris, 1942, pp. 244-246), lequel évoque clairement la doctrine érigénienne de la réintégration en Dieu des êtres qui subsistent dans la pensée sous leur forme intelligible, par la réintégration de l'âme humaine dans sa Cause première ou Idée (*cf.* GILSON, *La Philosophie…*, p. 220). Une enquête systématique n'en reste pas moins à faire sur ce point. Pour ce qui est des sources, les textes du pseudo-Honoré d'Autun (Honorius Augustodunensis) souvent cités par Eckhart ou Berthold pourraient déjà offrir un intermédiaire suffisant. Dans le cas du Thuringien qui, on le verra, a séjourné plusieurs fois à Paris, le *Corpus* dionysien de l'université de Paris — truffé de citations muettes du *De divisione naturae* offre une autre source dont l'importance reste elle-même encore à évaluer (sur ce texte, *cf.*H.F. DONDAINE, *O.P., Le Corpus dionysien de l'université de Paris au* XIIIᵉ *siècle* [Edizioni di storia e letteratura], Rome, 1953). On le constate à ces brefs exemples, les «sentiers» vers Erigène restent multiples. Cette multiplicité même semble exclure que le *Liber de causis primis et secundis* ait eu à jouer un rôle significatif dans la transmission de la pensée de l'Irlandais à un milieu culturel qui pouvait l'aborder par tant d'autres canaux. Quant à son rôle dans la propagation d'Avicenne, il va de soi que le filtre albertinien suffisait. On ne saurait d'ailleurs oublier que des auteurs comme Eckhart ont effectivement pratiqué Avicenne, sans intermédiaire, surtout de second ordre. Enfin, pour conclure sur ce point, si, à bien des égards, la théologie rhénane prend la suite de l'augustinisme avicennisant, elle ne s'y réduit en aucune manière, ce qui signifie, entre autres, que les témoins de l'augustinisme avicennisant ne peuvent être considérés, au plus, que comme des auxiliaires occasionnels, jamais, en tout cas, comme des sources directes de l'élan théologique néoplatonisant qui caractérise l'école d'Albert.

23. É. GILSON, *La Philosophie…*, p. 383.

24. É. GILSON, p. 383. *Cf.* également M.H. VICAIRE, «Les Porrétains et l'avicennisme latin», *Revue des sciences phil. et théol.* 26 (1937), pp. 449-482.

25. É. GILSON, *La Philosophie...*, p. 380.

26. R. IMBACH, « Le (Néo-)Platonisme médiéval, Proclus latin et l'École dominicaine allemande », *Revue de théol. et de phil.* 110 (1978), p. 431. Sur l'influence de Proclos au Moyen Age, *cf.* M. GRABMANN, « Die Proklosübersetzungen des Wilhelm von Moerbeke und ihre Verwertung in der lateinischen Literatur des Mittelalters, *in : Mittelalterliches Geistesleben*, II, Münich, 1936, pp. 413-424.

27. R. IMBACH, « Le (Néo-)Platonisme... », p. 431.

28. F. VETTER, *Die Predigten Taulers* (Deutsche Texte des Mittelalters XI), Berlin, 1910, pp. 300, 27-301, 1 ; 332, 21-23 ; 347, 20-21 ; 350, 20-22 ; 358, 14-16.

29. R. IMBACH, « Le (Néo-)Platonisme... », p. 433.

30. *Cf.* C. STEEL, « Introduction », *in : Proclus. Commentaire sur le Parménide de Platon. Traduction de Guillaume de Moerbeke*, Tome I : Livres I à IV, éd. critique (Ancient and Medieval Philosophy. De Wulf-Mansion centre series 1, III), Louvain-Leyde, 1982, p. 35*. L'influence de Proclus sur Eckhart est formellement rejetée par J. KOCH, *Platonismus im Mittelalter*, Krefeld, 1949, pp. 29-32. Pour R. Klibansky, en revanche, Eckhart est redevable à l'*In Parmenidem* de sa théorie de la « négation de la négation » (« negatio negationis »). *Cf. Ein Proklos-Fund und seine Bedeutung* (Sitzungsber. Heidelberger Akad. Wiss. 1928/29, 5), Heidelberg, 1929, p. 12 ; *The Continuity of Platonic Tradition during the Middle Ages*, Londres, 1939, p. 26. W. Beierwaltes laisse, quant à lui, la question ouverte, *cf. Proklos. Grundzüge seiner Metaphysik*, Francfort/Main, 1965, pp. 395-398.

31. Voir ces textes dans C. STEEL, « Introduction », *loc. cit*, pp. 35*-36*.

32. *Cf. infra,* pp. 278-279.

33. *Cf.* pour tout ceci L. STURLESE, « Proclo ed Ermete... », p. 24.

34. *Cf.* THIERRY DE FREIBERG, *De animatione caeli*, 7, 2, éd. L. Sturlese, *in : Dietrich von Freiberg, Opera Omnia*, Tom. III : *Schriften zur Naturphilosophie und Metaphysik, mit einer Einl. von K. Flasch* (Corpus Philosophorum Teutonicorum Medii Aevi, II, 3), Hambourg, 1983, p. 18, 48-57. Le premier texte cité par Thierry est en fait celui de la proposition 174 (Trouillard, p. 164). Pour le commentaire de la proposition 34, cf. Trouillard, p. 84.

35. BERTHOLD DE MOOSBURG, *Expositio super Elementationem theologicam Procli, Expositio tituli*, D, texte cité par L. STURLESE, *in* : « Proclo ed Ermete... », p. 25.

36. J. TAULER, *Pr.* 61. Texte allemand dans F. VETTER, *Die Predigten Taulers*, p. 332. Traduction française empruntée aux

*Œuvres complètes de Jean Tauler*, Tome V : *Propre et commun des saints*, Paris, 1912, p. 117.

37. L. Sturlese, « Proclo ed Ermete... », p. 24.

38. É. Gilson, *La Philosophie...*, p. 380.

39. J. Koch, « Augustinischer und Dionysischer Neuplatonismus... », pp. 3-35.

40. Nous avons étudié certains aspects de cette influence dans A. de Libera, « A propos de quelques théories logiques de Maître Eckhart : Existe-t-il une tradition médiévale de la logique néoplatonicienne ? », *Rev. Théol. et Phil.* 113 (1981), pp. 1-24. *Cf.* notamment pour le *De Trinitate*, pp. 6-13.

41. J. Koch, « Augustinischer und Dionysischer Neuplatonismus... », pp. 18 *sqq*. A l'appui de sa thèse Koch mentionne surtout J. Scot Erigène (pp. 19-20) et Thierry de Chartres (pp. 20-22). Mais il s'intéresse aussi à Ulrich de Strasbourg (pp. 22-23) et à Maître Eckhart (pp. 23-25).

42. *Cf.* H. F. Dondaine, « L'objet et le *medium* de la vision béatifique chez les théologiens du xiiie siècle », *Rev. Théol. anc. et méd.* 19 (1952), pp. 60-130. Pour tout ce qui suit, *cf.* É. Wéber, « Eckhart et l'ontothéologisme : histoire et conditions d'une rupture », *in : Maître Eckhart à Paris. Une critique médiévale de l'ontothéologie. Les Questions parisiennes n° 1 et n° 2 d'Eckhart*. Études, textes et traductions par É. Zum Brunn, Z. Kaluza, A. de Libera, P. Vignaux et É. Wéber (Bibliothèque de l'École des Hautes Études. Section des sciences religieuses LXXXV), Paris, 1983, pp. 55 *sqq*.

43. *Cf.* Bonaventure, *In II Sent.*, d. 23, a. 2, q. 3, ad 4 ; Quarrachi II, p. 545. La formule attribuée à Bernard est de Guillaume de Saint-Thierry. Elle est souvent citée en parallèle avec une formule assez semblable d'Hugues de Saint-Victor : « La dilection l'emporte sur la connaissance. Elle est plus grande que l'intellection car on aime plus qu'on ne comprend. Là où le savoir reste à l'extérieur, l'amour réussit à s'approcher et à pénétrer. » (*Exp. in Cael. Hier.*, cap. VI ; PL 175, 1038D). On sait que pour le courant « caritatif » issu d'Hugues et Richard de Saint-Victor, de Guillaume de Saint-Thierry et Bernard de Clairvaux, c'est « l'amour lui-même » qui « est intellection ». Voir sur ce point J. Déchanet, « *Amor ipse intellectus est*. La doctrine de l'amour intellection chez Guillaume de Saint-Thierry », *Rev. du Moyen Age lat.* 1 (1945), pp. 349-374. Au xiiie siècle c'est surtout chez Bonaventure et Thomas de Verceil que l'on retrouve l'affirmation de la supériorité de l'amour sur la connaissance qui alimentera la polémique anti-eckhartienne d'« augustinisants » comme Gonzalve d'Espagne. Sur Thomas de Verceil, *cf.* F. Ruello, « La mystique de l'Exode (*Exode* 3, 14 selon Thomas Gallus, commentateur dionysien, † 1246) », *in : Dieu et*

*l'Être, Exégèses d'Exode 3, 14 et de Coran 20, 11-14*, Études Augustiniennes, Paris, 1978, pp. 213-243.

44. Voir sur ce point le *Grand commentaire sur la Théologie mystique de Denys* édité par G. Théry, Paris, 1934 (*Prol*, pp. 14. 15, 5-8 ; *cap*. 1, pp. 34, 4-8. 41, 10. 42, 1. 70, 5-11 et *passim*) et la *Paraphrase des Noms divins*, cap. 7 ; *Dionysiaca* I, p. 696, n° 385. Le thème de l'«étincelle de la syndérèse» sera repris en un tout autre sens par Eckhart. *Cf. infra*, pp. 251-259.

45. *Cf.* BONAVENTURE, *In III Sent.*, d. 26, a. 2, q. 1, ad 2 ; Quarrachi III, p. 570a : « La puissance affective unit plus à l'objet de l'affection que la puissance cognitive n'unit à l'objet de connaissance, c'est pourquoi l'amour transforme l'amant en l'aimé. » (« Affectiva [potentia] magis unit ipsi affectibili quam cognitiva cognoscibili, unde "amor transformat amantem in amato". »)

46. *Cf. Les Noms divins*, chap. VII, § 1 ; PG 3, 865B ; VII, § 3 ; PG 3, 872B ; trad. M. de Gandillac, *Œuvres complètes du Pseudo-Denys l'Aréopagite. Traduction, commentaires et notes*, Paris, [2]1980, pp. 141 et 145.

47. Voir sur ce point l'«Introduction» de R. Roques à la traduction de *Denys l'Aréopagite. La Hiérarchie céleste* (Sources chrétiennes 58[bis]), Paris, 1970, pp. XXXIX-XLVIII. *Cf.* l'intéressant rapprochement avec Proclos, pp. LXIV-LXXI.

48. Sur la « métaphysique de la conversion », *cf.* É. GILSON, *La Philosophie...*, p. 137 et *Introduction à l'étude de saint Augustin*, Paris, [3]1949, p. 316. Voir plus spécialement É. ZUM BRUNN, *Le Dilemme de l'Être et du Néant chez saint Augustin. Des premiers dialogues aux Confessions*, Études Augustiniennes, Paris, 1969, pp. 90-97. Sur la « métaphysique de l'Exode » considérée par É. Gilson comme « la pierre angulaire de la philosophie chrétienne », *cf. L'Esprit de la philosophie médiévale* (Études de philosophie médiévale XXXIII), Paris, [2]1969, p. 51. Voir à ce sujet les remarques de W. BEIERWALTES, « Deus est esse — esse est Deus », *in : Platonismus und Idealismus* (Philos. Abhandlungen 40), Francfort/Main, 1972, pp. 5-82. Consulter également É. ZUM BRUNN, « L'exégèse augustinienne de "Ego sum qui sum" et la "Métaphysique de l'Exode" », *in : Dieu et l'Être...*, pp. 141-164 et *ibid*. « La "Métaphysique de l'Exode" selon Thomas d'Aquin », pp. 245-269.

49. R. ROQUES, « Introduction », pp. XLII *sqq*.

50. *Cf.* É. ZUM BRUNN, *Le Dilemme...*, pp. 32 *sqq*. et 64 *sqq*. Voir notamment le beau passage des *Soliloques*, II, 19, 33 ; BA 5, p. 154, cité et commenté p. 33 : «-*(ratio)* : L'âme est immortelle. Crois enfin à tes propres arguments, crois à la vérité ; elle proclame qu'elle habite en toi, qu'elle est immortelle, et que nulle mort corporelle ne peut lui ravir sa demeure. Détourne-toi de ton ombre, reviens en toi (« Avertere ab umbra tua, revertere in te ») ; il n'y a pas

de mort pour toi, sauf si tu ignores que tu ne peux pas mourir. »
« -(Augustin) : J'entends, je rentre en moi-même, je commence à me
reconnaître (« Audio, resipisco, recolere incipio »). »
51. É. Gilson, *La Philosophie...*, p. 516.
52. É. Gilson, *ibid.*
53. É. Gilson, *La Philosophie...*, p. 512.
54. *Cf.* É. Wéber, « La relation de la philosophie et de la
théologie selon Albert le Grand », *Archives de philosophie* 43 (1980),
p. 571 qui renvoie à *Metaphysica*, I, tract. 2, cap. 4, éd. B. Geyer ;
Editio Coloniensis XVI/1, Monasterii/Westf., 1960, pp. 21, 87-22, 6.
55. É. Gilson, *La Philosophie...*, p. 514.
56. É. Gilson, *La Philosophie...*, *ibid.*
57. *Cf. supra*, p. 34.
58. Au premier plan desquels Gonzalve d'Espagne. Sur ce point
*cf. infra*, pp. 267-268.
59. *Cf. infra*, pp. 287-295.
60. É. Gilson, *La Philosophie...*, p. 136.
61. *Summa theologiae*, Ia Pars, tract. I, q. 1, sol., éd. D. Siedler ;
Editio Coloniensis XXXIV/1, Monasterii/Westf., 1978, p. 6, 52
*sqq.* : « La théologie est en toute vérité science et plus encore
sagesse, car elle résulte des causes les plus ultimes, celles qu'il est
difficile à l'homme de connaître. Celui qui connaît ces causes, le
Philosophe, au I$^{er}$ livre de la *Philosophie première*, le déclare sage, et
ce savoir, il le nomme sagesse. » (trad. de É. Wéber, « La relation de
la philosophie et de la théologie... », p. 565). *Cf.* également *De bono*,
tract. 4, q. II, a. 6, éd. H. Kühle, C. Feckes, B. Geyer et W. Kübel ;
Editio Coloniensis XXVIII, Monasterii/Westf., 1951, p. 257, 75.
62. *Summa theologiae*, Ia Pars, tract. I, q. 3 ; *ed. cit*, p. 13, 68
*sqq* ; *In I Sent.*, d. 1, a. 4, sol. ; éd. Borgnet, *in : Opera Omnia*, tome
25, Paris, 1890, p. 18.
63. *Summa theologiae*, Ia Pars, tract. I, q. 4, sol. ; p. 15, 21 *sqq.*
64. *Summa theologiae*, Ia Pars, tract. I, q. 3, c. 1, sol. ; p. 10, 90
*sqq.*
65. *In I Sent*, d. 1, a. 2, sol. ; p. 16 ; a. 3, sol. ; p. 17 ; a. 4, sol. ;
p. 18. Pour d'autres sources, *cf.* É. Wéber, « La relation... », p. 565.
66. *Cf.* Augustin, *De Trinitate*, XV, vii, 11 ; BA 16, p. 448.
67. *De Trinitate*, XV, xxi, 40 ; BA 16, pp. 532-533.
68. *Cf.* à ce sujet B. Mojsisch, *Die Theorie des Intellekts bei
Dietrich von Freiberg* (Beihefte zum *CPTMA*, Beih. 1), Hambourg,
1977, p. 42, note 21.
69. *De Trin.*, XIV, viii, 11 ; BA 16, pp. 372-373.
70. *De Trin.*, XIV, vii, 9 ; BA 16, pp. 368-369.
71. *De Trin.*, XIV, vii, 9 ; BA 16, pp. 368-369.
72. Comme le suggère l'intertitre de la traduction de la BA, *loc.
cit.*

73. *De Trin.*, XIV, VII, 9 ; BA 16, pp. 368-369.

74. B. MOJSISCH, *Die Theorie des Intellekts...*, p. 42.

75. *De Trin.*, XIV, VIII, 11 ; BA 16, pp. 372-373.

76. *De Trin.*, *ibid.*

77. *Cf.* AUGUSTIN, *In I^{am} Epist. Joann.*, VIII, 6 ; SC 75, p. 350. Nous reviendrons sur ce point à propos de la théorie de la « fonction constitutive de l'intellect » chez Thierry de Freiberg. *Cf. infra*, p. 223, note 73.

78. *Cf.* B. MOJSISCH, *Die Theorie...* » p. 43.

79. Sur la « participation de sagesse » dans sa distinction d'avec la « participation de simple existence », *cf.* É. ZUM BRUNN, *Le Dilemme...*, pp. 17-41.

80. *Cf.* à ce sujet É. WÉBER, « Eckhart et l'ontothéologisme... », chap. III : « Le problème de la vie bienheureuse », pp. 55-72, notamment pp. 64-72 : « Les traditionalistes jusqu'à Gonzalve d'Espagne et Duns Scot ».

81. ALBERT LE GRAND, *De Anima*, III, tract. 2, cap. 1, éd. Cl. Stroick ; Editio Coloniensis VII/1, Monasterii/Westf., 1968, p. 177, 59-60.

82. Sur la noétique d'Albert en elle-même et dans ses rapports avec celle d'Avicenne, *cf.* essentiellement É. GILSON, « L'âme raisonnable chez Albert le Grand », *AHDLMA* XIV (1943), pp. 5-72 ; A.C. PEGIS, « St. Albert the Great and the problem of the soul as form and substance », *in : St. Thomas and the problem of the soul in the thirteenth century*, Toronto, 1934, pp. 77-120. Pour une bibliographie plus détaillée, *cf.* B. MOJSISCH, « La psychologie philosophique d'Albert le Grand et la théorie de l'intellect de Dietrich de Freiberg. Essai de comparaison », *Archives de philosophie* 43 (1980), pp. 675-676, note 1. Sur la noétique d'Avicenne, consulter essentiellement É. GILSON, « Les sources gréco-arabes de l'augustinisme avicennisant », *AHDLMA* IV (1929), pp. 5-158 [réimp. Vrin-Reprise, Paris, 1981]. *Cf.* également : *La Philosophie...*, pp. 352-356.

83. Sur *quod est* et *quo est*, *cf.* É. GILSON, « L'âme raisonnable... », pp. 37-50 et B. MOJSISCH, « La psychologie... », pp. 678 *sqq.* qui cite un intéressant passage du *De natura et origine animae* d'Albert (I, cap. 8 ; Ed. Coloniensis XII, p. 17, 16-24) : « C'est pourquoi Aristote lui-même ne dit pas que l'âme est un "quelque chose" ("hoc aliquid") et dit, au contraire, qu'elle est une forme au sens absolu ("formam absolute"). Mais il vaut encore mieux dire que c'est une nature intellectuelle ("natura intellectualis") composée de *ce qui est* de sa nature intellectuelle ("ex eo quod est de natura sua intellectuali") et de *ce par quoi* est la perfection de l'intellect ("et ex eo quo est perfectio intellectus"). » Pour une confrontation entre ce

texte et les formulations plus radicales de la *Summa de creaturis, cf.*
B. MOJSISCH, « La psychologie... », pp. 678-679.
84. Voir à ce sujet le *De ente et essentia* dans l'édition de M.D.
Roland-Gosselin, *O.P.* (Bibliothèque thomiste VIII), Paris, 1948.
Voir aussi dans ce même volume les chap. VIII (sur Albert) et IX
(sur Thomas) de l'étude de Roland-Gosselin sur « La distinction
réelle entre l'essence et l'être ». Pour *quod est* et *quo est* chez
Thomas, *cf.* notamment, pp. 185 *sqq.*
85. ALBERT LE GRAND, *Summa de creaturis*, IIa Pars, tract. I, q.
55, a. 4, part. 1, sol ; éd. Borgnet, *in : Opera omnia*, tome 35,
p. 470a. *Cf.* à ce propos la précision introduite par Albert dans *In I
Sent*, d. 3, a. 34, sol ; Borgnet 25, p. 140a : « Il faut dire qu'en vérité
les puissances *(vires)* de l'âme sont des propriétés [...] et que si d'un
point de vue elles sont substantielles, d'un autre, elles apparaissent
comme postérieures à l'être *(consequentes esse)*. En effet, si l'on
considère l'âme dans son être, en tant qu'elle est une certaine
substance spirituelle, [ses puissances] sont postérieures à l'être et
c'est ainsi que sont engendrés *(principiantur)* à partir de cet être
l'intellect agent et l'intellect possible [...]. Si, en revanche, l'âme est
considérée comme une substance agissant à l'extérieur et dans le
corps, elle est prise comme un "tout capacitaire" *(totum potestati-
vum)* dont la "capacité" *(potestas)* complète est composée de toutes
les capacités particulières de ses puissances *(ex particularibus
potestatibus potentiarum)*, et c'est ainsi que [ces puissances] sont
substantielles et que sans elles l'âme n'atteint pas à la perfection de
son pouvoir *(in perfectione sui posse)*. » B. Mojsisch commente (à la
lumière de *Summa de creaturis*, IIa Pars, tract. I, q. 54, a. 1 ; B. 35,
p. 451b) : « D'après ce texte les puissances de l'âme sont des parties
substantielles, reliées subtantiellement à l'essence de l'âme, laquelle
en même temps est principe de ses parties par son *quo est* et son *quod
est* — du moins si on la considère dans son être, en tant qu'elle est
une substance spirituelle indépendante. Cette prééminence ontologique de l'âme vis-à-vis des parties qui lui sont unies substantiellement
constitue la base de la psychologie philosophique d'Albert. » *Cf.*
B. MOJSISCH, « La psychologie... », p. 679.
86. ARISTOTE, *De Anima*, III, 5, 430a 10-19. Comme l'écrit
É. Gilson : « L'histoire de l'intellect au moyen âge se confond avec
celle des interprétations » du texte aristotélicien. « Réduit à ce qu'il
contient d'à peu près intelligible, ce texte obscur soumettait » les
thèses suivantes : (a) Dans tout être, naturel ou artificiel, il y a un
élément qui joue le rôle de matière, et un élément qui joue le rôle de
forme. L'un est en puissance, l'autre produit en acte tout ce qui
rentre dans son genre. Il doit donc y avoir, dans l'âme aussi, un
intellect apte à tout devenir et un intellect capable de tout produire.
(b) L'intellect capable de tout produire (le *nous poietikos*

d'Alexandre d'Aphrodise) est un habitus. (c) Il se comporte à l'égard des intelligibles en puissance qu'il rend intelligibles en acte, comme la lumière se comporte à l'égard des couleurs en puissance qu'elle rend couleurs en acte. (d) Il est séparé. (e) Il est impassible. (f) Il n'est pas mélangé. (g) Il est acte par essence. (h) Il est immortel et éternel. (i) L'intellect passif *(nous pathētikos)* est au contraire corruptible et ne peut penser sans le premier. *Cf.* « Les sources gréco-arabes... », p. 6. Rapproché de certains passages de *Métaphysique*, XII, 7, 1072b 14-21 et XIII, 9, 1074 28-35, ainsi que de l'*Éthique à Nicomaque*, X, 17, 1177b 26-34, le texte aristotélicien a été interprété par Avicenne comme identifiant l'intellect agent avec un principe transcendant à l'âme humaine. C'est dans la mouvance de cette problématique que se déploie la théorie d'Albert.

87. É. GILSON, *La Philosophie...*, p. 513.

88. *Cf.* É. GILSON, « Les sources gréco-arabes... » pp. 71-72.

89. *Cf.* É. GILSON, « Les sources gréco-arabes... », pp. 79-92.

90. *Cf.* É. GILSON, *La Philosophie...*, p. 515.

91. É. GILSON, *La Philosophie...*, *ibid.*

92. É. GILSON, *ibid.*

93. *Cf.* ALBERT LE GRAND, *Super Dionysii Mysticam theologiam*, cap. 1, éd. P. Simon ; Editio Coloniensis XXXVI/2, Monasterii/Westf., 1978, p. 458, 18 *sqq.*

94. Sur le *magis* et le *minus esse*, *cf.* É. ZUM BRUNN, *Le Dilemme...*, pp. 72 *sqq.* et 83 *sqq.*

95. Pour tout ce qui suit, *cf.* notamment É. GILSON, *La Philosophie...*, pp. 352-353. « Les sources gréco-arabes... », pp. 72-74.

96. Sur le sens spirituel du progrès intellectuel *de die in diem*, *cf.* ALBERT LE GRAND, *De Anima*, III, tract. 3, cap. 11 ; Editio Coloniensis VII/1, p. 222, 91-94 et B. MOJSISCH, « La psychologie... », pp. 683-685.

97. Sur l'influence d'Averroès, *cf.* É. WÉBER, « *Eckhart et l'ontothéologisme...* », pp. 63 *sqq.*, notamment : « Le *Grand commentaire* sur le *De anima* du philosophe cordouan déclarait que l'intellect "matériel" (réceptif, "possible") juge des choses infinies [*De anima*, III, comm. 19 ; éd. Crawford, p. 441, 43 *sqq.*]. Albert en a repris l'idée dans son *Liber de causis* [II, tract. 3, cap. 4 ; Borgnet 10, p. 553]. Dès le *Commentaire* sur *Les Noms divins*, il amorçait la doctrine d'un infini réel dans la connaissance intellective [*Super Dionysium De div. nom.*, cap. 7, § 25, éd. P. Simon ; Editio Coloniensis XXXVII/1, Monasterii/Westf., 1972, p. 357, 8]. Même si ailleurs il écrit que l'infini répugne à l'intellect [...] pour la pensée intellective en sa réciprocité, Albert signale non seulement une disponibilité infinie, mais encore, au moins pour le don infus communiqué par l'Esprit-Saint (donc au niveau créé), un caractère

infini compris comme tel au contact de l'anagogie dionysienne [*Super Dion. De div. nom.*, cap. 4, § 64, *ed. cit.*, p. 173, 74 ; cap. 9, § 4, ed. cit., p. 379, 60].» *Cf.* également É. Wéber, «Les apports positifs de la noétique d'Ibn Rushd à celle de Thomas d'Aquin», *in : Multiple Averroès*, Paris, 1978, pp. 224-227, notamment p. 225 : «Pour le maître de Thomas, l'intellect agent (humain ? divin ? : il y a une ambivalence irréductible), c'est le principe qui a incorporé aux choses leur forme respective (en les tirant de lui-même). Conjuguant, non sans complicités augustiniennes (les Idées illuminatrices), le cercle causal : Cause première — pensée créée — retour au principe, typique de la conception dionysienne de l'illumination, et le cercle de l'intellection évoqué par Averroès, Albert, suivi par Thomas, enseigne que l'âme intellective récolte, dans le réel extérieur et sensible, la lumière issue de l'intellect agent.»

98. Denys, *Les Noms divins*, chap. 9, § 5 ; PG 3, 912D ; trad. M. de Gandillac, p. 156.

99. *Cf.* G. Engehardt, *Die Entwicklung der dogmatischer Glaubenspsychologie in der mittelalterlichen Scholastik vom Abaelardstreit (um 1140) bis zu Philip dem Kanzler (gest. 1326), Beiträge* XXX/4-6, Münster/Westf., 1933, p. 436.

100. Albert le Grand, *In III Sent*, d. 23, a. 10, sol. ; Borgnet 28, p. 424b et *ibid.* a. 8, sol. ; p. 419b : «Fides [...] est lumen informans intellectum.» *Cf.* à ce sujet, É. Weber, «La relation de la philosophie et de la théologie...», pp. 577 *sqq.*

101. *Cf. In III Sent*, d. 29, a. 17, sol. ; *ed. cit.*, pp. 434b-435b.

102. *In I Sent.*, d. 1, a. 15, sol. ; Borgnet 25, p. 36a.

103. *In IV Sent.*, d. 49, a. 5 ; Borgnet 30, p. 670b : «Dans la patrie, il y a au sein de l'intellect la lumière de gloire qui comble totalement l'âme et l'irradie de vie éternelle. Sous cette lumière l'âme s'oriente de façon immédiate vers Dieu, ne recevant de lui rien d'autre que lui-même. Unie de la sorte avec lui, "dans un unique esprit", elle le connaît.» Et *ibid.* ad 1-2 : «La lumière incirconscriptible de la déité, laquelle est Dieu lui-même, s'unit dans la patrie à notre intellect agent. Elle se répand selon un mode substantiel sur toute l'âme pour la combler. Celle-ci sera emplie de Dieu même qui est sa béatitude. C'est ce qu'ont obscurément affirmé les philosophes en disant que si l'âme, après la mort, entrait en "contact" ("continuaretur") avec le Premier moteur, ce serait pour son épanouissement.» Analyse de ces textes dans É. Weber, «La relation...», pp. 579 *sqq.*

104. *Les Noms divins*, chap. II, § 9 ; PG 3, 648B. M. de Gandillac traduit par «expérience vécue», (p. 86). R. Roques, «Introduction...», par «il en éprouvait encore en lui-même les effets» (p. XXX).

105. *Super Dionysii Mysticam theologiam*, cap. 1, *ed. cit.*, p. 460, 74.

106. *Super Dion. Myst. theol., ibid.*, p. 462-23.

107. É. WEBER, «La relation...», p. 580.

108. Le texte intégral en moyen-haut allemand de ce «Dit de Coblence», publié par Droncke en 1837 (*in : Anzeiger für Kunde der teutschen Vorzeit* 6 [1837], p. 75), est repris et analysé en détail par L. STURLESE, «Alle origini...», pp. 28-29. Thierry de Freiberg y est désigné comme «le plus grand clerc et le plus saint de tous les hommes de son temps» («by sinen ziten der groeste pfaffe und der heiligesten man»).

109. L. STURLESE, «Alle origini...», p. 28 pour le texte original.

110. Texte original dans L. STURLESE, «Alle origini...», pp. 31-32, d'après C. HÖFLER, «Gedicht auf Meister Eckhart», *Germania* 15 (1870), pp. 97-99.

111. Voir les commentaires de L. STURLESE, «Alle origini...», pp. 32-36.

112. *Cf. infra,* pp. 242-250.

113. Texte dans L. STURLESE, «Alle origini...», p. 32. Sur Eckhart et Thierry, *cf.* également les «Dits des douze maîtres», texte dans A. SPAMER, *Texte aus der deutschen Mystik...*, pp. 175-177. Analyse dans L. STURLESE, «Alle origini...», pp. 36 *sqq.*

CHAPITRE III

# HUGUES RIPELIN
# DE STRASBOURG

## L'HOMME

On sait peu de chose sur la vie d'Hugues Ripelin. Élève du couvent de Strasbourg, prieur du couvent de Zürich de 1232 à 1242, puis de 1252 à 1259, supérieur du même couvent en 1247-1248, il est à nouveau à Strasbourg en 1260 où il occupe les fonctions de prieur en 1261. Il meurt avant 1268. Il semble qu'il ait composé son œuvre, le *Compendium theologicae veritatis,* entre 1260 et 1268[1]. Une ancienne chronique le décrit ainsi : « Frère Hugues Ripelin de Strasbourg, longtemps prieur de Zürich, puis de Strasbourg, bon chanteur, prédicateur digne de louanges, maître dans l'art de dicter, d'écrire et de dessiner, homme gracieux en toutes choses, auteur d'une somme sur la vérité théologique[2]. »

## L'ŒUVRE

Le *Compendium* a été très tôt traduit en langue vulgaire. On en connaît aujourd'hui plus de vingt manuscrits en moyen-haut allemand[3]. Selon H. Fischer, le *Compendium* suit le plan du *Breviloquium* de Bonaventure. C'est exact. On y relève, toutefois d'autres influences : les Victorins, saint Thomas, les *Sentences* de Pierre Lombard, et surtout Albert le Grand[4]. Nous reviendrons sur ce point tout à l'heure.

L'influence du *Compendium* sur la spiritualité allemande est bien établie : Suso l'a utilisé[5], Tauler l'a certainement connu[6], Gérard de Sterngassen en cite plusieurs extraits dans son *Pratum animarum*[7]. Son influence sur la prose et la poésie du moyen-haut allemand est également évidente dans le *Der Seele Rat* d'Henri de Burgus, le *Martina* d'Hugues de Langenstein, le *Von Gotes Zuokunst* d'Henri de Neustadt[8].

Le *Compendium* est l'unique œuvre connue d'Hugues de Strasbourg. A la fois manifeste de l'albertisme et condensé de la théologie, cet ouvrage aux proportions relativement modestes contient sept livres, dont l'articulation systématique dépasse pourtant la progression purement intellectuelle des Sommes. Tout imprégnée des promesses de la Bible, manifestement née des urgences de la prédication, l'œuvre d'Hugues est comme la confession d'une foi armée par la pensée d'un maître sûr, dont elle reprend ici l'esprit, là, la lettre. Plus qu'une compilation de textes extérieurs, c'est le relevé patient et confiant d'un système qui se confond avec les interrogations fondamentales du chrétien en même temps qu'avec les réponses affirmées d'une théologie en train de se faire. C'est donc le double témoin de l'effort heurté de la foi et de la calme certitude de l'intelligence.

C'est méconnaître la profondeur de la pensée médiévale que de réduire la répétition des doctrines autoritaires au simple report des autorités. La répétition, la compilation, la reconstruction des bribes d'un enseignement sont un acte d'intelligence. Disciple d'Albert, Hugues de Strasbourg n'est pas un simple propagateur scolaire de vérités simplifiées. C'est aussi et d'abord un esprit en quête du vrai, qui se fait l'écho des enseignements reçus et qui, à force d'entendre dans la rigidité des philosophèmes l'appel de l'inconnu, trouve dans sa propre foi de quoi organiser un système que son maître a lui-même, au fond, poursuivi toute sa vie.

L'aspect systématique du *Compendium*, hérité du *Breviloquium* de Bonaventure, apparaît clairement dans l'enchaînement des livres qui le composent.

Le livre I, *la Nature de la Déité*, contient trente-quatre chapitres [9] : (I) Dieu est, (II) Dieu est Un, (III) Il y a un seul principe, (IV) Le Père est, (V) Le Fils est, (VI) Le Fils est l'image du Père, (VII) L'Esprit saint est, (VIII) L'Esprit saint est l'amour du Père et du Fils, (IX) L'Esprit saint est la charité et le don des saints, (X) Il y a unité de l'essence dans la trinité des personnes, (XI) La Trinité est multiple (*multiplex*) (XII) Il y a égalité entre les personnes, (XIII) Il y a différence entre l'essence et la personne, (XIV) De l'immensité de Dieu, (XV) De l'infinité de Dieu, (XVI) De l'incompréhensibilité de Dieu, (XVII) De l'incirconscribilité de Dieu, (XVIII) De l'éternité de Dieu, (XIX) De l'immutabilité de Dieu, (XX) De la simplicité de Dieu, (XXI) De l'excellence de Dieu, (XXII) Des conceptions de Dieu, (XXIII) Des noms divins, (XXIV) Dieu est ineffable (XXV) Des idées et du livre de vie, (XXVI) Des appropriations aux Personnes divines, (XXVII) De la puissance de Dieu, (XXVIII) De la vertu des miracles, (XXIX) De la science de Dieu, (XXX) De la prédestination, (XXXI) De la prescience et de la réprobation, (XXXII) De la volonté de Dieu, (XXXIII) De la justice de Dieu, (XXXIV) De la miséricorde de Dieu.

Le livre II, consacré aux *Œuvres du Créateur (De operibus conditoris)* comprend soixante-six chapitres. Une première série de dix chapitres étudie la création générale *(De ipsa rerum creatione)*, la division des genres de créatures, la nature des cieux et des corps supérieurs, celle des étoiles, de la lumière, des planètes, la distinction des éléments, le temps [10].

Une série de chapitres est ensuite consacrée à la hiérarchie céleste de Denys, aux anges, à la chute du diable [11]. A partir du chapitre XXIX, Hugues étudie l'âme, notamment la théorie des puissances de l'âme, la distinction de l'intellect agent et de l'intellect possible, la volonté, la syndérèse. Le livre II se termine ainsi par des éléments d'anthropologie qui culminent avec le péché d'Adam et la chute de l'homme [12].

Le livre III, *la Corruption du péché (De corruptela peccati)* comprend trentre-trois chapitres consacrés au mal et à l'analyse des différents genres de péchés. [13]

Le livre IV, *l'Humanité du Christ*, est un traité de christologie de vingt-cinq chapitres qui embrassent tous les sujets traditionnels : incarnation, conception virginale, nativité, vie du Christ [14].

Le livre V, *la Sanctification par les Grâces (De Gratiarum sanctificatione)* est un traité de théologie morale mettant en place une théorie des vertus et des grâces articulée sur la distinction entre vertus théologales et vertus cardinales [15]. La théorie des vertus théologales contient une dizaine de chapitres sur la charité et l'amour [16]. L'examen des vertus cardinales [17] est suivi d'une théorie des dons [18]. Le livre se termine par une doctrine de la béatitude [19], des préceptes [20] et des conseils [21].

Le livre VI est consacré à *la Vertu des sacrements* [22].

Le livre VII aux *Temps derniers* [23]. Ce livre s'achève par une théorie des dotations *(Dotibus)* et une énumération des joies célestes [24].

L'ensemble du *Compendium* constitue donc un système qui, partant de la théologie du Dieu un et trine, descend progressivement vers le mal à travers une théorie de la création, puis, sur le fondement d'une christologie, remonte à travers la théorie de la grâce et celle des sacrements vers la rénovation des temps et la sanctification. L'humanité du Christ est ainsi le point qui signe le terme de l'émanation divine et de sa descente

dans le créé en même temps que le principe de la
remontée de la créature vers l'union bienheureuse,
anticipée et fortifiée par la fréquentation des sacrements.

C'est donc tout le dynamisme du cycle néoplatonicien qui reçoit ici une traduction chrétienne, dans un
élan théologique qui rappelle à la fois celui de Denys,
celui d'Augustin et celui d'Albert.

Plutôt que de survoler chacun des sept livres du
*Compendium*, nous considérerons quelques-uns des
thèmes d'Hugues qui constituent, ici, le fondement, là,
l'esquisse des principales thèses de la théologie rhénane.
Nous examinerons ainsi successivement la théorie du
Dieu-Être, la théorie de la création dans ses rapports
avec la bonté divine et la nature de sa causalité, puis la
théorie de la contemplation et la noétique qui la fonde.

### Dieu-Être

Comme Ulrich de Strasbourg, héritier en cela d'une
longue tradition théologique [25] réactualisée par le
commentaire des *Sentences* et le commentaire des *Noms
divins* d'Albert [26], Hugues voit dans les noms d'« Être »
et de « Bien » ou de « Bonté » les deux noms principaux
de Dieu. Le nom d'« Être » désigne Dieu en lui-même,
celui de « Bien » désigne Dieu dans l'actualité de sa
diffusion : « Il y a deux noms divins principaux, *Qui est*
et *Bien*. Le premier signifie l'Être de Dieu absolument et
en soi, Être qui est ainsi pensé comme infini. Le second
désigne l'Être divin en tant que cause : c'est en effet à
cause de sa Bonté que Dieu a fait toutes choses [27]. »

On retrouve ici une distinction, souvent attribuée à
Albert [28], entre un ordre statique, celui du Dieu-Être,
qui fait de « esse » le premier des noms divins, et un
ordre dynamique, celui de la causalité divine, qui fait de
la Bonté le principe même de toute désignation. Mais il
va de soi qu'ici, comme chez Albert, la distinction des

deux ordres ne vise pas à séparer Dieu de son œuvre,
non plus qu'à hypostasier l'Être divin en dehors de sa
manifestation. Le Dieu-Être donne l'être et l'Être
lui-même est parcouru tout entier par le dynamisme de
la vie trinitaire. Être et Bien dans leur distinction même
signifient donc que l'essence divine est à la fois société
des Personnes et communication de Soi dans le retour de
l'émané au principe de l'émanation. Le Dieu-Être ne
reste pas en Lui-même, il se donne en Lui-même par sa
Bonté. C'est ce don qui est accompli pour Lui dans
l'incarnation et qui s'accomplit pour nous dans la
béatitude et la sainteté. La théologie de l'Être appelle ici
irrésistiblement la pratique de la conversion.

Les chapitres i-iii du premier livre détaillent les
propriétés ontologiques de l'Être divin : Dieu seul a un
être parfait, puisqu'il n'est rien en dehors de son être,
ou, si l'on préfère, puisque rien n'est en dehors de lui [29].
L'Être créaturel, en revanche, est imparfait, car il n'a
pas en lui-même ou n'est pas à lui-même sa propre
perfection. L'être d'une créature est toujours incomplet.
Il y a toujours en elle autre chose que l'être. Il lui
manque toujours quelque chose : « Car il y a toujours
quelque chose qui lui manque, quelque chose qui dans
notre être est passé ou est à venir. Au contraire, l'être
divin est tout entier à la fois *(simul est)*. Il est donc le
plus parfait [30]. »

Hugues Ripelin retrouve ainsi, comme après lui
Eckhart, les accents conjugués de saint Bernard et de
saint Grégoire le Grand pour dire le néant de la créature
rapporté au Dieu-Être : « L'être de Dieu est à ce point
véritable que notre être, comparé au sien, est un néant.
Par la présence de son être *(suo praesentiali esse)* Dieu
donne à toutes choses d'être, de sorte que s'il se retirait
des choses, tout l'univers s'écoulerait dans le néant,
puisqu'il est fait du néant. Grégoire : "Tout ce qui est
humain, tout ce qui est juste, tout ce qui est beau,

rapporté à la justice et à la beauté de Dieu, n'est ni juste ni bien ni d'aucune façon être[31]." »

C'est cet Être divin que « prêchent les saints » : Anselme, pour qui « rien de plus grand ne peut être pensé[32] », Denys, pour qui cet Être, qui est aussi l'être de toute chose, est « la divinité supersubstantielle » elle-même, au sens causal et non formel[33].

C'est aussi lui que « proclament les créatures ». Car « de même que dans la patrie, Dieu est le miroir où brillent les créatures », celles-ci sont, dans l'état viateur *(in via)* le miroir où il se découvre[34].

Enfin, c'est lui que nous « dicte la raison naturelle », car l'univers des effets, qu'il soit fini ou infini, a précisément besoin, pour être, d'un autre être, « extérieur » à la série des produits. Cet être est Dieu, « cela même d'où toutes les choses fluent[35]. »

On voit ainsi que l'affirmation de l'existence de Dieu, ou plutôt son assignation comme Être enveloppe, pour ainsi dire à l'état inchoatif, le thème avicennisant, déjà rencontré chez Albert, du *de fluxu entis*[36]. Le Dieu-Être, unique configurateur de l'univers du créé, est donc aussi bien le seul Être, c'est-à-dire à la fois le Dieu unique et le seul Dieu. Que l'être soit conféré aux choses dans un seul être, dans le seul Être, signifie que la communication de Dieu n'obère pas sa propre identité. Dans sa diffusion même Dieu reste *un* être qui n'est pas plus divisé entre autres choses qu'il n'est composé à autre chose[37].

Le thème du Dieu-Être débouche ainsi sur celui du Dieu Un.

Encore faut-il penser correctement cette unité. Dieu n'est pas « Un » au sens où *un* est le principe des nombres, c'est-à-dire le premier des nombres[38]. Dieu est Un au sens où « l'Un se convertit avec l'Être[39] ». L'unité est l'être même de Dieu, l'Un véritable, le seul Un : « Il y a donc en Dieu une unité véritable à cause de sa simplicité, de son immutabilité et de sa singularité. A cause aussi d'une certaine ressemblance avec l'unité créée. De même, en effet, que l'unité n'est dérivée *(descendit)* de rien d'autre et que toute pluralité découle *(defluit)* d'elle, de même Dieu ne dérive de rien, mais tout découle de lui [40]. »

C'est dans l'unicité même du seul Être que réside le principe de sa productivité. L'Un s'engendre lui-même en lui-même et comme lui-même dans un autre lui-même où il se continue et qui se ressaisit en lui : « De même que l'unité engendre l'unité à partir de soi-même, Dieu le Père engendre à partir de soi un autre lui-même, comme le dit Augustin, c'est-à-dire un autre qui est son semblable et qui est autre, à savoir : le Fils [41]. »

L'affirmation de la productivité de l'Être-Un signe alors, comme chez Augustin, la condamnation de toute dualité des Principes, qu'il s'agisse, comme ce sera le cas chez Ulrich de Strasbourg [42], de rejeter la distinction avicennienne entre deux Principes réellement distincts : le Premier Agent et le Premier Moteur, ou, plus simplement, de réfuter d'avance ce qu'Ulrich appellera lui-même « la très stupide hérésie des manichéens [43] ». La théologie de l'Être qu'Hugues de Strasbourg reçoit d'Augustin à travers le prisme albertinien reste donc profondément engagée dans le combat anti-manichéen qui, lui-même, devient ou plutôt redevient ainsi le « combat chrétien » par excellence : geste plus que théorique où l'accord d'Augustin et de Denys patiemment recherché par les théologiens rhénans pourra d'autant plus facilement se sceller qu'il appelle une désubstantialisation radicale du péché, du mal et du néant déjà opérée, chacun à sa manière, par les deux grands Maîtres du « christianisme néoplatonisant » [44].

Ainsi, l'unicité du Dieu-Être devient-elle l'unicité du Principe : « Dieu est le Principe suprême, premier, seul et unique, tant au point de vue de la dignité, qu'à celui de l'antériorité et de la causalité [45]. »

## La Création

Le Dieu assigné comme Être est Principe, c'est-à-dire source d'un dynamisme qui s'exprime en lui-même dans la vie trinitaire et hors de lui-même dans la création. Comme source dynamique de tout ce qui est, Dieu est à la fois intérieur à toute chose et extérieur à toute chose, selon un théorème patristique repris par Bonaventure, puis par Eckhart sous la forme du « tout entier à l'intérieur, tout entier à l'extérieur [46] » : « Dieu est intérieur à tout, parce qu'il remplit tout et est présent partout. Mais il est extérieur à tout, parce qu'il contient tout et qu'il n'est jamais contenu [47]. » L'extériorité de Dieu à son effet créé n'est pas locale. Dieu est à lui-même son propre lieu, ce qui veut dire qu'il est à la fois partout et nulle part : « La préposition *extra* (« à l'extérieur ») ne signifie pas le fait d'être [ou non] présent actuellement en un lieu, mais seulement une présence potentielle. Celle-ci n'est autre que l'immensité divine, qui pourrait remplir une infinité de mondes, s'ils existaient [48]. » La présence de Dieu ne peut se circonscrire. Elle est attestée en lui-même, par la dépendance ontologique de ses effets : « Nous disons que Dieu est partout, non pour dire qu'il a besoin des choses pour se trouver en elles, mais plutôt que les choses ont besoin de ce qui est à lui pour subsister grâce à lui. » Ainsi donc, avant même que le monde ne soit, Dieu est. Et il est là où il est maintenant : en lui-même, puisqu'il se « suffit à lui-même [49] ».

Dieu est maintenant, car il est l'être et le maintien de toute chose [50].

Le dynamisme producteur de l'Être divin est ce que désigne le nom de « Bonté ». Le Bien suprême est l'Être en tant qu'il se donne.

Hugues distingue trois types d'effusion du Principe en lui-même et « à l'extérieur » : « L'effusion de la Bonté suprême est triple : par la génération, par la spiration et par la création. Les deux premières émanations sont de toute éternité, la troisième est dans le temps [51].» La triple émanation de la Bonté de Dieu est hiérarchisée : «De toutes les émanations, la plus parfaite est la génération, car l'engendré y est assimilé à celui qui l'engendre — ce qui n'est pas le cas des autres émanations [52].» De fait, c'est dans la génération du Fils que s'accomplit le don suprême, le don maximum, et, pour ainsi dire, le modèle même de tout don. Eckhart retrouvera cette idée lorsque, commentant le livre de l'Exode, il fera de l'émanation en Dieu et du dynamisme trinitaire articulé sur la génération du Fils, «le modèle et le préambule» même «de la création [53]». Le Fils, Sagesse du Père, est défini comme la «Sagesse engendrée» le Père lui-même étant la «source» et le principe de la génération : «L'émanation la plus parfaite revient à la source la plus abondante de la Bonté. Il est donc évident que la Personne qui est le Père, qui est la source de toute la Bonté, engendre un Fils qui lui est égal et à qui elle communique la plénitude de sa majesté [54].» Ainsi donc quand l'Écriture proclame que le Père a «tout fait dans la sagesse» [55] — c'est-à-dire «avec» *(cum)* la Sagesse, qui est le Fils, faut-il entendre qu'il a tout dit d'avance dans son Verbe, idée, exemplaire et raison de tout le créé [56].

Le thème érigénien de la création dans le Verbe est l'expression de la thèse théologique centrale de la théologie rhénane : Dieu se donne en Lui-même, la sagesse du Père est à la fois et indissociablement l'alpha et l'oméga, le principe de la descente et le terme de la remontée [57]. C'est cette thèse que Maître Eckhart déplacera en quelque sorte en deçà de la sagesse, en deçà même de la «source paternelle» vers l'abîme du Je indifférencié, du Fond infondé, anonyme et impersonnel qui, inconnu, surplombe sa propre apparition dans le suppôt du Père [58].

C'est sur elle, cependant, que tout s'édifie, sur cette affirmation précise que la création dans le Verbe s'accomplit dans le flux et le reflux de l'étant : « Toutes les créatures ont existé en Dieu avant d'exister en elles-mêmes. Ainsi, lorsque par la création elles sont sorties de Lui, elles ont en quelque sorte commencé à s'éloigner de Lui. La créature rationnelle doit donc revenir à Dieu à qui elle était unie avant même d'être, et cela, par les Idées qui ne sont rien d'autre et ne seront jamais rien d'autre que ce que Dieu lui-même est. C'est alors que les fleuves retourneront à la source d'où ils ont coulé [59]. »

Le thème augustinien du retour à la raison est ainsi inscrit dans la théologie du Verbe créateur. La création n'est véritablement achevée que dans la remontée au Principe. C'est là en effet, et là seulement, que les réalités créées regagnent leur statut originaire qui est la vie et la lumière : « Pour autant qu'elles sont en Dieu, les choses sont appelées *vie*, ce qui implique la notion du Bien, Jn 1, 3 et 4 : *Ce qui a été fait, en lui était vie.* Elles sont aussi appelées *lumière*, ce qui implique la notion du Vrai, Augustin, *la Genèse au sens littéral* : "En Dieu les créatures sont lumière. On dit cela parce qu'en Dieu il n'y a ni mal ni faux [60]." »

Dieu est donc bien à la fois simultanément la cause formelle, exemplaire et finale de tout ce qui est. Donnant, il appelle à Lui. Le don d'être est l'appel lui-même : « Dieu est le principe de toutes choses, principe d'où procèdent la forme et l'exemplaire dont elles sont l'imitation. Il est aussi la fin vers laquelle tend leur être [61]. »

En quelques lignes, c'est toute la théologie rhénane qui s'esquisse : émanatisme, exemplarisme et métaphysique de la conversion sont ici noués de manière, certes scolaire, mais néanmoins décisive pour toute une tradition.

### Contemplation et connaissance de Dieu

Tout en s'appuyant sur la distinction dionysienne des trois voies — négation, éminence, causalité [62] —, Hugues propose une théorie de la contemplation fondée sur une noétique d'inspiration essentiellement augustinienne.

Le nom que porte l'âme ne lui est pas essentiel mais, si l'on peut dire, extrinsèque. C'est la diversité de ses fonctions ou opérations qui fait qu'elle est appelée ici « âme », là *« mens »*, là encore « raison », « esprit », « sens » ou « mémoire » [63].

Cette extériorité de la désignation rappelle en un sens celle de Dieu lui-même, connu et nommé d'après ses effets. Hugues est ici très proche du motif avicenno-albertinien, plus tard repris par Eckhart [64], selon lequel l'âme est en elle-même « sans nom ». La polynymie de l'âme n'atteint pas son essence, elle ne dit que ses fonctions : « On l'appelle "âme" en tant qu'elle anime et vivifie un corps. *"Mens"* en tant qu'elle examine *(recolit)*. "Animus" quand elle veut. "Raison" quand elle juge droitement. "Esprit" quand elle spire ou parce qu'elle est de nature spirituelle. "Sens" quand elle sent. "Mémoire" quand elle se rappelle. "Volonté" quand elle décide. Tous ces noms différents ne reviennent pas à l'âme à cause d'une pluralité dans son essence mais seulement à cause de la multiplicité de ses effets et à cause de son activité même [65]. »

Comme Dieu, présent à tout, n'est circonscrit en aucun lieu du monde, l'âme est présente dans tout le corps, mais seulement potentiellement. Le corps n'est que la disposition, la mise, l'habitude de l'âme. Il n'est pas son lieu : « De même que Dieu est partout, de même l'âme est partout dans son *habitus (in suo habitu)* c'est-à-dire dans le corps, cela non par l'essence, mais par l'*habitus* ou la puissance [66]. » La présence de l'âme au corps n'est donc pas d'ordre ontologique. Elle est d'ordre opératoire. L'âme n'est ontologiquement en elle-même que dans la partie d'elle-même qui est unie à Dieu.

Hugues reprend ici une thèse fondamentale de la noétique augustinienne d'Albert. L'âme a une partie suprême qui contient l'image de la Trinité. Cet aspect de l'enseignement albertinien se retrouve jusque chez Tauler dont la *Pr.* 64 définit explicitement la partie suprême de l'âme comme «Bild» (Image) trinitaire : «L'évêque Albert l'appelle une "Image". C'est là que la Sainte-Trinité se laisse voir, c'est à l'intérieur d'elle qu'elle habite [67].» Contrairement à ce que fera Eckhart, en une synthèse «librement adaptée d'Albert» [68], il ne semble pas qu'Hugues Ripelin identifie formellement la «partie suprême de l'âme» selon Augustin, la syndérèse ou «étincelle» des spirituels et l'intellect agent des Philosophes [69]. On ne saurait non plus trouver chez lui l'identification de l'*abditum mentis* augustinien avec l'intellect agent qu'imposera Thierry de Freiberg [70].

Le *Compendium* est aux œuvres des grands théologiens rhénans ce que, en termes kantiens, la «synopsis» est à la «synthèse». Hugues ne produit pas des concepts, il rassemble des données. Il traite donc successivement de l'intellect agent [71] et de la syndérèse [72].

Sa présentation de l'intellect n'en reprend pas moins les grands axes de la noétique avicennisante d'Albert, puisqu'il accueille la théorie des degrés ou de la hiérarchie des intellects possibles : intellect en acte, intellect en *habitus*, intellect acquis *(adeptus)* : «La différence entre l'intellect en acte et celui que l'on appelle acquis exprime la plus ou moins grande perfection de l'intellect possible. Car quand l'intellect possible reçoit l'espèce intelligible par la lumière de l'intellect agent, il est appelé intellect en acte et intellect en *habitus*. Mais quand il reçoit parfaitement cette lumière dans une union formelle, on le nomme intellect acquis [73].» En fait, il reproduit pour ainsi dire littérale-

ment les doctrines empruntées par Albert au péripatétisme arabe, quand il met en place la distinction de
l'intellect agent et de l'intellect possible : «L'intellect
agent est ce qui abstrait l'espèce de l'image ou
représentation imagée et qui, par son irradiation,
produit des universaux ou pose des choses dans
l'intellect possible. En effet, de même qu'il faut à la
vision corporelle une lumière qui abstrait les intentions à
partir des couleurs, c'est-à-dire à partir de ce qui est
coloré, et qui les place ensuite dans l'air, non certes en
tant qu'espèces, mais en tant qu'intentions c'est-à-dire
ressemblances, de même l'intellect agent qui est la
lumière de l'âme place dans l'intellect possible les
espèces qu'il a abstraites des représentations imagées,
non certes en acte mais en tant qu'intentions, c'est-à-dire
ressemblances [74].» «L'intellect agent et l'intellect possible diffèrent comme la lumière et ce qu'elle illumine,
comme ce qui est parfait et ce qui est perfectible, car,
comme le dit le Philosophe : "L'intellect agent est la
capacité de tout faire, l'intellect possible, celle de tout
devenir [75]." »

Sa présentation de la syndérèse n'est, elle aussi,
qu'un jeu de définitions traditionnelles filtrées par
Albert : «La syndérèse est une force motive qui reste
constamment apte à se fixer dans les réalités supérieures, qui meut naturellement, qui stimule la recherche du Bien et pousse à exécrer le mal. Dans ce
domaine la syndérèse ne se trompe jamais. On ne peut
jamais pécher par la syndérèse [76].» «La syndérèse ne
s'éteint jamais entièrement, même chez le diable et les
damnés. Il reste toujours quelque chose de son
activité [77]. »

La doctrine de la contemplation selon Hugues
manifeste bien le caractère originairement spirituel de la
théologie rhénane. La doctrine de la hiérarchie des
intellects s'accomplit dans une théorie de la connaissane
par excès qui fait place au thème traditionnel des «sens

spirituels »[78]. Comme chez Augustin et Albert, le but de la théologie est la sagesse pratique et la béatitude proposée par la révélation[79]. Par les sens spirituels, l'âme « perçoit les réalités spirituelles[80] » : la splendeur où elle « entend une harmonie très douce[81] », le Verbe incarné « où elle goûte la douceur suprême », la sagesse « qui embrasse les deux — le Verbe et la splendeur — et où elle respire le suprême parfum[82] ». La sagesse est donc le point d'aboutissement d'une progression de la connaissance qui commence avec les sens et se termine dans l'excès de la connaissance : « Les sens spirituels désignent des conceptions de l'esprit *(conceptiones mentales)* portant sur la vérité à contempler. Cette contemplation part des sens, parvient à l'imagination, de l'imagination à la raison, de la raison à l'intellect, de l'intellect à la pensée intellective *(intelligentia)*, de la pensée intellective à la sagesse ou connaissance excessive *(notitiam excessivam)*[83]. »

La « connaissance excessive » esquissée dans l'état viateur *(in via)* s'accomplit entièrement dans la gloire (« consummatur in gloria »), conformément à l'enseignement de 1 Co 13, 12.

Le « pèlerinage terrestre » est donc tout entier caractérisé comme une préparation à la grâce, car c'est la grâce et la grâce seule qui peut transformer le désir de connaître en connaissance effective : « En effet, l'âme possède naturellement la faculté, l'instrument et le désir instinctif de connaître et d'aimer Dieu, mais c'est par la grâce qu'elle arrive à la connaissance de la vérité et à l'ordre de l'amour[84]. »

La grâce n'est ainsi donnée qu'à « celui qui s'en rend capable » *(qui se habilitat ad gratiam)*[85]. En un sens, cette préparation même est déjà l'œuvre de la grâce. On doit, en effet, distinguer un sens spécial et un sens propre de la grâce. Au sens spécial *(specialiter)*, la grâce désigne tout don gracieux *(gratis data)*, autrement dit : le don même « par lequel l'homme se prépare à recevoir l'Esprit saint[86]. » C'est elle qui l'aide à répudier le mal et c'est elle qui suscite en lui la poursuite du bien. Au sens propre *(proprie)*, la grâce est la grâce efficace, celle qui « nous rend dignes de jouir du bien et de parvenir à la gloire[87] », autrement dit : qui nous rend nous-mêmes gracieux *(gratia gratum faciens)*[88]. L'œuvre de grâce qui fait de l'âme « la fiancée du Christ, la fille du Roi éternel et le temple de l'Esprit saint[89] » est le couronnement de l'effort théologique. A la tension vers Dieu, nourrie des trois vertus théologales[90], répond donc, comme chez Denys, l'extatisme divin : « La grâce descend de Dieu en nous *(procedit a Deo)* comme le rayon vient du soleil, le bourgeon de la racine, le miel de la fleur, le ruisseau de la fontaine, et l'image de l'artiste : à l'intérieur, dans le modèle *(exemplar)*, à l'extérieur, dans la facture *(facturam)*[91]. »

La connaissance excessive signe ainsi un double mouvement de l'âme vers Dieu et de Dieu vers l'âme. C'est cette intuition centrale, à la fois augustinienne et dionysienne, profondément imprégnée de l'enseignement d'Albert, que les théologiens rhénans vont moduler à la suite d'Hugues Ripelin. On ne s'étonnera donc pas de retrouver jusqu'au cœur de la néantologie eckhartienne une théologie de l'Esprit saint et une théorie de la grâce. C'est là le bien commun d'une tradition dont le *Compendium theologicae veritatis* constitue l'amorce fondamentale[92].

## NOTES

1. Sur Hugues Ripelin, *cf.* essentiellement TH. KAEPPELI, *Scriptores...*, II, pp. 260-269 ; M. GRABMANN, « Literarhistorische Untersuchungen über Ulrichs schriftstellerische Tätigkeit. — Die Autorfrage des *Compendium theologiae veritatis* », *in* : « Studien über Ulrich von Strassburg. Bilder wissenschaftlichen Lebens und Strebens aus der Schule Alberts des Grossen », *Mittelalterliches Geistesleben*, I, pp. 174-185 ; L. PFLEGER, « Der Dominikaner Hugo von Strassburg u. das *Compendium theologicae veritatis* », *Zeitschr. f. kathol. Theol.* 28 (1904), pp. 429-440 ; K. SCHMITT, *Die Gotteslehre des « Compendium theologicae veritatis* », Diss., Münster, 1940.

2. « Frater Hugo Ripelinus de Argentinia, prior longo tempore Turicensis, postea factus Argentinensis, bonus cantor, laudabilis praedicator, dictator scriptorque bonus atque depictor, vir in omnibus graciosus, summam fecit theologicae veritatis. » *in* : *De rebus alsaticis ineuntis saeculi XIII, MGH Scriptores*, t. 17, Hanovre, 1861, p. 233.

3. H. FISCHER, « Hugues de Strasbourg », *in* : *Dictionnaire de spiritualité*, tome 7, col. 894.

4. H. FISCHER, « Hugues... », *ibid.* Sur Hugues et Bonaventure, *cf. infra*, p. 97, note 92. L'analogie du plan entre le *Compendium* et le *Breviloquium* est évidente

| *Breviloquium* | *Compendium* |
|---|---|
| 1. La Trinité de Dieu (9 chap.) | 1. La nature de la Déité (34 chap.) |
| 2. Le monde, créature de Dieu (12 chap.) | 2. Les œuvres du Créateur (76 chap.) |
| 3. La corruption du péché (11 chap.) | 3. La corruption du péché (33 chap.) |
| 4. L'incarnation du Verbe (10 chap.) | 4. L'humanité du Christ (25 chap.) |
| 5. La grâce du Saint-Esprit (10 chap.) | 5. La sanctification par les grâces (70 chap.) |

6. Les remèdes sacramentels (13    6. La vertu des sacrements (38
chap.)                             chap.)
7. Le jugement dernier (7          7. Les temps derniers (31 chap.)
chap.)

5. *Cf.* les notes de l'édition des *Deutsche Schriften*, éd.
K. Bilmeyer, Stuttgart, 1907, pp. 207 (= *Comp.* IV, 6), 237
(= *Comp.* VII, 22), 241 (= *Comp.* VII, 31), 242 (= *Comp.* II, 24),
244 (= *Comp.* VII, 24), etc.
6. *Cf.* E. FILTHAUT, « Johannes Tauler... », pp. 97-100.
7. H. FISCHER, « Hugues... », col. 895.
8. H. FISCHER, « Hugues... », *ibid.*
9. Nous utilisons ici le texte de l'édition Borgnet dans les *Opera
omnia* d'Albert le Grand, tome 34, Paris, 1895, pp. 3-261. Le livre I
est contenu pp. 3-39. Le livre II, pp. 40-89.
10. *Compendium...*, pp. 47-49.
11. *Compendium...*, pp. 49-60.
12. *Compendium...*, pp. 60-89.
13. Pour le livre III, *cf.* 90-121. Pour le livre IV, pp. 122-152.
14. *Compendium...*, pp. 154-155.
15. *Compendium...*, pp. 166-167.
16. *Compendium...*, pp. 171-179.
17. *Compendium...*, pp. 179-184.
18. *Compendium...*, pp. 184-188.
19. *Compendium...*, pp. 189-191.
20. *Compendium...*, pp. 192-197.
21. *Compendium...*, pp. 197-200.
22. *Compendium...*, pp. 201-236.
23. *Compendium...*, pp. 237-261.
24. *Compendium...*, pp. 253-261.
25. *Cf.* pour le « Bien », Denys lui-même dans les *Noms divins*.
Pour l'« Être », outre Augustin, l'autorité traditionnelle est celle de
JEAN DE DAMAS, *De fide orthodoxa*, I. 1, cap. 9 ; PG 94, 836A ; *transl.
Burg.* cap. 9, n° 2 ; éd. Buytaert, p. 48, 13-14 : « Igitur videtur
quidem principalius eorum, quae in deo dicuntur, nominibus esse
Qui est. » Pour Ulrich de Strasbourg, *cf. infra*, pp. 118-125.
26. *Cf.* à ce sujet A. DE LIBERA, « L'Être et le Bien : Exode 3, 14
dans la théologie rhénane », *in : Celui qui est, Exégèses d'Exode 3,
14*, Paris, sous presse.
27. *Compendium...*, 1. I, cap. XXIII ; Borgnet, p. 27a.
28. *Cf.* G. THÉRY, « Originalité du plan de la *Summa de Bono*
d'Ulrich de Strasbourg », *Revue thomiste* 27 (1922), pp. 391-393. La
position d'Hugues Ripelin, comme celle d'Albert, n'est pas radicalement différente de celle d'Alexandre de Halès. Pour le franciscain,
en effet, il y a aussi deux façons de prendre l'*esse* divin : en lui-même

et absolument ; comme cause et sous la raison de Bien. Dans le premier cas, « être » dit l'Océan infini de Jean de Damas, l'« abîme dè la divine essentialité » (« abyssus divinae essentialitatis »). Dans le second cas, l'Être-qui-est-Bien dit « la raison sous laquelle il [Dieu] est l'alpha et l'omega, c'est-à-dire le principe et la fin : c'est, en effet, la Bonté de Dieu qui, pour ainsi dire, le meut à faire les créatures pour qu'elles deviennent ainsi les participes de sa Bonté. » Cette dernière formulation, empruntée à Guillaume d'Auxerre [*Summa aurea*, lib. I, cap. ii, tract. iv ; éd. J. Ribailler, Paris-Grottaferrata, 1980, p. 42, 37-40], renvoie à Denys. Comme Hugues, donc, Alexandre conclut en posant — avec le Damascène — l'antériorité absolue de l'Être sur le Bien, mais, comme lui, il maintient aussi — avec Denys — l'antériorité du Bien sur l'Être du point de vue de la participation universelle *(quoad nos)*. Cf. *Summa Halensis*, Pars II^a, Inq. II, tract. I, quaest. I, a. 2, § 352, p. 523 ; *Summa aurea, loc. cit.*, pp. 41, 1-43, 62.

29. *Compendium...*, 1. I, cap. i ; Borgnet, p. 3a. Hugues rejoint sur ce point saint Bernard, *De consideratione*, V, vi, 13, *in : Sancti Bernardi Opera*, III ; éd. J. Leclerc et H.M. Rochais, Rome, 1963, p. 477, 18-21. [« Qu'est-ce que Dieu ? Celui sans lequel rien n'est. Il est autant impossible que quelque chose soit sans lui que lui sans lui-même ; il est son être et l'être de toutes choses, et ainsi il est en quelque façon le seul qui est, étant son propre être et l'être de tous les êtres. »]

30. *Compendium...*, 1. I, cap. i, *ibid.* Hugues reprend ici une thèse classique depuis saint Jérôme. *Cf. Epist.* 15, 4, 2 ; CSEL 54, p. 65, 12-18 : « Una est dei sola natura, quae vere est [...], cetera, quae creata sunt, etiamsi videntur esse, non sunt, quia aliquando non fuerunt et potest rursus non esse, quod non fuit ; deus solus, quia aeternus est, hoc est, qui exordium non habet, essentiae nomen vere tenet. Idcirco et ad Moysen de rubo loquitur : Ego sum, qui sum. » Trad. J. Labouret, Saint Jérôme, *Lettres*, tome I (Collection des Universités de France), Paris, 1949, p. 48 : « Seule la nature de Dieu, unique, existe vraiment [...] Les autres êtres qui sont créés, bien qu'ils paraissent exister, en réalité n'existent pas, parce qu'il fut un temps où ils n'existaient pas ; or, ce qui n'a pas toujours existé peut de nouveau n'exister pas. Dieu, qui est éternel, c'est-à-dire qui n'a pas de commencement, possède vraiment le nom d'Essence. C'est pourquoi il parle ainsi à Moïse depuis le Buisson : "Je suis celui qui suis". » Le texte d'Hugues est un mélange de la *Glose ordinaire* et des *Sentences* de Pierre Lombard [*Sent.* I, dist. 8, cap. 1, § 3 ; Grottaferrata, 1971, p. 95, 13-20] qui, tous deux, semblent s'appuyer directement sur Isidore de Séville [*Etymologiae*, VII, cap. 1 ; PL 82, 261A-B]. On retrouve un texte très voisin de celui d'Hugues chez Maître Eckhart, *In Exodum*, § 22 ; *LW* II, pp. 28, 12-29, 3, cette fois

explicitement attribué à Jérôme : «De quo dicitur "fuit", non est. De quo dicitur "erit", nondum est. Deus autem tantum "est", qui non novit fuisse vel futurum esse. Solus igitur Deus vere est, cuius essentiae comparatum nostrum esse non est.» *Cf.* également GRÉGOIRE , *Moralia*, XX, cap. 32, § 62-63 ; PL 76, 174-176.

31. La référence à Grégoire est vraisemblablement *Moralia*, XVI, cap. 37, § 45 ; PL 75, 1143 ; trad. SC 221, p. 207 : «Cuncta quippe ex nihilo facta sunt eorumque essentia rursum ad nihilum tenderet, nisi eam auctor omnium regiminis manu retineret.» Le texte explicitement attribué à Grégoire évoque aussi BERNARD, *De consideratione*, V, VI, 13 ; *ed. cit.*, p. 477, 17-18 : «Hoc tam singulare, tam summum esse, nonne in comparatione huius, quidquid hoc non est, iudicas potius non esse quam esse ? » : «Cet être si singulier et si souverain, n'est-il pas vrai qu'en comparaison de lui, tout ce qui n'est point lui te paraît plutôt n'être point, qu'être ? » Sur la «présence» de Dieu, *cf.* RICHARD DE SAINT-VICTOR, *De Trinitate*, lib. 2, cap. XXIII ; SC 63, pp. 152-153.

32. Hugues fait allusion aux célèbres thèses du *Proslogion*, chap. II et III ; éd. F.S. Schmitt, *in : S. Anselmi Opera omnia*, I, Seckau, 1938, pp. 101-103, selon lesquelles Dieu est un être «tel que rien de plus grand ne peut être conçu», ce qui fait dire à Anselme : «Seul, tu as d'être le plus vraiment de tout et d'être au maximum, parce que tout ce qui est autre n'est pas aussi véritablement et possède donc un être moindre.» [*Proslogion*, Schmitt, p. 103, 7-9 ; trad. P. Rousseau, *in : Œuvres philosophiques de saint Anselme*, Paris, 1942, p. 181.

33. *Compendium...*, *loc. cit.*, p. 3b. Allusion à DENYS, *La Hiérarchie céleste*, IV, 1 ; PG 3, 177D ; trad. M. de Gandillac, SC 58bis, p. 94 : «L'être de tout est la Déité qui est au-dessus de l'être.» La distinction entre sens formel et sens causal signifie que Dieu n'est pas l'*esse formale omnium* des panthéistes mais que, selon la belle formule des *Noms divins*, chap. VII, § 2 ; trad. Gandillac, pp. 143-144 : «Il contient tout dans l'unique extension de sa causalité propre.» On est ici sur le bord de la doctrine de la causalité essentielle de Dieu développée par Thierry de Freiberg, Eckhart et Berthold de Moosburg.

34. *Compendium...*, 1. I, cap. II. Borgnet, p. 4a.

35. *Compendium...*, *ibid.*

36. *Compendium...*, *loc. cit.*, *ibid.* Le thème du «flux créateur» est emprunté au *De causis et processu universitatis* d'Albert le Grand (I, 4, 1-4 ; Borgnet pp. 552 *sqq.*). En faisant de la totalité des choses le produit de la dérivation Hugues semble y inscrire l'âme humaine elle-même. Sur les différentes étapes de la théorie albertinienne du *fluxus*, *cf.* M.R. PAGNONI-STURLESE, «A propos du néoplatonisme...», pp. 648-653.

37. *Compendium...*, p. 4b.

38. *Compendium...*, *ibid.* La différence entre l'« un numérique » et l'« un transcendantal » est un *leitmotiv* de la théologie rhénane. Berthold ira plus loin encore en subordonnant l'« un transcendantal » à un « Un transcendant ».

39. *Compendium...*, *ibid.*

40. *Compendium...*, p. 5a.

41. *Compendium...*, *ibid.*

42. *Cf. infra*, pp. 125-127.

43. *Cf. infra*, p. 126.

44. Sur la « désubstantialisation » du mal, *cf.* AUGUSTIN, *De civitate Dei*, XI, IX ; BA 35, pp. 62-63 ; XII, VII ; BA 35, pp. 170-171 ; DENYS, *Les Noms divins*, chap. 4, §§ 19-35, trad. pp. 111-127 ; BONAVENTURE, *Breviloquium*, Pars III$^a$, cap. I ; Quarrachi, p. 231a-b.

45. *Compendium...*, p. 6a.

46. *Cf.* BONAVENTURE, *Itinerarium mentis in Deum*, 5, 8 ; Quarrachi, p. 310 : « Quia simplicissimum et maximum, ideo totum intra omnia et totum extra. » La formule est reprise par Eckhart au § 163 d'*In Exodum* ; *LW* II, p. 143 ; § 61 et 166 d'*In Genesim* ; *LW* I, pp. 228 et 312.

47. *Compendium...*, p. 19b. La formulation d'Hugues Ripelin évoque la suite du texte de Bonaventure dans l'*Itinerarium* : « Quia perfectissimum et immensum, ideo est intra omnia, non inclusum, extra omnia, non exclusum.» La même formule se retrouve *mutatis mutandis* chez Suso, Nicolas de Cuse et Angelus Silesius. *Cf.* à ce sujet, A. KLEIN, *Meister Eckhart. La dottrina mistica della giustificazione*, Milan, 1978, pp. 94-95, note 15.

48. *Compendium...*, *ibid.* Hugues relie spontanément le « totus intra — totus extra » au thème de la circonférence inassignable hérité du *Livre des XXIV philosophes*, peut-être sous l'influence d'Alain de Lille, *Sermo de sphaera intelligibili, in : Textes inédits d'Alain de Lille*, éd. M.Th. d'Alverny, Paris, 1965, p. 305 : « Centrum ubique est, quia universitas rerum gratia sua proprium optinet locum ; circumferentia nusquam, quia immensitas divina extra cuncta non exclusa, intra cuncta non inclusa.» La notion de « présence potentielle» est vraisemblablement empruntée à PIERRE LOMBARD, *Sent. I*, d. 37, cap. 3, § 5 ; Grottaferrata, 1971, p. 268, 4-16 : *cf.* sur ce point, A. KLEIN, *Meister Eckhart...*, p. 94.

49. *Compendium...*, *ibid.* Le thème de la « suffisance » de l'essence divine est repris et développé par Eckhart dans *In Exodum*, §§ 155-160 ; *LW* II, pp. 138-142.

50. *Compendium...*, *ibid.*

51. *Compendium...*, lib. II, cap. I, p. 40a. Cette formulation anticipe la distinction eckhartienne entre émanation « ad intra » et émanation « ad extra ».

52. *Compendium...*, p. 7a.

53. *In Exodum*, § 16 ; *LW* II, p. 22, 7-9. *Cf. In Iohannem*, § 342 ; *LW* III, p. 291, 7-10.

54. *Compendium...*, p. 7a.

55. Ps 103, 24. A rapprocher de Ps 135, 5.

56. Ce thème, amplement développé par Eckhart dans les §§ 3-7 d'*In Genesim* est la reprise d'AUGUSTIN, *Confessions*, XII, xx, 29 ; BA 14, pp. 386-389 ; d'AMBROISE, *Exam.*, I, 4 ; CSEL 32, I, p. 13 ; d'ORIGÈNE, *In Exaem. hom.*, I, I ; SC 7bis, p. 24, 4 et 10 ; *Comm. sur saint Jean*, I, 22 ; PG 14, 56B. La notion de «raison idéelle» vient de JEAN SCOT ÉRIGÈNE, *De divisione naturae*, II ; Sheldon, p. 84, 26 *sqq.* : «In Verbo autem rationes omnium rerum substantivas conditas esse perhibet.» Elle se lit également chez AUGUSTIN, *83 questions*, q. 46, § 2 ; BA 10, pp. 125-129.

57. La théorie du retour au Principe par le biais des Idées incréées est un des axes fondamentaux de la théologie rhénane. Sur ce point *cf. supra*, pp. 41-45.

58. Sur le concept du «Je» («Ich») chez Eckhart, *cf. infra*, pp. 238-242.

59. *Compendium...*, p. 29a. Le retour en Dieu est le but de la création. On retrouve la même doctrine chez Eckhart qui, au § 226 d'*In Iohannem*, *LW* III, p. 189, 8-11, donne la même interprétation qu'Hugues de Qo 1, 7 : «Par la création, Dieu dit, fait savoir, conseille et ordonne à toutes les créatures, du fait même qu'il les crée, de le suivre, de le prendre pour fin, de retourner en hâte vers lui, cause première de tout leur être, conformément à ces mots : "Les fleuves retournent d'où ils viennent".» *Cf.* également *Pr.* 17 ; *DW* I, p. 288, 7-289, 2 ; *A.H.* 1, p. 157 : «Il appartient à la nature et à la perfection naturelle de l'âme de devenir en soi un monde intelligible, là où Dieu a formé en elle les images de toutes choses.» *Cf.* enfin *In Genesim*, § 115, *LW* I, p. 270, 13 ; trad. p. 385.

60. *Compendium...*, *ibid. Cf.* AUGUSTIN, *De Genesi ad litteram*, II, vi, 12 ; BA 48, p. 165.

61. *Compendium...*, p. 28a. Le thème de la triple causalité divine est développé par Bonaventure dans le *Breviloquium*, Pars II^a, cap. I ; Quarrachi, p. 219a-b et par Albert dans la *Summa theologiae*, II^a Pars, tract. I, q. 3, mbr. I, a. 2 ; Borgnet 32, pp. 13a-16a.

62. *Compendium...*, p. 19a.

63. *Compendium...*, p. 62a.

64. *Cf.* É. ZUM BRUNN, «Maître Eckhart et le nom inconnu de l'âme», *Archives de Philosophie* 43 (1980), pp. 655-666 ; *Summa de creaturis*, II^a, tract. I, q. 1, a. 1, sol. ; Borgnet 35, pp. 3b-4a.

65. *Compendium...*, p. 62a.

66. *Compendium...*, p. 84a. *Cf. Summa de creaturis*, II^a Pars, tract. I, q. 74 ; Borgnet 35, p. 620a-b (différence entre la «quantité dimensive» et la «quantité virtuelle» de l'âme).

67. On notera que Tauler rapproche Albert, Eckhart et Thierry de Freiberg. *Cf.* J. ANCELET-HUSTACHE, *Maître Eckhart et la mystique rhénane*, Paris, 1956, p. 67, qui traduit ainsi le passage de la *Pr.* 64 : «De cette noblesse intérieure qui est cachée dans le fond de l'âme, beaucoup de maîtres ont parlé, anciens et modernes : l'évêque Albert, Maître Dietrich, Maître Eckhart. L'un l'appelle une étincelle de l'âme, l'autre un fond ou une cime, l'autre le principe premier. L'évêque Albert le nomme une image dans laquelle est représentée la sainte Trinité [...] Et cette étincelle vole à la hauteur où est sa place, en sorte que l'intellect ne peut pas la suivre, car elle ne repose pas avant d'être retournée dans le fond d'où elle est issue, où elle se trouvait quand elle n'était pas créée.» *Cf.* F. VETTER, *Die Predigten Taulers*, p. 347, 9-16. La même *Pr.* 64 contient deux références à Proclus, p. 347, 21 et 350, 20.

68. É. ZUM BRUNN, «Maître Eckhart et le nom...», p. 664.

69. Sur cette problématique eckhartienne, *cf. infra*, pp. 250-259.

70. *Cf. infra*, pp. 176-179.

71. *Compendium...*, lib. II, cap. XLVI, p. 71a-b.

72. *Compendium...*, *ibid*, cap. LI, p. 74a.

73. La classification des degrés de l'intellect possible reprend celle d'Avicenne, filtrée par Albert (puisque, comme son maître, Hugues fait de l'intellect agent une partie de l'âme et non une Intelligence séparée). On peut la figurer ainsi :

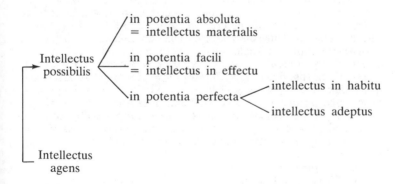

[Pour Avicenne, *cf.* É. GILSON, «Les sources gréco-arabes...», pp. 60 *sqq.*] L'intellect possible *in effectu* est «en acte» par rapport à l'état de puissance absolue qui est celui de l'âme «qui ne connaît rien». Cette «actualité» est donc un degré de potentialité : la «puissance facile», qui désigne la possession des premiers intelligibles, nécessaire à l'acquisition de tous les autres. Au-dessus de l'intellect en acte se trouve la «puissance parfaite» de l'intellect parvenu «à la perfection de sa possibilité» : l'intellect en habitus est l'intellect considéré comme maître des intelligibles, au sens où «il est capable de les considérer à tout moment»; l'intellect acquis est l'intellect considéré comme effectivement tourné vers les intelligibles «et les considérant actuellement». Sur l'intellect «acquis», *cf.* ALBERT LE GRAND, *De intellectu et intelligibili*, lib. II, tract. un., cap. 9; Borgnet 9, pp. 514b-516a. Sur l'intellect en acte *(in effectu), cf.* cap. 6, pp. 512a-513b. Sur les «trois degrés» de l'intellect possible, *cf. Summa de creaturis*, IIᵃ Pars, q. 56, a. 3; Borgnet 35, pp. 480-482b, spécialement 481b (noter l'expression «hylealis» pour désigner l'intellect matériel).

74. *Compendium...*, p. 70a. *Cf.* ALBERT LE GRAND, *Summa de creaturis*, IIᵃ Pars, tract. I, q. 55, a. 6; Borgnet 35, pp. 474b-477b; *De unitate intellectus*, IIIᵃ Pars, § 1, éd. A. Hufnagel; Ed. Colon., XVII/1, Monasterii/Westf., 1975, pp. 22, 91-23, 20; *De intellectu et intelligibili*, lib. I, tract. III, cap. 1; Borgnet 9, pp. 498a-499b.

75. *Compendium...*, p. 71a. *Cf. De natura et origine animae*, tract. I, cap VII, éd. E. Filthaut; Ed. Colon. XII, Monasterii/Westf., 1955, p. 16, 2-9 et 34-44.

76. *Compendium...*, p. 74a. *Cf. Summa de creaturis*, IIᵃ Pars, tract. I, q. 71, a. 1; Borgnet 35, pp. 590a-594b. L'autorité traditionelle en ce domaine est celle du *Commentaire sur Ezéchiel* de saint Jérôme cité par Albert en 591a et en *Summa theologiae*, IIᵃ Pars, tract. XVI, q. 99, mbr. II, a. 1; Borgnet 33, p. 234b. Sur ce texte (attribué par Albert à Grégoire), *cf. infra*, p. 300, note 61. Sur le «péché selon la syndérèse», *cf. Summa theologiae, loc. cit.*, a. 2; Borgnet 33, pp. 237a-238a.

77. *Compendium..., ibid. Cf. Summa de creaturis*, IIᵃ Pars, tract. I, q. 71, a. 3; pp. 596b-597b; *Summa theologiae*, IIᵃ Pars, tract. XVI, q. 99, mbr. II, a. 3; pp. 238b-239b. Sur la notion de «force motive», *cf. Summa de creaturis, IIᵃ Pars, tract. I, q. 73, a. 4; p. 619b.*

78. Sur ce point comparer le *Compendium* avec Bonaventure d'après K. RAHNER, «La doctrine des "sens spirituels" au moyen âge, en particulier chez saint Bonaventure», *RAM* 14 (1933), pp. 263-299.

79. *Cf. supra*, p. 42.

80. *Compendium...*, p. 191a.

81. *Compendium...*, p. 191b.

82. *Compendium..., ibid.*

83. *Compendium..., ibid.*

84. *Compendium...*, p. 154a. Ce thème se retrouve dans la théorie de l'«instinct naturel de la connaissance» développée par Ulrich de Strasbourg. *Cf. infra* pp. 104-105.

85. *Compendium...*, *ibid.*
86. *Compendium...*, p. 154b.
87. *Compendium...*, *ibid.*
88. *Compendium...*, *ibid.* La distinction entre le sens spécial et le sens propre de la grâce est très probablement empruntée au *Breviloquium* de saint Bonaventure, Pars Va, cap. II ; Quarrachi, p. 253b ; trad. Paris, 1967, pp. 35-37 : « Dans son sens spécial, la grâce est une aide que Dieu donne pour préparer à recevoir le don de l'Esprit-Saint par lequel [on] accède ainsi à l'état de mérite. On appelle cette aide, grâce *gratis data*. Sans elle, nul ne peut faire en suffisance ce qu'il peut pour se préparer au salut. Dans son sens propre, la grâce est une aide que Dieu nous donne pour mériter ; on l'appelle grâce *gratum faciens*. Sans elle, nul ne peut mériter, ni avancer dans le bien, ni parvenir au salut éternel. » L'expression de *gratia gratum faciens* est employée par Albert dans la *Summa theologiae*, IIᵃ Pars, tract. xvi, q. 98, mbr. i, sol., ad 1., Borgnet 33, p. 225a-b.
89. *Cf. Breviloquium*, Pars Va, cap. I ; Quarrachi, p. 253a. Ces trois expressions héritées de saint Bernard et de l'école de Saint-Victor sont également employées par Alexandre de Halès, *Summa...*, IIᵃ Pars, q. 1, mbr. 1, a. 3 ; Quarrachi II, p. 509.
90. *Compendium...*, p. 166a-b.
91. *Compendium...*, p. 154b.
92. Nous espérons avoir montré qu'Hugues Ripelin était plus qu'un simple « vulgarisateur » de la pensée d'Albert le Grand. Il est temps maintenant de nous prononcer sur les « influences » qu'il aurait subies. Contrairement à ce qu'avance H. Fischer, les traces de l'enseignement de Thomas d'Aquin nous semblent négligeables. L'utilisation des *Sentences* de Pierre Lombard, celle des écrits des Victorins sont, en revanche, évidentes ... mais banales au xiiiᵉ siècle. Reste donc saint Bonaventure. On peut s'étonner que le « vulgarisateur » d'Albert ait choisi de présenter la pensée de son maître selon l'ordre du *Breviloquium*. Certes, cet ordre est, en un sens, « classique », puisqu'il lie logiquement Dieu, la création, la chute, la rédemption, l'économie salutaire et les fins dernières. Mais ce n'est pas là le fait essentiel. Ce qui importe avant tout, à nos yeux, c'est que le *Breviloquium* ne contient rien sur le thème du *De Deo uno* (Bonaventure refusant de « considérer l'essence divine en faisant abstraction des Personnes »), alors qu'Hugues, au contraire, commence son exposé par un livre sur la « nature de la déité » riche d'un chapitre sur le Dieu-Un et de plusieurs développements sur l'un-ité divine. Cette simple différence (sans même évoquer les passages sur l'intellect, absents du *Breviloquium*) montre que Hugues a délibérément suivi le plan de Bonaventure pour présenter une pensée qu'il savait foncièrement distincte. On peut alors

suggérer l'hypothèse suivante : le *Compendium* est à la pédagogie dominicaine ce que le *Breviloquium*, composé vers 1257, est à celle des franciscains. Ce n'est pas un mixte d'influences contradictoires. L'intention d'Hugues semble avoir été de doter ses confrères allemands d'un manuel en son genre aussi complet et pratique que celui du Docteur séraphique. Si l'on songe alors que, à certains égards, la *Summa* d'Ulrich de Strasbourg paraît elle-même proposer une alternative consciente aux analyses de la *Summa Halensis*, on peut se demander si le travail des deux premiers disciples d'Albert n'a pas été, pour une large part, d'essayer d'équiper leur Province en ouvrages permettant de mobiliser immédiatement le meilleur de l'enseignement albertinien sur des points de controverses et des procédures de questionnement fournis tout prêts par leurs confrères — mais rivaux — franciscains. Si tel était le cas, il faudrait admettre que l'école dominicaine de Cologne a eu très tôt conscience de former une véritable « école », un véritable courant de pensée, offrant, au moins, une « réponse » à la théologie plus traditionaliste des franciscains. C'est l'hypothèse que nous suivons ici.

# CHAPITRE IV

# ULRICH DE STRASBOURG

## L'HOMME

Ulrich Engelbert de Strasbourg est, avec Thomas d'Aquin, l'un des plus célèbres parmi les élèves d'Albert le Grand. Il est même, l'expression est de Gilson, son « élève préféré [1] » et, selon le mot de Théry « un de ses plus fervents disciples [2] ». Né entre 1220-1225, Ulrich suivit les cours d'Albert à Paris, puis à Cologne dans le *studium generale* que le maître avait lui-même fondé en 1248 [3].

Plein d'admiration pour Albert, Ulrich a dit de lui qu'il était son « docteur », « un homme à ce point divin en toutes sciences, que l'on pouvait l'appeler à bon droit l'étonnement et le miracle de son temps [4] ». Ayant achevé ses études avec lui, Ulrich a probablement reçu la licence de théologie à Strasbourg. L'année 1272 le retrouve provincial de Teutonie. C'est à la fin de sa période d'administration qu'il est, en 1277, envoyé à Paris pour y lire les *Sentences*. Il y meurt malheureusement sans même avoir pu commencer [5]. Cette trajectoire, relativement brève, a donc atteint son terme sans qu'Ulrich ait pu devenir maître en théologie.

Cette infortune n'a pas empêché le Strasbourgeois de

rédiger l'essentiel d'une œuvre gigantesque — apparemment interrompue par la mort — la *Summa de summo bono*. Cette Somme est, en un sens, la Somme de l'albertisme. C'est la totalisation, l'expansion, le développement de ce qu'Hugues Ripelin cherchait dans le même temps à condenser dans son *Compendium theologicae veritatis*. Ce n'est donc pas un manifeste ni un manuel scolaire, mais une synthèse proliférante, d'une ampleur et d'une profondeur que l'édition critique du *CPTMA*, actuellement à ses débuts, révélera pleinement lorsqu'elle sera achevée [6].

L'influence de la *Summa* est encore difficile à apprécier. Seul son impact sur la spiritualité albertiste du XVe siècle est connu [7]. Cet effet d'après-coup est confirmé par la singularité même de la tradition manuscrite : tous les témoins actuellement connus étant largement postérieurs au XIIIe siècle [8].

Il n'en reste pas moins qu'Ulrich a dû jouer immédiatement un rôle fondamental dans le développement de l'albertisme colonais. Son orientation vers l'émanatisme néoplatonicien semble annoncer, quasiment à chaque ligne, les positions de Thierry de Freiberg, d'Eckhart et de Berthold de Moosburg. Au vrai, M. Grabmann — qui s'attendait que l'édition complète d'Ulrich «permettrait», à la fois «de mieux comprendre la pensée d'Albert et la mystique d'Eckhart» — n'hésitait d'ailleurs pas à parler de l'école de Cologne comme de «l'école d'Albert et d'Ulrich de Strasbourg [9]».

C'est donc la pensée d'un véritable cofondateur de la théologie rhénane que l'on s'efforcera de retracer dans l'étude qui suit. Ulrich, en effet, n'est pas à nos yeux l'auteur malheureux d'une Somme d'emblée éclipsée dans l'ordre dominicain par la *Somme de théologie* de Thomas d'Aquin. La *Somme du Bien suprême* est bien plutôt la charte d'une école autonome, celle d'un milieu de culture spécifiquement allemand qui a toujours su garder son originalité propre en dépit des pressions ou des modes. De fait, y compris pour le lecteur moderne, la Somme d'Ulrich ne perd rien à être confrontée à celle de Thomas ni *a fortiori* à celle de son pendant franciscain Alexandre de Halès[10]. Toujours ferme dans l'intuition générale, souvent subtile dans le détail des analyses, parfois créatrice dans les rapprochements textuels, elle offre bien plus que les rudiments de ce qu'on pourrait appeler une «alternative au Thomisme». Elle est l'expression vivante, accomplie, d'une quête indissolublement philosophique, théologique et spirituelle, qui garde le meilleur de la double tradition néoplatonisante recueillie par l'école de Cologne : l'augustinienne et la dionysienne. C'est cette autonomie de la recherche ulricienne, que la mort a sans doute préservée des condamnations de 1277, qu'on se propose maintenant de montrer.

## L'ŒUVRE

La Somme sur le *Bien suprême* s'articule en huit livres :

— Le premier concerne les principes de cette «science du Bien suprême, qu'on appelle théologie» ;

— Le deuxième porte sur l'essence du Bien suprême et les propriétés qui en découlent ;

— Le troisième, sur les Personnes divines prises ensembles *(in communi)* : c'est la théologie commune de Denys.

Les quatrième, cinquième et sixième livres portent sur la théologie discrète :

— Le quatrième sur le Père et la création ;

— Le cinquième sur le Fils et l'incarnation ainsi que sur les mystères qui « concernent en particulier le Fils » ;

— Le sixième sur l'Esprit saint, la grâce, les dons et les vertus et, d'une manière générale, sur tout ce qui est approprié à l'Esprit ;
— Le septième livre porte sur les sacrements qui sont, en quelque sorte, les «instruments médicaux du Bien suprême» ;
— Le huitième, sur la Béatitude qui est participation au Bien suprême en tant que Bien suprême et fin ultime [11].

L'originalité de ce plan a été souvent soulignée [12]. Original dans l'ensemble, Ulrich l'est aussi dans le détail, comme on le verra en examinant le plan du livre II.

Telle quelle, la Somme d'Ulrich se présente comme un ensemble systématiquement ordonné qui «descend» du Bien suprême pris en lui-même à la Béatitude, c'est-à-dire au Bien participé, et en même temps s'«élève» de la connaissance des principes les plus généraux du savoir théologique à la formulation des conditions et des réalités de l'union bienheureuse. La trame tisse donc deux mouvements distincts qui se confondent ultimement : l'exposition, le déploiement de l'essence absolue (sortie), la montée progressive de la connaissance vers l'expérience du Principe (retour). Le *Bien suprême* donne à lire dans son articulation la circularité de l'Absolu : cette Somme du néoplatonisme médiéval est littéralement une somme néoplatonicienne.

On l'a dit, les deux derniers livres n'ont pas été conservés. On doute même qu'il aient jamais été écrits, étant donnée la mort relativement précoce de l'auteur. La partie aujourd'hui accessible de la Somme nous laisse donc un exposé *De Deo uno* (sur le Dieu Un) et *De Deo trino* (sur le Dieu trine).

Examinons à présent le contenu des livres I et II [13].

## LA SCIENCE THÉOLOGIQUE

Il est possible à l'homme de connaître Dieu, non seulement dans la perfection de la grâce et la lumière de gloire, mais encore dans la simple raison naturelle.

Il faut toutefois distinguer entre connaître *(cognoscere)* et comprendre *(comprehendere)* [14]. Conformément à l'affirmation selon laquelle « Dieu habite une lumière inaccessible [15] », Ulrich montre en effet que Dieu est à la fois inconnaissable et connaissable. Inconnaissable : de par la fonction même de notre intellect. De fait, l'intellect humain ne peut s'appliquer qu'à ce qui est, il ne peut connaître que des êtres ou des étants, c'est-à-dire ce qu'Ulrich appelle « les premières émanations de la divine Bonté [16] ». Vis-à-vis du Bien suprême l'intellect est dans la situation de « l'œil de la chauve-souris face à la lumière du soleil », image chère à Albert [17]. Connaissable : parce que le semblable est connu par le semblable et que « notre intellect a en lui-même une similitude de nature avec Dieu [18] » et qu'il peut aussi, d'autre part, remonter au créateur par la connaissance de ses effets créés [19].

La connaissance du Bien ne mène pas pour autant à la compréhension du Bien. La « similitude » n'est pas suffisante. La ressemblance de l'intellect à la « lumière excellente » contient plus de dissemblances que de ressemblances.

On ne peut donc « sous la conduite de la raison naturelle [20] » comprendre Dieu : on ne peut savoir ni ce qu'il est *(« scire quid est deus »)* ni le connaître tel qu'il est *(« scire deum sicuti est »)* [21]. On peut toutefois connaître qu'il est, ce qui, en soi-même, est source de Béatitude et donc de participation [22].

*La connaissance naturelle de Dieu*

La connaissance de l'existence de Dieu est « naturel-lement semée » en l'homme [23]. Elle revêt cinq formes ou « voies » différentes. La première est « un instinct naturel ».

Toute puissance contient un acte à l'état inchoatif, faute de quoi elle ne serait pas perceptible. Il en va de même de l'intellect possible « en qui préexiste à l'état inchoatif et confus certaine disposition à connaître, sur quoi précisément s'édifie la connaissance des principes véritables [24] ».

Ces principes qui, lorsqu'ils sont connus, sont connus par soi *(per se nota)* n'ont pas tous le même coefficient intellectuel. Les uns, comme les principes des mathéma-tiques, sont naturellement proportionnés à notre intel-lect. Leur connaissance ne fait appel qu'à la seule compréhension des termes qu'on y emploie. Elle ne suppose ni la mémoire, ni l'expérience. D'autres, en revanche, ne sont pas proportionnés à notre intellect à cause de leur imperfection même : c'est le cas des principes de la morale ou de la physique qui, de par la matérialité et la mutabilité de leurs objets, supposent l'intervention de la mémoire et de l'expérience [25].

Dans le cas de Dieu, l'objet est par essence au-dessus de l'intellect. Une connaissance inchoative de l'existence de Dieu ne peut donc résider naturellement en l'intellect comme celle des réalités mathématiques qui lui sont naturellement proportionnées. Mais, d'autre part, les principes qui entament ou esquissent la connaissance évidente de l'existence de Dieu ne sont pas naturelle-ment proportionnés à notre intellect du fait de *sa propre* imperfection. Si donc on considère qu'est « connu par soi », « ce dont on a une connaissance habituelle et confuse naturellement semée en l'intellect, qui ne demande que la seule expérience, sans démonstration, pour se transformer en connaissance actuelle et déterminée [26] », la question se pose, dans le cas présent, de savoir quelle expérience va bien pouvoir pallier cette imperfection.

La réponse d'Ulrich est : l'expérience de la causalité.

La connaissance de Dieu « dans l'*habitus* de la lumière de l'intellect agent, qui est une similitude de Dieu, est naturellement semée dans l'intellect possible [27] ». Pour s'actualiser de manière déterminée, cette connaissance confuse ne demande rien d'autre que l'expérience de ce qu'est une cause. L'expérience de la causalité vient donc activer la connaissance confuse de Dieu comme Cause première. L'instinct naturel de Dieu est ainsi le savoir confus de la Première Cause.

Les deuxième, troisième et quatrième voies sont les trois voies de Denys : négation, causalité, éminence. Chacune correspond à une forme particulière de théologie : symbolique, affirmative, mystique.

### La voie négative et la théologie symbolique

Telle que la conçoit Ulrich de Strasbourg, la négativité n'est pas l'apanage de la théologie. La méthode des négations s'emploie aussi dans le domaine de la raison naturelle. Négation signifie alors division. C'est la méthode arborescente d'un Porphyre [28]. Dire, par exemple, que l'homme est une substance corporelle, puis nier ou écarter qu'il soit inanimé, c'est poser qu'il est un corps animé, et ainsi de suite, en parcourant la série des différences divisives pour les genres supérieurs, mais constitutives pour les espèces inférieures. On peut bien, si l'on veut, appliquer cette méthode à Dieu. En niant qu'il soit un accident, on posera du même coup qu'il est substance. Niant qu'il soit un corps, on saura qu'il est un esprit, et ainsi de suite. Ce n'est pas en cela, cependant, que consiste la voie négative en théologie. Reprenant une suggestion de la *Théologie mystique*

de Denys, Ulrich situe la négativité dans le domaine de
la théologie symbolique[29]. La voie négative s'entend
comme purgation, épuration, catharsis du symbolisme,
qu'il soit ressemblant ou dissemblant. Les Saintes
Écritures proposent une diversité de symboles et de
désignations symboliques : « lion », « pierre », etc. Le
travail du théologien, à la fois anagogique et cathartique, consiste à motiver le signe en niant son adéquation.
La voie négative est donc cette démarche paradoxale qui
permet d'employer un terme au moment même où elle le
nie : « Quand nous refusons *(negamus)* à Dieu, les noms
de "lion", de "pierre", disant qu'il n'est pas vraiment un
lion ou une pierre — et pourtant c'est ainsi qu'on
l'appelle dans les Écritures —, nous connaissons qu'il y a
en lui certain fondement d'une perfection, dont la
ressemblance apparaît dans la créature du nom de
laquelle on le désigne. Ainsi, par le nom de "lion", nous
pensons en Dieu le courage invincible, par celui
d'"agneau", la mansuétude de la pitié, et ainsi de
suite[30]. »

### La voie de la causalité et la théologie affirmative

La méthode des causes a pour fin de manifester la
perfection de Dieu, de « montrer que Dieu est universellement parfait, qu'il possède toutes les perfections de
tous les genres[31] ». Elle applique à Dieu le principe selon
lequel « toute perfection qui est dans l'effet est dans la
cause, et de là dans l'effet[32] ».

La voie de la causalité est la réalisation d'un
programme cognitif condensé dans une parole de
l'Apôtre, Rm 1, 20 : « Ce qui de Dieu reste invisible à la
créature du monde, se fait concevoir par la connaissance
qu'en donnent ses effets. »

L'« invisible », ce sont les attributs qui découlent de
la substance divine. La « créature du monde » n'est autre
que cette créature que l'on appelle « petit monde » ou

«microcosme». C'est l'homme en qui l'intellect organise, détermine, l'univers intérieur et extérieur, de
même que Dieu organise, préside, le «grand monde», le
«macrocosme», la totalité de l'univers[33]. La connaissance de Dieu à travers les créatures suppose que
l'homme qui connaît Dieu à travers elles soit lui-même à
l'image de celui qui les produit. Cette parenté qui
garantit l'applicabilité même de la méthode causale
réside dans l'intellect. On retrouve là, pour ainsi dire, la
charte de la théologie rhénane : l'homme en tant
qu'homme est purement intellect, et comme intellect, il
est l'image de Dieu. S'il peut, contrairement aux bêtes
brutes, voir des effets dans les choses, c'est qu'il y a en
lui l'image même de leur cause[34].

« Plongé dans le sensible » (« profundatus in sensibi-
li »), l'intellect connaît Dieu quand il y lit l'effet d'une
« cause insensible »[35]. La polynymie divine est donc
fondée dans la transcendance de la Première Cause. Elle
en est l'expression même : « Et telle est la méthode de
Denys dans sa théologie des *Noms divins*. Il explique
tous les noms par l'idée de cette Cause en qui toutes
choses résident parfaitement, de qui vient tout ce qu'il y
a de perfection dans les effets et tout ce dont l'existence
est absolument meilleure que la non-existence[36]. »

*La voie de l'éminence et la théologie mystique*

Nommant Dieu de tous les noms à partir de la
considération des choses, nous lui attribuons des
perfections dont le contenu reste lié à la perception que
nous avons de la condition créaturelle. Le sens de nos
mots est proprement limité aux choses que nous
désignons exactement par eux. Employer un mot, c'est
connaître la chose à laquelle on l'applique ou, du moins
le concept *(ratio)* de cette chose[37]. Aucun concept de ce
genre ne convient à Dieu, car si toute perfection qui est
dans l'effet est aussi dans la cause, le degré de perfection

reste distinct ici et là. Faits pour les choses, les noms que nous attribuons à Dieu par mode de causalité ne lui reviennent donc qu'improprement[38].

Les meilleures désignations de Dieu ne sont donc ni les termes symboliques qui ne prennent sens qu'à être niés, ni les termes causaux qui distinguent les effets plutôt qu'ils n'assignent la cause. Les meilleures désignations sont celles qui, à la fois, posent quelque chose en le niant et nient quelque chose en le posant. Ce sont ces « affirmations par excès » *(cum excessu)* qui sont en même temps des négations par défaut, qui visent la surabondance de la cause dans le défaut de l'effet[39]. Ces affirmations éminentes sont donc des négations supérieures qui se trouvent au-delà même de l'opposition entre affirmer et nier, dire et ne pas dire : « Il est évident qu'aucun nom [...] ne convient proprement à Dieu, à moins d'être signifié par excès, selon ce passage de Mt 6, 11 : "Donne-nous aujourd'hui notre pain supersubstantiel." En effet, ce qui est dit ici c'est que Dieu n'est pas substance mais supersubstance, ni essence mais superessence, etc. Ces négations ne s'opposent donc pas à des affirmations, puisqu'elles ne sont pas faites par rapport à la même chose[40]. »

Autrement dit : dire que Dieu est « supersubstantiel », ce n'est pas lui refuser le statut de substance pour la raison qu'il serait en défaut par rapport à elle, c'est refuser Dieu à l'idée de substance pour la raison qu'elle est en défaut par rapport à lui (ou lui en excès par rapport à elle). Donc, en disant que Dieu « n'est pas substance », on ne dit pas qu'il lui manque quelque chose pour être substance, mais plutôt qu'il manque quelque chose à la substance pour être Dieu. Dire que Dieu « n'est pas substance », c'est donc bien dire qu'il est au-dessus d'elle : supersubstance, supersubstantiel. Cet énoncé ne s'oppose pas à l'énoncé affirmatif : « Dieu est une substance. » Il ne se confond pas non plus avec le simple énoncé privatif : « Dieu n'est pas une subs-

tance. » « En effet, l'essence, la substance ou la vie sont
affirmées de Dieu du point de vue de la réalité signifiée
par le nom, laquelle est d'abord en Dieu puis, grâce à
lui, dans les autres choses. Et ce que l'on nie, c'est que
l'essence, la substance ou la vie restent les mêmes une
fois qu'elles ont revêtu le mode d'imperfection qui est le
leur dans les créatures. Or, précisément, c'est en cet état
qu'elles sont normalement signifiées par les noms.
Ceux-ci ne sont donc pas refusés à Dieu pour son
imperfection, mais bien plutôt pour son éminence [41]. »

La voie d'éminence est le couronnement des voies
antérieures. Celles-ci ne nous apprenaient que l'existence de Dieu, celle-là nous apprend quelque chose de la
manière dont toutes les perfections que nous lui avons
attribuées sont en lui.

Ainsi donc, tout l'édifice des théologies se trouve-t-il
organisé autour des notions d'affirmation et de négation.
La voie affirmative et causale est une voie « descendante ». Elle mène du caché au manifeste : « Les
affirmations commencent à ce qui est caché dans la
divinité, et elles le tirent au clair dans la mesure où les
perfections divines y sont signifiées comme descendant
d'une cause éminente jusque dans les réalités manifestes. Par exemple, Dieu est dit "bon" en tant que cause
de tout bien créé, et ainsi de suite [42]. » La voie négative et
anagogique est « ascendante ». Elle mène du manifeste
au caché : « Les négations commencent aux réalités
manifestes, c'est-à-dire aux créatures, et, ôtant de Dieu
tout ce que nous en savons par la connaissance naturelle,
elles laissent notre intellect face à un être confus, dont il
ne peut rien affirmer et dont il ne peut rien connaître de
déterminé, sinon qu'il existe [43]. »

Combinées, affirmations et négations aboutissent à
un certain type de connaissance qui décèle en toute
perfection la suréminence sans limite et incompréhensible du Premier Principe. Cette connaissance est, pour
Ulrich, ce que Denys appelle théologie « mystique » ;

parce qu'elle « laisse et arrête notre intellect dans le mystère, c'est-à-dire dans le secret de la lumière incompréhensible [44] ».

Autrement dit : savoir que toutes choses sont sur un mode éminent en celui qui les cause toutes, cela est du ressort de la connaissance naturelle en toutes les voies qu'elle emprunte. Mais, si cette connaissance naturelle « est assistée par une illumination divine » et que, comme le dit le Ps 35, 10, « nous voyons la lumière dans la lumière », il n'y a plus connaissance naturelle, mais « mystique ».

Bref, l'idée de l'éminence de Dieu est accessible à la raison, mais la réalité du mystère n'est connue qu'une fois qu'on a traversé le cycle des voies et des théologies. Ulrich se montre ici le disciple fidèle de Denys. La quasi-totalité de son chapitre sur la théologie mystique n'est d'ailleurs qu'une variation sur le texte dionysien. Toutefois, la voie mystique n'est pas pour lui le dernier mot de la théologie.

C'est avec la cinquième voie qu'Ulrich, rejoignant Albert le Grand, boucle du même coup l'édifice des théologies dionysiennes, lui apportant ce que la théologie rhénane a en propre : une théorie de l'intellect.

### La divinisation de l'intellect et la voie de la perfection continuée

La cinquième voie explicite du point de vue de la progression intellectuelle la démarche qui a été présentée du point de vue de la cohérence des méthodes dans les trois voies précédentes.

Cette cinquième voie est le déploiement de la théorie avicenno-albertinienne des degrés de l'intellect déjà rencontrée chez Hugues de Strasbourg [45]. L'intellect possible doit devenir intellect acquis, ce qui se produit lorsque l'intellect agent l'informe entièrement : « Coniunctus est ei totaliter ut forma [46]. » Cette acquisi-

tion désigne « une progression dynamique [47] » : actualisé
par l'intellect agent, l'intellect possible peut connaître
les réalités sensibles et particulières par conversion aux
phantasmes, mais il peut aussi, plutôt que de se tourner
vers les images de la perception sensible, se servir des
modes de connaissance qui lui sont propres en tant
qu'*intellectus principiorum et instrumentorum* [48]. C'est là
la place de l'activité de connaissance scientifique. Enfin,
et surtout, il peut « grâce à son zèle continu, apprendre à
se reconquérir lui-même en tant qu'intellect pur », « en
tant qu'intellect perfectionné par des acquisitions toujours plus hautes [49] ». Cette transformation de l'intellect,
cette actualisation continue signent l'entrée de la
connaissance dans le domaine propre à la théologie.
Comme chez Albert, le but de la théologie ulricienne est
l'intellectualité ou, si l'on peut dire, l'intellectualisation
de l'intellect. S'élever jusqu'à la lumière de l'Intellect
divin par une conversion faite d'illuminations successives, telle est véritablement l'odyssée de l'intellect :
« D'intellect acquis, il devient intellect saint, c'est-à-dire
pur de toute matérialité et de toute condition génératrice
d'impureté. D'intellect saint, il devient intellect assimilé,
car l'intellect saint, dans la lumière de l'intellect acquis
connaît à travers les images de la lumière de l'intellect
agent. Et ainsi, il s'unit à travers leurs images aux
substances séparées, comme intellect (d')intelligible.
Alors, la lumière de ces substances se diffuse en lui et, à
ce moment, il les connaît plus pleinement encore et il
s'assimile à elles. Enfin, d'intellect assimilé, il devient
intellect divin. C'est là ce qui arrive quand nous recevons
la lumière divine dans la lumière de l'intelligence. En
effet, par cette lumière de l'intelligence nous connaissons davantage les réalités divines et, unis à Dieu par la
connaissance, nous sommes illuminés par lui. Et dans
cette lumière, nous connaissons Dieu. Nous ne disons
pas cela de la lumière gratifiante de la grâce, mais de
cette lumière par laquelle "Dieu illumine tout homme"

Jn 1, 9 et par laquelle il s'est révélé à ceux qu'on appelle "philosophes", comme le dit Rm 1, 19 [50]. »

La finalité de la théologie et, d'une manière générale, de l'existence humaine est donc la divinisation de l'homme par la perfection de son intellect. Cette perfection divinisante donne un sens absolument chrétien à la noétique héritée du péripatétisme gréco-arabe. En effet, c'est bien parce que l'homme en tant qu'homme est seulement intellect, qu'il peut avoir Dieu pour destinée.

L'aboutissement de la théologie ulricienne n'est donc pas cet « être confus » qui signait l'aboutissement de la voie ascendante. Le but de l'homme en tant qu'homme n'est pas l'obscurité du caché, mais la lumière de la lumière. Sans rompre avec Denys, Ulrich le complète ou plutôt le dépasse vers l'émanatisme avicenno-albertinien.

Ce qui sépare Ulrich de Denys tient au fait que la réflexion du second porte avant tout sur les limites du dicible, alors que celle du premier porte non sur le langage mais sur l'intellect, sur ses possibilités de progression, de perfectionnement, de transformation, en un mot : de conversion.

Ulrich cherche à penser la dynamique du Retour sur la base noétique que lui transmet son maître Albert le Grand. Ce qu'il veut, c'est fonder une histoire de l'absolu sur une théorie de l'intellect, inscrire cette histoire en l'homme lui-même, dans ce qui le fait en tant qu'homme et du même coup parfaite image de son créateur, lumière dans et par la lumière : « Cette lumière qui est composée de la lumière de l'intellect agent, de la lumière de l'intelligence et de la lumière divine est l'image la plus expressive qui puisse se trouver naturellement en nous. C'est pourquoi, en elle, nous ne connaissons pas seulement que Dieu existe : De même que nous connaissons la quiddité d'une chose par l'aspect de son image, de même, c'est de cette façon que notre connaissance arrive à connaître Dieu, pour autant que cela est naturellement possible[51]. »

Ainsi donc, le processus de connaissance engagé par la première voie s'achève-t-il ici naturellement. Certes, la connaissance obtenue n'est-elle pas la connaissance de Dieu par son essence, mais seulement par son image. Toutefois, cette image ou similitude n'est pas une représentation abstraite. Ce n'est d'ailleurs pas même une représentation. C'est bien plutôt la lumière elle-même, causée et imprimée par Dieu en chacun et « spécialement semée dans notre intellect, qui est son image et sa ressemblance[52] ».

Que l'homme ne puisse s'unir à Dieu qu'en image, cela tient à l'imperfection de son intellect. L'intellect de l'homme est — peut-être indéfiniment — perfectible. Il n'est pas parfait. L'intellect divinisé n'est pas Dieu, il participe à Dieu. La lumière faite de trois lumières n'est pas la lumière divine elle-même, ou plutôt, elle n'est pas seulement la lumière divine. Elle n'en est pas moins connaissance et divinisante et, comme telle, elle n'a besoin d'aucun supplément de grâce. Ce qu'elle accomplit, c'est la nature même de l'homme. Ulrich n'exclut évidemment pas la spécificité de la connaissance de foi (« cognitio fidei »), connaissance par la grâce ou en grâce pures. Toutefois, celle-ci ne fait que parfaire encore l'intellect en le comblant d'un supplément de connaissance. Elle ne change pas sa nature, mais sa quantité : « Elle est supérieure à la connaissance naturelle par la quantité extensive : elle connaît plus de choses qu'elle au sujet de Dieu ; et par la quantité intensive : parce que les réalités divines sont plus limpides dans la lumière divine elle-même que dans la lumière humaine[53]. »

De fait, si l'homme en tant qu'homme est seulement intellect, autrement dit, si son humanité a pour principe et pour fin l'intellectualité, l'homme n'est pas tout entier intellect. L'intellect n'est pas la totalité de son essence. Autrement dit : en tant qu'il est, l'homme est seulement intellect, mais en tant qu'il n'est pas essentiellement intellect, il n'est rien : contrairement à l'ange « l'homme n'a pas l'intellect pour toute essence, l'intellect qui est image et similitude de la lumière originaire. Il ne l'a que participé, possédé comme un *habitus*[54]. » Il lui incombe donc de se faire toujours plus intellect, de passer en une progression continue de l'avoir à l'être. L'intensification de la vie intellective a pour fin la déification. La grâce peut bien ici parachever la nature, celle-ci contenait déjà, pour ainsi dire à l'état inchoatif, sa destinée spirituelle.

### DIEU, L'ÊTRE ET L'INTELLECT

La nature intellectuelle de Dieu pose le problème des rapports de Dieu et de l'Être dans la pensée d'Ulrich.

L'Être que considère la *Somme du Bien suprême* est l'être du *Livre des Causes* : « La première des choses créées. » L'Être est donc « l'émanation première et propre du Premier Principe[55] », la « première forme en qui toutes les formes suivantes se résolvent[56] ». Première des choses créées, l'être est donc, si l'on veut, la seule chose qui soit véritablement créée. Tout ce qui vient après lui, tout ce qui le divise, ou, ce qui revient au même, tout ce qui le constitue est par information[57].

En ce sens, Dieu n'est pas être.

Avant d'examiner en quel sens il peut être dit « être », il faut toutefois rappeler que, pour Ulrich, toute forme est par soi et dans sa nature « simple, immatérielle, invariable » et « intelligible par soi », car elle est « un rayon et une lumière de la première forme qui est l'Intellect divin[58] ». Cette caractérisation de l'Intellect comme « forme première » est évidemment surprenante, quand on voit que cette formule qualifiait tantôt non pas Dieu lui-même, mais « la première émanation » : l'être. En fait, il faut comprendre que l'Intellect divin est la

« première forme » au sens où sa propre lumière est la « substance » de toutes les formes quelles qu'elles soient. Ce qu'on appelle l'être, première de toutes les formes émanées, est la première de toutes les intentions, une conception simple ou plutôt indifférenciée « qui réside dans la lumière de l'Intellect qui le produit ». Ainsi donc la lumière de l'Intellect divin est-elle le lieu de l'être. L'Intellect divin lui-même n'est pas l'être — sauf au sens précis où l'être est sa première conception, son premier produit. C'est donc bien comme Intellect que l'Intellect divin est la première forme, c'est-à-dire la substance de tout ce qui vient après lui, *i.e.* dans la mesure et pour autant que l'être est la première chose qu'il conçoit.

## Dieu intellect et la doctrine de la création

Comme l'écrit J. Jolivet : « Que l'être, forme et principe des formes, émane d'un premier qui est Intellect, cela fait coïncider d'emblée le plan de l'être et celui de l'intelligibilité [59]. » De fait, « l'équation être = forme = lumière » est non seulement le principe, mais la réalité même de l'émanation, puisque c'est la diffusion même de la « pure lumière formelle et intellectuelle » qu'est la Cause première qui, pour Ulrich, est « l'être formel de toute chose ». Le disciple mobilise sur ce point sans le dire la doctrine de son maître Albert le Grand et déploie en une dialectique et un montage serrés toute une théorie de citations muettes empruntées au *De causis et processu universitatis* : « Puisque donc le premier Intellect est au plus haut point éloigné de la matière, qu'il n'y a en lui rien qui soit en puissance (puisque c'est un acte qui est pur et universellement agent, dont la lumière essentielle est la première forme, forme dont toutes les autres formes sont les images comme le dit Boèce) ; puisque cette forme est d'une pureté suprême, comme on le voit au fait que, quand on dépouille une forme matérielle de toute matière par résolution du composé au simple, l'ultime résolution aboutit à cette lumière ; puisque même c'est là que s'arrête toute espèce de résolution : il est clair que cet intellect premier est au plus haut point doué de savoir *(scientificus)* et qu'il possède le savoir de toutes choses [60]. » « La science du Premier Principe est cause de l'être de l'univers, car l'être est le fondement de toutes choses. L'être est donc le premier causé et il est antérieur à tous les étants déterminés. Il importe donc qu'il soit créé par une cause qui soit elle-même antérieure à toute chose. Et il n'y a rien d'autre de tel que le Premier Principe. Lui seul est donc cause de l'être de l'univers. Mais comme ce Principe est un Intellect agent, il cause uniquement par un savoir qui est une activité, un savoir dont l'acte de savoir consiste à répandre les lumières intellectuelles qui sont les principes des choses. Ainsi donc son savoir est-il cause de l'être de l'univers en tant qu'il est être, la détermination de l'être ayant d'autres principes, secondaires [61]. »

On le voit, la théologie d'Ulrich est dionysienne sans être à proprement parler « mystique ». Le Dieu d'Ulrich n'est pas le Dieu caché de Denys, mais la « lumière inaccessible » des Saintes Écritures.

Comme chez Denys, la divinisation de l'homme reste un des buts, sinon le but unique de la création. L'union bienheureuse, dans la mesure où elle peut être esquissée ou anticipée par l'homme viateur, n'est pas pour autant une retraite dans la ténèbre de l'inconnaissance, mais une fusion dans la lumière. L'union béatifique selon Ulrich reste comme chez Denys essentiellement impersonnelle mais ce n'est pas, si l'on peut dire, une union dans la mort. C'est une vision pure, sans sujet fonctionnaire, une pensée que personne ne pense, une lumière qui se fond dans la Lumière. C'est l'être lui-même devenu bienheureux.

Dans l'expérience de la vision, la totalité de l'être se

voit comme Image. La connaissance naturelle s'accomplit ainsi *naturellement* dans la grâce.

En un sens, et selon la formule même que popularisera Eckhart, la grâce ne fait que nous apporter ce qui était déjà à nous. Mais la théologie d'Ulrich reste une théologie «infinie» dans la mesure où la fusion n'est jamais absolument totale, du moins serait-on tenté de dire dans la situation présente de l'homme, *pro statu isto*.

La contemplation théologique n'en est pas moins un avant-goût d'union. Ce qui est goûté dans la lumière naturelle n'est pas essentiellement différent de ce qui sera goûté dans la gloire. La béatitude n'est pas différente ici de ce qu'elle sera là-bas. La seule différence est qu'elle n'est à présent ni entière, ni stable : «La fin de l'univers est de parvenir réellement jusqu'au Premier Principe. Ce Premier Principe, assurément, la nature l'atteint en participant à sa Bonté, mais c'est à l'ombre de la matière et de la privation et non dans la raison même de l'Intellect. Il lui est donc agréable d'aller vers ce Principe, mais ce n'est pas en lui qu'elle perçoit sa douceur, ce n'est pas en lui qu'elle se réjouit, car la joie n'est rien d'autre que la diffusion de l'âme dans le concept du Bien. Notre intellect, en revanche, est capable d'atteindre ce Principe intellectuellement, par la contemplation. Et ainsi, lui étant joint, il se réjouit, et en percevant sa douceur, sa joie est le sommet de la délectation et le sommet de la joie que l'âme peut posséder dans un corps. Mais cette joie est imparfaite. D'une part, en ce que notre connaissance en reste incomplète, d'autre part, en ce que notre âme ne peut y demeurer longtemps. De fait, bonheur et joie sont liés à une activité. Ce ne sont pas des *habitus* stables. Or, notre âme est tirée de cette activité par le corps et sa corruptibilité [62]. »

*La théorie des Noms divins : l'Être et le Bien*

Bien que son titre général (« De l'unité de la nature divine ») ne l'indique pas d'emblée, le livre II de la *Somme* d'Ulrich est un commentaire des *Noms divins* du Pseudo-Denys.

G. Théry considère qu'il s'agit d'un commentaire littéral. Il écrit : « Si dans le premier livre, Ulrich développe largement les idées dionysiennes, un peu à la manière d'Albert le Grand, pour qui le texte de Denys n'est qu'occasion à développements personnels, dans le second livre, par contre, il arrive très fréquemment qu'il se contente de donner de la lettre de Denys un commentaire littéral très succinct, à la manière dont saint Thomas expose les *Noms divins*[63]. »

En fait, les passages de commentaire littéral proprement dits sont relativement rares, compte tenu des proportions de l'ouvrage, et, d'autre part, ils sont en général composés à la manière du commentaire des *Noms divins* d'Albert le Grand qui est une véritable glose. La forme littéraire du texte d'Ulrich est très originale. Cette Somme est un véritable système qui met en œuvre des techniques distinctes, chaque fois que cela est nécessaire. Commentant les *Noms divins*, Ulrich fond le texte dionysien dans une série d'expositions, de lieux et de thèmes traités en monographies successives[64]. Constamment détachés du fil du texte, les commentaires sont agencés selon l'ordre disciplinaire (« ordo disciplinae »), c'est-à-dire selon l'ordre des raisons. Cette systématicité, valable pour l'ensemble de l'ouvrage, apparaît d'ailleurs au premier coup d'œil dans la division par traités, chapitres et paragraphes dont l'enchaînement rigoureux est explicitement souligné par l'auteur : « Pour une compréhension plus distincte de ce qui est dit, nous avons divisé les livres en traités, les traités en chapitres et les chapitres en paragraphes. Chacun d'eux expose quelque chose de spécifique, nécessaire à la connaissance des matières annoncées dans le titre général des chapitres. Chacun d'eux est rigoureusement déduit du précédent. Ainsi, qui voudrait travailler à abréger l'ouvrage compilé et à le réduire se tromperait lui-même et tromperait les autres. Non seulement il lui manquerait la connaissance des matières qu'il aurait négligées en faisant son abréviation, mais encore il ne comprendrait pas même les extraits obtenus, leur signification dépendant précisément de tout ce qui aurait été laissé de côté pour abréger[65]. »

Cette volonté d'axiomatiser le savoir théologique est caractéristique de la théologie rhénane. Tous les auteurs rhénans ont écrit des Traités, non des Sommes dans le sens de Thomas d'Aquin ou d'Alexandre de Halès. Il n'est pas exclu que le ferment de cette conception systématique ait été fourni par le choc qu'a dû causer sur ces esprits l'*Elementatio theologica* de Proclus. On doit cependant noter qu'avant même cette révélation, la quasi-totalité des sources de la théologie rhénane avait déjà la forme d'une architecture de principes ou de règles développés ou commentés, qu'il s'agisse du *Livre des vingt-quatre Philosophes*, du *Livre des Causes*, ou des *Règles* d'Alain de Lille[66]. La *Somme* d'Ulrich est donc une pièce centrale dans un mouvement spécifique qui aboutira à l'*Œuvre des propositions* partiellement réalisé par maître Eckhart. Il suffit pour s'en convaincre de relire les pages où Ulrich, suivant le modèle des « disciplines discursives », distingue les principes premiers de la théologie et les « articles » qui en dépendent : « Ainsi donc, en théologie aussi on trouve des propositions antérieures aux articles de foi, qui sont les principes absolument universels et premiers de cette science, par lesquels on prouve tous les articles et tous les autres énoncés de cette science. Ces principes nous sont connus par soi, même sans la foi[67]. »

La systématicité de la démarche d'Ulrich, son

insistance sur l'ordre des notions et des propositions n'en font que mieux ressortir le trait fondamental de sa lecture des *Noms divins.*

Ce trait est le suivant : contrairement au texte de Denys qu'il commente, contrairement même au Commentaire d'Albert qu'il utilise, Ulrich traite du nom d'« Être » révélé à Moïse (Ex 3, 14 : « Je suis celui qui suis ») avant d'aborder l'examen du nom de « Bien ».

Le renversement des *Noms divins* et l'apparente subordination du Bien à l'Être, étonnante dans une *Somme du Bien suprême,* ont été soulignés par Théry. L'explication qu'il en donne appelle toutefois quelques réserves : « Comme Albert le Grand et comme saint Thomas, Ulrich de Strasbourg, tout en affirmant son intellectualisme aristotélicien, ne veut cependant pas se mettre en opposition avec Denys et il le justifie, par une distinction entre l'ordre statique et l'ordre dynamique. Dans le premier cas, l'Être est évidemment premier ; mais au point de vue causal, dit-il, qui est le point de vue de Denys, la priorité revient à la Bonté. Toutefois, Ulrich maintient dans sa Somme le point de vue statique et proprement métaphysique. Et par là, il s'écarte de cette vue d'ensemble de la philosophie néoplatonicienne qui est à la base même des *Noms divins* de Denys. C'est une considération qu'il faudra retenir, quand le moment sera venu de tracer la physionomie intellectuelle du disciple d'Albert le Grand [68]. »

Il n'est pas douteux que, comme avant lui Albert et Hugues Ripelin, Ulrich rapporte le nom de « Bonté » à l'aspect causal, créateur, de Dieu ; si l'on préfère, au Dieu qui émane. Mais cette exposition est, on l'a vu en rapprochant Hugues Ripelin d'Alexandre de Halès, traditionnelle [69]. Elle reparaîtra d'ailleurs sous une forme encore plus accusée dans la théorie eckhartienne de l'appropriation des transcendantaux, qui réserve le nom d'Être à l'essence divine, celui d'Un à la Personne du Père, celui de Vrai à celle du Fils (Sagesse du Père) et celui de Bien ou Bon à l'Œuvre de la création[70]. On peut donc bien dire avec Théry que l'opposition du statique (Dieu en lui-même) et du dynamique (Dieu procédant au dehors) justifie une priorité du nom d'Être. Peut-on, pour autant, parler de « primat du point de vue statique et proprement métaphysique » ? Ulrich « s'écarte-t-il ici de la vue d'ensemble de la philosophie néo-platonicienne » ? Rien n'est moins sûr.

En fait, la démarche d'Ulrich reste absolument exemplaire de la tendance fondamentale du néoplato-nisme rhénan : concilier les deux formes du néoplato-nisme chrétien, celui d'Augustin, celui de Denys, en une unique métaphysique de la conversion. La permutation des noms d'« Être » et de « Bien » constitue donc une simple redistribution du texte dionysien d'après les exigences de la théorie augustinienne de l'Être.

Comme chez Augustin, la conversion ulricienne est constitutive d'être pour le converti, mais, comme chez Denys, la dynamique de la conversion s'inscrit dans le dynamisme général de l'Être. La Bonté n'est rien que la dynamique de l'Être. Comme chez Hugues Ripelin, la Bonté d'Ulrich n'est autre que l'Être communiqué : le Principe, l'Être d'Augustin, n'en reste pas moins le « Bien suprême ». L'Être est Bien parce qu'il se donne, se fait connaître et se connaît lui-même à ce don.

Il n'y a donc pas de véritable primat de l'Être sur le Bien. Cela d'autant moins que le Premier Principe n'est Être que pour se donner et n'est Bien que parce qu'il se donne. Le Dieu d'Ulrich n'est pas l'Être de l'ontothéolo-gie. Le Dieu d'Ulrich est le Dieu d'Albert : c'est un Intellect. C'est cet Intellect premier qui se donne comme Être par Bonté. Le véritable primat, la véritable principauté, n'est donc pas celui de l'Être statique sur le dynamisme du Bien. C'est le primat de l'Intellect qui est à la fois statique, fixé en lui-même, et dynamique, vivant en lui-même comme Trinité des Personnes et au-dehors, comme Créateur dans sa création. On le voit, comme avant lui Albert, Ulrich concilie Augustin et Denys par la noétique.

De fait, il faut se souvenir que, si le titre général du livre II est l'*Unité de la nature divine*, le plan général de l'ouvrage, fourni au début du livre I, annonçait : *l'Essence du Bien suprême et ce qui en découle* : l'Être ne saurait donc avoir de primat que s'il est l'Essence du Bien suprême. Or, il ne fait pas de doute que, chez Ulrich, la « nature » ou « essence divine » est proprement désignée sous le seul nom d'« Intellect ». L'Être qui est Dieu est d'abord un Intellect. Le sens d'« Être » appliqué à Dieu est donc purement intellectuel, il a pour fonction de dire que Dieu est de nature, c'est-à-dire originairement, Intellect. Certes, Ulrich de Strasbourg n'est pas Thierry de Freiberg, et sa théorie de l'Intellect n'est évidemment pas la théorie de l'Intellectualité comme Intellectualité que développera l'auteur du *De intellectu et intelligibili*. Dès Ulrich cependant, le thème de la noblesse de l'Intellect qu'illustreront tous les théologiens rhénans a acquis sa consistance propre, y compris dans sa conception des rapport de l'Intellect et de la Volonté en Dieu. En effet, bien avant qu'Eckhart souligne le primat de l'Intellect sur la Volonté en Dieu dans ses *Questions Parisiennes*, dont l'objet principal est de montrer que Dieu n'est pas Être mais Intellect, Ulrich affirme que le nom d'« Intellect » convient mieux à Dieu que celui de « Volonté » : « La nature divine est, quant à la raison du nom, plus proprement appelée "Intellect" que "Volonté". En effet l'Intellect est plus proche de cette nature que la Volonté, puisqu'il flue plus immédiatement de l'Essence divine. Selon l'ordre de nature, la Volonté flue de l'Essence par l'intermédiaire de l'Intellect. C'est là l'ordre de ces puissances [71]. »

Cela étant, il reste clair qu'Ulrich distingue l'Essence divine de l'Intellect qui flue d'elle, fût-ce plus immédiatement que toute autre chose. Dire que Dieu est de « nature intellectuelle », tout en affirmant que l'Intellect

est ce qu'il y a de plus proche de la nature divine, signifie
que la Vie de cet Être à l'essence inscrutable est pour
ainsi dire *d'emblée* celle d'un Intellect.

S'il y a un primat du nom d'«Être», c'est donc
finalement au sens où il faut bien, d'une manière ou
d'une autre, porter au langage l'idée qu'il y a de l'être ou
de l'étant parce qu'il y a un Centre. C'est ce Centre
inassignable qui est appelé l'Être. Dire : «Dieu est
Être», c'est donc dire quelque chose comme «Il y a un
Point qui sait ce qui est», un «Point doué de savoir», un
«Point scientifique» *(Punctus scientificus)* selon l'expression d'Albert le Grand : «Supposons qu'un point
lumineux émette une infinité de rayons et que chacun
d'eux, venant du même point, ait même espèce et même
raison. Supposons en outre que ce point soit doué de
savoir *(Hunc punctum ponamus esse scientificum)* : il
connaîtra la diversité de tous ses rayons en ce seul et
unique *(uno et eodem)* point[72]. »

Ce point, cet Être ou, si l'on préfère, cette intériorité
théocentrique de l'Être, est donc cela même qu'Ulrich,
reprenant à nouveau Albert le Grand, décrira au livre
IV de sa *Somme* comme «l'unité absolument identique
de trois réalités : quelque chose qui sait *(sciens)*,
quelque chose qui est su *(scitum)*, quelque chose à l'aide
de quoi cela est su *(quo scit)*» : «Le Premier connaît
toutes choses, donc il sait qu'il connaît. Le Premier est
son propre acte de penser et en tant qu'il est à cause de
sa simplicité, et en tant qu'il est Principe, car il est
principe *(principiat)* et agit par le savoir et l'intellect. Il
se connaît donc en tant qu'il est en lui-même et en tant
qu'il est Principe. Il se connaît donc parfaitement,
puisque, comme c'est par l'intellect et le savoir qu'il est
Principe, si son savoir n'est pas parfait, il ne sera pas un
Principe parfait. La perfection de son savoir, par
laquelle il se connaît lui-même et toutes les autres choses
consiste en ceci que celui qui connaît *(sciens)* est la
raison parfaite et la mesure de ce qui est su *(sciti)* et que

ce par quoi il connaît *(quo scit)* ne représente pas moins que ce qu'il y a dans celui qui connaît, enfin que ce qui est connu est entièrement compris dans le concept de celui qui connaît et de ce par quoi il connaît. Autrement dit, cette perfection réside dans le fait que les trois sont en lui absolument une seule et même réalité[73]. »

On ne saurait mieux dire que « Celui qui est », ou plutôt, le Principe, c'est-à-dire, celui que l'on qualifie par sa seule et pure antériorité, est Intellect, qu'en disant qu'il se connaît « en tant qu'il est en lui-même », c'est-à-dire comme Être, et « en tant qu'il est Principe », c'est-à-dire comme Bonté. La triple identité dans le Principe du sujet de la connaissance, de l'objet connu et du *medium* de la connaissance, thème albertinien, se retrouvera avec tout son éclat dans la noétique spéculative de Thierry de Freiberg.

Dès la Somme du *Bien suprême*, le thème du dynamisme ternaire de l'Intellect principal et principiel comme fondement infondé de l'étant dans sa totalité est cependant acquis avec une force que la philosophie allemande naissante ne fera plus qu'accentuer.

C'est cette insistance sur l'intellectualité qui distingue Ulrich de ses contemporains franciscains. De fait, si l'on s'en tient à la seule opposition du statique et du dynamique, de Dieu tel qu'en lui-même et de Dieu en tant qu'il cause au-dehors, force est de constater que la position ulricienne n'a rien qui l'oppose à celle d'Alexandre de Halès, dont on a tout à l'heure noté la convergence avec les analyses d'Hugues Ripelin de Strasbourg[74]. En revanche, Ulrich apparaît beaucoup plus original si l'on donne tout son poids à cette « procession intellective » qui, en quelque sorte, « fixe » la distinction même de l'Être et du Bien. En effet, Dieu, tel qu'il est en lui-même, agit, est activité ; et étant activité, il est Principe. On ne saurait donc séparer la raison du Bien de celle de l'Être que pédagogiquement. Théologiquement, les deux sont inséparables, puisque enracinées à égalité et, si l'on peut dire, solidairement dans la nature d'un Dieu qui est moins le Dieu caché que le Dieu vivant et qui, comme on va le voir à présent, est moins le Dieu anonyme et «confus» de la théologie dite «mystique» que le Dieu unique de la foi.

## L'Être divin comme Être-Un

On a parfois dit que le néoplatonisme d'Ulrich était un néoplatonisme sans hénologie, un néoplatonisme sans l'Un. Cette supposée lacune, rapprochée de l'absence des six premières propositions des éléments de théologie dans la version qu'en donne le *Livre des Causes* inspire à J. Koch ce commentaire : «Bien qu'il appartienne aux dominicains, qui sont ouverts à la pensée néoplatonicienne, Ulrich privilégie comme nom divin "Celui qui est" (Ex 3, 14) et "le Bien" ; d'après lui, le premier désigne Dieu dans son en-soi, le second, dans sa causalité créationnelle. Pour les deux, il s'appuie sur le Pseudo-Denys. Quant au nom "l'Un", il n'en est jamais question [75]. » Une fois de plus, cette analyse n'est pas correcte [76].

Comme son maître Albert, et suivant en cela le texte de Denys lui-même, Ulrich traite l'Un à la fin de son commentaire des *Noms divins* : à la fin du livre II, plus précisément au chapitre 7 du sixième traité, lequel correspond donc au chapitre XIII des *Noms divins* et du Commentaire albertinien.

La critique de Koch n'est donc pas justifiée. Certes, on peut bien noter avec lui qu'Ulrich n'accorde pas au nom d'«Un» le premier rang dans l'art de nommer Dieu. De fait si le «Qui est» dit la substance divine (comme l'indique le titre même du second traité), le nom d'«Un» est seulement placé parmi les différents noms qui expriment «la perfection de la puissance opérative de Dieu» (titre du sixième traité). Toutefois, comme on va le voir, l'une des originalités les plus remarquables de l'exégèse ulricienne est de justifier la primauté du nom d'Être, correctement interprété, en identifiant, si l'on peut dire, le point de vue ontologique de l'existence de Dieu *(quia est)* et le point de vue hénologique de l'Unité ou unicité divine *(quia unus est)* dans la considération même de sa productivité.

Cette justification fournit d'ailleurs de nouvelles raisons d'affirmer que l'Être divin est de «nature intellectuelle», car l'unicité même de l'Être qui est Dieu ne dit ontologiquement rien d'autre que ce que les prédicats de «séparé» et de «non mélangé à quoi que ce soit» disent de l'Intellect dans la noétique péripatéticienne [77].

Telle qu'elle se présente dans le chapitre 1 du second traité du livre II *(De l'établissement de l'Être divin)*, la démarche d'Ulrich consiste à montrer que Dieu *est* et qu'il est *un* ou *unique* («quia est Deus et quia unus est») par la seule considération de sa causalité productrice («per effectum»). L'existence et l'unité ou unicité divines sont donc posées comme consignifiées dans le nom révélé à Moïse par référence à la seule manifestation de Dieu dans ses effets créés, autrement dit, «selon la nature des processions», dans la terminologie d'Albert le Grand [78]. On voit ici d'emblée que le problème de «l'établissement de l'Être divin» est singulièrement plus complexe chez Ulrich que ne le suggérerait l'opposition traditionnelle de l'en-soi statique de l'Être à la causalité dynamique du Bien.

De fait, on ne saurait penser Dieu sans penser qu'il produit, ni penser qu'il produit sans penser qu'il est l'unique producteur. Contrairement à d'autres passages où il s'attache à la «Sagesse» du Principe, génératrice d'ordre, Ulrich s'attache ici à l'aspect «moteur», et non «créateur», de la production divine [79].

Le *Qui est* producteur est conçu et pensé comme Premier Moteur, son unité ou son unicité comme l'unité et l'unicité du Premier Moteur immobile des philosophes arabes. La considération des effets produits induit ainsi trois démonstrations successives : que tout mouvement se ramène nécessairement à un Premier Moteur, que ce Moteur est lui-même immobile, enfin, qu'il est unique. Ce Moteur est le Dieu de la Bible, Premier Principe de toutes choses : « Ainsi donc, celui dont l'être consiste uniquement à mouvoir est un Être premier, qui meut toutes choses par son essence et demeure immobile par soi et par accident. Ce Moteur n'est autre que le Premier Principe de toutes choses qui, demeurant en repos, meut tout l'univers. C'est lui que nous appelons Dieu [80]. » Ainsi la consistance même de l'univers dans la diversité de ses mouvements atteste-t-elle l'unicité du producteur dans l'unité de sa production. C'est cela qui est l'Être, cette unité productrice en tant que productrice.

On voit que le primat de l'Être nous ramène à la productivité de la nature intellectuelle. De fait, l'univers créé d'Ulrich, considéré comme simple univers du mouvement, reste ici comme ailleurs l'univers qu'Albert le Grand avait hérité des Arabes, un univers « où toutes les formes sont imprimées dans les choses par les Intelligences motrices des sphères célestes, ces Intelligences devant elles-mêmes leur causalité instrumentale à ce qu'elles sont informées par la vertu de la lumière de la Cause première, à qui elles doivent d'être, et d'être causes [81] ».

Nous sommes ainsi reconduits une fois de plus à l'équation être = forme = lumière et à la coïncidence originaire du plan de l'Être et de celui de l'intelligibilité. Si nous voulons véritablement « établir l'Être divin » comme Être, il nous faut donc emprunter la voie même de sa manifestation et nous demander ce qui caractérise l'Être producteur par rapport à l'être du produit.

*L'Être-Un et la différence ontologique*

Contrairement à l'exégèse christologique d'A-
lexandre de Halès, Ulrich, en cela à nouveau proche
d'Albert le Grand, approprie le Nom révélé à l'essence
divine elle-même plutôt qu'à la Personne du Christ [82].
Alors qu'Alexandre rejetait la thèse essentialiste de
saint Jérôme, Ulrich l'invoque avec Denys et Jean de
Damas pour prouver que le nom « Je suis celui qui suis »
signifie l'Être divin identique à l'essence divine : « Il faut
soutenir avec Denys, Jérôme et le Damascène que ce
nom est un nom essentiel, car il signifie l'Être divin qui
est la même chose que l'essence divine, laquelle peut
bien s'exprimer et dire son nom à Moïse puisqu'elle est
elle-même son propre sujet commun aux Trois Personnes et qu'elle y est signifiée comme en qui la possède,
lorsque je dis "Dieu" [83]. »

A l'opposition théologique traditionnelle entre appropriation personnelle (christologique ou trinitaire) et
essentielle, Ulrich substitue donc une théorie unitaire
qui lui permet de résoudre l'alternative dans l'unité de
l'essence divine, c'est-à-dire dans l'unicité de l'Être
divin.

Autrement dit : c'est de Dieu que *Qui est* est le nom
propre, de l'Être qui est Dieu, de Dieu qui est l'Être.

L'appropriation du Nom révélé à Dieu lui-même
entraîne une différenciation de l'être qui va permettre
d'établir solidement la différence entre l'Être divin, et
l'être, « première des choses créées ». Il faut, dit Ulrich,
distinguer l'être commun à la créature et au Créateur de
l'Être propre à Dieu seul. *Qui est* ne saurait désigner cet
« être commun » qui est prédiqué par simple analogie de
tous les êtres ou étants, quels qu'ils soient et quel que
soit leur coefficient ontologique. Le nom de l'Exode ne
peut désigner que « l'Être absolu » prédiqué de Dieu seul
et par mode d'éminence. Cet Être « éminent » est donc,

négation interne oblige, « superêtre », surêtre » au sens de Denys. L'Être de l'Être qui est Dieu est d'être au-dessus de l'être, d'être en quelque sorte l'ab-solu de l'être en même temps que l'Être absolu : « *Étant* ou *être* se prennent de deux façons : soit au sens commun, selon la communauté d'analogie entre la créature et le créateur, soit au sens spécial, d'après la raison éminente selon laquelle l'être est en Dieu. Dans le premier sens, l'être n'est pas propre à Dieu, puisqu'il est commun à tous les étants. Dans le second sens, il est à Dieu seul, comme le dit Jb : "N'est-ce pas toi seul qui es ?", car l'être, selon ce mode de l'éminence que nous avons déjà expliqué, ne convient qu'à Dieu seul. C'est pourquoi *Qui est* est le nom propre de Dieu [84]. »

L'Être de Dieu diffère de l'être de la créature comme la cause diffère de l'effet. L'Être de Dieu diffère de l'être causé par cela même qu'il le cause. C'est sa causalité qui sépare l'Être divin, c'est elle qui fonde son éminence. Il faut donc distinguer l'Être qui cause à la fois de l'être causé et de l'être intentionnel ou logique prédiqué de la cause et du causé par simple analogie.

La causalité divine qui sépare Dieu dans son être n'en est pas moins, comme causalité, univoque et non analogique. Tout l'être causé est une similitude de l'Être qui le cause. La fausse communauté de l'analogie logique est donc fondée sur une communauté réelle, sur l'univocité même de la communication de l'Être divin dans le monde des formes et des concepts des formes. Ainsi donc, à la fois disciple d'Augustin et de Denys, de l'ontologisme de l'un et de l'apophatisme de l'autre, mais avant tout néoplatonicien et donc émanatiste, Ulrich inscrit-il dans la constitution ontologique du créé le double jeu d'une différence ontologique qui l'abaisse au néant et d'une ressemblance qui l'élève à l'Être.

## L'Ipséité de l'Être et le Soi intellectuel

Si l'être de Dieu est l'Être vrai ou l'Être véritable, c'est qu'il ne contient rien d'autre que Lui-même. L'Être de la créature, au contraire, est « faux », dans la mesure où il se trouve chaque fois spécifié par quelque chose d'autre[85]. La spécification de l'être de la créature, ce qui fait qu'elle est cette créature plutôt que celle-là, n'est précisément pas le fait de son être. Plus exactement : sa spécification ne découle pas de ce qu'il y a d'être en elle, elle ne résulte pas de ce qui en elle est, elle lui vient de l'extérieur, elle « arrive » (c'est-à-dire « accidente ») à l'être qui est en elle. C'est cette détermination externe, extrinsèque, qui fait d'elle une créature distincte des autres. Autrement dit : ce qui spécifie les créatures, c'est la réduction de l'être en elles, en un sens, c'est la « diminution » de leur simplicité ontologique originaire : « Il est donc évident que l'Être divin est un être véritable, parce qu'il n'a rien en lui qui ne soit lui. En revanche, chaque créature, puisqu'elle est nécessairement un étant spécial différent des autres, a, en plus de l'être commun à toutes, autre chose qui pénètre dans la nature de l'étant comme la détermination dans le déterminé et qui la spécifie et la distingue des autres. En effet, une même chose ne peut à la fois fonder une convenance et une différence. C'est pourquoi la créature a un faux être[86]. »

Le nom d'être ne reviendra donc jamais proprement à une créature, même à une créature qui, par impossible, existerait éternellement. Aucune créature n'est vraiment un être. Étant causée dans son être, elle n'a pas réellement d'être en elle : tout son être est dans la relation à sa cause. Bref, c'est un néant en puissance, un néant sous condition, suspendu à la persistance de l'influx causal.

Paraphrasant Avicenne, Ulrich déclare donc que la

«capacité au néant» qui est celle de la créature, est d'emblée celle d'un néant : «Un nom ne convient proprement qu'à ce à quoi sa raison s'applique purement, sans mélange avec ce qui lui est opposé. C'est ainsi qu'une chose est dite d'autant plus proprement blanche qu'elle n'est mélangée à aucun noir. Est donc proprement ce qui a de l'être sans avoir de non-être. Cela ne peut s'appliquer à une créature. En effet, comme les philosophes l'ont dit, serait-elle de toute éternité, qu'elle n'en resterait pas moins causée. Par conséquent, l'être ne se trouve pas en elle absolument, elle n'a d'être que par rapport à sa cause, elle est en puissance non-être — "en puissance" : au sens de la puissance conditionnée, c'est-à-dire, en prévision du cas où l'influence de sa cause lui serait retirée. Cette puissance à ne pas être est celle d'un néant, de même que la puissance à être est celle d'un étant, comme le dit Avicenne. Ainsi donc, pour la créature, la raison du nom d'«être» est-elle mélangée à celle de la privation, qui lui est opposée[87].»

Dieu, en revanche, est au sens propre. Étant lui-même la Cause des causes, son être ne dépend de rien d'extérieur pour être. Il n'est donc entaché d'aucune puissance, d'aucune capacité de néant. L'Être-Dieu subsiste en lui-même : il n'y a rien en lui que son être, il n'y a rien d'autre en lui que lui-même.

C'est parce que Dieu est lui-même qu'il est sans cause, c'est parce qu'il est Soi qu'il n'est pas «cause de soi» *(causa sui)* : «Puisque l'Être divin est la cause univoque de tout l'être, Dieu a son être par lui-même, non par un autre. Inépuisable, il persévère nécessairement dans son être, car ce qu'une chose a par soi, elle l'a nécessairement toujours, sans possibilité de défaillir. Et c'est pourquoi Hilaire dit que l'Être divin est cause de tout l'être sans être cause de soi. Et c'est pourquoi il demeure, sans que rien de ce qu'il est ne soit dépassé dans le passé, ni ne doive arriver dans l'avenir ; et c'est pourquoi aussi son présent ne peut défaillir[88]. »

Unité de l'essence, unicité de l'être, identité à soi sont les trois caractères fondamentaux de ce qu'on pourrait appeler une « ipséité de l'être ». Dieu est l'être lui-même, le seul être, car le seul à n'être que lui-même sans rien d'ajouté. Cet « être-soi » est clairement la marque d'une monade intellectuelle — ce que l'on a nommé plus haut un « point scientifique » — monade dont l'activité même est de s'auto-identifier. L'être de Dieu est donc bien l'intellectualité, car il ne peut y avoir d'être qui soit à lui-même son propre être sans avoir l'intelligence de cet être ni être l'intelligence de cet avoir.

## La synthèse d'Augustin et de Denys

Dans l'économie générale du livre II, le traité sur l'Être joue le rôle d'une sorte de préface augustinienne à un commentaire des *Noms divins* qui, à partir du traité sur le Bien, se déroule à la fois dans l'ordre et dans l'esprit de Denys et d'Albert. Ce concordat entre l'ontologisme et l'apophatisme sera dans la suite de la Somme constamment renouvelé, chaque passage de Denys, ou presque, étant encadré, complété ou éclairé par des citations de *la Trinité*, du *Livre des 83 questions* ou de *la Cité de Dieu*.

La priorité augustinienne de l'Être sur le Bien est donc paradoxalement affirmée par Ulrich pour garantir la solidité de l'édifice dionysien. De fait, une fois affirmée la transcendance de l'Être divin, une fois posée l'unicité du seul « être au sens vrai », une fois Dieu constitué dans l'Être par la négation même de l'être commun, bref, une fois l'Être divin déterminé comme pur être causal, la considération théologique de sa communication et de sa diffusion effectives n'a plus qu'à commencer.

Cause univoque de tout l'être dans sa similitude, l'Être qui est Dieu se diffuse par pure Bonté. C'est cette Bonté qui le fait connaître comme principe et comme fin. La participation de l'effet à l'être de la cause par la bonté même de l'activité productrice exprime la solidarité de l'aséité divine et de l'abaliété créaturelle dans le cycle des diffusions et des ressemblances. C'est comme Bonté pure que l'Être incompréhensible se donne à connaître dans la hiérarchie des similitudes : « Puisque, selon Aristote, ce à quoi un nom convient premièrement et essentiellement est la cause de l'intention de ce nom pour toutes les autres choses, il est évident que tout bien, en tant que tel, vient de Dieu comme de sa cause efficiente, exemplaire et finale. C'est ainsi seulement que l'on comprend bien ce que dit Augustin au livre IX de *la Trinité* : "Bon ceci, dit-il, et bon cela : retire ceci et retire cela, et vois le Bien lui-même. Alors tu verras Dieu, le Bien de tout bien." En effet, cette parole est fausse si on comprend que Dieu lui-même est cette bonté formellement inhérente à ce qui est bon et que l'intellect tire des choses bonnes par abstraction, puisque, dans ce cas, la nature divine serait muable, composable avec autre chose et divisible en parties. Il faut plutôt comprendre que, dans une abstraction de ce genre, l'intellect accueille la raison formelle de toute bonté, qui est une similitude du Bien suprême et qu'en elle, il voit ce dont elle est la similitude. De fait, on ne peut voir une image, en tant qu'elle est image, sans voir également du même coup ce dont elle est l'image. C'est ainsi également que l'on comprend ce que dit Denys au chapitre IV des *Noms divins* : "La parfaite Bonté se répand dans tout l'univers." En effet, la Bonté qui est immuable ne se répand pas par un mouvement mais par une communication graduelle dans ses similitudes [89]. »

Ainsi donc, voir l'Être, c'est voir le Bien. L'épura-

tion ontologiste d'Augustin — le rejet du « ceci » et du
« cela » — et l'apophatisme de Denys se rejoignent dans
une même théologie de la communication. Voir Dieu
dans ses images, c'est voir l'Être qui est le Bien suprême,
c'est voir l'Intellect par l'Intellect, la Lumière par la
Lumière. Mais voir la Bonté du principe de la diffusion,
c'est en même temps voir celle de l'être diffusé, c'est voir
la bonté de l'univers. La théorie du Bien s'accomplit
comme théodicée.

### Le Bien de l'univers et le meilleur des mondes possibles

L'univers néoplatonicien, qu'il s'agisse de celui de
Denys ou de celui d'Augustin, est un univers du bien,
c'est-à-dire, non pas un univers dans lequel le mal est
absent, mais un univers dans lequel le mal est l'absence
elle-même.

La non-substantialité du mal, son néant, prouvent
que la Bonté de Dieu et sa diffusion comme Être
déterminent une bonté de l'être lui-même. C'est évidemment sur ce terrain de la théorie ontologique du Bien et
du mal, où les deux formes du néoplatonisme chrétien
s'accordent d'emblée, qu'Ulrich va pousser le plus loin
la synthèse d'Augustin et de Denys engagée dans toute
la théologie rhénane. De fait, le traité du livre II
consacré au Bien s'ouvre par un chapitre sur « le Bien dit
selon la vérité de l'essence » et s'achève par un chapitre
sur le mal, mouvement qui conduit le lecteur du sommet
de l'ontologie jusqu'à son degré zéro, à travers toutes les
perfections qui caractérisent les processions divines,
conformément au programme systématique annoncé dès
le titre du troisième traité : « Du nom signifiant ce qui
est la cause de toutes les processions divines, autrement
dit, de la Bonté et de ce qui lui est joint : la lumière, le
beau, l'amour ; et du mal qui est l'opposé du Bien ; et de
la volonté divine, qui est le sujet de l'amour et dont
l'objet est le Bien [90]. »

Le bien de l'univers ne doit pas être réduit au bien dans l'univers. En un sens, le bien de l'univers est précisément ce qui en est au plus haut point séparé, c'est le Bien de et dans la Cause première, le « Bien de tout bien », selon l'expression d'Augustin, ce Bien qui n'est « de » l'univers que dans la mesure où il est « son » bien, c'est-à-dire celui qu'il désire et poursuit. Dans un second sens, en revanche, le bien est à la fois *de* et *dans* l'univers, c'est le Bien participé par la hiérarchie, à chaque degré selon sa capacité. Ce Bien organise, ordonne l'univers des biens singuliers au meilleur. Ulrich reprend donc la parole d'Augustin : « Le bien de l'univers réside dans l'ordre ; si chaque chose est bonne en soi, l'universalité en est le meilleur [91]. » De fait, toutes les bontés de Dieu participables par les créatures sont effectivement participées. Tout le bien possible est bien réel. Tout ce qui est communicable est communiqué. L'univers n'est rien d'autre que la disposition des perfections participables dans le meilleur ordre possible. L'univers est le bon ordre pour la communication du Bien [92].

Si l'on considère l'univers formellement, c'est-à-dire, comme constitué par les différents genres de perfections qui déterminent en lui cet ordre, cette disposition du supérieur et de l'inférieur qui exprime une plus ou moins grande capacité d'assimilation au Bien suprême, l'univers est le meilleur possible, en termes modernes : le « meilleur des mondes possibles ». De fait, Dieu lui-même ne pourrait l'améliorer, puisque toutes les perfections communicables aux créatures leur sont communiquées. Dieu n'a rien d'autre à donner que ce qu'il donne. Et de plus, il ne peut y avoir rien de meilleur que ce qu'il a à donner et donne, puisqu'il n'y a rien de plus parfait que le don suprême qu'il consent à la créature : le genre ou la nature de l'intellect.

L'univers ne peut donc être meilleur ni en extension,

par la quantité des biens, ni en intension ou en intensité, par leur qualité.

Si, en revanche, on prend l'univers matériellement, c'est-à-dire non plus dans l'ordre des participables, mais dans le détail des participes et des modes de participation, il faut dire que l'univers pourrait être meilleur. Il pourrait être meilleur en intension : Dieu pourrait bien faire un autre monde où la dernière des espèces serait supérieure à la plus haute espèce du monde actuel. Il pourrait être également meilleur en extension : Dieu pourrait, par exemple, multiplier la nature intellectuelle en plus d'espèces et déterminer, par là-même, de nouveaux modes de participation plus élevés que les modes actuels. Enfin, le monde pourrait être meilleur du point de vue des accidents : il était meilleur au commencement — du moins pour les réalités corporelles — et il sera meilleur quand il sera rénové.

Cette amélioration possible de l'univers du point de vue des participes reste cependant très secondaire. Le véritable univers, ce n'est pas la collection des individus qui y entrent, mais l'ordre des places qu'ils peuvent y occuper.

En tout ceci, Ulrich reprend l'enseignement d'Augustin sur une question devenue traditionnelle dans la théologie scolastique. L'univers est meilleur tel qu'il est, avec des biens hiérarchisés, qu'il ne le serait si toutes les réalités étaient bonnes au même degré. Certes, comme le dit Avicenne, l'univers, c'est l'ensemble des choses. Mais, justement, comme le dit Augustin, si toutes les choses étaient égales, toutes les choses n'existeraient pas. Un univers où tout serait de même rang serait un univers incomplet, où manqueraient à la fois du supérieur et de l'inférieur [93].

De plus, aucune chose ne pourrait être essentiellement meilleure qu'elle ne l'est. Dieu pourrait bien l'avoir créée d'une autre espèce, avec d'autres dons, mais, dans son espèce, chaque chose est au maximum de ce qu'elle peut recevoir : «Bien qu'elle puisse être meilleure dans sa bonté accidentelle, une chose, restant elle-même, c'est-à-dire de même nature spécifique, ne peut être meilleure dans sa bonté essentielle. Dieu aurait certes pu et, pourrait encore, la faire d'une nature et d'une espèce meilleures et plus nobles : cette bonté nouvelle résulterait de l'addition d'une plus grande perfection formelle. Mais cette addition changerait sa différence spécifique. Or, il est évident que même Dieu ne pourrait faire que, une fois changée la différence spécifique qui parachève son être dans une certaine nature, une chose restât de la même nature spécifique [94].»

Autrement dit : sans changer d'espèce, une chose ne peut être essentiellement meilleure qu'elle n'est. Améliorée, elle sera bien meilleure, mais ce ne sera plus elle.

Si l'univers est meilleur tel qu'il est, c'est-à-dire parfait parce que complet, et donc meilleur qu'un univers qui contiendrait plus d'égalité mais demeurerait du même coup incomplet, reste à déterminer la fonction qu'y occupe le mal.

Il y a trois sortes de mal ou de maux : le mal de nature, le mal de coulpe, le mal de peine [95].

Aucun d'entre eux n'atténue le bien de l'univers. En effet, tel ou tel mal peut bien atténuer tel ou tel bien dans telle ou telle partie de l'univers, mais c'est pour y amplifier le bien à l'extérieur. Toute atténuation locale a sa contrepartie au-dehors. Cet équilibre, c'est l'ordre même de l'univers, la marque de son ordination au Bien de la Première Cause : «Dans le mal de nature, la Providence divine se découvre», se laisse voir (la corruption d'un être est la génération d'un autre) ; «Le mal de coulpe fait voir l'extrême de la bonté de Dieu qui voile le péché dans la pénitence» ; «Le mal de peine montre la justice de Dieu [96].»

Ce qu'un mal ôte aux uns, il le répare dans les autres : «La faute du tyran est la couronne du martyr, la

peine des réprouvés est la correction des justes et la joie
des bienheureux [97].» Au demeurant, la contrariété des
maux et des biens ne trouble pas l'ordre général de
l'univers. Leur combat même multiplie les natures
contraires et, du même coup, les perfections.

L'univers ne serait pas meilleur si toutes choses y
étaient égales. Il ne serait pas meilleur non plus sans
maux opposés aux biens. Ulrich reprend ici à nouveau
Augustin : Le monde est comme un poème, il y faut des
antithèses. Il y faut le mal contre le bien, la mort contre
la vie, « un contre un, deux contre deux.» Il y faut la
gloire et l'ignominie [98].

### Le mal et le néant

Si la contrariété des maux et des biens a un rôle dans
l'univers, le mal n'appartient pas pour autant à la
perfection de l'univers et il n'y a par lui-même aucune
espèce de causalité [99]. Comme toute privation, le mal
n'est qu'un «être de raison». Citant à la fois Augustin et
Denys, Ulrich écrit : «Le mal n'est rien», «il n'est ni
quelque chose qui existe, ni quelque chose qui existe
dans ceux qui existent [100].» Le mal n'est pas une
substance ni une perfection découlant de la substance :
«Il est dans le bien comme dans un sujet [101].»

Si le mal est privation pour un sujet ou une
disposition de sa substance, il ne peut affecter l'être
incréé en qui ne se rencontrent ni privation actuelle, ni
privation virtuelle. Son domaine est par excellence celui
de l'être créé qui n'est pas en soi nécessaire, mais
seulement possible, et qui, de ce fait, contient toujours
quelque «méchanceté» ou «malignité», comme le dit
Avicenne [102].

La division originaire du mal distingue le mal par soi,
c'est-à-dire, la privation elle-même, et le mal par
accident, c'est-à-dire, le bien imparfait, le bien en tant
que privé d'une certaine perfection.

Le mal par soi, on l'a dit, se subdivise en trois : le mal de nature, la mal de peine et le mal de coulpe. Le mal par accident comprend cinq espèces : le mal d'action (toute action corruptrice est « mauvaise »), le mal de défaillance ou défaut (l'action du péché, le « faillir », est « mauvaise », qu'il s'agisse du défaut naturel ou du défaut de coulpe ou « péché » proprement dit), le mal d'inclination (la privation est la « méchanceté de la matière », elle l'incline à la corruption), le mal formel (la passion est « mauvaise »), le mal matériel (la matière en tant que privation de la forme est « mauvaise », l'homme en tant que sujet d'une privation est « mauvais »).

Le mal par soi est donc opposé au bien par opposition privative, le mal par accident, par simple opposition de contrariété. Tout mal accidentel pose une certaine nature, tandis que le mal par soi ne pose rien.

Le mal par soi ne produit rien. C'est la nature du bien que de produire et de sauver. Le mal par soi, comme privation de cette nature, ne peut en recevoir les propriétés. Le mal ne peut que détruire et corrompre [103].

Encore faut-il distinguer. Si l'on entend par « détruire », une certaine action, celle-ci ne peut s'appliquer qu'au mal par accident. Il n'y a pas d'activité du néant. Si le mal par accident n'est qu'un bien imparfait, il peut, en revanche, s'opposer à un autre bien, non certes en tant que bien — deux biens ne peuvent se contrarier en tant que biens —, mais en tant que mal, c'est-à-dire en tant que bien défaillant ou défaut d'un bien. Le mal ne s'oppose jamais par lui-même au bien. La force du mal n'est pas à lui, mais au bien imparfait où il réside. Pas plus qu'il ne peut contrarier le bien de ses propres forces, le mal ne peut par lui-même engendrer un bien. Dans l'univers, le bien seul a l'initiative ontologique. Le mal ne peut rien faire par lui-même, ni mal, ni bien. On retrouve ici les paroles mêmes de Denys : « Ce n'est pas le mal en tant que mal qui produit ni essence ni devenir [...], son seul rôle est de pervertir et de détruire [...]. En soi, le mal est pure corruption, s'il engendre, c'est par l'entremise du bien. En tant que mal, il n'est ni être ni producteur d'êtres ; c'est par l'entremise du bien qu'il existe, qu'il est bon et qu'il produit des êtres bons [104]. »

Il n'y a donc pas de mal suprême opposé au bien suprême. Aucun dualisme de type manichéen n'est tenable. Si le mal suprême existait, il ne pourrait être que la privation absolue du bien. Il y aurait un monisme du mal et non un dualisme. En toute rigueur, il n'y aurait même absolument rien : la privation absolue de tout bien ne pouvant s'entendre que comme néant absolu. Ulrich conclut donc ainsi sa synthèse d'Augustin et de Denys : le mal n'est rien, il n'y a qu'un seul Principe de toutes choses, bonnes ou mauvaises. Le mal n'advient ni par lui-même, ni pour ou à cause de ce qu'il est. Il n'a de cause que par accident et défaut lui-même, il n'a de cause que défaillante : « Puisque le mal est un défaut et que tout efficient, en tant que tel, est parfait, Augustin et Denys ont raison de dire que le mal n'a pas de cause efficiente, mais déficiente. De fait, bien que la réalité qui est mauvaise ait une cause efficiente, sa malignité ne résulte que d'un défaut de son activité ou nature [105]. »

La monarchie dionysienne du Bien est donc fondée dans l'ontologie augustinienne. C'est l'unicité de l'Être qui garantit l'unicité du Bien : il n'y a pas de mal suprême, parce qu'il n'y a qu'un Être. Le mal ne donne rien parce qu'il n'est rien. Seul l'Être est Principe. L'indissociabilité de l'ontologie et de la théodicée exprime la nature même de l'ordre de l'univers. L'ordre du monde est l'ordre de l'Être. Le néant est dans le monde sans en faire partie. Il n'y a qu'un seul être qui se prodigue. Il n'y a qu'une seule lumière. Les ténèbres ne recèlent rien et n'ont rien à montrer.

## La théologie de la lumière

Le nom de « lumière » est un nom figuré [106]. Il n'est pas propre comme celui d'« Être », mais, on l'a vu, le nom d'être dit avant tout la transcendance de Dieu. La ressemblance qui fonde la désignation de Dieu comme lumière ne s'en prend pas moins aux trois niveaux de son essence, de sa causalité et des effets qui en résultent. Ce nom figuré comprend donc tous les aspects du cycle de l'Absolu, ce qui n'a rien d'étonnant, puisque, comme on l'a dit, l'ontologie de la communication divine se présente comme la mise en équation originaire de l'être, de la forme et de la lumière.

C'est donc ici que se noue tout l'édifice de l'émanatisme ulricien : Dieu est lumière, les réalités spirituelles sont lumière.

Au niveau de l'essence, la lumière se dit de Dieu d'après sa Bonté même, en tant que cette Bonté est considérée en lui essentiellement et non du seul point de vue causal. Ulrich fait ici une comparaison avec la lumière dans le monde sensible. La lumière est de toutes les formes sensibles celle qui est la plus formelle et la plus noble. Elle contient l'unité absolue et excellente des perfections de toutes les qualités visibles. Elle est, selon Aristote, l'hypostase du visible, c'est-à-dire « la subsistance formelle de toutes les couleurs [107] ». Sans lumière, point de visible. De même, l'essentielle bonté de la nature divine « réside en ce qu'elle est une nature purement intellectuelle existant purement en acte [108] ». En tant que nature intellectuelle, la nature divine est « une nature absolument formelle, qui ne contient ni matière ni conditions liées à la matière », autrement dit : en tant que nature intellectuelle, la nature divine est « sans puissance, ni individuation, ni définition locale [109] ». Elle contient donc à ce titre, sur un mode éminent, les perfections de tous les genres, puisque c'est un axiome universellement professé que la nature du supérieur possède nécessairement sur un mode d'éminence tout ce que possède l'inférieur. Et c'est pourquoi, dit Ulrich, Denys pose ensemble la Lumière et le Bien *(In idem ponit haec duo)* [110].

L'explication de la thèse de Denys permet de développer à fond l'analogie entre lumière visible et lumière divine ou spirituelle. Elle permet surtout de nouer ensemble, au sein d'une même théorie de l'intellect, les thèmes que nous avons examinés jusqu'ici séparément.

Le Beau se ramène à la raison du Bien par l'intermédiaire de la lumière, puisque, comme le traité sur le Beau l'a établi avec Denys : « La beauté n'est rien que l'accord des choses avec la clarté [111]. » Or, précisément, l'accord des choses est ici l'élément matériel et la clarté, l'élément formel qui le parachève. Donc, reprenant notre analogie, de même que la lumière corporelle est formellement et causalement « la beauté de tous les visibles », de même, « la lumière intellectuelle est la cause formelle de la beauté de toutes les formes substantielles, y compris les formes de la nature [112]. »

On tient ici le point culminant de la théologie ulricienne de l'intellect comme cause émanatrice. Toute forme, et donc aussi l'être, première des formes créées et seule forme créée, est un « effet de la lumière intellectuelle originaire, qui agit par son essence [113] ». Toute forme est donc, pour autant qu'elle participe à la lumière de sa cause par l'intermédiaire d'une similitude quelconque. Unissant ici à nouveau le sujet, l'objet et le *medium* de la processivité intellectuelle, à l'instar d'Albert le Grand dans son Commentaire au *Livre des Causes*, Ulrich pose l'axiome fondamental de la théologie rhénane : la similitude à travers laquelle la forme participe de la lumière de sa cause est la lumière même, cette lumière que « l'intellect agent ramène dans les corps de la puissance à l'acte [114] ». C'est cette conaturalité intellectuelle entre la créature spirituelle et le Créateur qui est le moteur même de la conversion de l'univers au Principe. Grâce à elle, «toute forme est mue vers l'intellect comme vers son lieu naturel [115]». L'intellect est le lieu naturel des formes parce qu'il est conaturel à la lumière de sa cause.

Ainsi donc, plus une forme est pure, plus elle a de lumière et plus elle est belle et donc participe de «la Beauté inénarrable» de ce qui est essentiellement lumière. En revanche, plus une forme est «ombrée par la matière», plus elle est «difforme» ou «laide», ou si l'on préfère, moins elle est forme. L'intellect agent qui dépouille dans les corps la forme de la matière ramène donc la lumière à la Lumière. Il accomplit ainsi la destinée de la Lumière en accomplissant sa nature même d'intellect.

La lumière se dit aussi de Dieu au niveau de sa puissance causale. En fait, le nom de «lumière» convient causalement à Dieu selon la même raison que celui de «Bien». La «lumière inaccessible qu'habite le Père des lumières» est sa «Bonté paternelle et naturelle». C'est à partir d'elle qu'il nous prodigue «les lumières de ses bontés», des «substances supérieures» jusqu'aux «dernières». Aucune de ces substances n'atteint à l'excès même de sa bonté, mais aucune n'échappe au cercle de son immensité [116]. C'est par la lumière que le Père illumine toutes choses, qu'il crée toutes choses du néant, qu'il «vivifie les genres des âmes» et «contient les réalités causées dans l'être de sa puissance». C'est grâce à elle qu'il agit en elles, qu'il est «la mesure des existants», la «durée continue des êtres» *(entium aevum)* et le «nombre des choses». C'est par elle qu'il purifie les réalités difformes «en leur communiquant sa beauté», qu'il «rénove la période des sphères» et rassemble les réalités dispersées [117].

La lumière productrice est donc bien le nom le mieux accordé à dire la productivité de l'Un ou monade intellectuelle, dans la mesure où « les lumières variées des créatures sont unies dans cette unique lumière, comme les réalités dérivées dans leur exemplaire [118] ».

Toutes choses viennent d'elle *(ex ipsa)* comme d'une parfaite cause efficiente. Toutes choses restent en elle *(in ipsa)* et, restant en elle, restent en Lui « contenues par ses Idées », Jn 1, 3 : « Ce qui a été fait en Lui était vie. » Toutes choses en elle « sont converties à Lui » *(ad ipsum convertuntur)* comme à leur « propre fin [119] ».

C'est cette causalité multiple, universelle, que dit en Dieu le nom de « Lumière », causalité intellectuelle « sous la raison du Bien ».

La troisième et dernière manière d'attribuer la lumière à Dieu regarde sa Sagesse plutôt que sa Bonté. « Sagesse » dit le sujet du savoir, la vérité qui est sue et la science qui la connaît. Autrement dit : l'identité originaire du vrai, du sujet et de la vérité comme *medium* de la connaissance (le vrai étant connu dans et par la vérité). On retrouve ici la distinction que portait tantôt la notion du « point scientifique ».

En tant que Dieu est pure Intellectualité, le nom de « lumière » lui revient essentiellement : « En tant que Dieu est la vérité première et pure, qu'il est le premier acte intellectuel pur qui se connaît parfaitement lui-même et toutes choses en lui-même, le nom de "lumière" est prédiqué de lui essentiellement [120]. »

En tant qu'il est source et principe de toute la sagesse humaine, le nom de « lumière » lui revient au sens causal : « Lumière originelle *(fontale)*, Si 1 : "Source de la Sagesse, Verbe de Dieu", qui apporte une sainte lumière à toutes les réalités intellectuelles et rationnelles, qui ouvre les yeux de l'intellect par le désir naturel de savoir et les libère du poids des ténèbres en produisant en eux un désir de contemplation, qui les purifie de la fiente de l'ignorance, qui les entoure en leur donnant d'abord sa lumière en une clarté mesurée, puis en les portant ensuite à le désirer davantage une fois qu'elles ont goûté cette lumière [...], Lumière qui rassemble les intellects dispersés [121]. »

La théorie de l'Être se clôt donc chez Ulrich par une apothéose de la Lumière. Augustin et Denys sont véritablement inséparables. Au terme, c'est cependant Augustin qui est assimilé à l'univers dionysien plus que Denys ne l'est à celui d'Augustin. La diffusion de la lumière où s'accomplit la conversion est un mouvement littéralement cosmique dont l'Intellectualité est le point d'application et le centre agissant, mais qui s'étend, se déploie, se diffuse dans toute la série des ordres et traverse toutes les hiérarchies.

La divinisation de l'homme suppose le parcours complet de l'intellect, qui suppose lui-même, comme chez Denys, une longue suite d'illuminations qui gagne progressivement les créatures en les gagnant progressivement à Dieu.

La théologie d'Ulrich est une spiritualité de la médiation et donc de la connaissance.

Émanatiste, elle n'appelle pas tant une « théologie mystique » qu'une « théorie de la lumière ». Il n'y a pas de théologie cachée. Toute la théologie est disponible, car le mystère est dans la lumière elle-même, il *est* la Lumière, il est dans le fait même de l'illumination de l'intelligence.

NOTES

1. É. GILSON, *Le Thomisme. Introduction à la philosophie de saint Thomas d'Aquin* (Études de philosophie médiévale I), Paris ⁶1965, p. 516.

2. G. THÉRY, «Originalité du plan de la *Summa de Bono* d'Ulrich de Strasbourg», *Revue thomiste* 27 (1922), p. 378.

3. *Cf.* M. GRABMANN, «Des Ulrich Engelberti von Strassburg O.P. († 1277) Abhandlung *De Pulchro*. Untersuchungen und Texte» (Sitzungsberichte der Bayerischen Akademie der Wissenschaften, phil.-hist. Klasse), München, 1926, p. 23. Pour une biographie plus détaillée d'Ulrich, *cf.* du même auteur : «Studien über Ulrich von Strassburg. Bilder wissenschaftlichen Lebens und Strebens aus der Schule Alberts des Grossen. 1. Leben und Persönlichkeit», *in* : *Mittelalterliches Geistesleben*, I, pp. 147-167.

4. *De summo Bono*, lib. IV, tract. 3, cap. 9. *Cf.* H. FINKE, *Ungedruckte Dominikanerbriefe des 13 Jahrhunderts*, Paderborn, 1891, pp. 18-22 ; F. LESCOE, *God as First Principle in Ulrich of Strasbourg. Critical Text of "Summa de Bono", IV, 1, based on hitherto unpublished manuscripts and Philosophical Study*, New York, 1980, p. 2.

5. J. QUÉTIF et J. ÉCHARD, *Scriptores Ordinis Praedicatorum*, I, Paris, 1719, p. 356 : «Unde et postea provincialatus Teutoniae laudabiliter officio, Parisiis ad legendum directus ante lectionis inceptionem ibidem a Domino assumptus est.»

6. L'édition du *CPTMA* comprendra huit volumes ainsi répartis : I, 1 = *De summo bono*, lib. I ; I, 2(1) = lib. II, tract. 1-4 ; I, 2(2) = lib. II, tract. 5-6 ; I, 3 = lib. III ; I, 4(1) = lib. IV, tract. 1-2, 18 ; I, 4(2) = lib. IV, tract. 2, 19-3 ; I, 5 = lib. V ; I, 6 = lib. VI. Les premiers volumes à paraître seront I, 2(1), édité par A. de Libera, et I, 4(1), édité par S. Pieperhoff. Les différents extraits de la *Summa* publiés jusqu'ici sont en général peu fiables. On peut, cependant consulter, pour le livre I : J. DAGUILLON, *Ulrich de Strasbourg, O.P. La "Summa de Bono", Livre I. Introduction et Édition critique* (Bibliothèque thomiste XII), Paris, 1930 ; pour le livre II : tract. 2, cap. 1, 3 et 4 ; tract. 3, cap. 1 et 2 : F. COLLINGWOOD, «*Summa De*

*Bono* of Ulrich of Strasbourg. Liber II : Tractatus 2, Cap. I, II, III ; Tractatus 3, Cap. I, II», *in : Nine Medieval Thinkers* (Pontifical Institute of Medieval Studies. Studies and Texts I), Toronto, 1955, pp. 293-307 ; tract. 3, cap. 4 : M. GRABMANN, « Des Ulrich Engelberti von Strassburg... », pp. 73-84 ; pour le livre VI : tract. 1, cap. 1-5 : W. BREUNING, *Erhebung und Fall des Menschen nach Ulrich von Strassburg* (Trierer Theologische Studien 10) Trèves, 1959. Le livre IV, tract. 1 est édité par F. Lescoe dans *God as First Principle...*, pp. 145-242. Le texte est malheureusement assez peu « critique ». Pp. 46-47 de son « Introduction », F. Lescoe donne la liste des transcriptions inédites figurant dans un certain nombre de *M.A. Theses* du Mc Auley Institute of Religious Studies de West Hartford. On trouvera d'autres indications bibliographiques dans R. IMBACH, « Le (Néo-)Platonisme médiéval... », pp. 446-447.

7. L'influence d'Ulrich sur Denys le Chartreux a été établie par M. GRABMANN, « Studien... », pp. 215-218. Pour le xvᵉ siècle en général, *cf.* J. DAGUILLON, *Ulrich de Strasbourg...*, pp. 105*-106*.

8. Sur ce point *cf.* J. DAGUILLON, *Ulrich de Strasbourg...*, pp. 32*-100*. Aucun des manuscrits découverts depuis J. Daguillon n'est antérieur au xivᵉ siècle.

9. *Cf.* M. GRABMANN, « Der Einfluss Alberts des Grossen auf das mittelalterliche Geistesleben... », p. 366.

10. La *Summa* d'Ulrich a une organisation spécifique qui en fait une véritable axiomatisation du savoir théologique albertinien. On espère montrer ici combien ces remarques de B. Hauréau sont sans fondement : « Le défaut d'Ulrich est l'obscurité. Quand on l'interroge sur les questions qui paraissent avoir causé le plus d'embarras à son maître, il répond en des termes encore plus équivoques [...] Les thèses d'Ulrich sont celles de son maître, mais il a le tort, assez commun aux disciples, de tout exagérer. Il rend ainsi paradoxales même les opinions communes. »

11. Le *De Summo Bono* est, en un sens, l'expansion du *Compendium* d'Hugues de Strasbourg : les deuxième et troisième livres correspondent au livre I, le quatrième au livre II, le cinquième au livre IV, le sixième au livre V, le septième au livre VI. La principale différente réside dans l'articulation dionysienne : théologie « commune » — théologie « discrète » et dans l'aspect de commentaire des *Noms divins* revêtu par les deux premiers livres de la *Summa*. Sur ce dernier point *cf.* G. THÉRY, « Originalité du plan... », pp. 20-22.

12. *Cf.* G. THÉRY, « Originalité... », *ibid.* et pp. 4 *sqq.* *Cf.* également M. GRABMANN, *La Somme théologique de saint Thomas d'Aquin. Introduction historique et pratique*, Paris, 1925, pp. 105 et 120. Le caractère « cyclique » de l'exposé d'Ulrich est l'expression systématique de l'objet de la théologie tel qu'il le conçoit : Dieu en

tant que principe et fin de la création, autrement dit Dieu en tant que Bien : « Subiectum vero huius scientiae est Deus, inquantum ipse est alpha et omega, principium et finis. » [*De sum. Bon.*, I, 2, 2 ; Daguillon, p. 30, 28-29. Les chiffres romains indiquent le numéro du livre, le premier chiffre arabe celui du traité, le second chiffre arabe celui du chapitre. Pour les livres II et IV, nous ajoutons un troisième chiffre arabe qui correspond à un paragraphe de la future édition du *CPTMA*. L'édition Daguillon a ignoré cette division pourtant voulue par l'auteur lui-même]. On reconnaît les expressions utilisées par Guillaume d'Auxerre et Alexandre de Halès pour justifier l'attribution du nom de « Bien » à Dieu. *Cf. supra*, p. 91, note 28. Le Dieu d'Ulrich n'est donc pas l'Être de la métaphysique de l'Exode, mais le Bien de la métaphysique de la conversion. Le recours à Ap 1, 8 et 22, 13 est, à cet égard, significatif. Sur la question du primat du nom de « Bien », *cf. supra*, pp. 118-125. La définition ulricienne du sujet de la théologie est conforme à l'enseignement d'Albert dans *In I. Sent.*, d. 1A, a. 2, sol. ; Borgnet 25, p. 16b : « Specialissime autem dicitur subiectum [...] secundum quod ipse est Alpha et Omega, principium et finis. »

13. Les textes que nous traduisons ou citons sont empruntés pour le livre I à l'édition Daguillon, pour le livre II à notre propre édition du *CPTMA*.

14. *De sum. Bon.*, I, 1, 2 ; p. 7, 21 *sqq*.

15. I Tm 6, 16. *Cf.* ALBERT LE GRAND, *Super Dion. Epist. V* ; Ed. Colon. xxxvii/2, p. 493, 24 *sqq*.

16. *De sum. Bon., loc. cit.*, p. 7, 4-5.

17. Comme Albert le Grand, Ulrich situe l'origine de la ténèbre mystique dans la finitude de l'équipement cognitif de l'âme. Notre œil « s'enténèbre par la lumière divine », parce que l'intellect est nativement approprié au relevé de l'étant et non à la surabondante lumière du Bien qui est au-delà ou en en deçà de l'Être. On retrouve donc ici naturellement le thème de l'inadaptation de l'œil de la chauve-souris emprunté par Albert à Aristote et Averroès. *Cf. Super Dionysii Mysticam theologiam*, cap. 1 ; Ed. Colon., p. 456, 59.

18. *De sum. Bon., loc. cit.*, p. 7, 19.

19. *De sum. Bon., ibid.*, p. 7, 20.

20. *De sum. Bon., loc. cit.*, p. 7, 24 : « naturali ductu rationis ».

21. *De sum. Bon., ibid.*, p. 7, 30 *sqq*.

22. Il n'y a pas de connaissance « compréhensive » de Dieu. Sur ce point *cf.* ALBERT LE GRAND, *Super Dion. Myst. theol.*, cap 1 ; p. 460, 7-8.

23. *De sum. Bon.*, I, 1, 3 ; Daguillon p. 10, 21-22 : « Cognitio existendi Deum est nobis naturaliter inserta. »

24. *De sum. Bon., loc. cit.*, p. 11, 3-7. Comme la matière

contient des formes « inchoatives », l'intellect possible ou « matériel »
contient des connaissances à l'état inchoatif.

25. Pour tout ce développement *cf. De sum. Bon., loc. cit.,*
p. 11, 9 *sqq.*

26. *De sum. Bon., loc. cit.*, p. 12, 3-7. La leçon de Daguillon
ligne 4 est fautive : on doit lire « inserta » au lieu d'« inserto ».

27. *De sum. Bon., loc. cit.*, p. 12, 7-8. Sur l'expérience de la
causalité, *cf. ibid.*, lignes 10 *sqq.*

28. *De sum. Bon.*, I, 1, 4 ; Daguillon p. 13, 24 *sqq.*

29. *De sum. Bon., loc. cit.*, p. 14, 7 *sqq. Cf.* Denys, *La
Théologie mystique,* chap. III ; PG 3, 1033C-D ; trad. p. 182.

30. *De sum. Bon., loc. cit.*, p. 14, 9-14.

31. *De sum. Bon.*, I, 1, 5 ; Daguillon p. 14, 21-23.

32. *De sum. Bon., loc. cit.*, p. 14, 23-24.

33. La définition de l'homme « microcosme » par le caractère à la
fois harmonieux et harmonisateur de l'intellect qui est en lui l'image
de Dieu évoque la doctrine érigénienne de l'homme « moyen-
terme », opérant en soi la « jonction » du monde supérieur (les
réalités spirituelles) et du monde inférieur (les réalités corporelles).
*Cf.* Jean Scot, *Homélie sur le Prologue de Jean. Introduction, texte
critique, traduction et notes par É. Jeauneau,* chap. XIX, SC 151,
Paris, 1969, pp. 292-297, 12-24. De fait, chez Ulrich comme chez
Scot, ce n'est pas à cause de sa « parenté avec les quatre éléments de
l'univers matériel » que l'homme peut être appelé un « monde », mais
bien uniquement parce que « son être tout entier a été créé à l'image
et à la ressemblance de Dieu » (É. Jeauneau, « Appendice VII », *ed.
cit.*, p. 338. *Cf.* dans le même sens PL 122, 231A 6-7). Ce n'est donc
pas, semble-t-il, à Chalcidius ou Macrobe que le Strasbourgeois
emprunte sa doctrine. Sur les origines grecques du thème, *cf.*
É. Jeauneau, « Appendice... », pp. 336-337. Noter que la même
conception « intellectualiste » de l'homme microcosme est reprise par
Eckhart, *In Gen.*, § 115 ; LW I, p. 272, 1-6 ; trad. p. 387.

34. *De sum. Bon., loc. cit.*, p. 15 12-14.

35. *De sum. Bon., ibid.*, p. 16 5-6.

36. *De sum. Bon., ibid.*, p. 16, 15-18.

37. *De sum. Bon.*, I, 1, 6 ; Daguillon p. 16, 24.

38. *De sum. Bon., loc. cit.*, p. 16, 25-27. La créature possède sur
un mode imparfait *(modo imperfectiori)* la « raison » signifiée en Dieu
par le nom. Inversement la « raison » signifiée en Dieu y est possédée
sur un mode parfait. Les noms, étant « imposés » aux choses, ne
peuvent donc s'appliquer à Dieu qu'improprement, car le « signifié »
demeure en Dieu essentiellement inconnu. La distinction entre
« raison » et « mode » est empruntée à Albert le Grand, *Super
Dion. Myst. theol.*, cap. 5 ; p. 473, 49 *sqq.* ; *Super Dion. De div.
nom.*, cap. VII, § 29 ; p. 358, 72 *sqq.* Sur le problème de l'attribution,

*cf. F.* Ruello, *Les "Noms divins" et leurs Raisons selon saint Albert le Grand commentateur du De Divinis Nominibus*, Paris, 1963 et du même : « Le Commentaire du *De Divinis Nominibus* par Albert le Grand. Problèmes de méthode », *Archives de Philosophie* 43 (1980), pp. 589-613.

39. L'affirmation « excessive » est à la fois une affirmation et une négation.

40. *De sum. Bon., loc. cit.*, p. 16, 26-32.

41. *De sum. Bon., ibid.*, p. 17, 1-6.

42. *De sum. Bon., ibid.*, p. 17, 11-16.

43. *De sum. Bon., ibid.*, p. 17, 16-20. La connaissance mystique est « confuse ». Ulrich développe ici une idée d'Albert, *Super Dion. Myst. theol.*, cap. 2 ; p. 466, 63-67. Ce caractère « confus » de la vision qui couronne la pratique des négations explique qu'Ulrich ajoute une quatrième voie aux trois voies dionysiennes de la négation, de la causalité et de l'éminence (voie qui est donc la cinquième si l'on compte la connaissance naturelle).

44. *De sum. Bon., ibid.*, p. 17, 24 *sqq.* La théologie d'Ulrich est une théologie de la lumière qui s'appuie sur une interprétation maximaliste de 1 Jn 1, 5 : « En Dieu, il n'y a pas de ténèbres. » La source de toute « obscurité » est dans la déficience de l'œil de l'esprit. La « surabondante splendeur de Dieu » n'en est pas moins, comme la cinquième voie l'enseigne, constamment approchée dans la croissance en lumière de l'âme sous l'illumination « déificatrice ». Ainsi donc la véritable connaissance mystique va-t-elle résider dans la *perfection continuée*, le « mystère » divin se révélant en même temps dans son caractère « hyperlumineux ».

45. *Cf. supra*, pp. 85-86 et pour tout ce qui suit : *De sum. Bon.*, I, 1, 7 ; Daguillon, p. 19, 11 *sqq.*

46. *De sum. Bon., loc. cit.*, p. 17, 21-22. Ulrich développe ici la doctrine d'Albert. Sur ce point *cf.* É. Wéber , « *Commensuratio* de l'agir par l'objet d'activité et le sujet agent chez Albert le Grand, Thomas d'Aquin et Maître Eckhart », *in : Mensura, Mass, Zahl, Zahlensymbolik im Mittelalter* (Miscellanea mediaevalia 16/1), Berlin-New York, 1983, p. 56 : « Albert synthétise [...] le moment actif de la mensuration impliquée par la conception dionysienne de l'illumination et la "passivité" enseignée par l'empirisme aristotélicien. L'intellect agent riche de la lumière dionysienne et la réalité objet d'intellection exercent une causalité commune à l'égard de l'activité intellective chez l'homme. De leur synergie résulte ce qu'Albert nomme "intellect acquis" : "L'intellect acquis est ce que l'homme acquiert grâce à la réduction de toutes les réalités connues en acte jusqu'à la lumière intelligible qui brille dans tous les intelligibles [...] Cette lumière intellective est la substance même de l'intellect." [*Metaph.* XI, tract. 1, cap. 9 ; Editio Coloniensis XVI/1,

p. 473, 40-47]. Fruit de l'union de l'intellect humain avec un principe noétique transcendant, l'intellect acquis, interprété conjointement comme lumière dionysienne et irruption de l'Intellect séparé lors de sa jonction (selon le péripatétisme arabe) avec la pensée humaine, intègre plusieurs composantes : la réception de tous les intelligibles par notre intellect et leur restitution à l'unité dans la lumière théarchique : "Notre intellect possible, qui par nature détient les intelligibles primordiaux *(intellecta speculativa)*, les premiers principes de la pensée, en acquiert d'autres de façon spontanée, par l'invention ou l'écoute d'un maître. L'ensemble, sous l'influx illuminateur de l'intellect agent qui à tout irradie l'intelligibilité, devient réalité une, homogène et séparée. Au terme de ce processus noétique, ayant acquis tous les intelligibles (notre intellect) est en possession de la lumière de l'intellect agent au titre de forme inhérente. Comme l'intellect agent n'est autre que sa lumière noétique — car celle-ci est son essence même et ne lui est pas extrinsèque —, alors notre intellect possible est en état d'union avec l'intellect agent, à la façon dont la forme est unie à la matière." [*De anima* III, tract. 3, cap. 11 ; Editio Coloniensis VII/1, pp. 221, 73-222, 17] Albert opine ainsi pour une acquisition progressive, sous les traits de l'intellect acquis, de la réalité même de notre *intellectus*, de notre intellect et de notre pensée tout ensemble.»

47. B. Mojsich, «La psychologie philosophique...», p. 683.

48. Albert le Grand, *De intellectu et intelligibili*, II, tract. un., cap. 7 ; Borgnet 9, p. 513b.

49. B. Mojsisch, «La psychologie philosophique...», p. 683.

50. *De sum. Bon., loc. cit.*, pp. 19 21-20, 8.

51. *De sum. Bon., loc. cit.*, p. 20, 10-15. Dans l'état actuel des connaissances, on peut suggérer — à titre d'hypothèse — qu'Ulrich radicalise ici les thèses d'Albert sur la théophanie d'assimilation en s'inspirant d'une son affirmation du caractère gracieux de la connaissance vraie, même naturelle. É. Gilson souligne qu'Albert rapporte la connaissance vraie en domaine naturel à un don gratuit du Saint-Esprit : « A la question *An omne verum scitum, sit a Spiritu Sancto inspiratum* [...] il répond par l'affirmative : "Si gratia vocatur quodlibet donum a Deo gratis datum, tunc non fit hoc sine gratia." » [É. Gilson, *La Philosophie...*, p. 515. *Cf. In I. Sent. d. 2, a.5, ad ob; Borgnet 25, p. 60a. Cf.* supra, pp. 59b-60a : « Ad cognitionem veri sub ratione [...] lux intellectus agentis non sufficit per se, nisi per applicationem lucis intellectus increati, sicut applicatur radius solis ad radium stellae.»] Telle que la formule Ulrich, la connaissance «naturelle» de Dieu apparaît comme le fruit d'un don noétique surnaturel qui s'accomplit dans la *nature* intellective de l'âme. Autrement dit : bien que l'intellect ne soit pas naturellement proportionné à Dieu, étant lumière il est néanmoins naturellement

apte à acquérir cette aptitude, soutenu par la Lumière du Rayon divin qui, semble-t-il, émane et grandit en lui, chaque fois qu'il connaît en vérité. Si notre interprétation est correcte, la mission de l'Esprit-Saint consiste alors pour Ulrich à emporter l'âme intellective au-delà de sa commensuration naturelle, en lui faisant connaître Dieu dans sa substance par l'image intellective et lumineuse qui est naturellement — c'est-à-dire originairement — «semée» en elle.

Dans cette hypothèse, la théorie ulricienne peut être considérée comme le véritable point de départ de la théologie de l'assimilation dans l'Image développée ultérieurement par Thierry de Freiberg et Maître Eckhart. Le thème albertinien du «perfectionnement de l'intellect» serait ainsi fixé pour la première fois en termes de croissance dans l'Image. De même la théophanie d'assimilation ou «vision par mode de participation» serait-elle fondée dans la *nature* de l'âme, la croissance de l'âme dans la lumière étant identiquement croissance de la lumière dans l'âme. Il nous est impossible de trancher pour le moment. L'édition complète de la *Somme* n'en apparaît que plus nécessaire. De fait, si Albert définit la connaissance naturelle vraie comme un don de la grâce *gratis data*, il ne faut pas oublier qu'il définit la déification conversive de l'âme en termes de grâce *gratum faciens* : «Deus seipsum dat in gratiis gratum facientibus, ut hi qui ad ipsum convertuntur deificentur.» [*Super Dion. De div. nom.*, cap. IX, § 10 ; p. 383, 60-61]. Il serait donc essentiel à nos yeux de savoir quelle théorie de la grâce professe Ulrich, pour qui la présence de Dieu en l'âme semble être attestée d'emblée comme don originaire de et dans l'image.

52. *De sum. Bon., loc. cit.*, p. 20, 23-24.

53. *De sum. Bon., loc. cit.*, p. 21, 21-24. Ulrich retrouve ici un thème cher à Albert. Sur ce point *cf.* É. WÉBER, «L'interprétation par Albert le Grand de la Théologie mystique de Denys le Ps-Aréopagite», *in : Albertus Magnus Doctor universalis 1280/1980*, hrsg. von G. Meyer OP und A. Zimmermann, Mayence, 1980, p. 425 : «Loin de constituer une dotation en quelque sorte magique de "commensuration" supérieure à la normale, le principe intellectif conféré par grâce vient susciter une révision laborieuse de la valeur de vérité des connaissances acquises par mode conaturel. Albert écrit : "Il vient convaincre l'intellect de l'adopter, de l'accepter en une adhésion intime comme à une vérité tout autre : Huiusmodi doctrina [...] procedit [...] ex quodam lumine divino, quod [...] est [...] res quaedam convincens intellectum ut sibi super omnia adhaeretur."» [*Super Dion. Myst. theol.*, cap. 1 ; p. 455, 14-18].

54. *De sum. Bon.*, I, 1, 8 ; Daguillon p. 25, 23-25. Le progrès «intellectuel» de l'âme est une accomodation progressive à la lumière, qui suppose ultimement l'identification complète de l'être du connaissant dans l'être du connu. On aboutit alors à une

connaissance sans sujet fonctionnaire où Dieu «est connu en lui-même tout en restant inconnu en nous» *(notissimo in se et ignoto in nobis). Cf.* ALBERT, *Super Dion. Myst. theol.*, cap. 1 ; p. 463, 72-74. Tel est le sens de la «divinisation de/par l'intellect».

55. *De sum. Bon.*, IV, 2, 1.

56. *De sum. Bon., ibid., Cf.* M. GRABMANN, «Studien über Ulrich von Strassburg...», p. 203.

57. *De sum. Bon.*, IV, 2, 1 : «Prima rerum creatarum est esse, ut dicitur in *Libro de causis*, et ideo post creationem de ipso determinandum est. Potius autem vocatur a philosophis esse quam ens vel entitas quia ipsum est prima et propria emanatio primi principii [...] cuius emanatio immediata est constituens in esse omne quod est, quam dicit ly "esse", cum ipsum primum principium sit actus primus et non est eius emanatio proprie compositum, quod dicit ly "ens", nec habitus, quem dicit "entitas". Cum autem dicimus esse immediatum et primum causatum, loquimur de eo, quod est primum secundum ordinem naturalem fluxus a primo principio, quem supra ostendimus esse terminum ipsarum formarum. Et inter illas prima forma est ea esse, quia ipsa est omnium sequentium fundamentum, per cuius determinationem alie forme constituuntur et ultima resolutione in ipsam resolvuntur.» Texte cité d'après M. GRABMANN, «Die Lehre des heiligen Albertus Magnus vom Grunde der Vielheit der Dinge und der lateinische Averroismus», *Mittelalterliches Geistesleben*, II, p. 311. La distinction entre «être par création» *(per creationem)* et «être par information» *(per informationem)* est fréquemment alléguée par Albert dans *Super Dion. De div. nom. Cf.* cap. III, § 2 ; p. 101, 43-45, cap-IV, § 57 ; p. 165, 15-20. L'origine de la distinction albertinienne est la proposition XVIII (§XVII) du *Liber de causis*, n° 148, *ed. cit.* p. 86, 54-61 qui oppose le *modus creationis* de l'*ens primum* au *modus formae* de la vie et de l'intelligence. Le texte d'Ulrich est une amplification de *Super Dion. De div. nom.*, cap. V, § 20 ; p. 314, 4-13 : «Dicendum, quod esse simpliciter secundum naturam et rationem est prius omnibus aliis ; est enim prima conceptio intellectus et in quo intellectus resolvens ultimo stat. Ipsum etiam solum per creationem producitur non praesupposito alio, omnia autem alia per informationem, scilicet supra ens praeexistens, ut dicit Commentator in *Libro de causis*. Illud autem est primum procedens ab alio, quod non procedit supposito quodam ; et ita relinquetur, quod inter omnes processiones divinas esse sit primum.»

58. *Cf.* M. GRABMANN, «Studien...», p. 205 et *ibid.*, notes 14-16. L'intellect divin est la «première forme» en tant qu'«hypostase formelle de toutes les autres formes» : «Inquantum sunt fluxus sive processiones primi principii, sic sunt a solo primo principio et, ut dicit Alfarabius, lumen intellectus est hypostasis earum sicut lumen

artis est hypostasis formalium artificialium et lumen corporale est hypostasis colorum et ex hoc sunt omnes forme intelligibiles et habent esse in intellectu possibili [...] Forme omnes non sunt una forma, sed plures, licet habeant unum principium et unam formalem hypostasim.» Le thème de l'hypostase formelle développé en IV, 2, 1 est appuyé sur la théorie aristotélicienne de la lumière comme «hypostase des couleurs». *Cf. infra*, note 107.

59. J. JOLIVET, «La philosophie médiévale en Occident», *in : Histoire de la philosophie*, éd. B. Parain, I, Paris, 1969, p. 1411.

60. *De sum. Bono.*, IV, 1, 3-4. Nous traduisons le texte établi par S. Pieperhoff pour le *CPTMA* I, 4(1). Ulrich reprend ici ALBERT LE GRAND, *De causis et processu universitatis*, I, 2, 3 ; Borgnet 10, p. 391a.

61. *De sum. Bono.*, IV, 1, 3.9. *Cf. De causis et processu...*, I, 2, 8 ; Borgnet 10, p. 398a-b. Tout ce passage est une reprise directe de la position albertinienne. Sur cette position, *cf.* É. WÉBER, «Eckhart et l'ontothéologisme...», pp. 31-32 : «Assuré de pouvoir l'intégrer dans sa théologie, Albert adopte l'ensemble des discernements sur l'intellect et les met en œuvre pour décrire ce qu'est Dieu : "Intellect Pur et Premier" [*Metaphysica*, XI, tract. 2, cap. 11 ; Editio Colon., XVI/1, p. 498, 42], "Intellect Premier de par lui-même et actif et intellect" [*De causis et processu...*» II, 4, 9 ; Borgnet 10, p. 582a], "Dieu Intellect agent" [*De natura et origine animae*, tract. 2, cap. 16 ; Ed. Colon., XII, p. 43, 75]. Développant ce dernier titre, il écrit : «Nécessairement ce qui est Premier Principe meut comme meut chez l'artisan la connaissance [pratique : *ars*]. C'est l'Intellect qui est la Cause suprême et unique *(universaliter agens)*, lui dont le savoir pratique est cause de tout ce qui a été fait.» [*Metaphysica*, XI, tract. 1, cap. 13 ; Ed. Colon., p. 479, 11 *sqq.*]

62. *De sum. Bon.*, IV, 1, 2.11. C'est là la doctrine d'ALBERT, *Metaphysica*, XI, tract. 2, cap. 11 ; Ed. Colon., XVI/1, p. 497, 42 *sqq.* : «Le principe premier qui meut selon leur nature les sujets intelligents à leur être intellectif, c'est le Pur Intellect. Parvenir à le contacter en son être même et en vérité est ce qu'il y a de plus délectable et de plus agréable [...] C'est pourquoi pareil contact avec l'Intellect Pur vaut à l'homme d'être libéré de la tristesse et du temps [...] C'est ce même Intellect qui meut toute la nature, mais celle-ci ne parvient pas à rejoindre (et s'assimiler) le Bien que constitue son principe moteur sous sa raison d'intellect, mais seulement dans l'ombre *(in umbra)* que lui imposent la matière et les privations.» [Trad. de É. WÉBER, «Eckhart et l'ontothéologisme...», p. 31] L'allusion au corps et à sa corruptibilité renvoie à Sg 9, 15.

63. G. THÉRY, «Originalité...», p. 394.

64. *Cf.* notre article : «L'Être et le Bien : Exode 3, 14 dans la Théologie rhénane», *in : Celui qui est*, Paris, à paraître.

65. *De sum. Bon.*, I, 1, 1 ; Daguillon pp. 5, 31-6, 5.

66. *Cf. supra*, pp. 25-30, *Cf.* également J. KOCH, « Zur Einführung », II, *in : Meister Eckhart. Die lateinischen Werke, LW* III, 1, 1935, p. XV. Les *Opera propositionum* sont un genre littéraire typiquement néoplatonisant. A la liste mentionnée on doit ajouter le *Liber de Intelligentiis* (= *Memoriale rerum difficilium naturalium*) attribué à Witelo. Ce texte est fréquemment cité par Berthold de Moosburg, *cf. infra*, p. 413.

67. De sun. Bono, I, 2, 3, Daguillon, p. 34, 1-4.

68. G. THÉRY, « Originalité... », pp. 390 *sqq.*

69. *Cf. supra*, p. 90, note 28. *Cf.* également ALBERT LE GRAND, *Super Dion. De div. nom.*, cap. IV, § 3 ; p. 114, 29-39 qui expose une version apparemment plus « moderne » de la thèse traditionnelle.

70. *Cf. In Iohannem*, § 562 ; *LW* III, pp. 489, 1-491, 3, notamment 489, 8 *sqq.*

71. *De sum. Bono*, II, 5, 1.

72. *De sum. Bono*, IV, 1, 3.6. Reprise d'ALBERT, *De causis et processu...*, I, 2, 3 ; Borgnet 10, p. 392a. L'image du centre qui, dans le cercle, réunit en soi les rayons, vient de Denys [*Les Noms divins*, cap. V, § 6 ; PG 3, 821A 1-11]. A propos de l'utilisation du thème chez Jean Scot, É. Jeauneau remarque : « Le thème géométrique du cercle est généralement accompagné d'un thème arithmétique, celui de la *monade* (ou unité) en laquelle sont contenus tous les nombres. Ce dernier thème a également sa source chez le Pseudo-Denys. » [*Les Noms divins*, chap. V, § 6 ; PG 3, 820D 3-821A 1]. Il semble que le « point scientifique » dise donc la même chose que la notion de « monade intellectuelle ». En ce sens, le Centre est donc Dieu lui-même comme « lieu de l'être », c'est-à-dire Être de l'être. Sur Jean Scot, *cf.* É. JEAUNEAU, *op. cit.*, p. 251, note 3.

73. *De sum. Bono*, IV, 1, 3.8. Expansion d'ALBERT, *De causis et processu...*, I, 2, 4 ; Borgnet 10, p. 393a-b. Sur le Premier principe comme « mesure » de l'être et du connu, *cf. Super Dion. De div. nom.*, cap. I, § 50 ; p. 31, 63 *sqq.* : « Comme il est enseigné au livre X de la *Métaphysique*, toutes choses sont mesurées par un principe premier qui est indivisible et le plus certain en son genre. Mais comme il est dit au même endroit, dans la catégorie de l'être substantiel, il y a une mesure principale, et le Commentateur explique que c'est le Premier Principe moteur, Dieu. » Trad. É. WÉBER, « *Commensuratio...* », p. 47. Sur la science de Dieu comme cause de l'être, *cf.* É. WÉBER, *ibid.* : « A de fréquentes reprises [...] Albert invoque comme une autorité hors de conteste la formule d'Averroès qui rejoint à merveille la théorie dionysienne de l'illumination noétique : "La connaissance divine est cause des choses ; celles-ci sont cause de notre connaissance." » [*Cf. Super*

*Dion. De div. nom.*, cap. VII, § 17 ; p. 350, 1 *sqq.* ; AVERROÈS, *In Metaph.* XII, comm. 51 ; Venise, 1562, f. 337B].

74. *Cf. supra*, note 69.

75. *Cf.* J. KOCH, « Augustinischer und Dionysischer Neuplatonismus... », pp. 22-23.

76. *Cf. supra*, pp. 25-30.

77. ARISTOTE, *De anima*, III, 4, 429a 17 et b 23 *sqq. cf.* II, 7, 418b 26 *sqq.* La formule « non mélangé » est fréquente chez Thierry de Freiberg et Maître Eckhart. Aristote en attribue la paternité à Anaxagore.

78. *De sum. Bono*, II, 2, 1.3. La démonstration *per effectum* transpose la considération de Dieu *secundum naturam processionum* d'ALBERT, *Super Dion. De div. nom.*, cap. XIII, § 29 ; p. 449, 28 *sqq.*

79. *De sum. Bono*, II, 2, 1.3-6.

80. *De sum. Bono*, II, 2, 1.5. Avec rappel de Boèce, *De consolatione Philosophiae*, III, met. 9 ; Stewart-Rand-Tester, p. 270, 3.

81. É. GILSON, *La Philosophie...*, pp. 517-518. Sur tout ceci, *cf.* B. FAËS DE MOTTONI, « La distinzione tra causa agente e causa motrice nella "Summa de Summo Bono" di Ulrico di Strasburgo », *Studi Medievali* 20 (1979), pp. 313-355.

82. *De sum. Bono*, II, 2, 3.1-3. *Cf.* dans la même sens ALBERT LE GRAND, *In I Sent.*, d. 2, a. 12 ; Borgnet 25, pp. 67-68 ; *Super Dion. De div. nom.*, cap. II, §§ 10-11 ; pp. 50, 42-51, 48. En sens inverse : ALEXANDRE DE HALÈS, *Summa Halensis*, Pars IIᵃ, Inq. II, tract. I, q. 1, memb. 2, cap. 2, a1, § 351, pp. 521-522 ; a2, § 352, pp. 522-523 ; memb. 3, cap. 1, § 353, pp. 523-525 et cap. 2, § 354, pp. 525-527.

83. *De sum. Bono*, II, 2, 3.3.

84. *De sum. Bono*, II, 2, 3.4. Pour tout ceci, *cf.* A. DE LIBERA, « L'Être et le Bien... », *loc. cit.*

85. *De sum. Bono*, II, 2, 4.1.

86. *De sum. Bono, ibid.* Albert utilise des expressions de ce genre. *Cf. Super Dion. De div. nom.*, cap. V, § 8, pp. 308, 11-12 et 25-27 : « Creatura non habet verum esse, quia habet esse ab alio [...] Ens creatum non habet verum esse, quia in comparatione Dei, qui vere est, alia nihil sunt. » Pour lui, cependant, la créature n'est pas « falsum ens » (p. 308, 44) mais seulement « non-vere-ens » (p. 309, 6). Pour tout ceci, *cf.* cap. V, § 9, pp. 308, 43-309, 15.

87. *De sum. Bono, ibid. Cf.* AVICENNE, *Metaphysica*, III, 10 ; Venetiis 1508, f. 83vA.

88. *De sum. Bono, ibid. Cf.* HILAIRE DE POITIERS, *De Trinitate*, VII ; PL 10, p. 208.

89. *De sum. Bono*, II, 3, 1.5. *Cf.* AUGUSTIN, *De Trinitate*, VIII, III, 4 ; BA 16, p. 32. DENYS, *Les Noms divins*, chap. IV, § 20 ; PG 3, 717D ; trad., p. 113 : « La Bonté parfaite qui s'étend à l'univers ne

règne pas seulement sur les essences parfaitement bonnes qui l'environnent immédiatement, mais elle s'étend jusqu'aux plus lointaines.»

90. Sur le mal comme néant, *Cf. supra*, p. 93, note 44.

91. *De sum. Bono*, II, 3, 3.1. *Cf.* AUGUSTIN, *De Genesi ad litteram*, III, xxiv, 37 ; BA 48, pp. 274-275 [*ad sensum*] ; *Confessions*, VII, xii, 18 ; BA 13, pp. 620-621.

92. *De sum. Bono, ibid.*

93. *De sum. Bono*, II, 3, 3.4. *Cf.* AUGUSTIN, *83 Questions*, q. 41 ; BA 10, pp. 114-117. Alexandre de Halès développe la même doctrine dans la *Summa Halensis*, Pars Iᵃ, Inq. I, tract. iii, q. iii, cap. v, a. 3., § 122. Il se réfère également à Augustin, p. 191 : «Si essent aequalia, non essent omnia.» Pour la démonstration ulricienne, *cf. de sum. Bono*, II, 3, 3.3.

94. *De sum. Bono*, II, 3, 3.5.

95. *De sum. Bono*, II, 3, 3.6. *Cf.* la définition générale des «maux» en *De sum. Bono*, II, 3, 13.4. La distinction des trois sortes de maux est un lieu commun théologique.

96. *De sum. Bono*, II, 3, 3.6.

97. *De sum. Bono, ibid.*

98. *De sum. Bono, ibid.* L'ensemble du passage — y compris les allusions à Si 33, 14 et 2 Co 6, 8 — est une extrapolation d'Augustin, *De civ. Dei*, XI, xviii ; BA 35, pp. 86-87. On trouve le même texte chez Alexandre de Halès, *Summa Halensis*, Pars Iᵃ, Inq. i, tract. iii, q. iii, cap. v, a. 2, § 121, pp. 189-190 : «Saeculum quibusdam antithetis honestavit tamquam carmen pulcherrimum ; antitheta vero vocatur cotrapositio. Sic ergo contraria contrariis apposita sermonis pulchritudinem reddunt, ut ait Apostolus, 2 Cor. 6, 8 : *Per gloriam et ignobilitatem, per infamiam et bonam famam :* in quadam non verborum, sed rerum eloquentia saeculi pulchritudo componitur. Unde Eccli. 33, 15 : "Contra malum bonum et contra vitam mors, et sic intuere in omnia opera Altissimi, unum contra unum et duo contra duo".»

99. *De sum. Bono, ibid.* : «Malum [...] bonum universi non diminuit.»

100. *De sum. Bono*, II, 3, 13.2 : «Malum est res rationis sicut omnis privatio, quae per habitum intellecta praedicatur de subiecto, in quo est, et est ens secundum tertium modum entis per se, scilicet, secundum quod compositio intellectus vel enuntiationis ens per se vocatur.» *Cf.* AUGUSTIN, *Liber soliloquiorum animae ad Deum*, lib. un., cap. v ; PL 40, 868 et Denys, *Les Noms divins*, chap. IV, § 19 ; PG 3, 716C-D ; trad. p. 111. Sur la doctrine ulricienne du mal, *cf.* B. FAËS DE MOTTONI, «Il problema del male nella "Summa de bono" di Ulrico di Strasburgo», *Medioevo*, 1 (1975), qui donne l'édition de II, 3, 13 [*De malo*] pp. 51-61.

101. *De sum. Bono, loc. cit.*
102. *De sum. Bono,* II, 3, 13.3. *Cf.* AVICENNE, *Metaphysica,* VI, 8 ; Venetiis 1508, f. 100vA.
103. *De sum. Bono,* II, 3, 13.7. *Cf.* DENYS, *Les Noms divins,* chap. IV, § 19 ; PG 3, 716C ; trad. p. 111 : « La nature du Bien est de produire et de conserver les êtres, tandis que le mal les corrompt et les détruit. »
104. *Les Noms divins,* chap. IV, § 20 ; PG 3, 717C ; trad. pp. 112-113.
105. *De sum. Bono,* II, 3, 13.12. *Cf.* AUGUSTIN, *De civ. Dei,* XII, VII ; BA 35, pp. 171-173 ; DENYS, *Les Noms divins,* chap. IV, § 32 ; PG 3, 732C-D ; trad. p. 125 : « Ainsi le mal est privation, *défaillance, faiblesse,* disharmonie, erreur, irréflexion, absence de beauté, de vie, d'intelligence, de raison, de finalité, de stabilité ; il est sans cause, indéfini, stérile, paresseux, débile, irrégulier, dissemblable, infini, obscur, privé d'essence, et par lui-même il ne possède jamais d'être nulle part ni d'aucune façon. »
106. *De sum. Bono,* II, 3 5.1. Les noms de *lux, lumen* ou *claritas* reviennent fréquemment dans l'Écriture : *cf.* Ps 35, 10, Ps 103, 2 ; Sg 7, 25-26 ; Jn 1, 5, Jn 1, 8, Jn 8, 12 ; 1 Jn 1, 5 ; Jc 1,17 ; 2 Tim 6, 16. Comme l'a bien montré B. FAËS DE MOTTONI, [« Il problema della luce nel commento di Bertoldo di Moosburg all' "Elementatio theologica" di Proclo », *Studi medievali* 16 (1975), pp. 349-352], tout ce chapitre de la *Summa* a été abondamment repris par Berthold dans son commentaire de la proposition 143 de Proclus, puisqu'on y retrouve de larges extraits de II, 3, 5.1, la totalité de II, 3, 5.2 la quasi-totalité de II, 3, 5.3, un extrait substantiel de II, 3, 5.4 et le début de II, 3, 5.5. Cette utilisation directe d'Ulrich par Berthold est assez constante. M.R. PAGNONI-STURLESE en donné d'autres exemples. *Cf.* « A propos du néoplatonisme... », pp. 648 *sqq.* L'ensemble de notre cap. 5 est une accommodation des principales thèses d'Albert dans le *De causis et processu universitatis,* dont Ulrich tire une véritable métaphysique — ou plutôt théologie — de la lumière. Compte tenu de l'importance des thèmes albertiniens pour la pensée du Strasbourgeois, nous résumons ici très brièvement les grandes affirmations du *De causis et processu universitatis.* (1) La première thèse décisive d'Albert est que le Premier principe — la Cause première du *Liber de causis* — est un *intellectus universaliter agens* — c'est-à-dire un Intellect universellement agent — en tant que Lumière illuminant — c'est-à-dire produisant — tout ce qui est : « La Lumière [de l'Intellect universellement agent] est la cause qui fait exister tout ce qui est » : « Illius [intellectus universaliter agens] lumen causa est existendi omni ei quod est « [*De causis et processu...,* I, 2, 1 ; Borgnet 10, p. 388a]. Cet Intellect Premier constitue les Intelligences *(Intelligentiae)* par l'influx de sa Lumière [I, 4, 2 ;

p. 412b], puis toutes choses *in virtute primi*, c'est-à-dire par sa *propre* «vertu» [*ibid.*, p. 413a. Sur le rejet de la causalité créationnelle de l'Intelligence avicennienne, *cf.* la critique d'Eckhart, *supra* p. 61, note 20]. (2) Cause de l'être de toutes choses par le flux de sa Lumière, l'Intellect divin n'est pas pour autant l'être de toutes choses. Il faut donc rejeter la thèse de ceux qui disent «que toutes choses sont un et que la diffusion du Premier en toutes choses est leur être» : «Omnia esse unum et quod diffusio primi in omnibus est esse eorum.» [I, 4, 5 ; p. 419b] (3) L'explication de ce rejet du panthéisme est justifiée par la structure ontologique de la Cause et du causé. Dans toutes les réalités émanées, être et essence sont distincts. C'est le cas des Intelligences, c'est également celui de l'intellect humain dont les principes constitutifs sont originairement différenciés en un *quod est* et un *quo est* [*cf. supra*, pp. 47-48]. En Dieu, en revanche, *quod est* et *quo est* sont un : «En effet, la Cause première est une Lumière pure qui n'a pas d'autre lumière au-dessus d'elle ; c'est pourquoi en elle l'être et le *quod est* sont identiques» : «Causa enim prima lumen purum est, super quod non est aliud lumen, propter quod in ipsa idem est esse et quod est.» [II, 1, 25 ; p. 475a] (4) La causalité de la Lumière intelligible regarde donc un univers de puissances hiérarchiquement ordonné qui a besoin de l'activité de l'Intellect divin pour être, c'est-à-dire, à la fois, pour être actualisé et pour être gardé dans un certain degré d'actualité : «Car si [le Premier efficient] est appelé "Principe intelligible", c'est que tout *quod est* réside *(consistit)* en lui comme en sa cause efficiente, de la même manière que tout visible réside dans la lumière du Soleil et que tout artefact réside dans la lumière de l'art comme dans une cause efficiente. C'est aussi par lui que l'être de chaque chose demeure *(manet)* en son *quod est*. En effet, ce qu'une chose est, est cela même qui est "supposé" [= désigné, référé] par son nom ; mais son être, elle ne peut l'avoir par elle-même : elle ne l'a que par l'émanation d'être *(ab emanatione esse)* qui lui est antérieure ; or, cette émanation ne peut provenir que de Celui en qui être et *quod est* sont identiques. Et celui là n'est autre que l'Intellect universellement agent.» [I, 2, 1 ; p. 387b] (5) L'émanation constitutive de l'univers hiérarchisé de l'étant est le flux de Lumière issu de l'Intellect divin : «L'ordre dans la hiérarchie des êtres découle d'une chute et d'un déclin depuis la Lumière du premier des êtres» : «Ordinem in gradibus entium non facit nisi casus et occubitus a lumine primi entis» [I, 4, 5 ; p. 419a], car : «L'inférieur est toujours une chute du supérieur, et l'inférieur commence, là où, d'une certaine manière, la lumière du supérieur décline» : «Inferius quidam casus est semper superioris, et inferius incipit, ubi lumen aliquo modo occumbit superioris» [I, 4, 8 ; p. 428a] — ou selon une formule transposée d'Isaac Israeli [*Liber diffinitionum, in : Opera omnia*, Lyon, 1515, tome I, f. 3 ra-b] : «Le dérivé naît toujours à l'ombre de ce qui le précède » : «Semper posterius oritur in umbra praecedentis. » (6) L'émanation de la Cause première est double : sa causalité s'exerce à la fois dans le domaine des intelligibles et dans celui de la matière et des corps : «La lumière, qui est une forme naturelle illuminant *(illustrans)* la matière, émane aussi du Premier principe, à travers un ou plusieurs degrés intermédiaires *(per medium unum vel plura)*. Si tel n'était pas le cas, la lumière ne serait pas une forme intelligible.» [I, 2, 1 ; p. 387b] Autrement dit : la lumière du soleil et toutes les formes particulières qui pénètrent dans la matière soumise à la contradiction et au changement, sont elles-mêmes sujettes à l'activité de l'Intellect universellement agent. Sans cet assujettissement originaire, qui fait de tout être — quel qu'il soit et à quelque degré que ce soit — une entité-de-lumière, l'intellect humain ne pourrait rien retrouver ni «récolter» dans le sensible ; la connaissance serait impossible : «La nature universelle est la forme de la corporéité [= qui transforme la matière en corps]. Elle produit par l'intermédiaire des réalités antérieures [= Première cause, Intelligences, âmes] et par elle-même, déchéant *(deficiens)* d'elles toutes, de la même manière que la vertu qui est dans un corps déchoit *(deficit)* d'une [autre] vertu qui n'est pas dans un corps. » [II, 1, 2 ; p. 437a] Autrement dit : de haut en bas de l'univers hiérarchique, tout est lumière. La *forma corporeitatis* elle-même est une émanation de lumière. Entre les trois niveaux de ce que Berthold retrouvera sous les termes de «Lumière supersubstantielle», «lumière intellectuelle» et «lumière corpo-relle», il y a plus qu'une analogie. Il y a une continuité. C'est cette continuité de lumière qu'Albert explicite et synthétise en expliquant le titre de *Lumière des lumières* donné par les avicenniens au *Livre des causes* — page admirable qu'il faut citer en entier : «Mais Avicenne et ses disciples l'appellent plus proprement *Lumière des lumières*, et ils ont pour cela quatre raisons. Voici la première : puisque la Cause première agit par la Lumière intellectuelle, et qu'on traite ici des réalités constituées par la Cause première en tant qu'elles résident dans la Lumière intellectuelle et qu'elles sont elles-mêmes des lumières illuminant la nature de toutes choses, l'auteur a intitulé son livre *la Lumière des lumières*. La deuxième raison est subtile et bonne : puisque la Lumière de la Cause première influe de trois façons dans les choses, *i.e.* en les constituant dans l'être *(influentia constitutionis ad esse)*, en irradiant en elles perfection dans la vertu et dans l'œuvre, en les ramenant à leur source originaire, comme Principe du Bien, et puisque l'influence de cette Lumière est le principe de l'illumination commune, cette Lumière est aussi Lumière des lumières ; ainsi, comme il s'agit ici de ce genre d'influences, c'est à bon droit qu'il l'intitule *la Lumière des lumières*. Voici la troisième : puisque la lumière est la forme des choses et que c'est par elle qu'une chose est connue et reçue dans la lumière de l'intellect, et puisque la diffusion de l'Intellect agent qui constitue les choses constitue la forme de toutes choses, la diffusion de cet Intellect agent sera la Lumière de la lumière de la chose, et un traité de ce genre sera appelé *la Lumière des lumières*. Voici la quatrième : puisqu'on traite ici de principes qui ne sont pas communicables aux choses et que, de ce fait, ils ne sont pas "ombrés" *(umbrantur)* ni pris dans les définitions des choses, mais qu'ils restent néanmoins les principes des choses au sens efficient et formel, [ces principes] sont des "lumières vraies" *(lumina sincera)* dont les éclats resplendissants sont les formes des choses ; c'est pourquoi le traité est appelé comme on l'a dit. » [II, 1, 1 ; p. 435] On notera que Maître Eckhart se souvient de ce passage d'Albert dans la *Pr.* 80 [Ancelet 3, p. 134] : « L'évêque Albert dit : "Il s'épanche universellement en toutes choses de trois manières : par l'être, par la vie, par la lumière, particulièrement en l'âme intellective, dans sa capacité de connaître toutes choses et de ramener les créatures à leur origine première. Telle est la Lumière des lumières, car "tout don et toute perfection fluent du Père des lumières", comme le dit saint Jacques [Jc 1, 17]. »

107.　La notion aristotélicienne d'« hypostase de la couleur » [*De anima*, II, 7, 418b 9-10] est alléguée par Albert dans la *Summa theologiae*, Iª Pars, tract. 6, q. 25, cap. 3, éd. D. Siedler ; Ed. Colon., XXXIV/1, p. 159, 26-40 : « De même que c'est une même lumière qui se diffuse en plusieurs [corps colorés], lumière qui est *l'hypostase de la couleur*, comme le dit Aristote, et qu'il y a plusieurs modes de diffusion — modes qui ne résultent pas de la lumière elle-même mais des différentes dispositions des surfaces où elle se diffuse ; de même, il y a une seule Lumière de la Première Vérité, en laquelle tout vrai est enraciné comme dans son hypostase, mais la diffusion de cette Lumière dans tout ce qui est vrai est elle-même multiple et différente selon la diversité de leurs principes ontologiques. Cette diversité, pourtant, n'introduit aucune différence dans la Première Vérité elle-même, mais seulement dans les vrais dérivés *(in veris secundis)* qu'elle constitue. Et cela est conforme à ce que dit expressément Denys, et c'est ces différents modes qu'il appelle "les différents degrés des êtres et des vrais". » On retrouve la notion dans le *De homine*, q. 21, a. 1, Borgnet 35, p. 180a : « Il dit en effet dans un certain chapitre du *De coloribus* : "La lumière est l'hypostase des couleurs". » Le terme d'*hypostasis* ne figure cependant pas dans l'opuscule en question. Sur Dieu et l'« hypostase », *cf.* également *Super Dion. De div. nom.*, cap. I, § 44 ; p. 26, 25-27 : « Dieu n'est ni une couleur ni l'hypostase de la couleur, c'est-à-dire la lumière visible ou quoi que ce soit de sensible. » Pour tout ceci, *cf. De sum. Bono*, II, 3, 5.3. Passage repris par Berthold de Moosburg, *ed. cit.*, p. 350b.

108. *De sum. Bono*, *ibid*. Passage repris par Berthold de Moosburg, *ibid*.

109. *De sum. Bono*, *ibid*. Passage partiellement repris par Berthold, *ibid*.

110. *De sum. Bono, ibid*. Repris par Berthold, *loc. cit.*, p. 351b. Allusion à DENYS, *Les Noms divins*, chap. IV, § 4 ; PG 3, 697B-C ; trad. p. 97.

111. *Cf. De sum. Bono*, II, 3, 4.1. D'après DENYS, *Les Noms divins*, chap. IV, § 7 ; PG 3, 701C : « Et sicut universorum consonantiae et claritatis causa.» *Cf.* à ce sujet ALBERT, *Super Dion. De div. nom.*, cap. IV, § 75 ; Ed. Colon., p. 185, 63 *sqq.*

112. *De sum. Bono*, II, 3, 5.3. Repris par Berthold, *loc. cit.*, p. 351b.

113. *De sum. Bono, ibid*. Partiellement repris dans Berthold, *ibid*.

114. *De sum. Bono, ibid*.

115. *De sum. Bono, ibid*.

116. *De sum. Bono*, II, 3, 5.4. Reprise de DENYS, *Les Noms divins*, chap. IV, § 4 ; PG 3, 697C ; trad. p. 97.

117. Tout ce développement est un aménagement des *Noms divins*, chap. IV, § 4 ; PG 3, 697B-700B ; trad. pp. 97-99.

118. *De sum. Bono, ibid*.

119. Reprise de DENYS, *Les Noms divins, loc. cit.*, 700A ; trad. p. 98.

120. *De sum. Bono*, II, 3, 5.5.

121. *De sum. Bono, loc. cit.* Synthèse de DENYS, *Les Noms divins*, chap. IV, § 5 ; PG 3, 700C-701A et § 6 ; PG 3, 701B ; trad. pp. 99 et 100. Dans tout ce passage, «le désir de contemplation» qui parachève le «désir naturel de savoir» est interprété comme l'*intellectus affectivus* d'Albert, cet affect noétique qui caractérise l'état théopathique, cette «tension désirante qui règne au sein de l'intellect entré dans la ténèbre mystique, vers la plénitude d'intellection [...] suscitée par le don de lumière de gloire» [É. WÉBER, «L'interprétation par Albert le Grand...», p. 436. *Cf. Super Dion. De div. nom.*, cap. II, § 70 ; p. 92, 20 *sqq.*]. La «clarté mesurée» est la reprise du thème dionysien de la *proportio, analogia* ou *commensuratio*, d'après lequel l'élévation des intelligences jusqu'au «Rayon suprême» s'accomplit «selon l'exacte mesure» impartie à chacune — c'est-à-dire le degré de déficience qui les situe dans la Hiérarchie. *Cf.* à ce sujet *Super Dion. De div. nom.*, cap. I, § 31, p. 16, 34-36 et 46-47. *Cf.* également É. WÉBER, «L'interprétation...», pp. 424-425. Le «goût» est celui de la sagesse infuse qui «goûte le mystère divin» grâce au don surnaturel de la lumière qui en est une similitude. *Cf.* ALBERT, *In III Sent.*, d. 35, a. 1, ad q. 2am, ad arg. 1m ; Borgnet 28, p. 645b ; *ibid.* a. 3, sol. ; p. 647.

# CHAPITRE V

# THIERRY DE FREIBERG

## L'HOMME

Thierry de Freiberg (Theodoricus Teutonicus de Vribergh) est incontestablement la plus grande figure de la théologie rhénane par la diversité de ses intérêts — théologiques, philosophiques, scientifiques —, par l'ampleur de son œuvre et la profondeur de sa pensée. Né vers 1250, mort vers 1318-1320, il a occupé tous les postes importants de l'ordre des Prêcheurs et connu tous les honneurs universitaires[1]. Vers 1271 il est lecteur du couvent de Freiberg en Saxe. De 1272 à 1274, il étudie la théologie à l'université de Paris. En 1280 il est lecteur à Trèves. Entre 1281 et 1293, on le retrouve de nouveau à Paris où il commente les *Sentences* de Pierre Lombard. De 1293 à 1296, il est provincial de Teutonie où il succède à Albert le Grand, Ulrich de Strasbourg, Conrad de Esslingen et Hermann de Minden. Promu maître en théologie de l'université de Paris en 1296-1297, il a probablement dû y exercer ensuite les fonctions de maître régent. On perd sa trace académique à partir de 1303, mais parallèlement ses responsabilités dans l'ordre restent avérées. On note, entre autres, sa participation au chapitre provincial de Coblence (1303) ainsi qu'aux chapitres généraux de Toulouse (1304) et de Plaisance (1310).

Déjà grande de son vivant, la réputation de Thierry a traversé les années[2]. C'est aujourd'hui, de tous les théologiens rhénans, le mieux connu. De nombreuses études de K. Flasch, B. Mojsisch et L. Sturlese sont venues compléter et éclairer la remarquable édition critique de ses œuvres complètes, désormais presque achevée dans le cadre du *CPTMA* (dont elle constitue le tome II, 1-4)[3].

A l'heure actuelle on dispose des œuvres suivantes :

— Théorie de l'intellect : *Tractatus de visione beatifica, Tractatus de intellectu et intelligibili (CPTMA* II, 1) ;

— Métaphysique et théologie : *Tractatus de habitibus, Tractatus de ente et essentia, Tractatus de magis et minus, Tractatus de natura contrariorum, Tractatus de corpore christi mortuo, Tractatus de cognitione entium separatorum et maxime animarum separatarum, Tractatus de dotibus corporum gloriosorum, Tractatus de substantiis spiritualibus et corporibus futurae resurrectionis, Tractatus de intelligentiis et motoribus caelorum, Tractatus de corporibus caelestibus quoad naturam eorum corporalem (CPTMA* II, 2) ;

— Philosophie naturelle et métaphysique : *Prologus generalis in tractatum de tribus difficilibus quaestionibus et Tractatus de animatione caeli, Tractatus de accidentibus, Tractatus de quiditatibus entium, Tractatus de origine rerum praedicamentalium, Tractatus de mensuris, Tractatus de natura et proprietate continuorum, Fragmentum de subiecto theologiae, Quaestio utrum in Deo sit aliqua vis cognitiva inferior intellectu, Quaestio utrum substantia spiritualis sit composita ex materia et forma, Quaestiones, Fragmentum de ratione potentiae (CPTMA* II, 3).

Un quatrième volume comprendra :

— Sciences de la nature : *Tractatus de luce et eius origine, Tractatus de miscibilibus in mixto, Tractatus de elementis corporum naturalium, Tractatus de iride, Tractatus de coloribus, Epistula ad Ioannem Cardinalem Tusculanum, Epistula ad Summum Poenitentiarium* (*CPTMA* II, 4)[4].

## L'ŒUVRE

Il ne saurait être question d'étudier ici en détail la pensée philosophique et scientifique de Thierry. D'autres l'ont fait, et de manière quasi définitive[5]. Seule nous importe la partie de l'œuvre théodoricienne qui concerne directement la théologie rhénane — autrement dit, sa noétique. On ne saurait cependant aborder l'analyse de détail sans situer la pensée de Thierry par rapport à celle de Thomas d'Aquin et de Maître Eckhart. Il est en effet établi aujourd'hui que Thierry a été à la fois le principal adversaire du « thomisme » dans l'école de Cologne et, sinon l'inspirateur, du moins l'accompagnateur de certaines des thèses fondamentales de l'innovation eckhartienne. Sur ce dernier point, il ne s'agit évidemment pas de reconduire le thème historiographique souvent superficiel et rarement décisif de l'« influence ». Thierry et Eckhart ont vécu dans le même milieu culturel, lu les mêmes textes, discuté les mêmes problèmes, prêché au même public. On sait qu'ils se sont rencontrés, qu'ils ont exercé des responsabilités parallèles, suivi le même cursus. Cela suffit pour expliquer leur « parenté ». Une quelconque « influence » de Thierry sur Eckhart reste, en revanche, beaucoup plus difficile à établir. De fait, Eckhart n'est à aucun degré « antithomiste ». Son œuvre latine en témoigne, aussi bien dans les discussions universitaires que dans l'exégèse biblique[6]. Il semble donc plus opportun de parler de « convergences » entre Thierry et Eckhart sur un certain nombre de points qui, en un sens, constituent le bien commun de l'albertisme et procèdent chacun avec leur accent propre, du fonds même de la théologie rhénane. Nous marquerons ces convergences en leur temps, quand nous étudierons l'œuvre de Maître Eckhart. Contentons-nous pour l'instant, avant d'aborder la noétique de Thierry, de quelques repères dans les deux domaines de problèmes que nous avons évoqués.

## THIERRY DE FREIBERG ET THOMAS D'AQUIN

La critique de l'ontologie thomasienne de l'être et de l'essence par Thierry est aujourd'hui bien connue grâce aux travaux d'A. Maurer et de R. Imbach[7]. Cet aspect de la polémique antithomiste de Thierry est cependant loin d'être isolé. De fait, selon K. Flasch[8], Thierry de Freiberg rompt au moins sur onze points fondamentaux avec l'enseignement philosophique et théologique de Thomas. Nous n'en développerons ici qu'un seul, car il résume tous les autres.

Ce point décisif, qui concerne à la fois l'ontologie et la noétique, consiste dans l'introduction de la notion d'« être conceptionnel » *(ens conceptionale)*.

Chez Thomas d'Aquin, l'opposition de l'être naturel *(ens naturae)* et de l'être de raison *(ens rationis)* assumait la totalité de la distinction entre le réel et l'intelligible. Pour Thierry, en revanche, l'être de raison n'épuise pas la notion d'intelligible : parallèlement aux simples conceptions de l'esprit, le Fribourgeois enrichit donc son ontologie d'êtres à la fois intellectuels et intelligibles[9].

Précisons et développons ce point.

Thierry appelle « être conceptionnel » la classe des êtres qui sont à la fois des sujets connaissants et des objets connus, qui donc, non seulement connaissent mais sont connus, autrement dit : qui sont à la fois acte de pensée et contenu de pensée.

L'«être-pensé» de l'être conceptionnel n'est donc pas celui — purement passif — d'un simple être conceptuel ou être de raison. Ce n'est pas non plus une représentation au sens où le sujet connaissant pourrait se représenter lui-même en pensée. En fait, en tant que sujet connaissant, l'être conceptionnel ne se pense pas lui-même directement. Il ne se connaît ultimement que dans la pensée d'un autre, en l'occurrence dans la pensée de celui qu'il pense. L'être conceptionnel est donc un être qui se convertit intellectuellement, qui fait retour sur soi en connaissant son principe — celui qu'il pense — et qui connaît son principe en connaissant son objet — ce que pense celui qu'il pense. Cet objet est l'être en tant qu'être.

Comme on le voit, on retrouve ici le thème d'une triple identité du sujet, de l'objet et du *medium* de la connaissance que l'on avait déjà noté chez Albert le Grand et Ulrich de Strasbourg [10]. Ici, toutefois, la notion de «processus» ou «procession» remplace clairement celle de *medium*. L'être conceptionnel, autrement dit, pour ce qui nous concerne, l'intellect de l'homme, connaît son objet comme l'acte même de connaître. Son objet est son activité, c'est-à-dire en tant qu'il se connaît dans la connaissance de son principe. On l'a dit, cet entrelacement du connaître et de l'être est caractéristique de la pensée rhénane. Mais, chez Thierry, il prend la forme absolument aiguë et parfaitement singulière d'une unité originaire de la pensée et de l'absolu. Pour le Fribourgeois, en effet, si l'intellect de l'homme se connaît lui-même, il ne se connaît jamais lui-même comme un «moi». Il se connaît bien plutôt comme le «se-connaître» originaire. D'un mot : la connaissance de soi est d'emblée «transsubjective».

Cette affirmation témoigne de l'enracinement de la noétique de Thierry dans celle du néoplatonisme «authentique».

De fait, c'est d'abord dans l'univers néoplatonicien

que ce qui pense peut-être aussi pensé. Le monde de Thierry, comme monde néoplatonicien, ce qu'il appelle «Univers des êtres» *(universitas entium)* ne compte pas de sujets purs sinon Dieu. Les intellects inférieurs — même en activité — sont toujours les participes d'intellects supérieurs. Si le Dieu d'Aristote est la Pensée de la Pensée, ou, si l'on préfère, la Pensée qui se pense elle-même, l'intellect de l'homme théodoricien est la pensée d'une autre pensée, c'est-à-dire ultimement une pensée de la Pensée.

On est ici bien loin de l'univers thomasien. De fait, cette noétique est moins une théorie de la connaissance intellectuelle qu'une théorie de la conversion intellectuelle en tant qu'elle est constitutive d'être. On ne s'étonnera donc pas d'y retrouver Augustin encadrant et éclairant une théorie de l'intellect issue du péripatétisme gréco-arabe. Nous y reviendrons.

## Thierry de Freiberg et Maître Eckhart

Il est incontestable qu'il y a eu un certain dialogue de pensée entre Eckhart et Thierry de Freiberg. Nous en avons donné un exemple ailleurs, en rapprochant les thèses du *De corpore christi mortuo* de Thierry de certaines affirmations contenues dans la cinquième *Question parisienne* de Maître Eckhart [11]. D'autres points de convergence entre les deux auteurs ont été justement soulignés par K. Flasch [12]. Deux, au moins s'imposent à l'attention.

Alors que pour Thomas d'Aquin aucun intellect créé ne peut se rapporter à la totalité de l'étant en acte — l'intellect humain étant essentiellement une puissance passive — l'intellect théodoricien est littéralement créé *ad imaginem Dei*, ce qui veut dire qu'il est l'image même de l'essence sans limite de l'intellect divin et non pas seulement «l'une de ses Idées déterminées» ou, si l'on préfère, que, contrairement aux choses, l'intellect agent de l'homme ne procède pas du Principe « sur la base d'une raison spécifique et par là même limitée » [13].

Cette interprétation caractéristique du thème bibli-que de la création à l'image est incontestablement partagée par Eckhart, comme le prouve notamment la *Pr.* 24 : « Dieu a fait communément toutes choses d'après l'image de toutes choses qu'il a en lui, et non d'après lui-même. Il en a fait certaines particulièrement, selon ce qui flue de lui, comme la Bonté, la Sagesse et ce que l'on dit de Dieu, mais il a fait l'âme, non seulement d'après l'image qui est en lui, ni d'après ce qui flue de lui et ce qu'on dit de lui ; davantage : il l'a faite d'après lui-même, oui, d'après tout ce qu'il est, d'après sa nature, d'après son opération fluant de lui et demeurant en lui, et d'après le Fond où il demeure en lui-même, où il engendre son Fils unique, d'où s'épanouit l'Esprit saint ; c'est d'après cette opération qui flue de lui et demeure en lui que Dieu a créé l'âme [14]. »

Mais il y a plus. Le retour de l'intellect en son principe est pour Eckhart immédiat : « Absque medio », « sunder mittel », ce qui signifie, par exemple, qu'il ne suppose pas l'intervention d'êtres intermédiaires dans la Hiérarchie céleste et ecclésiastique de Denys. Cette thèse eckhartienne trouve à nouveau son pendant chez Thierry puisque, comme on le verra, celui-ci interprète la hiérarchie dionysienne de façon que le « principal » de l'âme, ce qui en elle est « le plus élevé », y est immédiatement tourné ou converti vers son Principe et que, c'est dans cette conversion immédiate, que réside la vision bienheureuse [15].

C'est là, on en conviendra, une double rencontre importante.

La seconde thèse, attestée à la fois chez Thierry et chez Eckhart, découle de la précédente. De fait, si l'intellect humain est l'image de l'essentialité divine, c'est «toute la conception traditionnelle du rapport entre Dieu, l'homme et le monde» qui bascule.

En un mot : le processus de la création des êtres spirituels est tel que ceux-ci doivent et peuvent être considérés comme procédant de Dieu dans la mesure même où ils le contemplent (*« Sie gehen [...] dadurch aus Gott hervor, dass sie Gott anschauen »*) [16]. Cette thèse qui ne peut avoir aucun sens dans l'ontologie thomiste est incontestablement proclamée par Eckhart dans la *Pr.* 10 : «Quand Dieu regarde la créature, il lui donne par là son être. Quand la créature regarde Dieu, elle reçoit par là son être. L'âme a un être spirituel et connaissant. C'est pourquoi là où Dieu est, là est l'âme, et là où est l'âme, Dieu est [17]» et, parallèlement, chez Thierry : «L'intellect procède intellectuellement de l'essence divine et il tient sa propre essence du fait qu'il pense cette essence suprême [18].»

Il y a donc bien, c'est clair, une grande affinité entre les versions eckhartienne et théodoricienne du «flux» de l'intellect à partir de son Principe.

Ces affinités ne doivent pas pour autant masquer les divergences. Nous essaierons tout à l'heure de prendre une mesure plus exacte des unes et des autres.

Soulignons, pour conclure provisoirement ce chapitre, que l'accord entre nos deux auteurs n'a, semble-t-il, guère frappé leurs propres contemporains.

Un bon document nous est, sur ce point, fourni par la *Ler von der selikeyt* d'Eckhart de Gründig qui oppose formellement la théorie eckhartienne de la béatitude définie comme un «pâtir» de l'âme à la théorie théodoricienne qui la fait résider dans l'intellect agent : «Voici que d'autres maîtres arrivent et qu'ils veulent discuter de l'Image de l'âme. Ils demandent : où l'Image réside-t-elle ? Maître Thomas dit qu'elle réside dans les puissances. Mais voici qu'arrive Maître Thierry et qu'il contredit ce discours et qu'il dit qu'il n'en est pas ainsi. Maintenant fais attention : il dit que l'Image ne réside pas dans les puissances. Tout ce que Maître Eckhart et les autres ont dit a tendu à prouver que la béatitude tenait au fait que l'esprit y souffrait Dieu de manière surnaturelle. Maître Thierry nie qu'il en soit ainsi. Il dit : Je dis qu'il n'en est pas ainsi, et je dis qu'il y a quelque chose dans l'âme qui est si noble que son essence est une activité intellective. Je dis que cela est bienheureux de nature. En vérité, tout être intellectif doit être bienheureux de nature. C'est bien pourquoi on l'appelle intellect agent [19]. »

Cette présentation des doctrines d'Eckhart et de Thierry n'est sans doute pas très précise en ce qui concerne le Thuringien. Il est vrai qu'Eckhart de Gründig a auparavant mieux caractérisé la véritable perspective Eckhartienne, celle de l'étincelle de l'âme (qui lui permet ultimement de placer le lieu de la béatitude au-dessus des deux puissances : intellect et volonté) en écrivant : « Alors Maître Eckhart dit qu'il y a quelque chose dans l'âme qui est si noble et si élevé que, de même que Dieu est sans aucun nom, cela est aussi sans aucun nom. Maître Eckhart ajoute encore un mot et il dit que l'âme est [...] une étincelle de nature divine, et c'est pourquoi Maître Eckhart l'appelle une étincelle de l'âme [20]. »

Elle signale, toutefois, l'essentiel pour ce qui est de Thierry : La définition de la béatitude comme activité intellectuelle, au sein de ce qu'on pourrait appeler une noétique spéculative. Considérons à présent cette noétique avant d'aborder en détail celle de Maître Eckhart.

## LA VISION BIENHEUREUSE

Le traité sur *la Vision bienheureuse* expose l'un des deux grands pans de la noétique spéculative de Thierry [21]. On peut ainsi résumer ses principales thèses [22] :

— L'intellect agent est une substance dynamique ;
— L'intellect agent est une substance en tant qu'il agit ou opère ;
— L'objet de l'intellect n'est rien d'autre que cette activité ou opération qui est déjà identique à l'intellect lui-même en tant qu'il est une substance ;
— La pensée ou connaissance intellectuelle est une procession dans laquelle l'objet pensé est la procession elle-même.

Cette théorie de l'intellect agent ou, comme le dit Thierry, de « l'intellect par essence » est le premier grand exposé d'une métaphysique de l'intellectualité — ce que la philosophie allemande moderne a appelé la « métaphysique de l'esprit ». Elle ne détermine pas seulement une théorie de la connaissance dont les traités philosophiques comme *l'Origine des réalités prédicamentales* déploient les conséquences épistémologiques [23]. Elle est aussi liée à une théorie de l'intellect qui s'inscrit d'emblée au rebours de l'ontothéologie élaborée par les penseurs du XIIIᵉ siècle en « métaphysique de l'Exode ».

Le Dieu de Thierry n'est pas Être mais Intellect.

La théologie n'est donc pas chez lui, comme chez Thomas d'Aquin, une théologie de l'Être, mais, si l'on veut, une théologie des Processions intellectuelles élaborée en « métaphysique de la conversion ».

L'objet de la théologie et de la philosophie est, en un sens, le même : c'est l'Intellect en tant que « processualité ». Autrement dit : c'est la vie de l'Absolu comme mouvement circulaire, sortie *(proodos)* et retour *(épistrophè)*. Bien que proche d'eux sur ce point, Thierry se distingue d'Hugues Ripelin et d'Ulrich de Strasbourg, en ce qu'il place l'Odyssée de l'Absolu au cœur même de l'âme. Son univers hiérarchique n'est pas seulement celui de Denys, mais aussi celui de Proclus. On y trouve pourtant un sens authentiquement chrétien, qu'il ne faut pas qualifier trop hâtivement en terme de « subjectivisme moderne ». Ce sens — augustinien — est le suivant : c'est en l'âme humaine que se réalise l'union immédiate du supérieur et de l'inférieur. L'âme accomplit en elle-même ce que Denys espaçait dans la hiérarchie.

*La hiérarchie intellectuelle et la métaphysique de la conversion : Denys, Proclus, Augustin*

Thierry ne rejette évidemment pas la vision hiérarchique du monde selon Denys. L'univers de l'Être, ou plus exactement « l'université des étants »[24], est structuré de manière ternaire. L'univers entier est divisé en supérieurs, intermédiaires et inférieurs. Mais chaque ordre réplique lui-même et, pour ainsi dire, démultiplie de l'intérieur la structure générale. La ternarisation de l'Être ne va pourtant à l'infini : en haut, comme en bas, on touche aux extrêmes. Tel est même, pour Thierry, le sens de l'organisation hiérarchique : un univers où tout se tient, où l'inférieur est toujours médiatisé. La vision dionysienne du monde passe ainsi d'elle-même dans la définition augustinienne de l'ordre[25].

La médiatisation continuée de l'inférieur est le mouvement même de l'univers hiérarchique, celui par lequel il s'accomplit comme univers et trouve sa propre consistance. La disposition ordonnatrice, configurative de monde, est le mouvement par lequel l'inférieur est à la fois réduit et reconduit au supérieur. Cette reconduction suppose une affinité ou plutôt, une « confinité[26] » garantissant la possibilité de la communication d'un ordre à l'autre, d'un plan de réalités à l'autre. C'est grâce à cette « confinité communicative » que les bienfaits et les perfections des ordres supérieurs se répandent sur les inférieurs. C'est grâce à elle aussi que, du même coup, les inférieurs se tournent vers les supérieurs, se « convertissent » à eux dans le mouvement d'aller et retour, d'effusion et de résorption continuées qui rythme et accomplit le mouvement même de la hiérarchie.

La description de l'univers hiérarchique dionysien, déjà filtrée par la conception augustinienne de l'ordre comme allocation du même et de l'autre, trouve sa formulation définitive dans une vision du monde empruntée à la théologie de Proclus dont les propositions 146 et 147 ouvrent le traité sur *la Vision bienheureuse* : « Dans toutes les processions divines, il y a assimilation des fins aux principes, et celle-ci, par cette conversion vers les principes, soutient un processus circulaire sans commencement ni fin. » « Les degrés les plus élevés de chaque ordre divin ressemblent aux derniers degrés de l'ordre supérieur. Puisqu'il doit y avoir continuité dans la procession divine et, puisque chaque ordre doit être lié à l'ensemble par des médiations appropriées, les cimes des dérivés sont nécessairement jointes aux dernières limites des premiers. Or, cette jonction se fait par ressemblance. Il y aura donc assimilation des principes de l'ordre inférieur aux termes ultimes de l'ordre supérieur [27]. »

Tel que le voit Thierry, l'univers hiérarchique est un univers de la médiation par assimalation. Cette assimilation est un mouvement unique d'auto-identification du semblable et du dissemblable, en quoi s'accomplit la vie même de l'ensemble : désappropriation de soi par l'autre, appropriation de l'autre par soi, sont un seul et même processus par lequel le supérieur s'assimile l'inférieur, tandis que l'inférieur s'assimile au supérieur. Cette assimilation est une autoposition de l'Absolu, une effusion et une conversion résolues en un seul mouvement inverse d'aller et de retour.

Le point de départ de Thierry est donc cette métaphysique de la conversion qui constitue la manifestation de l'affinité structurelle qui lie entre eux les divers néoplatonismes. Cette simple affinité va, toutefois, le porter à introduire l'immédiateté augustinienne dans le monde de la médiation. Ainsi doublement et, en apparence, contradictoirement transposée en régime chrétien, la métaphysique de la conversion, telle que la conçoit Thierry, va sceller l'accord paradoxal d'un Denys, d'un Augustin et d'un Proclus. C'est même cette synthèse spéculative, à bien des égards déroutante, qu'il installe d'emblée au pinacle de sa théologie.

De fait, la vision hiérarchique du monde néoplatoni- cien, articulée en métaphysique chrétienne de la conver- sion, implique une noétique et une anthropologie philosophique spécifiques.

Si tout être est converti et que, dans cette conversion même, *l'inférieur touche au supérieur par assimilation*, si véritablement, comme le dit Proclus : « Les cimes des dérivés sont nécessairement jointes aux dernières limites des premiers » et que « cette jonction se fait par ressemblance », il faut nécessairement qu'en l'homme, comme en tout être, mais là plus encore qu'en tout être (la création « à l'image » l'exige), le retour en Dieu s'accomplisse au plus haut de sa consistance ontologi- que, en cela même qui est la « cime » de son être, le « suprême de sa substance ». Ce « suprême » en quoi s'accomplit au plus haut point la participation de l'homme aux bontés de Dieu, ce « suprême » que « Dieu lui-même a semé dans sa nature »[28] est notre être intellectuel, cet *« intellectuale nostrum »* que Thierry désigne au neutre, cet être intellectuel qui, on l'a dit en rapprochant par avance Thierry et Eckhart, est en relation immédiate à un Dieu dont il est l'image éternelle.

Dans sa formulation proclusienne et dionysienne, la métaphysique de la conversion trouve ainsi pour Thierry, comme naturellement, un centre d'ancrage noétique et anthropologique dans la pensée d'Augustin. L'ontologie de l'univers dionysien et proclusien construite, à sa manière, par le Fribourgeois suppose et réclame la noétique «immédiatiste» du théologien de l'Église latine.

Cette dérive apparente ne laisse pas de surprendre un lecteur ignorant l'intention fondamentale de la théologie rhénane. Il n'est pas pour autant arrivé là au terme de ses surprises. De fait, telle qu'il l'effectue, la fondation de la métaphysique dans la théorie de l'âme ne s'arrête pas, pour Thierry, à la simple synthèse des trois courants porteurs du néoplatonisme médiéval : Denys, Augustin, Proclus. La théorie de l'âme qu'il propose est également et d'emblée investie par la noétique du péripatétisme arabe. Pour lui, c'est incontestable, Augustin et les philosophes s'accordent. La perception de ce singulier accord est la base de tout l'édifice indissolublement théologique, philosophique et noétique de la pensée de Thierry de Freiberg.

### Augustin et la noétique péripatéticienne : du Fond secret de l'âme à l'intellect agent

Le geste théorique accompli par Thierry peut être caractérisé d'une formule : non seulement, sa théologie concilie la médiation dionysienne et l'immédiateté augustinienne, mais encore elle accueille dans cette conciliation même la fine pointe de l'aristotélisme arabe.

Exposant Augustin, le Fribourgeois commence par montrer que l'«être intellectuel» qui est en nous ce qui, au plus haut point, est «conforme à Dieu» et fait que nous somme véritablement «à son image et à sa ressemblance [29]», grâce à quoi nous «accédons» à Lui «en une certaine immédiateté», cet «être intellectuel» se divise en deux : une capacité de penser extérieure, tournée intellectuellement vers les réalités intellectuelles, et autre chose qui brille dans les profondeurs cachées de l'âme, dans le réduit de l'esprit, dans le «Fond de l'âme» *(in abdito mentis)*.

C'est dans ce réduit, dans ce Fond de l'âme, qu'est

« le principe originel, la source qui donne naissance à tout ce que nous effectuons intellectuellement par notre pensée extérieure[30] ».

La distinction entre le principe caché et la « cogitative », la source intérieure et la pensée extérieure, reprend les distinctions d'Augustin dans *la Trinité* entre connaître *(novi)* et penser *(cogitare)*, mémoire et intelligence[31] : « Lorsque nous pensons [...] une chose dont nous découvrons la vérité, nous disons que nous en avons une parfaite intelligence *(maxime intelligere)*, puis nous la laissons de nouveau dans la mémoire. Mais il y a une profondeur plus secrète *(abstrusior profunditas)* de notre mémoire où, quand nous pensons *(cum cogitaremus)*, nous trouvons ce principe premier et où s'engendre le verbe intime qui n'est d'aucune langue ; et c'est alors comme la science d'une science, la vision d'une vision, l'intelligence *(intelligentia)*, qui se manifeste dans la pensée *(in cogitatione)*, d'une intelligence *(intelligentiae)*, qui se trouvait déjà dans la mémoire mais demeurait cachée. » L'*abditum mentis* le Fond secret de l'âme, est la cache de l'âme, à la fois principe caché de toutes les pensées et cache du principe intellectuel, source inapparente d'une activité qui n'apparaît qu'en se redoublant elle-même dans la pensée extérieure. Cette « profondeur cachée » de (et dans) la mémoire, point d'intériorité maximum, qui ne peut être vue de l'intérieur par l'âme, mais seulement reconnue de l'extérieur dans la pensée entendue comme manifestation d'une intelligence antécédente qui est l'intériorité véritable, voilà ce que Thierry reprend dans l'idée de « principe et source originelle » d'où procède la cogitation extérieure.

Mais, on l'a dit, cette reformulation intrépide de la noétique augustinienne ne s'arrête pas là. A peine posée, la théorie des deux instances intellectuelles de l'âme selon Augustin se trouve transposée dans la théorie philosophique de l'âme élaborée par le péripatétisme gréco-arabe.

D'un mot : ce qu'on appelle « Fond secret de l'âme » et « pensée extérieure » n'est autre que ce qu'Aristote et les philosophes appellent « intellect agent » et « intellect possible ». Pour qui sait lire, augustinisme et aristotélisme ne s'excluent pas. Les bases de leur noétique sont identiques : « C'est là ce que nous trouvons chez les philosophes, certes en termes différents, mais sans désaccord de doctrine, quand il distinguent dans notre être-intellectuel l'intellect agent de l'intellect possible : l'intellect agent des philosophes est la même chose que le Fond secret de l'âme d'Augustin, et leur intellect possible est la même chose que sa pensée extérieure [32]. »

Conscient des réticences qu'une telle identification ne peut manquer de susciter, Thierry poursuit : « La preuve en est que tout ce qu'Aristote a jamais dit de l'intellect agent et de l'intellect possible est entièrement vérifié du Fond secret de l'âme et de la pensée extérieure selon Augustin [33]. »

L'intellect agent des philosophes identifié à l'*abditum mentis* d'Augustin est du même coup caractérisé comme « la cime de notre être ». C'est le lieu et l'instrument de l'assimilation de l'homme à Dieu et de Dieu à l'homme. C'est le théâtre de la divinisation : « L'intellect agent est incomparablement plus éminent que l'intellect possible. Il le dépasse en degré d'être. C'est lui qui est ce principe suprême semé par Dieu en notre nature, et ainsi [...] c'est lui qui, en nous rapprochant immédiatement de Dieu, fait que nous nous assimilons à Lui dans la Vision bienheureuse [34]. »

Le programme de toute théologie de la vision bienheureuse — qui est à la fois le programme de toute théologie et celui de toute anthropologie, dans la mesure où la vision réalise la finalité même de notre nature intellectuelle dans l'accomplissement ontologique de la théomorphose —, est donc quadruple :

— Penser le rapport de l'intellect agent à Dieu ;
— Penser le rapport de l'intellect possible aux autres êtres ou étants ;
— Prouver que l'intellect possible ne peut assurer l'union immédiate de l'homme à Dieu dans la vision bienheureuse ;
— Expliciter la manière dont l'intellect agent nous unit immédiatement à Dieu.

Sans retracer ici l'ensemble de cette démarche, considérons le premier point qui nous livrera l'essentiel des bases de la métaphysique de la conversion élaborée par Thierry.

## LA THÉORIE DE L'INTELLECT

Quatre thèses fondamentales développent le rapport de l'intellect agent à Dieu :

1. Le Fond secret de l'âme selon Augustin, autrement dit l'intellect agent, est dans son essence vraiment une substance ;

2. En lui se trouve exprimée l'image de la substance divine elle-même ;

3. L'intellect agent est donc essentiellement capable de Dieu, capable de l'accueillir, de s'en saisir intellectuellement ;

4. L'intellect agent est de par son essence converti en Dieu de manière parfaite et cette essence n'est autre que son opération même [35].

Examinons chacune d'entre elles.

### L'intellect agent comme substance

La première thèse de Thierry se subdivise en six affirmations :

1.1. En tant qu'image de Dieu, l'intellect agent est une substance ;

1.2. L'intellect agent connaît toujours en acte ;

1.3. L'intellect agent se connaît par son essence ;

1.4. L'intellect agent est un exemplaire et une similitude de l'être en tant qu'être ;

1.5. L'intellect agent connaît toutes choses par son essence, de la même manière qu'il se connaît ;

1.6. L'intellect par essence est une substance parce qu'il dépasse son sujet, ce qui n'est le cas d'aucun accident.

La première affirmation est l'occasion de préciser la distinction entre intellect agent et intellect possible à la lumière de l'Écriture, Gn 1, 26 : « Il fit l'homme à son image et à sa ressemblance. »

L'intellect possible, la pensée extérieure sont simplement à la ressemblance de Dieu. Seul l'intellect agent est véritablement à son image : « Ce qui est dit "à l'image" de Dieu — image qui consiste dans l'éternité et l'unité de la Trinité — renvoie au Fond secret de l'âme ou intellect agent, grâce à qui la substance de l'âme est fixée dans l'éternité [...] et en qui seul réside cette unité dans la trinité et cette trinité dans l'unité qui fait que l'homme est à l'image de Dieu [36]. » Au vrai, l'intellect agent n'est pas seulement « à l'image de Dieu » *(ad imaginem Dei)* : « Il est selon sa nature et formellement l'image même de Dieu *(imago Dei)* en nous [37]. » C'est à ce titre-là qu'il est une substance. De fait, la notion même d'image indique une conformité substantielle et non une simple ressemblance accidentelle [38]. Mais de plus, comme le montre Augustin, c'est dans le Fond secret de l'âme et dans lui seul, que l'on trouve à la fois « l'unité de l'essence et la trinité exprimant la différence de l'origine et de l'émanation [39] ». Or, on ne saurait trouver une telle unitrinité dans une réalité accidentelle. Le Fond secret de l'âme, c'est-à-dire l'intellect agent, est donc bien une substance en tant même qu'il est une image trinitaire. C'est dans cette « portion de l'âme » que la théorie augustinienne trouve sa vérité. C'est là que le ternaire de l'âme, de la connaissance et de l'amour a son unité essentielle et que chacun des trois a sa réalité substantielle : « Augustin parle de substance à propos de l'âme quand il montre que l'âme, la connaissance et l'amour sont d'une seule essence et que chacun des trois est une substance. A nous de montrer à présent que cela est vrai de cette portion de l'âme qu'il appelle Fond secret de l'âme, autrement dit de l'intellect agent [40]. »

La seconde affirmation pose que l'intellect agent connaît toujours en acte. Cette expression ne signifie pas que le Fond secret de l'âme « se tient dans la lumière de l'Intelligence en acte » comme le suggère certaine formule *(in lumine actualis intelligentiae)* [41]. De fait, Thierry précise que cette lumière n'est autre que « l'acte de sa propre intellection » *(in actu suae intellectionis)*, ou, si l'on préfère, « la lumière de son intelligence actuelle » *(in lumine suae actualis intelligentiae)*. Autrement dit : l'intellect agent ne peut se quitter lui-même, et il ne cesse pas de connaître *(intelligere)* parce qu'il ne cesse pas d'être lui-même, et il ne cesse pas d'être lui-même parce qu'il ne cesse pas d'être intellect, c'est-à-dire de connaître. Cette ipséité cachée de l'intellect agent est en quelque sorte cachée en elle-même : nous ne savons pas toujours que nous connaissons et nous ne cessons pas pour autant de connaître. C'est cette activité sourde, inapparaissante, de l'intellect agent qui cause toute la vie intellectuelle. Les formulations de Thierry sont ici d'une rigueur absolue : « L'intellect agent, dit-il, est dans sa substance intellect par essence [42]. » Comprenons : dans son être même, dans sa réalité de substance, l'intellect est intellect par essence. En d'autres termes : l'intellect est dans son être même toujours le même. Être une substance, cela signifie pour lui « rester fixé dans un même mode d'être » *(fixum esse in eodem modo suae substantiae)*, ne souffrir aucun changement, aucune modification venus de l'extérieur. Bref, être autonome.

Cette autonomie ontologique de l'intellect signifie qu'il est en restant lui-même. Mais cette permanence s'explique précisément par le fait que l'intellect est intellect par essence, c'est-à-dire par lui-même et en lui-même intellect. Thierry peut donc écrire : « S'il connaît, il ne cesse de connaître. Qu'il connaisse est évident, puisqu'il est par essence intellect et que son essence est l'intellectualité [43]. » Au vrai, l'intellect n'est pas intellect à cause des effets intellectuels qu'il produit, au sens où il engendre en nous les réalités intelligibles. S'il mérite le nom même d'*intellectus*, c'est « de par le mode propre et l'acte quidditatif même de son essence [44] ». Autrement dit : appeler l'intellect « intellect », c'est faire une prédication essentielle et non lui accoler une dénomination extrinsèque.

Intellect par essence, l'intellect agent n'en reste pas moins cause des réalités intelligibles. Sa causalité n'est ni instrumentale, ni accidentelle, mais essentielle. Il contient en lui-même d'avance sur un mode plus noble et plus éminent tout ce que l'on retrouve ensuite dans l'intellect possible. On le voit, Thierry applique au Fond secret de l'âme le vocabulaire tantôt réservé par Denys à l'Intelligence divine prise comme origine et source des Idées des choses. Il suffit pour s'en persuader de rapprocher deux passages tirés des *Noms divins* et de *la Vision bienheureuse* : « L'Intelligence divine contient toutes choses dans une connaissance qui transcende tout objet connu, car, dans la mesure même où elle est Cause universelle, elle contient d'avance en elle la notion de toutes choses, connaissant et produisant les anges avant même qu'il y eût des anges, connaissant toutes les autres réalités du dedans, pour ainsi dire dans leur principe, et leur conférant par là même le rang d'essence [45]. » « Reste donc que l'intellect agent est le principe des réalités intelligibles *(intellectorum)* et leur cause essentielle. De cette propriété et nature, qui est par soi celle d'une cause essentielle, il résulte que l'intellect agent contient d'avance en soi les réalités qu'il cause, sur un mode plus noble et plus parfait que celui qu'elles ont en elles-mêmes, c'est-à-dire dans l'intellect possible. Par conséquent, les réalités intelligibles existent plus intellectuellement dans l'intellect agent que dans l'intellect possible, et cela d'une façon plus noble et plus séparée [46]. »

Cette séparation dans la modalité ontologique des réalités intelligibles, telles qu'elles sont « contenues d'avance » ou « précontenues » dans l'intellect agent, renvoie à la modalité de l'intellect agent lui-même, « véritablement séparé et non mélangé », selon Anaxagore cité par Aristote [47].

L'application du langage et de la conception dionysienne de l'Intelligence à l'intellect agent aura évidemment des prolongements épistémologiques sur la théorie de la connaissance humaine. Nous y reviendrons tout à l'heure.

La troisième affirmation explicite la notion d'intellect par essence.

Tout ce qu'une chose est par essence concrètement, elle l'est aussi par essence formellement et abstraitement *(sub formali abstractione)*. Par exemple : un homme est un homme par essence, mais c'est aussi par essence qu'il est homme-par-son-humanité *(homo humanitate per essentiam)* [48]. De la même façon : « Ce qui est intellect par essence est ce qui, par essence, est-par-son-intellectualité [49]. »

Autrement dit, reprenant la distinction aristotélico-albertinienne entre forme de la partie et forme du tout : « De même que l'âme, qui est forme de la partie, et l'humanité, qui est forme du tout, ont toutes deux à leur façon le statut de principe formel par rapport au tout qu'est l'homme ; de même, l'intellectualité a elle aussi, à sa façon propre, c'est-à-dire intellectuellement, le statut de principe formel pour l'essence de l'intellect. » Ce statut, ou comme le dit Thierry « cette raison et ce rapport », n'est rien d'autre que « le mouvement par lequel l'intellect tend intellectuellement vers lui-même et, par là même, constitue sa propre substance et se connaît lui-même par essence [50] ».

En d'autres termes, l'intellect n'est pas seulement autonome. C'est l'intellectualité elle-même qui est spontanéité : « Tout ce qu'est l'intellect, tout ce qu'il est en existant, il l'est et l'est en existant intellectuellement dans sa propre substance. Autrement, ce ne serait pas un intellect par essence. Mais puisqu'il est séparé et non mélangé, qu'il n'a pas de partie et ne contient aucune nature étrangère, ce qu'il opère, il l'opère par son essence, et son opération est, en ce qui le concerne *(ex parte sui)*, son essence même [51]. »

On ne saurait donc distinguer dans l'intellect la substance et l'opération. Dire que l'intellect se connaît par son essence, c'est non seulement dire que son essence est de se connaître, mais c'est aussi dire qu'elle est cette connaissance même : « Ainsi dans un intellect qui est intellect par essence [...], n'y-a-t-il pas lieu de distinguer la substance et l'opération par laquelle l'intellect reçoit en lui-même sa propre intellection. Tout cela est, en effet, identique, je veux dire : la substance de l'intellect, l'opération de l'intellect et l'objet, lui-même intérieur, de l'opération intellectuelle [52]. » On rejoint ainsi Aristote, pour qui les réalités immatérielles sont caractérisées par la coïncidence du sujet connaissant et de l'objet connu, du pensant et du pensé : « L'intellect est lui-même intelligible comme le sont les intelligibles. En effet, en ce qui concerne les réalités immatérielles, il y a identité du pensant et du pensé, car la science théorétique et ce qu'elle connaît sont identiques [53]. » Mais il faut ajouter à Aristote que cette identité du sujet et de l'objet est identique à l'opération intellectuelle, qu'elle est cette opération même : « L'opération intellectuelle n'est pas différente de l'identité [du connaissant et du connu], elle ne fait entrer aucune nature extérieure dans la substance de l'intellect puisqu'il est absolument simple dans son essence [54]. »

Le ternaire du sujet, de l'objet et de l'opération, dans son unitrinité, exprime donc la simplicité de l'intellect agent. Cette unitrinité est la vie de l'intellect en tant qu'il est converti en lui-même et réfléchi sur lui-même : « L'intellect par essence est [...] toujours converti en lui-même en acte par son opération intellectuelle [55]. » La transposition des ternaires augustiniens dans la triade de la vie intellective rejoint alors à son tour l'intuition centrale du *Livre des causes* dont Thierry allègue les propositions 13 et 15 : « Et, de même que la proposition 15 du *Livre des causes* dit de toute Intelligence, qui est un intellect en acte par essence, qu'elle revient sur cette essence par un retour complet (la proposition 13 ayant auparavant stipulé que toute Intelligence connaît son essence), Augustin applique à l'intellect par essence, qu'il appelle chez l'homme Fond secret de l'âme, la même doctrine selon laquelle cet intellect ne cesse pas de se connaître [56]. » C'est donc bien à une synthèse d'Augustin, de Proclus et d'Aristote qu'aboutit la reconnaissance de l'autonomie et de la spontanéité de l'intellectualité en tant que telle.

La quatrième affirmation de Thierry porte sur l'objet même de l'intellect. Cet objet est la quiddité en général, non pas telle ou telle quiddité, mais l'être en tant qu'être. Cette thèse paraît traditionnelle. C'est en effet un lieu commun scolastique que, par exemple, d'opposer l'intellect, dont l'objet propre est l'être, et la volonté, dont l'objet propre est le bien [57]. La manière dont Thierry la déploie est cependant entièrement originale. En effet, il ne se contente pas de dire que l'être est l'objet de l'intellect, ni même que l'intellect est capable de se « représenter » la totalité de l'être : il affirme que, de par la simplicité même de son essence, l'intellect *est* d'une certaine façon, c'est-à-dire intellectuellement, tout ce qui est : « Puisque tout ce que l'essence de

l'intellect est, elle l'est intellectuellement, il est nécessaire que l'intellect lui-même contienne en lui-même,
par essence et intellectuellement, une similitude de tout
l'être, mais cela de façon simple, c'est-à-dire selon la
propriété d'une essence simple, et il faut aussi qu'il soit
lui-même d'une certaine façon intellectuellement tout
l'être[58]. »

Tel est, pour Thierry, le sens de la distinction entre
l'intellect possible, analogue à la matière par le fait qu'il
devient tous les intelligibles, et l'intellect agent, analogue à la cause efficiente parce qu'il les produit tous[59].
L'intellect possible est en puissance tout ce qui est.
L'intellect agent est en acte tout ce qui est. Cette
modalité ontologique de l'intellect agent ne signifie
évidemment pas qu'il s'identifie aux choses qu'il connaît
selon leurs modalités ontologiques propres. C'est intellectuellement que l'intellect est la quiddité de tout ce qui
en général a une quiddité. C'est en tant qu'exemplaire
de son objet qu'il est son objet, c'est en tant qu'exemplaire de l'être en tant qu'être, en tant que cause
essentielle de l'être quidditatif, qu'il est l'être même :
« Dans l'essence de l'intellect qui est intellect par essence
et toujours en acte, tous les êtres resplendissent
intellectuellement. Il est donc nécessaire qu'il connaisse
tout être en acte selon son acte propre, c'est-à-dire de
façon simple, autrement dit : selon le mode de la
simplicité de son essence et de la simplicité de son
opération intellectuelle[60]. »

Cet intellect exemplaire de l'être en tant qu'être est-il
encore, tel que Thierry le définit ici, identique à ce Fond
secret de l'âme qui ouvre en l'homme l'espace anonyme
et sans emplacement de l'intériorité ?

On ne peut en douter. Certes, le texte fait inopiné-
ment intervenir un passage du commentaire d'Averroès
au *De anima* qui paraît impliquer une adhésion à la thèse
condamnée de l'Intellect agent séparé : « Et c'est sur
cette base qu'Averroès soutient que si l'Intellect agent,

qui est Intellect par essence et toujours en acte, venait à s'unir à nous comme forme, nous pourrions par lui connaître tous les êtres[61]. » Mais cette mention du Commentateur est immédiatement tempérée par l'autorité de Grégoire le Grand. Ce que dit Averroès « paraît s'accorder d'une certaine manière avec ce que l'on raconte de saint Benoît qui, dans une certaine élévation de l'âme, a vu la totalité de l'univers »[62]. De plus, Thierry n'identifie pas sa doctrine du Fond secret de l'âme à la doctrine de l'Intellect séparé. Il se contente de noter qu'Averroès admet aussi, de son point de vue, la thèse selon laquelle « l'âme peut (ou pourrait) connaître tous les êtres » grâce à l'intellect agent. Sa perspective reste donc bel et bien augustinienne : l'âme connaît l'être dans son propre Fond — l'intellect agent — mais, comme pour Augustin, cette connaissance y suppose la présence de Dieu : « Les réalités intelligibles et les raisons des choses sont connues par l'âme dans son Fond secret. Et cela, assurément, n'arrive que par la présence de la Vérité immuable en l'âme, Vérité immuable qui n'est autre que Dieu[63]. »

La question de la séparation de l'intellect n'en demeure pas moins comme telle. En fait, il est clair que l'originalité de Thierry consiste précisément à faire de cet intellect séparé « simple et impassible, n'ayant rien de commun avec quoi que ce soit » le Fond même de l'âme, et ce faisant, à placer paradoxalement le plus lointain au cœur même de la plus grande proximité : celle du Soi[64]. Cette identification est le geste inaugural de la mystique rhénane : le Soi impassible, impersonnel, anonyme est placé au Fond même de l'âme comme ce en quoi tout l'être trouve son origine en tant qu'être, comme ce que la pensée ne peut faire apparaître en elle qu'en l'extériorisant, c'est-à-dire en se posant elle-même comme extérieure à sa propre vérité, à cette Vérité qui est Dieu lui-même.

L'intellect qui connaît toutes choses en lui et qui se

connaît en lui-même avant que la pensée extérieure ne vienne à le re-présenter, est donc dans l'actualité même de son essence intellectuelle, parfaite image de Dieu qui se connaît lui-même et toutes choses en lui.

Ainsi se précise l'analogie entre la doctrine du Fond de l'âme et la caractérisation dionysienne de l'Intelligence divine : « Ce n'est point à partir des êtres que l'Intelligence divine connaît les êtres, mais à partir de soi, en soi, à titre de cause, elle possède d'avance et rassemble par anticipation la notion, la connaissance et l'essence de toutes choses, non qu'elle considère chaque objet dans son idée générale, mais parce qu'elle connaît et contient tout dans l'unique extension de sa causalité propre [...]. C'est donc en se connaissant soi-même que la divine Sagesse connaît toutes choses [65] ». « L'intellect, qui est intellect par essence et toujours en acte, comme l'intellect agent, connaît toutes les autres choses de la même manière qu'il se connaît : par son essence et par une seule et même intellection simple. En effet, puisqu'il est de par son essence exemplaire de tout l'être en tant qu'être et que, de ce fait, il est intellectuellement tout l'être, il est évident qu'en se connaissant lui-même par essence, il connaît tout l'être de la même façon et par la même intelligence simple — tout comme cela se passe aussi en Dieu, selon sa manière propre qui est divine : en se connaissant lui-même, il connaît tout le reste [66]. »

La dernière affirmation de Thierry est une reprise de la théorie exposée par Augustin au livre IX du *De Trinitate* : « Quand l'âme se connaît sa connaissance n'est pas supérieure à son être : c'est elle qui connaît, c'est elle qui est connue [...]. Il est donc juste de dire que ces trois choses : âme, connaissance, amour, étant parfaites, elles sont nécessairement égales. Ces réflexions attirent en outre notre attention sur le fait [...] que ces choses existent dans l'âme comme si, y étant enveloppées, elles s'y developpaient de sorte qu'on puisse les percevoir et les dénombrer substantiellement ou [...] essentiellement. Ainsi, elles ne sont pas dans l'âme comme dans un sujet, comme le sont la couleur ou la figure dans les corps ou n'importe quelle autre qualité ou quantité. En effet, rien de tel ne dépasse le sujet où il se trouve. La couleur ou la figure d'un corps ne peuvent se trouver en même temps dans un autre corps. Au contraire, l'âme, par l'amour dont elle s'aime, peut aimer aussi autre chose qu'elle même. De même, l'âme ne se connaît pas seulement elle-même, mais connaît aussi une multitude d'autres choses. Ainsi donc, l'amour et la connaissance ne sont pas dans l'âme comme dans un sujet. Ils sont eux aussi substantiellement, comme l'âme elle-même, car [...] chacun d'entre eux demeure dans sa propre substance [...]. Ainsi, l'âme qui aime et qui connaît est substance, sa connaissance est substance, son amour est substance [67]. » Comme la *mens* augustinienne « se dépasse elle-même dans son propre amour ou sa propre connaissance », l'intellect « qui se connaît lui-même par essence » *dépasse son propre sujet* (« suum proprium subiectum excedit ») dans l'« intellection simple » par laquelle il connaît toutes « les autres choses ». L'activité d'un intellect qui agit par essence est celle d'un Soi absolu qui inclut en lui-même et comme lui-même la double position d'un moi et d'un non-moi. Autrement dit : l'activité de l'intellect agent n'est pas en lui comme un accident l'est dans un sujet, car l'activité de l'intellect est l'intellect lui-même. De fait, dans le cas d'une activité ou opération accidentelle, on doit toujours nécessairement distinguer le sujet *(subiectum)* et l'objet *(obiectum)*. Ainsi, par exemple, la chaleur, qui est un accident, affecte-t-elle son objet, le *calefactibile* (= le corps à échauffer), par son opération, la *calefactio* (= l'action d'échauffer), mais elle n'affecte pas pour autant et du même coup le sujet dont elle est la forme (*i.e.* la source de chaleur). Inversement, la sensation *(sensus)* qui est la forme ou l'affection d'un certain sujet sentant n'affecte-t-elle pas par le sentir le sensible lui-même, autrement dit l'objet de sensation. Ainsi donc, l'accident ne se rapporte-t-il pas de la même façon au sujet et à l'objet lorsqu'il est « en activité » : dans le cas de la chaleur, l'accident est agent pour l'objet et forme pour le sujet, dans celui de la sensation, il est forme ou affection pour le sujet sans agir aucunement sur l'objet.

Rien de tel pour l'intellect agent. En connaissant, il s'affecte lui-même ; mais ce dont il s'affecte n'est autre que l'objet — c'est-à-dire la totalité de l'être — qu'il est lui-même intellectuellement. Agissant, l'intellect agent « se dépasse » donc lui-même, en lui-même et vers lui-même. Non seulement son activité n'est pas en lui « comme dans un sujet », mais encore, l'objet qu'il s'ob-jette n'est autre que lui-même, dans la mesure où il le « précontient » exemplairement.

D'une formule : en s'affectant lui-même, l'intellect agent (s') affecte son objet, et s'affectant son objet, il se pro-duit lui-même.

L'activité de l'intellect agent est ainsi à la fois action et passion.

C'est une auto-affection originaire.

L'intellect s'affecte *(afficitur)* par son intellection même : « en intelligeant » activement *(in eo, quod intelligit)* et « en étant intelligé quasi passivement » *(in eo, quod intelligitur quasi passive)*. Cette auto-affection fait de lui une substance et un être. C'est dans cette sub-sistance intellectuelle pure que se « fixe » son *étance*, en tant qu'il effectue lui-même, en lui-même et pour lui-même, l'unité totale du pensant, du penser et du pensé.

L'intellect agent comme « être conceptionnel » est donc un être qui est d'autant plus intellectuellement *être* qu'il est connu (intelligible) par lui-même (intelligent), car l'intelligible-intelligent — et *a fortiori* l'intelligible pur — est par nature, reste ultime de Proclus, supérieur au simple intelligent : « Ainsi, au sens le plus propre, l'intellect est-il intellectuellement être, dans la mesure où il est connu dans son essence. Ce n'est que dans une mesure moindre qu'il est dit être intellectuellement en tant qu'il connaît. Cela est évident : une chose peut bien connaître, comme le fait l'homme, et pourtant ne pas être intellectuellement du simple et seul fait qu'elle connaît. En revanche, tout ce qui est connu est, de ce fait même, intellectuellement. C'est le cas de l'intellect qui est intellect par essence et toujours en acte. Ainsi donc, cet intellect, dans la mesure où il se connaît et est connu par lui-même, se rapporte-t-il de la même manière à lui-même et à tout le reste, puisque, comme on l'a dit, il est intellectuellement toutes choses [68]. »

## L'intellect agent comme image

Le second, des quatre points principaux développés par Thierry, précise le statut d'image de l'intellect grâce à une analyse de la manière dont l'intellect agent procède de Dieu, puis est réduit ou reconduit à Lui.

Avant de décrire ce double processus, Thierry distingue quatre classes ou genres d'êtres.

La première est constituée par les espèces qui se réduisent à Dieu comme à la cause formelle où réside leur raison propre [69]. La deuxième, par les individus qui se réduisent aux Idées ou exemplaires qui leur correspondent dans la Pensée divine. La troisième est constitué par les substances spirituelles ou anges qui procèdent de Dieu par leur resemblance à la substance divine prise dans ses perfections substantielles. La quatrième, par une classe de substances spirituelles dont la ressemblance est encore plus élevée. Ce sont « les intellects par essence toujours en acte, en qui brille parfaitement et proprement l'image de Dieu, puisque chacun d'entre eux est, par essence même, image de Dieu [70] ». Ces intellects ne se réduisent pas à Dieu comme à la raison formelle d'une espèce ou comme à l'exemplaire idéal d'un individu. Ils ne s'y réduisent pas non plus par leur ressemblance à ses perfections substantielles, mais bien seulement «d'après la similitude et la conformité existant entre l'essence divine et ce qu'ils sont en eux-mêmes et par eux-mêmes, dans la mesure où ils subsistent en trois hypostases différentes [71]. »

Dans l'univers hiérarchique du *De visione beatifica*, l'intellect agent d'Aristote, identifié au Fond secret de l'âme d'Augustin, occupe donc une place plus élevée que celle des substances spirituelles ou anges. Cette distribution est, malgré les apparences, reprise dans le *De intellectu et intelligibili* où Thierry montre que les substances spirituelles ont un rang plus noble que celui des anges *et* des âmes rationnelles [72].

Le statut d'image parfaite et propre de Dieu revient à l'intellect agent par essence, d'après le mode même de son émanation à partir du principe divin.

De fait, l'intellect agent émane de Dieu sur un mode incomparablement plus noble et plus élevé que celui de toutes les autres classes d'êtres.

Ce mode n'est pas celui de la Création tel que le présente le livre de la *Genèse*. En effet, dans la production des êtres, il a suffi que Dieu dise pour que les choses fussent — tout est ainsi monté à l'être par la seule efficace de la toute-puissance divine. Tel n'est pas le cas de l'intellect agent : sa procession dans l'être résulte de l'effusion formelle, de l'écoulement de son essence à partir de cette essence suprême et absolument formelle qu'est Dieu. Cet écoulement, ce processus, se font intellectuellement. Ainsi, dans l'émanation même, l'intellect se saisit-il de sa propre essence en y reconnaissant l'essence suprême.

Autrement dit : l'intellect agent émane en se connaissant lui-même par son essence et il se connaît lui-même par son essence dans la stricte mesure où il connaît son Principe : « L'intellect émane intellectuellement de Dieu de telle sorte que sa substance n'est rien d'autre qu'un concept par lequel il conçoit et connaît son Principe, concept sans la connaissance duquel il ne pourrait connaître sa propre essence [73]. »

Thierry retrouve ainsi l'essentiel de l'enseignement d'Augustin : l'intellect agent ne connaît jamais rien que lui-même, ou plutôt, il ne connaît jamais rien en dehors de lui-même. Sa connaissance est tournée vers l'intérieur. De fait, le principe d'où flue sa substance — et son être — est plus intérieur qu'il ne l'est à lui-même. En connaissant son principe, l'intellect ne connaît donc pas (à) l'extérieur. Ce qu'il connaît lui est, au contraire, plus intérieur que lui-même : c'est Dieu.

## L'intellect agent comme capacité de Dieu

Le troisième point principal consiste dans l'affirmation que, parmi toutes les vertus qui nous ont été données, l'intellect est au plus haut point capable de Dieu.

Thierry reprend ici l'ensemble de ses thèses précédentes en une véritable synthèse.

Si l'intellect agent « reste dans la lumière de l'intelligence », c'est au sens où cette intelligence est l'intelligence de son propre Principe. L'émanation de l'intellect à partir du Premier Principe n'est pas une chute. L'intellect émané reste en son Principe. Cette affirmation est conforme à l'enseignement de Proclus pour qui « tout ce qui est produit immédiatement par un principe demeure en lui tout en procédant de lui [74] ». Mais c'est le ternaire augustinien de la mémoire, de l'intelligence et de l'amour qui permet à Thierry de penser cette solidarité paradoxale.

Si l'intellect agent est la cime de l'âme, c'est que ce qui brille en lui comme triple objet de la mémoire, de l'intelligence et de l'amour, n'est autre que ce Principe divin qui ouvre en lui l'espace secret d'une intériorité qui est aussi bien celle de Dieu que la sienne propre. L'intellect agent est donc capable de Dieu dans la mesure où ce qu'il garde constamment en sa mémoire, connaît et aime est cela même d'où il ne cesse de procéder.

L'intellect possible, en revanche, reste à l'extérieur dans le processus de l'émanation. Ce que l'homme fait à Dieu par la pensée extérieure reste étranger à sa propre essence. Qu'il le connaisse ou l'aime par la pensée, cela ne donne aucune action ni opération essentielles. C'est là une simple représentation qui, comme toute représentation, reste doublement extrinsèque, tant au sujet qui la pense qu'à l'objet qui y est pensé. Comme puissance représentative, la cogitative n'a pas d'intériorité. Sa place est à l'extérieur. Elle est extérieurement capable de Dieu, c'est-à-dire seulement capable d'un Dieu extérieur, contrairement à l'intellect agent qui reste, «plus intimement capable de Dieu» *(intimius capax Dei)* [75], puisqu'il n'est rien d'autre en son fond que la réalisation de cette capacité divine.

## L'intellect agent comme être converti

La quatrième affirmation de Thierry donne une formulation de sa noétique péripatético-augustinienne dans le langage proclusien de la métaphysique de la conversion.

L'intellect agent est constamment converti au Principe d'où il émane intellectuellement : «De la même façon qu'il émane intellectuellement de son Principe, l'intellect est converti à ce Principe par son opération intellectuelle qui est son essence [76]. » C'est en effet une règle universelle que, tout ce qui descend d'un principe se retourne vers lui et s'efforce à la communion, décrivant ainsi une sorte de cercle en tendant vers ce dont il flue. Thierry en appelle ici à Proclus dont il reprend la proposition 31 : «Tout être qui procède d'un

principe se convertit par essence vers celui dont il
procède »[77], et une partie du commentaire de la
proposition 32 : « En se convertissant, un être cherche à
se joindre tout entier au terme entier de sa conversion, il
aspire à jouir de sa communication et à se lier à lui [...].
Si donc la conversion est une sorte de communion et de
conjonction, et si toute communion et toute conjonction
s'effectuent par ressemblance, il faut bien que toute
conversion s'accomplisse par ressemblance[78]. » Autrement dit : de même que chaque chose cherche une
espèce de communion avec son principe et est, dans son
activité même, convertie à lui, de même l'intellect agent
qui, par essence, procède intellectuellement de Dieu
est-il toujours converti vers Dieu de par son opération
intellectuelle qui est aussi son essence. Ainsi donc, pour
l'intellect, émanation et conversion sont-elles, comme
chez Proclus ou chez Denys, un seul et même
mouvement[79].

## L'INTELLECT ET L'INTELLIGIBLE

Le traité sur *l'Intellect et l'intelligible*, dont le titre fait
écho au plus célèbre ouvrage d'Albert le Grand,
constitue le second pan de la noétique de Thierry[80].
On peut en résumer ainsi les principales affirmation :
— L'intellect agent est le fondement originaire de la
substance de l'âme ;
— L'intellect agent est dans ce sens identique à
lui-même : dans cet être-identique-à-lui-même, il est
essentiellement le fondement de l'essence de l'âme ;
— L'intellect agent est essentiellement identique à
l'essence de l'âme dont il est la cause efficiente[81].
L'ouvrage contient trois parties : la deuxième et la
troisième concernent respectivement l'intellect agent et
l'intellect possible, la première expose les bases de la
noétique.

*De l'ébullition de l'intellect à la productivité de l'Un*

L'influence de Proclus est encore plus sensible dans le *De intellectu et intelligibili* que dans le *De visione beatifica*. C'est ainsi, par exemple, que Thierry commence par distinguer deux sortes d'opérations caractérisant aussi bien les corps que les intellects : l'action et la passion. L'opération passive ne convient pas aux intellects « qui sont intellects en acte par leur essence » [82]. Le Fribourgeois s'appuie ici sur la proposition 171 de l'*Elementatio theologica* et sur son commentaire : « Tout intellect, dans son intellection, produit ce qui vient après lui : son activité consiste dans son acte de penser, sa pensée consiste dans son acte producteur [...]. En effet, il y a identité entre l'intellect et l'être qui est en lui. Si donc l'intellect produit par son être et que son être est son acte de penser, il produit par son acte de penser [83]. » Il rappelle ensuite la division proclusienne des quatres sortes — ou « manières » — d'êtres : les corps, les substances psychiques ou âmes ou êtres animés, les natures intellectuelles ou intellects, l'Un [84].

C'est sur cette base qu'il examine alors le principe de l'opération active dans les corps puis dans les âmes ou êtres animés. Dans les deux cas — mais chacun selon son mode propre — ce principe est caractérisé par le terme de « circulation » ou « transfusion » *(transfusio)*. Le principe de l'activité est ici la circulation « par laquelle toute partie flue en toute autre, et déborde d'elle-même à l'extérieur » [85]. C'est le cas, pour les corps, de la chaleur qui agit sur une chose en faisant s'écouler ses parties du centre vers l'extérieur, et du froid qui, au contraire, comprime les parties de la chose vers le centre [86]. C'est le cas, pour les êtres animés, des mouvements du cœur [87]. En expliquant ainsi le principe de l'activité des corps,

Thierry introduit une distinction que l'on retrouvera en partie dans la théologie trinitaire d'Eckhart. Il s'agit de l'opposition entre « ébullition » et « combullition ». La chaleur est une disposition qui fait bouillonner de l'intérieur vers l'extérieur, le froid, de l'extérieur vers l'intérieur. Les termes de « bouillonnement » et de « transfusion » sont repris par Eckhart dans sa description de la vie de l'Absolu. Pour lui, en effet, la vie divine comme bouillonnement de l'être est avant tout un débordement intérieur de l'être : « La vie, en effet, signifie une sorte de jaillissement dans lequel une chose fermente et se verse d'abord en soi-même, en épanchant tout ce qui est d'elle en tout ce qui est d'elle, avant de se déverser et de bouillonner au dehors [88]. » La vie trinitaire devient ainsi la vie même de l'être : « Le bouillonnement ou l'enfantement de lui-même — l'être brûlant en lui et se liquéfiant et bouillant en lui-même et vers lui-même, lumière dans la lumière et pour la lumière ; dans la lumière se pénétrant tout entier lui-même, par lui-même tout entier, et revenu tout entier et réfléchi de toutes parts, selon cette parole du Sage : "La monade engendre la monade — ou l'a engendrée — et réfléchit sur elle-même l'amour ou l'ardeur [89]." »

Aussi bien chez Thierry que chez Eckhart, la notion de bouillonnement exprime directement le caractère dynamique de la vision émanatiste. On la retrouve donc transposée dans l'analyse de l'activité des réalités intellectuelles.

Thierry explique la différence entre intellect agent et intellect possible en recourant de nouveau à Proclus.

Il y a deux genres d'intellects : les intellects « qui sont par essence en acte » et ne comportent aucune espèce de puissance facile, qu'elle soit essentielle ou accidentelle ; les intellects qui, avant tout acte de pensée sont de pures possibilités dépourvues de toute nature positive et qui, quand il sont en acte, restent de pures passions, au sens où, comme le dit Aristote : « Penser c'est pâtir [90]. »

Le second genre d'intellects comprend les intellects possibles. Le premier genre s'applique à deux sortes d'intellects : d'une part, les substances intellectuelles que les philosophes appellent «Intelligences» et que Proclus appelle «dieux»[91], d'autre part, l'intellect agent de l'homme *(intellectus agens noster)*[92].

L'intellect agent de l'homme s'apparente aux substances séparées ou Intelligences dans la mesure où il n'est, d'aucune façon, en puissance et est une substance qui ne supporte aucun accident puisqu'elle ne contient rien d'autre qu'elle-même : «Tout ce qui est en lui est uniquement sa substance[93].»

Thierry ne va pas plus avant dans la distinction entre intellect agent et intellect possible. Il se contente de renvoyer à son traité sur *la Vision bienheureuse*. Il introduit, toutefois, une nouveauté capitale en ce qu'il précise de quelle façon les intellects sont dotés des principes actifs qui les font «déborder à l'extérieur».

Les intellects n'ont pas de parties, mais il y a en eux une «circulation interne» qui, comme dans les corps et les êtres animés, y entretient un flux.

La vie de l'intellect tient tout entière dans le rapport qu'il entretient avec son origine. Ce rapport originaire qui est un rapport de nature est tel que l'intellect est converti en lui-même et se connaît lui-même par essence. Thierry reprend ici la proposition du *Livre des causes* mentionnée également par Eckhart : «Tout intellect revient sur lui-même par un retour complet[94].» Toutefois, cette conversion est simultanément une ébullition, un débordement au-dehors. Penser, c'est produire. Plus exactement : se penser soi-même, c'est produire «ce qui vient après»[95].

C'est dans les mêmes termes que Thierry aborde la productivité du Premier Principe : comme «la fécondité qui le fait déborder au dehors»[96]. Ce Premier Principe est l'Un de Proclus.

La fécondité de l'Un est intellectuelle. L'Un est une

« nature super-bénie » qui se répand au-dehors « dans l'être entier, qu'il constitue à partir de rien en le créant et le régissant » [97]. L'assimilation du Dieu de la Bible à l'Un de Proclus explicite en termes indissolublement noétiques et hénologiques le schéma général de la hiérarchie néoplatonicienne et du dynamisme circulaire de l'absolu, caractéristique de la théologie rhénane : tous les intellects procèdent de l'Un et se convertissent simultanément vers lui. Thierry invoque ici la proposition 34 de l'*Elementatio* : « Tout être qui se convertit par nature, oriente sa conversion vers le principe auquel il doit la procession de sa propre subsistance », avec son commentaire : « De tout cela, il ressort que, l'intellect étant pour toutes choses un objet de désir, tout procède de l'intellect, et que le monde tout entier tient de l'intellect sa substance, même s'il est perpétuel. Car sa perpétuité ne l'empêche pas de procéder de l'intellect. Tout au contraire : il est à la fois perpétuel par essence, toujours converti et indissoluble en son ordre [98]. »

En tout ceci, on voit que Thierry ne s'éloigne pas de l'enseignement de *la Vision bienheureuse*. Il ne fait en somme que préciser un peu plus ses présupposés proclusiens.

Reste, cependant, à déterminer comment l'intellect agent peut bien jouer un rôle constitutif dans la vie de l'âme. C'est ce que le Fribourgeois fait dans sa deuxième partie consacrée au rapport de l'intellect agent et de l'essence de l'âme.

## L'intellect agent cause de l'essence de l'âme

Après avoir rappelé la thèse désormais familière selon laquelle « tout intellect, en tant qu'intellect, est similitude de tout l'être ou de l'être en tant qu'être, et cela par essence », Thierry montre que l'intellect agent est le principe causal de la substance de l'âme, comme le cœur l'est dans l'animal [99].

Sa démonstration comprend deux moments. On montre d'abord que l'intellect agent est principe actif et forme intelligible par soi dans l'intellect possible, et que cette forme intelligible est en position d'essence dans l'intellect possible. Thierry renvoie ici à Alfarabi et Alexandre d'Aphrodise [100]. En dehors de la forme intelligible, c'est-à-dire, en lui-même, ou encore : tant qu'il est simplement en puissance, l'intellect possible n'est rien. Il reçoit donc son essence de l'extérieur, comme un accident. En revanche, l'intellect agent produit cette forme dans l'intellect possible par sa propre essence, car il n'y a rien d'actif en lui que sa propre essence. On retrouve ainsi le schéma proclusien, au cœur même de la noétique gréco-arabe : l'activité immanente du supérieur produit au dehors l'inférieur.

Mais l'intellect agent n'est pas seulement cause de l'intellect possible, il est aussi cause de l'essence de l'âme. Pour le montrer, il faut rappeler que les âmes rationnelles ne sont pas elles-mêmes des « intellects par essence ». De fait, tout ce qui est séparé d'un corps n'est pas intellect par essence. Lorsqu'on parle de l'intellect de l'homme, il faut donc bien le distinguer de son âme rationnelle : l'intellect agent seul est intellect par essence. Autrement dit, dans l'âme, seul le Fond est d'essence intellectuelle. C'est là, si l'on peut dire, la contrepartie augustinienne du thème classique chez Albert et Avicenne selon lequel *l'âme n'est pas tout entière intellect* mais tend à le devenir [101]. Pareil devenir n'existe pas chez Thierry qui se trouve donc, en l'occurrence, beaucoup plus proche d'Eckhart que d'Albert, du moins de cette partie de l'enseignement eckhartien qui identifie le Fond de l'âme à l'étincelle incréée de l'âme. L'énoncé de Thierry ne doit pas pour autant être perçu comme un énoncé mystique, sauf au sens précis où l'intellect agent est l'intellect caché, littéralement, l'intellect « mystique ».

Reste à expliquer en quoi l'intellect est cause de l'essence de l'âme.

Thierry rappelle avec Proclus qu'il y a pour une chose trois façons d'être : «Chaque perfection [...] a trois façons d'exister : soit dans sa cause, soit dans son essence, soit par participation [102].» Puis il donne une série d'arguments pour prouver que la vie de l'âme suppose un principe interne qui ne peut être que l'intellect agent. Le vivant est ce qui a en soi-même le principe de son mouvement. Pour l'âme rationnelle, le degré suprême de la vie est la vie intellectuelle : «Vivre par l'intellect et intellectuellement [103].» Le principe de cette vie doit donc être en elle : c'est l'intellect agent. La présence de l'intellect agent au cœur de l'âme rationnelle est une nécessité noétique. Si l'âme rationnelle vit intellectuellement, c'est-à-dire, si elle a une activité intellectuelle par le biais de l'intellect possible, il lui faut nécessairement un «principe interne».

La réflexion sur la vie de l'âme revient donc une fois de plus, irrésistiblement, au thème augustinien de l'intériorité. Cette intériorité n'est pas d'ordre psychologique mais d'ordre transcendantal. L'intériorité ou, selon le terme même de Thierry, «l'intranéité» de l'intellect agent doit être pensée comme une identité substantielle, au sens précis où l'intellect agent doit être considéré comme «essentiellement identique à l'essence de l'âme» [104]. Mais quel est le sens de cette identité ?

Si l'on reprend la distinction proclusienne des trois «façons d'exister», on voit que l'intellect agent n'est pas essentiellement identique à l'essence de l'âme au sens où sa propre essence serait aussi l'essence de l'âme, et qu'il ne l'est pas non plus au sens où son essence serait participée par celle de l'âme. Autrement dit, il n'y a entre l'essence de l'intellect agent et celle de l'âme ni un rapport d'univocité ni un rapport de participation. Reste le troisième mode : la causalité.

Mais, là encore, il faut distinguer. L'intellect agent

n'est ni cause formelle, ni cause matérielle, ni cause finale, mais seulement cause efficiente de l'essence de l'âme.

Thierry conclut donc : l'intellect agent est le principe causal de l'essence de l'âme, ce principe est cause efficiente, c'est-à-dire qu'il contient d'avance ou « précontient » sur un mode plus noble tout ce que l'âme sera en elle-même, dans l'activité intellectuelle de l'intellect possible, sur un mode atténué [105]. Il est donc, à la fois, identique à l'essence de l'âme en tant qu'il la cause, et intérieur à elle, tout comme le cœur dans l'animal.

De prime abord, cette analyse est paradoxale. De fait, on sait que pour Aristote la cause efficiente fait partie des causes extrinsèques et non des causes intrinsèques [106]. En faisant de l'intellect agent une cause efficiente, qui soit en même temps un principe interne, Thierry semble se contredire. En réalité, cette position est parfaitement justifiée : l'intellect agent est, comme cause, en exclusion interne à l'effet qu'il produit (l'essence de l'âme et la pensée extérieure). Et surtout, Thierry appelle ici cause efficiente ce qu'il appelait tantôt « cause essentielle », comme en témoigne dans les deux cas l'utilisation de la notion dionysienne de « précontenance ». Ce qu'il veut donc dire ici, c'est que la causalité essentielle est une causalité réelle, une causalité efficace.

Il rejoint ainsi un des principaux thèmes philosophiques exposés dans le traité sur *l'Origine des réalités prédicamentales* : la causalité intellectuelle n'est pas une causalité intentionnelle au sens thomasien de l'être-de-raison, c'est une causalité productrice de réalités qui, pour être intelligibles, n'en sont pas moins réelles.

En termes scolastiques, cette différence est exprimée par les notions d'intentions secondes et d'intentions premières. De ce point de vue, la force de l'innovation épistémologique de Thierry tient en une formule : l'intellect a un véritable pouvoir constitutif [107].

Autrement dit : la réalité de l'*ens rationis* ou « réalité de seconde intention » et la réalité de la *res naturae* ou réalité de première intention n'épuisent pas le champ du réel. L'intellect possible est en effet capable de produire des « réalités de première intention », de conférer aux *res naturae* « un être quidditatif ».

En fait, s'il revient bien à la nature de faire exister en acte des étants particularisés et individuels, c'est au seul intellect possible qu'il appartient de « quiddifier l'étant », de lui « conférer l'être absolument parlant ». Bref, c'est l'intellect possible seul qui, selon une formule empruntée à la fois à Avicenne et à Averroès, « produit l'universalité dans les choses »[108]. L'« étantité » conférée par l'intellect aux choses n'est pas un simple « être-de-raison », c'est un mode d'être de la chose elle-même, dans la chose elle-même. Ce mode d'être n'est donc pas celui du néant intentionnel qui caractérise la représentation. Ce que cause l'intellect possible, ne peut ni être néant, ni convenir, ni être attribues au néant : « Rien de sa raison, ni rien qui puisse être subsumé par elle, ne s'accorde ni ne peut s'accorder avec le néant[109]. »

Certes, l'intellect possible ne constitue pas la chose elle-même, ce qui serait absurde, et il n'opère non plus rien en elle selon le mode de production ré-ontologique qui est celui de la nature. Cependant, il « constitue » bien les choses sous un certain rapport, c'est-à-dire, selon la raison par laquelle elles sont *in quid*[110].

Le thème de la fonction constitutive de l'intellect possible correspond donc, pour l'épistémologie de la connaissance, au thème de la causalité effective de l'intellect agent sur l'essence de l'âme pour la noétique spéculative.

*Mutatis mutandi* il faut y lire la même exigence, celle d'une reconnaissance de la productivité ou, si l'on préfère, de la spontanéiété productrice de l'intellect.

En un sens, on peut dire que l'intellect agent « quiddifie » l'essence de l'âme, car l'âme reste bien,

sinon exactement une *res naturae*, du moins une réalité
qui appartient au «cours général de la nature».

La force de la noétique théodoricienne est de faire de
la conversion intellective un geste proto-fondateur et de
la réalité ontologique pure de l'âme et de sa réalité de
chose individuelle. Ce faisant, elle inscrit la dynamique
de la conversion au principe même de l'être-âme, la vie
au cœur de l'être, l'identité transpersonnelle de l'abso-
luité au principe de la réalisation ou, si l'on préfère, de la
diffusion personnelle.

Ici, la comparaison avec Albert le Grand s'impose.
En effet, on a vu que, pour Albert, l'intellect agent était
une partie de l'âme qui fluait de ce qui en elle est acte,
ou *quo est*, partie distincte de cette autre partie qui est
l'intellect possible fluant, quant à lui, de ce qui est en
puissance ou *quod est* [111]. Rien de tel chez Thierry : pour
lui, l'intellect agent n'est pas un mode substantiel
qualitatif de l'essence de l'âme *(modus qualitativus
substantialis)*, mais «le Fond qui fonde l'essence de
l'âme dans l'âme» elle-même [112]. Ce fondement de
l'essence de l'âme est le principe de la vie intellectuelle,
ce n'est pas une partie de l'âme, mais le Fond secret d'où
elle déborde.

On est ici au cœur d'une extraordinaire fusion de la
théologie, de la noétique et de la mystique, où confluent
et s'harmonisent toutes les sources de la pensée rhénane.

Car qu'y a-t-il dans ce Fond secret ? Rien, sinon la
conversion de l'intellect agent en lui-même, qui produit
au-dehors l'activité intellectuelle de l'âme que l'on a
appelée plus haut, avec Augustin, la pensée extérieure,
la cogitative.

On aboutit ainsi au théorème philosophique fondamental pour toute théologie mystique, un théorème avec
lequel il faut nécessairement s'accorder ou rompre, un
théorème avec lequel Eckhart ne cessera de s'expliquer,
qu'il y soit parvenu de lui-même ou dans un dialogue de
pensée avec Thierry, que, faute de preuve incontestable,

on ne peut que se plaire à imaginer. Ce théorème est le suivant : l'activité de l'intellect agent ne se produit pas dans l'âme, mais dans le Fond de l'âme, elle est ce Fond lui-même. Elle se manifeste ensuite dans l'âme par la pensée extérieure avec qui elle est identique, mais dont elle se distingue précisément en ce qu'elle la cause. En elle-même, l'activité de l'intellect agent reste tournée vers son unique Principe : Dieu.

Transposons en termes albertiniens : l'intellect agent, loin de fluer de l'essence de l'âme, n'est autre que le flux même du Premier Principe. La place de l'intellect agent est le dehors de la Cause première, mais ce dehors est un dedans, dans la mesure où l'intellect est constamment converti à ce dont il flue. Ce perpétuel mouvement d'effusion et de retour, qui est la vie de l'Absolu, est donc l'intérieur caché de l'âme, ce que la pensée extérieure voile en elle-même, dans sa propre attestation, dans son « moi ».

L'intellect agent de Thierry de Freiberg est ainsi le centre essentiellement impersonnel de la vie de l'âme. C'est, pour ainsi dire, l'équivalent de ce que Maître Eckhart appellera le « Je », ce « cœur de Dieu », cette intériorité à la fois unanime et anonyme, qui instaure l'âme sans qu'elle le sache, en deçà même de sa manifestation. Ce centre est l'avancée obscure du réel, l'avant-propos de la conscience, le lieu de l'union et l'union qui tient-lieu pour toutes les pensées.

Pareille affirmation de l'unité de l'origine est d'une hauteur rarement égalée dans la philosophie médiévale.

Elle n'est pas pour autant sans danger. Ayant fait de l'intellect agent le principe causal de l'essence de l'âme, Thierry ne peut, en effet, éviter de rencontrer sur son chemin le plus épineux problème du péripatétisme gréco-arabe et de tout l'augustinisme avicennisant : l'intellect agent est-il universel et unique ou individualisé et particularisé ?

Cette question redoutable en contient une autre : Thierry de Freiberg est-il averroïste ?

On risquera ici une réponse brutale : Thierry ne souscrit pas à la thèse d'Averroès selon laquelle l'intellect agent est une unique substance séparée. Il est en un sens, beaucoup plus proche d'Avicenne pour qui l'intellect possible est individuel, tandis que l'intellect agent est unique pour tous les hommes.

De fait, comme l'a bien montré B. Mojsisch [113], si l'on prend avec Thierry l'intellect « selon le cours général de la nature », il est individuel en tant que principe causal d'âmes individuelles. En revanche, si on le prend « en tant qu'intellect », on n'a plus affaire à l'intellect d'un individu, mais bien seulement à une réalité « transsubjective » [114].

Cette réalité transsubjective est, selon nous, la vie même de l'Absolu, ou, si l'on préfère, l'expression partout identique du Dieu vivant.

Autrement dit : manifesté dans la pensée extérieure, l'intellect agent est individuel. Caché en lui-même, dans le Fond secret de l'âme, il est l'image de Dieu, c'est-à-dire, en un sens, la conscience de l'être. Cédons ici la parole à Thierry : « [L'intellect agent] procède de Dieu dans la ressemblance de tout l'être en tant qu'être et il contient dans son extension l'univers des êtres de la même façon qu'il contient le Principe dont il procède. En effet, il procède de la raison divine dans la mesure même où elle est la raison de l'univers des êtres. C'est pourquoi, en se connaissant, il ne passe pas d'une chose à une autre, car il connaît tout l'univers des êtres en connaissant son Principe : par une unique intuition *(uno intuitu)*, et c'est par là qu'il procède dans l'être. C'est pourquoi il est évident […] qu'il procède de Dieu comme sa parfaite image [115]. »

On le voit à ces lignes de pure noétique, « Maître Thierry » a bien mérité la louange des spirituels évoquée plus haut [116]. On regrette d'autant plus que ses *Sermons* ne nous soient pas parvenus. On imagine parfois que la masse des apocryphes eckhartiens en contient peut-être quelque échantillon encore méconnu. Un philosophe et un théologien ne sauraient en tout cas rêver d'un plus parfait couronnement pour l'ensemble de l'entreprise de la théologie rhénane.

Le rapprochement de Thierry et d'Eckhart, dont nous sommes partis, n'était donc pas forcé. Sans pour autant nous risquer maintenant sur le terrain des « influences » dont nous avons d'avance suspecté la portée historique réelle, nous pouvons néanmoins nous représenter plus exactement le lieu ou le point d'application des convergences que nous avions, après d'autres, notées.

Il y a chez Thierry une doctrine du Fond de l'âme identifié à l'activité de l'intellect agent, lui-même identifié à la *mens* augustinienne. Cette doctrine, on le verra, se retrouve dans plusieurs sermons allemands d'Eckhart.

Ce fait doit être considéré comme un simple fait. On ne peut s'empêcher, toutefois, de penser que le thème du Fond de l'âme reste porteur, chez Eckhart, d'une partie notable de l'inspiration théodoricienne. Cette inspiration commune s'explique suffisamment — on l'a suggéré — par la parenté des sources et la proximité des esprits. Elle n'en révèle pas moins quelque chose de nouveau pour les lecteurs des deux maîtres : la réalité vivante de la tradition qui les nourrit, celle de la théologie rhénane.

Que deux esprits aux ressources intellectuelles aussi différentes qu'un Thierry et un Eckhart aient pu s'accorder, au moins partiellement, sur le thème central de ce qui allait devenir la « mystique rhénane », prouve assez, à nos yeux, que la notion d'école de Cologne n'est pas une fiction d'historien.

Reste à déterminer la spécificité des théologies

eckhartienne et bertholdienne dans cet ensemble : la pensée de Thierry en recevra du même coup, en retour, la marque de sa propre consistance.

C'est ce que nous allons tenter de faire à présent.

## NOTES

1. Pour une biographie de Thierry, *cf.* L. STURLESE, « Dietrich von Freiberg », *in : Deutsche Literatur des Mittelalters : Verfasserlexikon*, Bd. 2, Berlin, 1979, pp. 127-137. *Cf.* également (du même auteur) : *Dokumente und Forschungen zu Leben und Werk Dietrichs von Freiberg*, (Beihefte zum *CPTMA*, Beiheft 3), Hambourg, 1984, pp. 1-63.
2. *Cf.* B. MOJSISCH, « Einleitung », *in : Dietrich von Freiberg. Abhandlung über den Intellekt und den Erkenntnisinhalt*. Übersetzt und mit einer Einleitung. Herausgegeben von B. Mojsisch (Philosophische Bibliothek 332), Hambourg, 1980, pp. XVI-XVII.
3. La lecture philosophique de l'œuvre de Thierry de Freiberg a été rendue possible par les travaux de K. Flasch. Citons : « Kennt die mittelalterliche Philosophie die konstitutive Funktion des menschlichen Denkens ? Eine Untersuchung zu Dietrich von Freiberg », *Kant-Studien* 63 (1972), pp. 182-206 ; « Einleitung » zu : *Dietrich von Freiberg, Opera omnia*, Tom. I : *Schriften zur Intellekttheorie*, hrsg. von B. Mojsisch, Hambourg, 1977, pp. IX-XXVI (noté ensuite « Einleitung I ») ; « Zum Ursprung der neuzeitlichen Philosophie im späten Mittelalter. Neue Texte und Perspektiven », *Philos. Jahrbuch* 85 (1978), pp. 1-18 ; « Einleitung » zu : *Dietrich von Freiberg Opera omnia*, Tom. II : *Schriften zur Metaphysik und Theologie*, hrsg. von R. Imbach, M.R. Pagnoni-Sturlese, H. Steffan, L. Sturlese, Hambourg, 1980, pp. XIII-XXXI (noté ensuite « Einleitung II ») ; « Einleitung » zu : *Dietrich von Freiberg, Opera omnia*, Tom. III : *Schriften zur Naturphilosophie und Metaphysik*, hrsg. von J.D. Cavigioli, R. Imbach, B. Mojsisch, M.R. Pagnoni-Sturlese, R. Rehn, L. Sturlese, Hambourg, 1983, pp. XV-LXXXV. (noté ensuite « Einleitung III »). De B. Mojsisch, rappelons les indispensables études déjà mentionnées : *Die Theorie des Intellekts...*, et « La psychologie philosophique... ». Pour L. Sturlese, il convient d'ajouter aux nombreuses publications également déjà citées : « Il "De animatione caeli" di Teodorico di Freiberg », *in : Xenia Medii Aevi historiam illustrantia oblata Thomae Kaeppeli O.P.*, Rome, 1978, pp. 175-247. D'autres monographies importantes sont parues dans le

recueil collectif : *Von Meister Dietrich zu Meister Eckhart*, hrsg. von Flasch (Beihefte zum *CPTMA*, Beiheft 2), Hambourg, 1984. 4. *Cf.* *Schriften zur Naturwissenschaft*. *Briefe*, *CPTMA* II, 4, Hambourg, sous presse. On trouvera dans l'édition de B. Mojsisch, *Schriften zur Intellekttheorie...*, pp. XXVIII-XXXVIII, la liste des éditions antérieures, ainsi qu'une bibliographie générale (arrêtée en 1977), pp. L-LI. Pour l'œuvre scientifique de Thierry (en attendant le *CPTMA* II, 4) consulter W.A. WALLACE, *The scientific methodology of Theodoric of Freiberg. A case study of the relationship between science and philosophy* (Studia Friburgensia N.F. 26), Fribourg/ Suisse, 1959. *Cf.* également (du même auteur) : « Gravitational Motion according to Thierry of Freiberg», *The Thomist* 24 (1961), pp. 327-372. La célèbre théorie de l'arc en ciel est étudiée par J. WÜRSCHMIDT, « Über den Regenbogen und die durch strahlen erzeugten Eindrücke» (Beiträge XII/5-6), 1914, pp. 33-204.

5. *Cf. supra* note 3. D'autres références suivront sur les points concernés.

6. Sur le problème du « thomisme» d'Eckhart, *cf.* R. IMBACH, *Deus est intelligere. Das Verhältnis von Sein und Denken in seiner Bedeutung für das Gottesverständnis bei Thomas von Aquin und in den Pariser Quaestionen Meister Eckharts* (Studia Friburgensia N.F. 53), Fribourg/Suisse, 1976 ; A. DE LIBERA, « Les "Raisons d'Eckhart"», *in : Maître Eckhart à Paris...*, pp. 121-132.

7. *Cf.* A. MAURER, « The *De Quidditatibus Entium* of Dietrich of Freiberg and its Criticism of Thomistic Metaphysics», *Mediaeval Studies* 18 (1956), pp. 173-203 ; R. IMBACH, « Gravis iactura verae doctrinae. Prolegomena zu einer Interpretation der Schrift *De ente et essentia* Dietrichs von Freiberg *O.P.*», *Freiburger Zeitschrift für Philosophie und Theologie* 26 (1979), pp. 369-425.

8. *Cf.* K. FLASCH, «Einleitung I», pp. XVI-XIX.

9. Le terme d'*ens conceptionale* désigne un *être*-pensé ou, selon la belle traduction allemande de B. Mojsisch [«Einleitung», p. XXV], un « Bewusst-Sein» (forme « hégélienne» de l'allemand « Bewusstsein» = « conscience»). L'être-pensé est à la fois être et pensée, c'est-à-dire : pensée de l'être *et* être de la pensée. L'être-pensé ne se connaît pas comme être en tant qu'être mais en tant que pensé-de-l'être ; toutefois, simultanément, il n'est être qu'en reconnaissance de pensée. On peut donc bien dire qu'il ne se pense pas lui-même directement, puisqu'il est pensé, tout en maintenant, dans la mesure même où il est reconnu comme penser, qu'il est cet être même. Cette première analyse de l'*ens conceptionale* apparaît comme une application noétique et épistémologique de la notion proclusienne des triades intelligibles et intelligentes [*cf.* R. ROQUES, «Introduction», pp. LXVI-LXVII]. Telle quelle, cependant, elle ne caractérise évidemment pas en toute exactitude le concept d'être-

pensé effectivement construit par Thierry. Précisons donc ici quelques points fondamentaux. En la rigueur des termes, l'*ens conceptionale* ne recouvre pas «la classe des êtres qui sont à la fois sujets connaissants et objets connus». Au sens le plus général, l'*ens conceptionale* ou *ens cognitivum* est l'être «en tant qu'il est dans la connaissance ou conception» [*De vis. beat.*, 3.2.9.6,1; Mojsisch, p. 96, 93-94]. Thierry renvoie sur ce point à Averroès [*In Aristotelis Metaph.* V, t. comm. 14; Ponzalli, pp. 128-134, principalement lignes 123-125]. Toutefois, si l'on s'en tient à l'homme, on voit qu'il y a en lui «quatre genres de conceptions ou connaissances hiérarchisés selon l'ordre de leur institution et de leur procession dans l'être conceptionnel» [*De vis. beat.* 3.2.9.7., 1; Mojsisch, p. 97, 54-55]. Ces quatre genres sont étagés du «plus intime» au «plus extérieur». Ce n'est donc pas *prima facie* l'âme elle-même qui est un être conceptionnel, mais bien ces quatre sortes de «réalités cognitives et connues» [*De vis. beat.*, 3.2.9.8., 1; p. 99, 6]. La première de ces réalités est celle qui est à la fois «originaire et absolument intérieure» *(primum et intimum)*.

Appartient donc à cette classe de réalités ce qui est «cognitif ou conceptif par son essence» en tant qu'essence, autrement dit : l'intellect agent [*De vis. beat.* 3.2.9.7., 2 ; p. 98, 8-9]. La deuxième est l'intellect possible qui connaît les choses grâce à ses propres «principes formels» — ce qu'Aristote appelle les «parties de la forme» [*Metaph.*, VII, 10, 1035b 4-6]. La troisième classe de cet «ordre des êtres conceptionnels» *(ordo entium conceptionalium)* est *le* «cogitatif» *(cogitativum nostrum)* — non pas *la cogitatio* ou «pensée extérieure» augustinienne que Thierry identifie à l'intellect possible mais cette forme particulière de «penser» qui «compose, divise, distingue et ordonne les êtres conçus sous des intentions [= concepts] simples, en les abstrayant de leurs "idoles" [ou représentations imaginaires]» [*De vis. beat.*, 3.2.9.7., 4 ; p. 98, 21-23]. Ce «penser» est ce qu'Averroès appelle «puissance distinctive» *(vis distinctiva)* ou «raison particulière» [*cf. In Aristotelis De anima*, III, t. comm. 6; Crawford, p. 415, 62-64]. Cette «raison» est en elle-même assez «éloignée de l'intériorité de l'essence en tant qu'essence». Elle est, en quelque sorte, plus extérieure que l'intellect possible à l'intériorité maximum de l'intellect agent. La quatrième classe est, de toutes, la plus éloignée de l'intériorité, puisqu'elle est extérieure à l'intériorité des «trois précédentes» [3.2.9.7., 5 ; p. 98, 37-38] : c'est le «cognitif selon les sens», qui ne relève que les «dispositions extrinsèques et dernières des êtres» qu'il intègre [p. 98, 38-40]. La distinction de l'«ordre des êtres conceptionnels» est essentielle à la théorie de la vision bienheureuse. C'est, en effet, en précisant la nature des deux premières classes que Thierry justifie sa critique de la conception thomiste de la vision bienheureuse référée à l'intellect possible. Le Fribourgeois commence par distinguer un sens large *(valde communiter)* et un sens propre de l'expression « être conceptionnel ». Au sens large, un être conceptionnel est un être doté d'une « connaissance intellectuelle » qui lui permet « de se concevoir lui-même dans cette connaissance, grâce à l'indifférence de l'essence du concevant et du conçu » [3.2.9.8., 1 ; p. 99, 64-5]. Sont donc êtres conceptionnels tous les êtres cognitifs ayant cette capacité, ce qui inclut les « êtres séparés » ou « Intelligences » — « si elles existent » [p. 99, 62-63]. Au sens propre, il y a être conceptionnel, quand « un être [...] se saisit *(capit)* cognitivement de quelque chose d'étranger à son propre concept ». Un être conceptionnel est donc ici un être pour qui concevoir, « c'est se saisir de quelque chose qui diffère de sa propre substance » [p. 99, 68-69]. C'est évidemment le cas de l'homme, qui se saisit des sensibles par les sens et des intelligibles par l'intellect. Mais ce n'est pas là ce qui intéresse Thierry. Étant donné l'ordre des êtres conceptionnels, ce qui lui importe est avant tout que l'intellect agent peut être dit *en ce sens* être conceptionnel, *i.e.* « en tant qu'il se rapporte à l'homme » *(in ordine ad hominem)*. De fait, « l'intellection d'un tel intellect, qui est par sa propre essence, peut être *communiquée* à l'homme, de façon qu'il la conçoive d'une certaine manière, non seulement quant à ses effets — en tant que cet intellect produit *en nous* les contenus de pensée *(intellecta)* — mais encore, pour que dans certaines occasions il devienne *pour nous* forme sur ce mode de penser grâce auquel il se connaît lui-même par son essence » [3.2.9.8., 3 ; pp. 99, 71-100, 76]. Autrement dit : bien que l'intellect agent ne soit pas de la substance de l'homme, il peut, se communiquant à lui, se produire pour ainsi dire en lui comme origine sous le mode de l'origine. Cela étant, la différence de l'intellect agent (dans l'homme) et de l'intellect possible (de l'homme) peut être encore davantage précisée. L'intellect agent opérant par son essence est ce qui est « le plus intime » *(maxime intimum)* : c'est l'intériorité même. A l'opposé, l'intellect possible n'opère que par l'intermédiaire d'une forme intelligible qui, en lui, reste « quelque chose d'extrinsèque » à l'essence de la réalité qu'il perçoit [3.2.9., 11 ; p. 101, 13-15]. L'être conceptionnel qu'est l'intellect possible n'atteint donc pas « ce qui est pensé par essence » — et cela du triple point de vue du « pensant, de la chose pensée et de l'opération de pensée » *(nec a parte intelligentis nec a parte rei intellectae nec a parte intelligibilis operationis)* [p. 101, 15-17]. L'intellect possible agissant « par une forme intelligible différente de sa propre substance » ne peut donc que « tendre » par cette « opération ou action » *vers* quelque chose d'extérieur à lui [3.2.9.12., 1 ; p. 103, 67-69]. Il n'opère ainsi rien sur lui-même, mais seulement sur ce qui lui est extérieur *(non operatur nisi circa aliud extra se)* [3.2.9.12., 2 ; p. 103,

74]. Dans ces conditions, même si à de certains moments l'intellect possible « se connaît lui-même », il ne se connaît que comme il connaît les autres réalités *(sicut alia)* [3.2.9.12., 3 ; p. 103, 75-76]. Autrement dit : « il se connaît par son acte comme autre que lui-même » *(aliud a se)* [p. 103, 77]. En effet, il ne peut se connaître lui-même dans l'acte précis qui est le sien quand il pense ; il ne peut se connaître que d'après l'acte qui a été le sien antérieurement [3.2.9.12., 3 ; p. 103, 78-79]. L'intellect possible ne peut donc s'identifier lui-même dans son propre acte de penser. Il ne peut se connaître qu'extérieurement c'est-à-dire de l'extérieur, dans l'élément de l'extériorité. Il est, en quelque sorte, la forme archétypique de l'extériorité. A l'opposé, l'intellect agent qui est l'intériorité même, s'identifie lui-même en se connaissant conversivement dans son Principe. Pareil intellect est, en effet, émané en l'homme d'un Principe qui est Dieu lui-même : « L'opération de l'intellect intelligent par essence procède *(egreditur)* de cet intellect selon la raison même d'après laquelle il émane de son Principe, Dieu : en le connaissant et en le voyant intellectuellement et en recevant ainsi de Lui sa propre essence [...]. Un tel intellect, qui est intellect en acte par essence, n'a donc pas d'abord une essence ou un être absolus, puis, ensuite seulement, une tension intellective vers Dieu par conversion vers Lui. Au contraire : le rapport, la relation, l'opération intellectuelle, grâce à laquelle il se convertit en Dieu par son intellection est exactement la même que celle par laquelle il émane de son Principe par son essence. En effet, par l'émanation dans laquelle il émane intellectuellement de Lui, il est aussi converti en Lui. Il est donc faux de dire que son opération intellectuelle est plus intimement et plus formellement reçue dans son objet, qui est Dieu, que sa propre essence. De fait, *émaner* intellectuellement de son Principe, c'est *tendre* vers Lui » *(emanare enim intellectualiter a suo principio est tendere in ipsum)* [3.2.9.11., 7 ; p. 102, 40-51]. Il y a ainsi la même formalité et la même intériorité du côté du principe (initial) de l'émanation intellectuelle et du côté du terme (final) de l'opération intellectuelle de l'intellect agent : « L'émanation et la tension vers Dieu sont absolument identiques ; et absolument identiques aussi le principe de l'émanation et le terme ou l'objet de l'opération — et sous la même raison. » [p. 103, 54-56] L'intellect agent procède donc en quelque sorte de Lui-même en se convertissant à Dieu et c'est dans ce mouvement même qu'il « reçoit sa propre essence » [3.2.9.11., 9 ; p. 103, 59]. L'être conceptionnel qu'est l'intellect agent est donc bien — contrairement à l'intellect possible — l'être-pensé de la Pensée. L'intellect agent est la pose de l'origine. L'intellect possible ne saurait, dans ces conditions, être le siège de la vision bienheureuse, puisque, en la rigueur des termes, il n'est pas le lieu de Dieu : « N'étant pas converti à l'intérieur de son essence ni à l'intérieur de l'intimité de son suppôt, du fait du mouvement opposé qui le porte de l'intérieur vers l'extérieur, il lui est impossible d'arriver à connaître l'essence divine en tant que telle, puisque l'essence divine en tant que telle, sur le mode essentiel [qui est le sien] est ce qu'il y a de plus intime à toute nature [ou essence]» [3.2.9.12., 4; p. 104, 84-89]. L'*ordo entium conceptionalium* est donc à la fois celui de l'intériorité décroissante de l'homme et celui de l'extériorisation croissante de Dieu. Nous pouvons, à présent revenir sur la notion plus générale de l'être conceptionnel comme être-pensé, *Bewusst-Sein, ens conceptionale inquantum huiusmodi.* L'être-pensé ou être-connu est *en tant que tel* être — puisqu'il n'est pas rien (même si sa modalité ontologique n'est évidemment pas celle d'une *res*) — et il est être-pensé — dans la mesure où il n'est rien d'autre que l'activité même du connaître : «L'être conceptionnel en tant que tel est tout ce qui est intellectuellement, non seulement du point de vue de la réalité conçue en lui — le concept ou le contenu intelligible —, mais encore du point de vue l'intellection ou de la conception même qui, précisément pour cette raison, est un être conceptionnel.» [4.3.4., 5; p. 123, 34-38] L'être conceptionnel est donc, comme être-pensé, substance, et il est substance en tant qu'il est action. Cette substance-énergique, dans le cas de l'intellect possible dont la fonction est notamment de quiddifier les choses de la nature, n'est pas dotée d'une identité numérique comparable à celle des choses qu'elle «constitue» dans l'être quidditatif. Son identité est celle d'une «conception universelle» : *universalis conceptio* [*De int. et intel.* III, 9, 2; p. 184, 62]. Ce mode d'être trans-numérique de l'intellect possible tient ainsi non seulement au fait qu'il conçoit universellement ce qu'il conçoit — puisqu'il conçoit les choses absolument et non comme «ceci» ou «cela» [*De int.* III, 8, 6; p. 183, 32] —, mais encore au fait qu'il «se donne à lui-même ce mode d'être non dénombrable» «du point de vue conceptionnel», «non du point de vue naturel» [*De int.* III, 9, 2; p. 184, 66]. L'intellect possible est donc, comme être conceptionnel, une réalité trans-empirique. C'est ce thème de la trans-empiricité de l'*ens conceptionale* qui, semble-t-il, caractérise le mieux l'être conceptionnel *inquantum huiusmodi.* Sur la notion d'*ens conceptionale, cf.* pour plus de détails, K. FLASCH, «Einleitung I», p. XVII; B. MOJSISCH, «Einleitung», pp. XXIV-XXVIII, *Die Intellekttheorie...*, p. 70 *sqq.* et (du même auteur) : «Sein als Bewusst-Sein. Die Bedutung des ens conceptionale bei Dietrich von Freiberg», *in : Von Meister Dietrich...*, pp. 95-105.

    10. *Cf. supra*, p. 124.

    11. *Cf.* sur ce point A. DE LIBERA, *Le problème de l'être chez Maître Eckhart. Logique et métaphysique de l'analogie* (Cahiers de la revue de théologie et de philosophie 4), Genève-Lausanne-

Neuchâtel, 1980 et (du même) : «Maître Eckhart et la controverse sur l'unité et la pluralité des formes», *in : Von Meister Dietrich...*, pp. 147-162.

12. *Cf.* K. FLASCH, «Einleitung I», pp. XIX-XXV. Pour plus de détails, *cf.* du même : «Die Intention Meister Eckharts», *in : Sprache und Begriff. Festschr. B. Liebrucks*, Meisenheim am Glan, 1974, pp. 292-318.

13. K. FLASCH, «Einleitung I», p. XX. *Cf. De int.*, II, 32, 2-3 ; p. 171, 107-122. A confronter à THOMAS D'AQUIN, *Summa theologiae*, Iª Pars, q. 79, a. 2.

14. *DW* I., p. 415, 11 *sqq.* ; Ancelet 1, pp. 205-206. La même doctrine est développée dans *In Genesim*, § 115 ; *LW* I, p. 270, 5-13 ; trad. pp. 383-385 : «La créature rationnelle ou intellectuelle diffère de toute autre créature qui lui est inférieure, en ce que l'inférieur est produit à la *ressemblance* de ce qui est en Dieu et n'a de correspondant en Dieu que cette Idée d'après laquelle il est dit être créé. Une Idée [de ce type] est spécifiquement déterminée et est relative à la réalité créée [infra-intellectuelle] comme à une essence spécifiquement distincte. Tandis que chaque nature intellectuelle a, comme telle, plutôt pour modèle Dieu lui-même et non pas simplement une Idée divine. La raison en est que l'intellect, comme tel, est "ce grâce à quoi le sujet connaissant devient toutes choses" et n'est pas [simplement] tel ou tel être spécifiquement déterminé. En effet, l'intellect, d'après Aristote, "est d'une certaine façon toutes choses, et l'être en sa totalité".» La parenté de ce texte avec ceux de Thierry est évidente. On notera que le Fribourgeois reprend lui-même la distinction traditionnelle entre image *(imago)* et ressemblance *(similitudo)*.

15. *Cf.* B. MOJSISCH, *Die Theorie des Intellekts...*, pp. 83 *sqq.*

16. K. FLASCH, «Einleitung I», p. XX.

17. *DW* I, p. 173, 6-9 ; Ancelet 1, p. 112.

18. *De vis. beat.*, 1.2.1.1.7., 2 ; p. 43, 17-18.

19. Texte et commentaire dans L. STURLESE, «Alle origini...», pp. 56-57.

20. Texte dans W. PREGER, «Der altdeutsche Tractat von der wirkenden und möglichen Vernunft», *in : Geschichte...*, II, p. 179, 4-10.

21. Sur la théorie de la vision bienheureuse en tant que telle, *cf.* essentiellement B. MOJSISCH, *Die Theorie des Intellekts...*, pp. 85 *sqq*.

22. *Cf.* B. MOJSISCH, «Einleitung», p. XXII.

23. Pour une interprétation philosophique de ce traité *cf.* essentiellement K. FLASCH, «Einleitung III», pp. LX-LXXXIII. *Cf.* également «Kennt die mittelalterliche Philosophie...», pp. 182-206.

24. *De vis. beat., Prooemium*, 1 ; p. 13, 1. Pour la structuration

ternaire de l'univers, Thierry s'appuie explicitement sur Denys, *La Hiérarchie céleste*, chap. IV, § 3 ; PG 3, 180-181 ; trad. pp. 97-99.

25. *Cf.* AUGUSTIN, *De civ. Dei.*, XIX, XIII ; BA 37, pp. 110-111 : « Ordo est parium dispariumque rerum sua cuique loca tribuens dispositio » : « L'ordre c'est la disposition des êtres égaux et inégaux, désignant à chacun la place qui lui convient. » Pour tout ceci, *cf. De vis. beat., Prooemium*, 1 ; p. 13, 10-13.

26. *De vis. beat., Prooemium*, 2 ; p. 13, 17.

27. *De vis. beat., ibid.*, p. 13, 19-27. Traduction de Proclus empruntée à Trouillard, pp. 148-149.

28. *De vis. beat., Prooemium*, 3 ; p. 14, 31.

29. *De vis. beat., Prooemium*, 4 ; p. 14, 35.36-37.

30. *De vis. beat., ibid*, p. 14, 38-40.

31. AUGUSTIN, *De trinitate*, XIV, VII, 9 ; BA 16, p. 369 ; XV, XX, 40 ; BA 16, pp. 531-533. Sur ces textes, *cf. supra*, pp. 44-45.

32. *De vis. beat., Prooemium*, 5 ; p. 14, 43-47.

33. *De vis. beat., ibid*, p. 14, 47-50.

34. *De vis. beat., Prooemium*, 6 ; p. 14, 53-56.

35. Ces quatre thèses sont respectivement développées aux sections 1.1. [pp. 15 *sqq.*], 1.2. [pp. 36 *sqq.*], 1.4. [p. 61] et 1.5. [pp. 62-63] de l'édition Mojsisch.

36. *De vis. beat.*, 1.1.1.3 ; pp. 15, 22-16, 28.

37. *De vis. beat.*, 1.1.1., 6 ; p. 16, 57-58.

38. *De vis. beat.*, 1.1.1.1., 4 ; p. 17, 88.

39. *De vis. beat.*, 1.1.1.2., 3 ; p. 18, 108-109.

40. *De vis. beat.*, 1.1.1.3.6, 1 ; p. 22, 105-109.

41. *De vis. beat.*, 1.1.2.1., 1 ; p. 22, 3-4.

42. *De vis. beat., ibid.*, p. 22, 4-5.

43. *De vis. beat.*, 1.1.2.1., 2 ; p. 23, 10-11.

44. *De vis. beat., ibid.*, p. 23, 13-14.

45. *Les Noms divins*, chap. VII, § 3 ; PG 3, 869A ; trad. p. 143. « Contient d'avance » peut être également rendu par « précontient » en latin *praehabet*). Nous reviendrons sur ce terme, note 46.

46. *De vis. beat.*, 1.1.2.1., 4 ; p. 23, 32-37. La notion de « cause essentielle » *(causa essentialis)* alléguée ici est l'un des concepts fondamentaux de la pensée de Thierry de Freiberg. Amplement utilisée dans le *De visione beatifica* et le *De intellectu et intelligibili*, la théorie de la *causa essentialis* a été pleinement élaborée dans le *De animatione caeli* après avoir été esquissée dans la *Quaestio utrum in Deo sit aliquis vis cognitiva inferior intellectu* disputée à Paris entre 1296 et 1298. Considérons brièvement ces deux textes. Dans la *Quaestio* — une fois distingués trois genres de connaissances : la connaissance sensitive, la connaissance rationnelle et la connaissance intellective [*cf. Quaestio utrum in Deo...*, 1.1., éd. M.R. Pagnoni-Sturlese, *CPTMA* II, 3, pp. 293, 18-295, 67] —, Thierry montre que

la connaissance intellective se rencontre exclusivement dans les intellects qui «sont en acte par essence», autrement dit : Dieu, les Intelligences (du moins «si elles existent, comme l'affirment les philosophes» : «Si sunt secundum positionem philosophorum» [1.1.4., Pagnoni-Sturlese, p. 294, 31-32]), les «Âmes des cieux» et les intellects agents [*cf.* sur ce point M.R. PAGNONI-STURLESE, «La "Quaestio utrum in Deo sit aliquis vis cognitiva inferior intellectu" di Teodorico di Freiberg», *in : Xenia medii aevi...*, p. 107]. Telle qu'il la définit ici, la connaissance intellective se distingue des deux autres de trois manières : (1) quant à l'objet : l'objet de la connaissance sensitive est l'individu «singulier en tant qu'individu» [1.1.6., p. 294, 42-43] doté de «parties matérielles» [ou *post totum, cf.* ARISTOTE, *Metaphysica*, VII, 10, 1035a 18-21 ; 1035b 11-12 et 20-22]. L'objet de la connaissance rationnelle est l'universel doté de parties formelles [ou *ante totum*, 1.1.7., p. 294, 45-49 ; *cf.* ARISTOTE, *Metaphysica*, VII, 10, 1035b 33-1036a 1]. L'objet de la connaissance intellective est «l'essence simple rassemblant en elle tout l'étant, en tant qu'elle *précontient* en elle simplement tous les étants et leurs propriétés sur un mode plus noble que celui qu'ils ont en eux-mêmes» : «Obiectum [...] intellectivae cognitionis est simplex essentia colligens in se totum ens, inquantum est *praehabens* in se modo simplici et nobiliore omnia entia et proprietates eorum, quam sint in seipsis.» [1.1.8., p. 294, 49-51] Cette définition de l'essence comme objet à la fois ni singulier ni universel rappelle la doctrine avicennienne de l'*indifférence de l'essence* [*Logica*, III, Venise 1508, f. 12rA] reprise par Albert dans le *Liber de praedicabilibus*,IX, 3 ; Borgnet 1, pp. 146b-148b [*cf.* sur ce point A. DE LIBERA, «Théorie des universaux et réalisme logique chez Albert le Grand», *Revue des sciences philosophiques et théologiques* 65 (1981), pp. 61 *sqq.*] La neutralité phénoménologique de l'*essentia* est aussi, comme on l'a vu *supra*, note 9, ce qui définit du point de vue noématique le statut intentionnel de l'intellect possible comme *universalis conceptio*. (2) La différence des connaissances *quantum ad obiectum* en détermine donc une deuxième du point de vue noétique, *in modo cognoscendi* : la connaissance sensitive connaît selon l'espace et le temps *(ut hic et nunc)*, la rationnelle, simplement et universellement, «du fait qu'elle connaît une chose dans sa raison et en tant qu'elle possède des parties formelle *(partes rationis)*» [1.1.9., p. 294, 52-55]. La connaissance intellective, en revanche, n'est «ni universelle ni particulière» (elle est trans-générique, n'étant pas connaissance abstractive, et trans-numérique, n'étant pas intuition des singuliers) : «Elle est tournée vers son objet par son intellectualité [absolument] simple ; [cet objet] est son essence [absolument] simple, qui n'a ni parties postérieures au tout — ce qui en ferait un individu — ni parties antérieures selon la raison ou parties antérieures au tout — ce qui en ferait un universel, du moins si l'on prend le concept d'universel au sens propre.» [1.1.9., p. 294, 57-61]. (3) La troisième différence, qui résulte des deux précédentes, concerne le mode de présence du connu : l'objet de la connaissance sensitive, «une fois en acte, est appréhendé par la sensibilité *(vis sensitiva)* à travers une image *(secundum suam similitudinem)*», celui de la raison est «en elle, à travers un concept *(secundum suam rationem)*», mais l'objet de la connaissance intellective est en elle «à travers l'essence elle-même *(per essentiam)*» [1.1.10., pp. 294, 63-295, 65]. Ce sont ces différents caractères de la connaissance intellective qui sont repris dans le *De animatione caeli* pour définir une véritable théorie de la causalité intellectuelle comme causalité essentielle. Dans ce traité, Thierry fait la synthèse de l'univers aristotélicien des quatre causes (matérielle, formelle, efficiente, finale) avec l'univers néoplatonicien de l'émanation. Il y a, dit-il, quatre genres de causes [3.1-3., Sturlese, *CPTMA* II, 3, pp. 14, 51-15, 65], mais ces causes sont hiérarchisées entre elles selon un «ordre de dépendance essentielle» *(ordo essentialis dependentiae)* : la matérielle est subordonnée à la formelle, toutes deux à l'efficiente, toutes trois à la finale [*cf.* 4.2, p. 15, 73-87]. La notion de «dépendance essentielle» est empruntée à Proclus : il y a entre les différents êtres dépendance «selon une certaine procession causale et selon une conversion des êtres ainsi produits vers les principes dont ils procèdent» [2.3., p. 14, 38-41]. Selon Thierry, cette dépendance est formulée et expliquée par Proclus aux propositions 31 et 34 de l'*Elementatio* [*cf.* Trouillard, p. 82 : «Tout être qui procède d'un principe se convertit *par essence* vers celui dont il procède» et 84 : «Tout être qui se convertit *par nature* oriente sa conversion vers le principe auquel il doit la procession de sa propre substance»]. Outre la subordination externe des genres des causes, le Fribourgeois distingue une subordination essentielle à l'intérieur de chaque genre. C'est cette dépendance qui l'intéresse le plus : «Il y a un autre ordre de dépendance essentielle que l'on rencontre en chaque genre de cause pris en lui-même : cela, quand la causalité d'un premier en un genre [...] est déterminée dans un second, celle d'un second contractée et déterminée dans un troisième, et ainsi de suite, du premier jusqu'au dernier — là où tout s'arrête *(ubi est status)* —, en fonction du degré et de l'ordre du processus causal.» [4.3., pp. 15, 89-16, 92] Cet ordre de dépendance essentielle subordonne ici les causes postérieures «à l'ordre des causes antérieures» et «l'ensemble de la procession» à «l'ordre de la première cause de tout l'ordre» [4.3., p. 15, 92-94]. C'est cet ordre que Thierry retrouve dans l'univers néoplatonicien et qu'il intègre dans une théorie de la *causalité essentielle* qui n'est autre qu'une théorie de la *causalité d'émanation*. Comme dans la *Quaestio utrum in Deo...*, le «processus causal» de «simple émanation» [7.5., p. 19,

75], qui s'oppose au mode de procession causale « selon la voie de la génération naturelle » par mouvement et changement *(per motum et transmutationem)*, caractérise Dieu, « premier et suprême Intellect, qui est le Principe de tout l'être » [7.4., p. 18, 61-62] et les Intelligences dont les philosophes assurent qu'elles existent et qu'elles sont des « intellects en acte par essence » [7.5., p. 18, 67-68] : les philosophes, c'est-à-dire le *Liber de causis*, Proclus, Avicenne et Averroès [*cf.* les références de L. Sturlese, p. 18 notes 28-29]. La causalité essentielle explicitement attribuée ici à Dieu et aux Intelligences sera à son tour explicitement étendue à l'intellect agent de l'homme dans le *De cognitione entium separatorum et maxime animarum separatarum* (sans compter, évidemment, le *De vis. beat.*, et le *De int.*). Telle que la définit le *De animatione caeli* [8.2., p. 19, 15-18], une cause essentielle est (a) une cause qui « précontient en elle son effet causé sur un mode plus noble que celui qu'il a en lui-même, et cela parce qu'elle le contient essentiellement et plus intimement », (b) une cause qui « de ce fait, est par son essence même cause pour ce qu'elle cause » *(per suam essentiam est causa sui causati)*. La notion de « précontenance » est clairement un écho du *proêchein* de Denys. Dans le *De cognitione entium separatorum...*, c'est, en revanche, plutôt le langage proclusien qui domine. Thierry énumère les cinq conditions qui font d'une cause une cause « essentielle » : celle-ci doit (1) « précontenir son effet sur un mode plus noble et plus éminent, c'est-à-dire *être une substance* », (2) « être une *substance vivante*, car, toutes choses égales, le vivant en tant que vivant est toujours plus noble et plus éminent que le non-vivant », (3) « être une *substance essentiellement vivante*, c'est-à-dire vivant par son essence, car une telle vie [...] est plus intérieure et donc plus éminente que n'importe quelle autre [...] qui dépend d'accidents extérieurs, par exemple les sens ou l'imagination ». Il faut encore (4) que cette vie soit « une *vie intellectuelle*, car c'est la forme de vie suprême dans le genre des vivants » et que (5) « cette vie intellectuelle ne soit rien d'autre qu'un *intellect en acte* » [*cf.* texte dans *CPTMA* II, 2, éd. H. Steffan, 23, 1-5 ; pp. 186, 93-187, 107]. Ces cinq propriétés qui « conviennent aux substances séparées, c'est-à-dire Dieu, les Intelligences et ce qu'on appelle les "Âmes des cieux" et qui conviennent « aussi à l'intellect agent » [23.6 ; p. 187, 108-109] reprennent les propositions 65 (comm.) et 103 (comm.) de Proclus [Vansteenkiste, pp. 289 et 492 ; Trouillard, p. 101 : « Toute cause *précontient* en elle-même son effet en ce sens qu'elle est à titre primordial ce qu'est précisément cet effet à titre dérivé » et p. 122 : « [...] dans l'être vie et esprit sont précontenus. Mais chaque ordre étant caractérisé par sa propre subsistance et non par ce qu'il cause, puisqu'il cause autre que soi, ni par ce dont il participe, puisqu'il tient d'un autre ses participations, c'est sous le mode de l'être que la vie et la pensée existent dans l'être, comme vie substantielle et comme esprit substantiel», le texte latin a : «[...] Sic est ibi et vivere et *intelligere*, vita essentialis et *intellectus* essentialis». La théorie de la *causa essentialis* est donc la théorie de la causalité de l'intellect. Cette causalité ne peut être exprimée telle quelle dans la typologie aristotélicienne des quatre causes. Elle n'en est pas moins, à sa manière, efficiente ou, si l'on préfère, efficace. On reviendra sur ce point *infra*, p. 226, note 106. Il n'est pas interdit de penser que Maître Eckhart s'est servi du *De cognitione entium separatorum...*, pour concevoir sa propre théorie de Dieu comme «Intellect vivant, essentiel et subsistant» [*Pr.* 66, *cf. infra*, p. 260] — à moins que l'influence de Proclus ne l'ait amené de lui-même à cette formulation. Sur la causalité essentielle chez Thierry de Freiberg et Eckhart, *cf.* les analyses fondamentales de B. MOJSISCH, *Meister Eckhart...*, pp. 24-29. *Cf.* également H. STEFFAN, *Dietrich von Freibergs Traktat De cognitione entium separatorum. Studie und Text*, Diss., Bochum, 1977, pp. 30-32.

47. *Cf. De vis. beat.*, 1.1.2.1., 4 ; p. 23, 36-37 : «In intellectu agente [...] multo nobiliore et separatorie modo huiusmodi intellecta intellectualiter existunt» ; *De vis. beat.*, 1.1.3.1., 2 p. 28, 61-62 : «Intellectus inquantum intellectus [...] in sua quiditate non recipit aliquid alterius naturae ratione suae separationis et impermixtionis.» Eckhart se souvient peut-être encore de ces passages quand il donne la troisième condition du *principium essentiale* : «Tertia, quod ipsum principium semper est intellectus purus, in quo non sit aliud esse quam intelligere, nihilo nihil habens commune, ut ait Anaxagoras, III *De anima*.» [*In Iohannem*, § 38 ; *LW* III, p. 32, 11-13.] D'une manière générale, toutes les définitions eckhartiennes du *principium essentiale* rappellent celles de la *causa essentialis* de Thierry, notamment : «Prima, quod in ipso contineatur suum principiatum sicut effectus in causa [...]. Secunda, quod in ipsa [causa] non solum sit, sed etiam praesit et eminentius sit suum principiatum quam in se ipso.» [*In Ioh., loc. cit.*, p. 32, 7-10.] Sur tout ceci *cf.* B. MOJSISCH, *Meister Eckhart...*, pp. 27 *sqq.*

48. *De vis. beat.*, 1.1.3., 2 ; p. 26, 7-8.

49. *De vis. beat.*, *ibid.*, p. 26, 8-9.

50. *De vis. beat.*, *ibid.*, p. 26, 9-16. Sur la *forma partis* et la *forma totius* chez Albert, *cf.*, A. de LIBERA, «Logique et existence selon saint Albert le Grand», *Archives de philosophie* 43 (1980), p. 553, note 73, *Cf.* également (du même) : «Théorie des universaux...», pp. 69 *sqq.*

51. *De vis. beat.*, 1.1.3., 3 ; p. 26, 17-21.

52. *De vis. beat.*, 1.1.3., 4 ; pp. 26, 29-27, 33.

53. ARISTOTE, *De anima*, III, 4, 430a 3-4 ; Tricot, p. 180.

54. *De vis. beat.*, *loc. cit*, p. 27, 34-36.

55. *De vis. beat.*, 1.1.3., 5 ; p. 27, 37-38.

56. *De vis. beat.*, *ibid.*, p. 27, 38-44. *Cf. Liber de causis*, § XIV (prop. XV), n° 124, p. 79, 50-51 *cf. supra* note 21, p. 61 ; § XII (prop. XIII), n° 109, p. 74, 91 ; AUGUSTIN, *De Trinitate*, XIV, VII, 9 ; BA 16, p. 369.

57. *Cf.* sur ce point A. DE LIBERA, « Les "Raisons d'Eckhart" », *in : Maître Eckhart à Paris...*, pp. 118 *sqq.*

58. *De vis. beat.*, 1.1.4., 2 ; pp. 28, 10-29, 13.

59. ARISTOTE, *De anima*, III, 5, 430a 14-15 ; Tricot, pp. 181-182. *De vis. beat.*, 1.1.4., 3 ; p. 29, 15-17.

60. *De vis. beat.*, 1.1.4., 4 ; p. 29, 22-26. L'objet de l'intellect théodoricien est l'être en tant qu'être, non tel ou tel étant déterminé : «Intellectus per essentiam est exemplar quoddam et similitudo entis in eo, quod ens, et omnia intelligit.» [*De vis. beat.*, 1.1.4., 1 ; p. 28, 2-3.] Cette doctrine est clairement reprise et assumée par Eckhart dans le § 155 d'*In Genesim* ; *LW* I, p. 272, 3-5 : «Intellectus [...] in quantum intellectus, est similitudo totius entis, in se continens universitatem entium, non hoc aut illud cum praecisione. Unde et eius obiectum est ens absolute, non hoc aut illud tantum» : «L'intellect, en tant que tel, est similitude de la totalité de l'être : il contient en lui-même l'universalité des êtres, mais non celui-ci ou celui-là considéré à part. Ainsi l'objet propre de l'intellect, c'est l'être pris absolument, et non pas seulement celui-ci ou celui-là.» Ce passage eckhartien est, de tous, le plus proche de Thierry. C'est à propos de passages de ce genre que l'on est raisonnablement tenté de poser le problème de l'«influence de Thierry sur Eckhart».

61. *De vis. beat.*, 1.1.4., 5 ; p. 29, 27-29. *Cf.* AVERROÈS, *In Aristotelis De anima*, III, t. comm. 36 ; Crawford, p. 501, 636-639. Cette doctrine de la «continuation» de l'intellect avec l'Intellect agent séparé avait déjà été évoquée — au conditionnel — par Albert le Grand lui-même [*In IV Sent.*, d. 49, a. 5, ad 1 et 2m ; Borgnet 30, p. 670. *Cf. supra*, note 103, p. 71].

62. *De vis. beat.*, *ibid.*, p. 29, 29-32. *Cf.* GRÉGOIRE LE GRAND, *Dialogi*, II, 35 ; éd. U. Morrica (Fonti per la storia d'Italia 57), Rome, 1924, p. 129.

63. *De vis. beat.*, 1.1.4., 9 ; p. 30, 55-58. Pour les références à Augustin *cf.* les notes de B. Mojsisch, pp. 29-30, notes 4-8.

64. En faisant de l'intellect agent la pose de l'origine dans l'âme, c'est-à-dire la déclosion de l'être-intellectuel comme *intimior intimo meo*, Thierry rend possible la théorie eckhartienne du «Je» comme «Fond infondé».

65. DENYS, *Les Noms divins*, chap. VII, § 3 ; PG 3, 869A-B ; trad. pp. 143-144. Noter à nouveau le *proêchein* : «possède d'avance» = précontient.

66. *De vis. beat.*, 1.1.5., 1 ; p. 30, 61-69. L'intellect par essence toujours en acte précontient toutes choses essentiellement : autre manière de dire la causalité « essentielle » — ici : exemplaire — de l'intellect agent comme « être conceptionnel ».

67. AUGUSTIN, *De Trinitate*, IX, IV, 4-5 ; BA 16, pp. 82-85. *Cf. De vis. beat.*, 1.1.6.,1 ; p. 31, 2-8.

68. *De vis. beat.*, 1.1.7., 3 ; p. 32, 49-57. « Transcender son sujet » *(suum subiectum excedere)* ne signifie pas « se dépasser soi-même vers son objet ». La transcendance est le mode d'être-intellectuel de l'être conceptionnel agissant par son essence, lequel en se rapportant à son objet se dépasse lui-même vers lui-même. L'intellect possible n'a pas ce pouvoir. Même actualisé, il reste dépendant du « phantasme » ou représentation de l'imagination, qui lui présente l'objet où il va recueillir la forme intelligible. Or comme la sensation, le « phantasme » ne « dépasse pas son propre sujet » : « Propter hoc etiam intellectus possibilis factus in actu, quia per se et essentialiter innititur phantasmati, non excedit proprium subiectum, quia ipsum phantasma proprium subiectum non excedit eo modo, qui dictus est. » *De vis. beat.*, 1.1.7., 2 ; p. 32, 40-42. Sur l'auto-affection de l'intellect agent, *cf.* essentiellement *De vis. beat.*, 1.1.7., 3 ; p. 32, 43-49.

69. *De vis. beat.*, 1.2.1.2., 1 ; p. 37, 21 *sqq.*

70. Pour le deuxième *modus reductionis aliquorum entium in Deum, cf. De vis. beat.*, 1.2.1.1.3., 1-5 ; pp. 38, 41-39, 80. Pour le troisième, *cf.* 1.2.1.1.4., 1-6 ; pp. 39, 81-40, 51. Pour le quatrième, *cf.* 1.2.1.1.5., 1-2 ; p. 41, 52-69. Le passage que nous citons se lit p. 41, 57-59.

71. *De vis. beat.*, 1.2.1.1.5, 2 ; p. 41, 67-69.

72. *De int.*, II, 6. 2 ; p. 150, 41-43. L'explication est la suivante : dans le *De int...*, Thierry distingue les substances spirituelles ou Intelligences et les anges. Dans le *De vis. beat...*, il identifie substances spirituelles et anges mais ne parle pas à ce moment des Intelligences séparées. La doctrine est donc la même : les Intelligences des philosophes et les intellects agents sont supérieurs aux anges et aux âmes rationnelles, en ce qu'ils sont « intellects par essence *secundum sui substantiam*". *Les anges, en revanche, ne procèdent pas de Dieu secundum ordinem emanationis*, même s'il les constitue dans l'être *mediante intellectu in actu*. Ce ne sont donc pas des êtres de même rang que les Intelligences — si elles existent — et que les intellects agents. Sur ce point *cf. De int.*, I, 12, 1 ; pp. 144, 60-145, 70. On notera qu'Albert lui-même refuse le plus souvent d'assimiler les Intelligences et les anges. *Cf.* Sur ce point, É. WÉBER, « La relation... », p. 364, note 19. Sur les anges, les Intelligences et l'animation du ciel, *cf.* K. FLASCH, « Einleitung III », pp. XV-XXXVIII.

73. *De vis. beat.*, 1.2.1.1.7., 2; p. 43, 15-18. La doctrine de l'«émanation» *(defluxum formalem)* intellectuelle de l'intellect agent à partir de Dieu est à la fois le prolongement et l'altération de l'application de la doctrine de la *formatio* de l'esprit créé à l'âme humaine chez Augustin. *Cf.* par exemple *De Gen. ad litt.*, I, iv, 9; BA 48, pp. 94-95; III, xx, 31; pp. 262-263; IV, xxii, 50; pp. 356-357 : «Sitôt prononcée la parole de Dieu, la lumière fut faite et cette lumière créée s'attacha à la lumière créatrice, la voyant et se voyant en elle, c'est-à-dire voyant *la raison qui est à l'origine de son être.* Elle se vit ainsi elle-même en elle-même, c'est-à-dire avec la distance qui sépare ce qui est créé de celui qui crée.» Contrairement à ce que soutient Augustin, c'est pour Thierry de l'*essentia* même de Dieu que les créatures qui sont des «intellects agents par essence» procèdent conversivement, non d'une idée ou exemplaire déterminé. La notion théodoricienne de l'«écoulement», opposée au mode de production «immédiat» des choses *(res naturae)* dans la Genèse, est donc une version corrigée, disons «émanatiste», de la doctrine augustinienne des deux «étapes» de la «formation». Pour bien distinguer les deux points de vue, voir la note complémentaire 16 («L'âme image de Dieu») dans BA 48, pp. 628-633.

74. *Cf.* Proclus, *Elementatio theologica*, prop. 30; Trouillard, p. 82.

75. *De vis. beat.*, 1.4., 3; p. 61, 19-24 : «Id [...] quod operatur homo etiam circa Deum quantum ad exteriorem cogitativam, id est secundum intellectum possibilem factum in actu, intelligendo et amando, non agit hoc nec operatur per suam essentiam, sed per extrinsecam et extraneam a se operationem et per speciem, quae est extrinseca ab essentia sua. Igitur dictus intellectus [= intellectus agens] est intimius capax Dei, quia per suam essentiam.» Comment dire en termes plus philosophiques que Dieu ne saurait être ni cherché ni trouvé à l'extérieur (dans quelque représentation — *species* — que ce soit), puisque c'est lui-même qui *se trouve* à l'intérieur? Philosophie et mystique ne se rejoignent-elles pas là nativement dans le *se-trouver* originaire qui précède et appelle à l'*être* aussi bien ceux qui sont que ceux qui ne sont pas (plus)? On voit ici combien Thierry mérite le titre biface de *Lese/Lebe-Meister*.

76. *De vis. beat.*, 1.5., 1; p. 62, 28-30.

77. Proclus, *Elementatio theologica*, prop. 31; Vansteenkiste, p. 278; Trouillard, p. 82.

78. Proclus, *Elementatio theologica*, prop. 32, comm.; Vansteenkiste, pp. 278-279; Trouillard, p. 83.

79. *Cf.* R. Roques, «Introduction», p. XLIII, note 1 : «Procession et conversion ne se succèdent pas mais constituent un seul et même processus.» Cette remarque vaut pour Proclus, Denys, Plotin, pour toutes les métaphysiques de la «sortie» et du «retour» qui, de

l'hellénisme aux grandes «Odyssées» du XIXᵉ siècle (Novalis, Schelling, Hegel), en passant par les divers néoplatonismes juifs et arabes, alimentent le langage mouvant de la «nostalgie». Thierry en fait «la conclusion principale visée» dans tout le traité *(principalis conclusio intenta in hoc tractatu)* [*De vis. beat.*, 1.5., 9 ; p. 63, 75] : «Intellectus, de quo agitur, quia per essentiam intellectualiter procedit a Deo, etiam sua intellectuali operatione, quae est essentia eius, semper convertitur in Deum ita, ut eius emanatio, qua intellectualiter emanat per essentiam a suo principio, sit ipsius in ipsum principium intellectualis conversio. *Non enim primo ab ipso procedit et postea alio respectu seu operatione in ipsum convertitur, sed eadem simplici intellectione, quae est essentia eius.*» [*De vis. beat.*, 1.5., 6 ; pp. 62, 53-63, 58]. On voit ici combien on s'est subrepticement éloigné d'Augustin, *cf. supra*, note 73.

80. Le *De intellectu* est postérieur au *De visione*. Son objet est la théorie de l'intellectualité en tant que telle.

81. *Cf.* B. Mojsisch, «Einleitung», p. XX.

82. *De int.*, I, 3, 1 ; p. 138, 33-34. On ne peut parler de «passion» qu'au sens strict où «les intellects par essence reçoivent leurs essences de principes supérieurs». Il faut, toutefois, noter : (1) qu'«ils reçoivent ces essences comme actions, non comme passions», (2) et «qu'à peine les ont-ils reçues, ils sont tout entiers actifs, s'écoulant en autre chose, à l'extérieur, et cela par leur intellect, en qui réside la vertu de principe actif» [*De int.*, I, 3, 1 ; p. 138, 36-38]. C'est ce mélange de «passivité» — au sens exigé par la continuité du flux émanateur — et d'activité — au sens fondamental de la spontanéité de l'intellect par essence — qui permet à Thierry de concilier médiation et immédiation, «dionysianisme» et «augustinisme».

83. Proclus, *Elementatio theologica*, prop. 174 et *comm.* ; Vansteenkiste, p. 517 ; Trouillard p. 164. «Acte de penser» rend ici «intelligere». La référence à la prop. 171 est erronée, *De int.*, I, 3, 2 ; p. 138, 39-42.

84. C'est à l'occasion de ce *De quadruplici manerie entium*, que Thierry introduit avec Proclus la notion d'Un. Il l'identifie immédiatement à la «Première cause» du *Liber de causis*, en combinant la proposition 20 [Vansteenkiste, p. 273 ; Trouillard, p. 73] de Proclus et les propositions VI, XXII et XXI du *Liber*, § V, nᵒ57, p. 59, 22-25 ; § XXI, nᵒ 166, p. 93, 68-69 ; § XX, nᵒ 162-163, p. 92, 48-51. *Cf. De int.*, I, 4, 2 ; p. 138, 47-57. Sur les «quatre manières des êtres», *cf.* M.R. Pagnoni-Sturlese, «Filosofia della natura e filosofia dell' intelletto in Teodorico di Freiberg e Bertoldo di Moosburg», *in : Von Meister Eckhart...*, pp. 115-127. Berthold fait de la *maneries* une alternative «platonicienne» au *genus* aristotélicien. Thierry luimême reprend le concept dans le *De substantiis spiritualibus et*

*corporibus futurae resurrectionis*, distinguant, cette fois, les quatre manières des «choses» *(quattuor maneries rerum/entium realium)* et les quatre manières des «êtres conceptionnels» *(quattuor maneries entium conceptionalium)*, puis réduisant celles-ci à celles-là *quantum ad numerum* et *ordinem [De subst. spir.*, 1-5 ; éd. M.R. Pagnoni-Sturlese, *CPTMA* II, 2, pp. 303-307].

85. *De int.*, I, 5, 1 ; p. 139, 64-65.
86. *De int.*, I, 5, 2 ; p. 139, 75-83.
87. *De int.*, I, 6, 1 ; pp. 139, 2-140, 10.
88. *In Exodum*, § 16 ; *LW* II, p. 22, 3-6.
89. *In Exodum, ibid.*, pp. 21, 10-22, 3. Le «Sage» est l'un des «vingt-quatre philosophes» ou Alain de Lille. *Cf. supra*, p. 60, note 10.
90. *De int.*, I, 7, 3 ; p. 141, 34-35. *Cf.* ARISTOTE, *De anima*, III, 4, 429a 14 ; Tricot, p. 174.
91. *De int.*, I, 7, 1 ; p. 140, 20-23. *Cf.* les références à Proclus et au *Liber de causis*, p. 140, note 2 de l'édition Mojsisch.
92. *De int.*, I, 7, 2 ; p. 140, 29.
93. *De int.*, *ibid.*, p. 140, 32 : «Quidquid est in eo, pure substantia est.»
94. *De int.*, I, 8, 2 ; p. 141, 51-57 : «In quolibet eorum [tamen est] invenire quosdam respectus originis, qui sunt respectus naturae, inquantum quilibet eorum conversus est in se intelligens se ipsum per essentiam, sicut dicitur in *Libro de causis*, quod unusquisque talium intellectuum est rediens ad essentiam suam reditione completa, scilicet intelligendo se ipsum per essentiam, in quo consistunt quidam respectus naturae, quorum quilibet importat totam substantiam talis intellectus, solum ab invicem differentes respective.» *Cf. Liber de causis*, § XIV (prop. XV), n° 124, p. 79, 50-51. Voir *supra*, p. 61, note 21.
95. *De int.*, *ibid.*, p. 142, 65-66.
96. *De int.*, I, 9 ; p. 142, 75-76.
97. *De int.*, I, 9, 1 ; p. 142, 79-80.
98. *De int.*, I, 9, 2 ; p. 142, 85-93. *Cf.* PROCLUS, *Elementatio theologica*, prop. 34 (et *comm.*) ; Vansteenkiste, p. 279 ; Trouillard, p. 84. On reconnaît ici le thème «de unitate universi» développé dès le *De animatione caeli* [2, 2-5 ; Sturlese, pp. 13, 25-14, 50] également d'après la proposition 34 de Proclus ; *cf.* p. 14, 44 *sqq*.
99. *De int.*, II, 2, 1 ; p. 147, 50-52.
100. *De int.*, II, 2, 2 ; p. 147, 53-56. *Cf.* ALFARABI, *De intellectu et intellecto*, éd. GILSON, *in* : «Les sources gréco-arabes...», pp. 118 126-120, 182 ; ALEXANDRE D'APHRODISE, *De intellectu et intellecto*, éd. G. THÉRY, *Autour du décret de 1210* : II. — *Alexandre d'Aphrodise*, aperçu sur l'influence de sa noétique (Bibliothèque thomiste VII), 1926, pp. 74-83.

101. Pour ce thème, *cf. supra*, pp. 50-53. Si nous comprenons
bien, il semble que tous les théologiens rhénans aient cherché d'une
manière ou d'une autre à dynamiser la hiérarchie dionysienne. De
fait, pour Denys, toute « vision » est *statique*, chaque être étant « fixé
à un certain niveau de participation, avec la double limite de ce qu'il
*peut* faire [...] et de ce qu'il est *licite* [...] qu'il fasse. » [M. de
Gandillac, note 1, p. 142 de Denys, *La Hiérarchie céleste, ed. cit.*]
Avec Thierry c'est un « dynamisme augustinien » qui l'emporte sur le
« dynamisme avicennien » d'un Albert ou d'un Ulrich. Sa « conversion noétique » ne signifie pas que *l'âme* ait à devenir toujours plus
*intellect*, elle semble, toutefois, bien impliquer que *l'homme* se laisse
toujours plus concerner par l'intellect agent, *jusqu'à* en être
totalement informé. Sans abolir la Hiérarchie, cette théorie de
l'homme nous paraît conserver à sa manière l'idée albertinienne
d'une intensification de la « tension noétique ». Sur le rapport de
l'« homme » et de l'« intellect agent » chez Thierry, *cf. De substantiis
spiritualibus...*, 4, 2 ; Pagnoni-Sturlese, p. 305, 68-78, où le Fribourgeois reprend la notion d'*intellectus adeptus* (« intellect acquis »).
102. *De int.*, II, 2, 1 ; p. 146, 13-22. *Cf.* PROCLUS, *Elementatio
theologica*, prop. 140 ; Vansteenkiste, p. 506 ; Trouillard, p. 145.
103. *De int.*, II, 7, 2 ; pp. 150, 51-151, 52. Cette vie « intellectuelle » de l'homme doué d'une « âme rationnelle », en tant que « vie
suprême », ouvre à nouveau l'espace d'une dynamique personnelle.
Thierry ne s'engage, toutefois, pas explicitement sur ce terrain, son
problème étant exclusivement ici de montrer que l'intellect agent est
le *principe* de la vie intellectuelle. Autrement dit : sa problématique
n'est pas eschatologique, elle est transcendantale.
104. *De int.*, II, 8, 3 ; p. 151, 65 : « Intellectus agens est idem
essentialiter cum essentia animae. »
105. *De int.*, II, 10, 3 ; p. 154, 49-55.
106. ARISTOTE, *Metaphysica*, XII, 3, 1070a 21-22. *Cf.* AVERROÈS,
*In Aristotelis Metaph.* XII, comm. 16 ; Venetiis 1562, 302vH. Thierry
mentionne la doctrine d'Aristote dans le *De origine rerum praedicamentalium*, 1, 8 ; éd. L. Sturlese, *CPTMA* II, 3, P. 139, 90-95. Son
« infraction » à la doctrine des quatre causes est donc volontaire.
C'est évidemment parce qu'il propose une doctrine « alternative »,
celle de la *causa essentialis*, que le Fribourgeois s'autorise cette
« distorsion ». Sur ce point, *cf. supra*, note 46. On notera, cependant,
qu'en identifiant ici la cause efficiente à un principe interne —
identification qu'il avait tantôt bloquée sous le terme de « cause
essentielle » —, Thierry développe *aussi* (en contexte noétique) une
suggestion d'Albert interprétant la causalité efficiente de Dieu
comme ce type particulier de causalité exemplaire où l'artisan
lui-même est l'exemplaire de ce qu'il produit. *Cf. Summa theologiae*,
II[a] Pars, tract. 1, q. 3, mbr. I, a. 2, ad 3m ; Borgnet 32, p. 15b :

« Dicendum quod Deus non est principium ut causa efficiens in materia, [...] sed est efficiens ut causa separata, sicut artifex principium est artificiati. Non tamen sequitur aliquid de errore Platonis : non enim dicimus, quod respiciens ad exemplar, respiciat ad aliquid quod non est ipse, vel extra ipsum, *sed exemplar est idem ipse* : si enim exemplar esset diversum ab ipso, cum exemplar aliquid principiet et causat de esse, non esset ipse causa totius et universi esse, et sic non esset principium primum et per se. »

107. Sur ce point *cf. De origine rerum praedicamentalium*, 5, 1-69 ; Sturlese, pp. 181-201. Pour l'interprétation de ces pages difficiles, *cf.* K. FLASCH, « Kennt die mittelalterliche Philosophie... », pp. 182-206 ; « Einleitung III », pp. LX-LXXXIII. *Cf.* également A. DE LIBERA, « La problématique des *intentiones primae et secundae* chez Dietrich de Freiberg », *in : Von Meister Dietrich...*, pp. 68-94.

108. Pour Avicenne et Averroès, *cf.* A. DE LIBERA, « Théorie des universaux... », pp. 62-63, note 28. Thierry suit ici la théorie albertinienne de l'intellect agent « premier agent intellectuel, agissant intellectuellement à titre universel et continuellement occupé à produire l'être intelligibile » : « Primum agens intellectuale [...] universaliter agens intellectuale [...] incessanter agens esse intelligibile » [*De intellectu et intelligibili*, II, tract. un., cap. 3 ; Borgnet 9, p. 506b]. L'*universaliter agens intellectuale* s'entend de deux façons : pour le Premier intellect, il s'agit d'opérer intellectuellement *dans tout l'univers*, pour l'intellect agent de l'homme, d'être le *semen omnis intelligibilitatis* dont parle le même cap. 3 ; Borgnet 9, p. 507b. Autrement dit, revenant à Thierry de Freiberg : ce n'est pas l'intellect agent qui quiddifie les étants, mais *l'intellect possible à la lumière de l'intellect agent*. La quiddification de l'étant suppose une émanation. Comme l'écrit B. Mojsisch : « L'intellect possible connaît *d'abord son origine*, l'intellect agent » (qui précontient tous les contenus intelligibles), « *puis sa propre essence* comme détermination universelle » (l'*universalis conceptio* dont nous avons parlé *supra*, note 9) et *enfin les choses extérieures* dont il est le modèle. » [« La psychologie philosophique... », p. 692].

109. *De origine...*, 5, 52 ; Sturlese, p. 196, 536-538.

110. Dire que l'intellect — possible — « quiddifie » l'étant, ce n'est pas dire qu'il constitue la *res naturae* en tant que *res naturae*, c'est dire qu'il lui confère une *ratio obiecti*. C'est grâce à l'activité de l'intellect possible que le monde contient des objets et non pas seulement des choses ou, si l'on préfère, qu'il contient des objets *in ratione obiecti* ; car c'est « seulement à l'occasion du connaître qu'un objet commence d'avoir effectivement la raison propre d'objet » [*De origine...*, 5, 26 ; Sturlese, p. 187, 220-221]. Pour Thierry, un « objet » est une quiddité ; plus littéralement : c'est la chose même « saisie dans la raison [= le "concept"] de sa quiddité » : « res

secundum rationem suae quiditatis» [*ibid.*, p. 187, 222]. La production de quiddités est, si l'on peut dire, l'activité propre de l'intellect
possible. Cette «production» consiste dans «une distinction et une
détermination» de la chose «selon les principes» propres de
l'intellect possible que sont les «parties de la forme» *(partes formae)*.
C'est cette appréhension spécifique *secundum talium principiorum
eius determinationem* qui distingue l'activité de l'intellect possible et
celle la *ratio particularis* ou *cogitativum*, puisque, autrement, «il n'y
aurait pas de différence entre l'intellect et la *virtus cogitativa*, tous
deux épurant le concept *(intentio)* des substances, de façon qu'elles
restent dénudées de toutes espèces d'images sensibles» [*De origine...*, *ibid.*, pp. 187, 26-188, 28]. On notera que dans le *De origine*,
Thierry appelle *cogitativa* ce qu'il nommait *cogitativum* dans le *De
visione beatifica*. C'est également le cas dans le *De substantiis
spiritualibus*. Cette variation correspond, semble-t-il à une complica-
tion de la typologie des genres de connaissance : là où le *De visione*
distinguait trois genres : la connaissance sensible, la connaissance
rationnelle, la connaissance intellectuelle, le *De origine* et le *De
substantiis* distinguent quatre genres : la connaissance sensitive, la
connaissance imaginaire, la connaissance intellectuelle, la connaissance par l'intellect agent. La doctrine n'en est pas moins la même :
la connaissance «intellectuelle» est la connaissance «selon les
principes intrinsèques» de la chose ; la connaissance de l'intellect
agent, «celle des principes de ces principes», qu'il s'agisse de «ce qui
appartient à l'essence de la chose en soi» ou de ce qui lui appartient
«dans sa conjonction formelle à l'homme, que l'on appelle intellect
acquis» [*De substantiis spiritualibus...*, 4, 8 ; Pagnoni-Sturlese,
p. 306, 112-114]. — or, on l'a vu, l'intellect «acquis» n'est rien
d'autre que l'intellect possible actualisé dans et comme intelligible
par l'intellect agent. *Cf.* sur ce point *De origine...*, 5, 8 ; p. 188,
229-231.
    111. *Cf. supra*, p. 69, note 85.
    112. *Cf.* B. Mojsisch, *Die Theorie des Intellekts...*, p. 53.
    113. *Cf.* B. Mojsisch, *ibid.*, p. 54. *Cf. De int.*, II, 31, 2-3 ;
p. 169, 71-75.
    114. *De int.*, II, 36, 3 ; pp. 174, 108-175, 115. «Réalité transsub-
jective» ne signifie pas «substance séparée» au sens d'Averroès. Sur
ce point Thierry est parfaitement clair : «Ce qu'Averroès dit [...] de
l'intellect agent, à savoir : que c'est une substance séparée, nous
l'avons réfuté plus haut entre autres choses, par un raisonnement tiré
de la propriété de la vie, qui veut que le vivant diffère du non-vivant
en ce qu'il a en lui-même le principe de son mouvement. Donc
puisque la vie suprême de l'homme est de vivre intellectuellement, il
n'est pas vraisemblable que le principe fondamental de cette vie,
l'intellect agent, ne soit pas approprié à chaque homme et qu'il ne lui

soit pas intrinsèque. Autrement, en effet, il ne serait pas plus vrai de dire d'un homme qu'il vit par l'opération de l'intellect agent en lui, que de le dire d'un mur coloré par un agent extérieur. » [*De int.*, III, 11 ; pp. 185, 91-186, 98]. *Cf.* pour ladite réfutation *De int.*, II, 7, 2 ; pp. 150, 49-151, 56.

    115. *De int.*, II, 36, 3 ; pp. 174, 106-175, 115.

    116. *Cf. supra,* p. 57.

# CHAPITRE VI

# MAÎTRE ECKHART

## L'HOMME

La vie de Maître Eckhart est bien connue[1]. C'est celle d'un maître en théologie et d'un spirituel authentique, que rien ne prédisposait particulièrement aux procès et aux réprobations diverses qui lui sont échues en partage, souvent par envie, parfois par prudence, toujours par incompréhension.

On peut en quelques dates fixer les grandes étapes de cette trajectoire malheureuse.

Né en Thuringe en 1260, entré chez les prêcheurs d'Erfurt en 1275, lecteur des *Sentences* à Paris en 1293-1294, Eckhart est, entre 1294 et 1298, prieur d'Erfurt et vicaire de Thuringe. Maître en théologie de l'université de Paris vers 1302, il est élu prieur provincial de Saxonie en 1303 (tâche qu'il assumera jusqu'en 1311). Maître régent, titulaire de la Chaire réservée aux dominicains étrangers durant l'année universitaire 1302-1303 — période durant laquelle il soutient plusieurs disputes connues aujourd'hui sous le nom de *Questions parisiennes* —, il retrouve Paris en 1311-1312 comme *magister actu regens* (honneur exceptionnel à l'époque, qui l'égale à un Thomas d'Aquin). Il y est semble-t-il encore en 1313 (période présumée des dernières *Questions parisiennes*). Entre-temps, il est devenu en 1307 vicaire du Général de l'Ordre, a fondé en 1309 et 1310 trois couvents à Braunschweig, Dortmund et Groningue, et a été élu prieur provincial de la Teutonie en 1310 (élection non confirmée).

Après 1313, il réside à Strasbourg, vicaire du Général de l'Ordre, chargé de la direction spirituelle des sœurs de Teutonie. C'est l'époque où il commence sa prédication en allemand.

Entre 1322 et 1325, au faîte de sa gloire, il reçoit la direction du *Studium generale* de Cologne, où il continue sa prédication.

C'est en 1325-1326 que les prémices de sa chute prochaine se font sentir. Le bruit court, dit-on, que son influence sur le peuple est pernicieuse. Visiteur apostolique de Teutonie, son confrère Nicolas de Strasbourg ouvre (sans enthousiasme) contre lui une action qui se termine par un non-lieu (Nicolas s'avérera, d'ailleurs à ses dépens, un de ses rares soutiens durant cette période difficile). En 1326, déçu du résultat, l'archevêque de Cologne, Henri II de Virnebourg, mû par des raisons politiques, entame contre lui un procès d'inquisition (irrité de la résistance de Nicolas de Strasbourg, il le cite également à comparaître).

Deux listes de propositions suspectes sont alors établies — l'une de quarante-neuf, l'autre de cinquante-neuf. Eckhart répond : c'est la *Verteidigungsschrift* [2].

Tout va alors très vite. Le 24 janvier 1327, Eckhart fait appel au pape devant le tribunal colonais. Le 13 février 1327, en l'église des dominicains de Cologne, il proteste de son innocence devant la foule des fidèles. Le 22 février 1327, son appel est rejeté par le tribunal. Il n'en part pas moins pour la curie, accompagné de trois confrères, dont son prieur provincial.

Le 27 mars 1329, l'affaire, qui a été effectivement portée devant la cour d'Avignon, est tranchée : le pape

Jean XXII condamne dix-sept propositions comme hérétiques et en déclare onze autres suspectes d'hérésie. C'est la bulle *In agro dominico* dont la publication est, toutefois, curieusement limitée au diocèse de Cologne.

Comme il l'avait annoncé dans sa protestation d'innocence, Eckhart s'était soumis d'avance à la décision du Siège. Il ne connaîtra cependant jamais sa condamnation, puisqu'il meurt avant le 30 avril 1328 (date d'une lettre du pape à l'archevêque de Cologne, qui donne clairement à entendre qu'il n'est plus).

Ainsi s'achève dans l'incertitude et les tourments la carrière d'un théologien de l'université de Paris, victime du premier procès doctrinal jamais intenté à un maître en théologie de l'ordre des Prêcheurs[3].

Il ne saurait être question de juger ici les juges. On peut toutefois éclairer de l'extérieur le procès lui-même et son issue.

L'intervention d'Henri II de Virnebourg s'explique à un premier niveau par la situation spirituelle de l'Allemagne au début du XIV^e siècle. On sait, en effet, que l'époque voit fleurir une pensée et une pratique spirituelle hétérodoxes chez les bégards et les béguines du Nord de l'Europe — toutes deux sanctionnées dès le concile de Vienne en 1311-1312. L'archevêque de Cologne, c'est incontestable, s'est lui-même engagé à fond dans la lutte contre l'hétérodoxie : c'est lui qui fait conduire au bûcher l'hérésiarque Gauthier de Hollande en 1322. Il n'est donc pas exclu que les milieux suspects d'hérésie aient essayé de se couvrir de l'autorité d'Eckhart pour se protéger. « Ainsi s'expliqueraient les innombrables apocryphes qui circulent sous le nom du Maître et les propositions, assurément fantaisistes, retenues par la commission inquisitoriale de Cologne, que l'accusé a toujours assuré n'être pas siennes[4]. »

L'autre raison de la disgrâce d'Eckhart est politique. Grand électeur du Saint-Empire, alors en lutte ouverte avec la papauté, l'archevêque de Cologne ne pouvait que porter un regard ombrageux sur les dominicains. Irrité de leur zèle et de leurs succès de prédicateurs, sans doute aussi lassé de leur privilège d'exemption à l'égard de la juridiction épiscopale, il est vraisemblable qu'Henri a cherché, grâce à l'Inquisition, à faire un exemple en frappant les Prêcheurs au sommet. N'oublions pas, après tout, que Nicolas de Strasbourg, visiteur apostolique de Teutonie, a lui-même été inquiété !

C'est cette conjonction malheureuse entre les matières du dogme et les affaires du pouvoir qui, semble-t-il, a pesé décisivement sur un homme que sa formation de théologien et sa ferveur de chrétien auraient dû normalement préserver d'un destin si funeste.

## L'ŒUVRE

Il serait vain de tenter de rassembler en quelques pages une pensée à la fois aussi complexe, et souvent si abrupte, que celle de maître Eckhart. De fait, si les monographies spécialisées fourmillent, peu de critiques ont risqué une véritable interprétation d'ensemble. On ne peut citer en ce domaine, que le *Maître Eckhart. Théologie négative et connaissance de Dieu* de V. Lossky[5] et plus récemment le *Meister Eckhart. Analogie, Univozität und Einheit* de B. Mojsisch[6].

Le problème des sources eckhartiennes paraît, en revanche, mieux maîtrisé, qu'il s'agisse d'Albert le Grand[7] ou de la mystique de l'être développée par Béatrice de Nazareth et surtout Hadewijch d'Anvers[8].

Notre propos sera donc ici simplement d'inscrire la spiritualité eckhartienne, ce que l'on a appelé d'une formule ambiguë son « mysticisme spéculatif », dans le courant porteur de la théologie rhénane. Maître en théologie de l'université de Paris, confrère de Thierry de Freiberg, disciple d'Albert et, de par son statut même d'enseignant dominicain, lecteur du manuel d'Hugues de Strasbourg, Eckhart est, en effet, à bien des égards, venu accomplir les promesses d'unification et d'élévation du savoir théologique en une sagesse véritable qui avaient pu lever dans la génération des tous premiers élèves d'Albert, à la fois férus d'Avicenne, d'Augustin et de Denys.

## MYSTIQUE OU SCOLASTIQUE : UNE FAUSSE ALTERNATIVE

On a accoutumé de distinguer deux pans de l'œuvre eckhartienne : l'œuvre latine et l'œuvre allemande, l'une théologique et scolastique, l'autre mystique ou spirituelle. Cette opposition commode n'a guère de fondement. Ce n'est qu'une grille de lecture imposée par la modernité à un milieu de culture qui ne percevait pas cette dichotomie. Il est de fait que la spiritualité rhéno-flamande a sa propre tradition, celle de ce que les historiens allemands ont appelé la *Nonnemmystik*. Cette tradition qui culmine dans les écrits d'Hadewijch d'Anvers et de Béatrice de Nazareth se rattache, c'est incontestable, aux Pères grecs et à Augustin « par l'intermédiaire de saint Bernard, des Victorins et de Guillaume de Saint-Thierry »[9]. Mais, il est non moins clair que ceux que nous avons appelés les théologiens rhénans ont puisé aux mêmes sources. En fait, et pour parler net, l'opposition classique de la mystique nuptiale issue de la tradition de Bernard de Clairvaux et de la mystique de l'Essence issue de la tradition dionysienne, n'a pas plus cours chez les moniales que chez les théologiens rhénans. Si l'on préfère : il y a autant d'ontologie chez Hadewijch et ses consœurs qu'il y a de spirituel chez Albert et ses disciples.

L'œuvre latine d'Eckhart est celle d'un théologien

mystique — entendons non seulement celle d'un théologien et d'un spirituel, ce qui va de soi, mais encore, et surtout, celle d'un théologien de l'union (sponsale ou nuptiale) *et* de l'unité (de style néoplatonicien) — c'est-à-dire, selon l'expression héritée de Denys, de la « connaissance selon l'union ».

Eckhart est véritablement l'héritier de la tradition ouverte par Albert le Grand. C'est un Prêcheur qui a vécu des mêmes textes et des mêmes expériences que nombre de ses confrères. En lui, comme en Thierry de Freiberg, le *Lesemeister* et le *Lebemeister* sont inséparables. C'est non seulement le même homme qui commente la Bible pour ses étudiants, qui assume la direction spirituelle de ses consœurs et qui prêche en langue vulgaire, mais aussi la même pensée et la même quête qui s'expriment ici et là avec des moyens adaptés aux circonstances. Il y a donc autant de théologie dans les sermons allemands d'Eckhart que de spiritualité dans ses commentaires latins.

Au vrai, le Maître a voulu manifester l'unité profonde de ses démarches en concevant le projet d'un *Œuvre tripartite* où seraient assemblées une axiomatisation du savoir théologique — l'*Œuvre des propositions* (tentative, on l'a vu, déjà bien avancée par Ulrich de Strasbourg sur le modèle du *Livre des causes*) —, une lecture serrée et méditative de l'Écriture — l'*Œuvre des expositions* —, une recherche pratique du sens de la foi dans la discussion universitaire — *Œuvre des questions* — et dans la prédication religieuse — *Œuvre des sermons*, sous-ensemble de l'*Œuvre des questions* [10].

Il va de soi qu'on peut toujours distinguer entre les sermons latins, simples notes préparatoires, et les sermons allemands, reportés par les auditeurs eux-mêmes, ou suggérer que seuls les sermons latins auraient eu dans l'esprit d'Eckhart leur place dans un *Œuvre tripartite* manifestement conçu pour régler, distribuer et articuler une pratique de théologien scolastique latin. La distinction des langues — ici le latin, là le moyen haut-allemand —, celle des publics — ici les étudiants, là les religieuses, voire un « public plus vaste » [11] — doivent-elles nécessairement entamer à nos yeux l'idée qu'a pu avoir Eckhart de l'unité de sa pensée ? Doivent-elles nécessairement faire passer une coupure dans une œuvre dont tout atteste, en réalité, la cohérence et la fixité de l'intention ?

Les sermons latins ne sont après tout que « notes rédigées en vue des sermons allemands ou des sermons universitaires » [12] et rien ne les différencie en profondeur de la prédication en langue vulgaire, sinon l'état dans lequel ils nous sont parvenus. Tous ces textes ont une même finalité : dire « le projet de l'union avec Dieu » [13]. Mais s'agit-il d'autre chose dans un commentaire de la Bible ou dans la discussion d'une proposition comme « l'Être est Dieu » ?

Pour nous, la réponse est claire : En tant qu'héritier d'Albert, en tant que théologien rhénan, Eckhart est à la fois « un spirituel et un savant » [14].

Ayant étudié en elles-mêmes certaines des thèses les plus spirituelles de l'œuvre savante : ici, la métaphysique de l'analogie [15], là, la métaphysique du Verbe qui la complète et la réalise [16], c'est le savant dans le spirituel que nous voulons aborder maintenant pour montrer, autant que possible, que la « parole allemande du Thuringien » porte une expérience des « réalités théologiques » [17] dans un langage spirituel, qui, malgré ses éclairs et ses éclats, reste foncièrement homogène à un savoir qui est aussi en lui-même une sagesse.

C'est donc la continuité de la pensée d'Eckhart que nous tenterons ici de dégager dans notre lecture de l'œuvre allemande, continuité avec l'œuvre de ses prédécesseurs ou de ses contemporains théologiens, continuité de la métaphysique et de la théologie, de la théologie et de la mystique, continuité de l'expérience et expérience de la continuité, qui restent à nos yeux la marque spécifique de la sagesse chrétienne dans l'école d'Albert.

### *Vision bienheureuse et théologie du « Je »*

La *Pr.* 45 expose les « six caractéristiques » que doit posséder l'âme pour avoir cette « noblesse » qui permet à la connaissance naturelle de « toucher ou saisir Dieu » :
— Être « mort à toute dissimilitude » ;
— Être « purifié dans la lumière et dans la grâce » ;
— Avoir « dépassé les intermédiaires » ;
— Écouter « la parole de Dieu au plus intime de soi » ;
— S'incliner « sous la lumière divine » ;
— Vivre « selon la puissance supérieure de l'âme »[18].
Ces six caractéristiques explicitent les « quatre facteurs dont dépend la béatitude » :
— « Avoir tout ce qui a l'Être, qu'il est plaisant de désirer et qui apporte une joie » ;
— Le posséder « absolument, sans partage et de toute son âme » ;
— Le prendre « en Dieu, dans le plus pur et le plus élevé, dépouillé, sans voile, dans la première émanation et le Fond de l'Être » ;
— Le prendre « où Dieu lui-même le prend »[19].
Tournée, c'est-à-dire convertie, sous la lumière de Dieu[20], préparée, purifiée, portée en haut[21] par la grâce, l'âme doit donc prendre sa béatitude « là où le Fils lui-même la prend dans la première émanation »[22]. Ce « là » est ce que Dieu lui-même « a de plus élevé », la « source dont le Fils reçoit »[23], le lieu où le Fils lui-même a sa « béatitude à lui »[24]. Ce lieu qu'Eckhart appelle ici le « Fond » est le lieu même où « le Fils a son être »[25].
Autrement dit : la béatitude réside dans l'être de Dieu. Être bienheureux, c'est être uni à Dieu dans l'Être divin lui-même. Cette affirmation ontologiste donne la mesure de l'augustinisme d'Eckhart, mais, en même

temps, elle révèle l'indissociabilité de la théologie de l'Être et de la théorie de l'illumination de l'intellect par la grâce, l'indissociabilité de l'ontologie et de la noétique.

C'est cette inséparabilité qui fait qu'il n'y a pas lieu de distinguer chez Eckhart entre une théologie et une mystique, entre le scolastique et le spirituel. L'union de l'âme à Dieu est une union dans l'Être-Un, une union extatique, mais dans une extase qui ne place pas simplement l'âme hors d'elle-même pour la cacher en un Dieu lui-même excentré. Union donc, mais là même où Dieu prend sa source, en cette place sans emplacement qui, comme le rappelle la *Pr.* 28, n'est «ni dans le monde, ni hors du monde», «ni dans le temps, ni dans l'éternité», qui n'a «ni extérieur, ni intérieur», qui est Fond pur et simple. C'est *à partir* de ce Fond, autrement dit, à en sortir, que Dieu «le Père éternel diffuse la plénitude et l'abîme de toute sa Déité», c'est *à partir* de ce Fond «qu'il engendre cette plénitude dans son Fils unique», Image parfaite du Père, «pour que nous soyons le même Fils» : «Et engendrer est pour lui demeurer en lui-même et demeurer en lui-même est engendrer hors de lui-même [26]. »

C'est ce Fond infondé, ce lieu incirconscriptible, que Maître Eckhart va ici appeler l'«Un», ailleurs le «Je», voire les deux à la fois, comme dans la *Pr.* 28 : «Tout demeure l'"Un" qui jaillit en lui-même. *"Ego"*, le mot "Je" n'appartient en propre à personne sinon à Dieu seul dans son unité [27]. »

«Je», «Ich», est indissociablement le nom de l'ipséité divine («*Solus ipse...*») et la marque de son solipsisme ontologique («... est») : «*Solus ipse est*» — lui seul *est* (il est le seul à être), est *lui seul* (il n'y a d'être que lui, que de lui, qu'en lui). Autrement dit : Dieu est seul, en dehors de lui il n'y a rien. La solitude de Dieu est une solitude ontologique, une solitude première, originaire, indicible, impensée et radicalement impensable. C'est la solitude de la Déité qui surplombe en elle-même la société des Personnes : Dieu le Père, Dieu le Fils, Dieu l'Esprit. Dieu le Père n'est pas seul, il est à lui-même dans la personne du Fils, il est pour lui-même dans la « réflexion de l'amour et de l'ardeur »[28], dans le retour de l'Esprit.

La signification du « Je » n'est donc pas personnelle, mais essentielle, elle n'ouvre pas sur une psychologie de l'être et de l'union, mais sur une ontologie de l'ipséité et de l'être-lui : « "Je", cela signifie d'abord que Dieu est son être-lui, que seul Dieu est, car toutes choses sont en Dieu et par lui ; hors de lui, et sans lui, rien n'est en vérité, toutes les créatures sont chose piteuse et pur néant par rapport à Dieu. C'est pourquoi, ce qu'elles sont en vérité, elles le sont en Dieu, donc Dieu seul est, en vérité. Et ainsi le mot "Je" désigne l'être-Lui de la vérité divine, car c'est l'attestation d'un Il-est. C'est la preuve que seul Il est[29]. »

En formulant sa théorie du « Je » comme théorie de l'être et plus encore de l'être-Lui, Eckhart, fidèle en cela à l'inspiration la plus constante de la théologie rhénane, réunifie la métaphysique de l'Exode et la métaphysique de la conversion : il accomplit l'intention de toute l'école colonaise qui, d'Albert à Ulrich et d'Ulrich à Thierry, n'a cessé d'approfondir la théologie traditionnelle du Dieu-Être en une théologie de *l'être*-Dieu, le désir ou la nostalgie de l'Être en un désir et une nostalgie d'*être*-Lui, la philosophie de l'*esse* en une philosophie de *l'id ipsum esse*[30].

Marque du lieu de l'union, « Je » est donc aussi le nom de l'unité ontologique de Dieu avec tout ce qui est Lui. C'est le nom de l'insondable et inscrutable intériorité de l'être qui, on l'a dit, n'a elle-même « ni extérieur, ni intérieur », puisque, étant elle-même l'Être, elle est littéralement l'intérieur de tout ce qui est.

Eckhart retrouve ainsi, après Ulrich et Thierry, l'espace augustinien de l'*intimior intimo meo*. Mais ce

« Je » impersonnel ne désigne pas seulement l'inapparente intériorité enclose en chaque être. Elle ne signifie pas non plus seulement que pour chaque « moi », « Je » ne peut apparaître que de l'extérieur, ou plutôt à l'extérieur, comme tantôt chez Thierry la *mens* ou l'intellect agent dans la cogitative ou intellect possible. Certes, Eckhart n'ignore pas cette dimension précise de l'intériorité, comme en témoigne à nouveau la *Pr.* 77 : « *"Je"* [...] veut dire qu'il n'existe pas de séparation entre Dieu et toutes choses, car Dieu est en toutes choses ; il leur est plus intime qu'elles ne le sont à elles-mêmes [31]. » Simplement « Je » signifie avant tout pour lui cet espace qui est plus intérieur à Dieu qu'il ne l'est à lui-même, quand l'Un apparu dans le suppôt du Père est mis en Image dans le Verbe éternel. Autrement dit : en tant que nom de l'être-Lui-même, « Je » désigne « la pureté nue de l'être de Dieu qu'il est en lui-même [32] ».

« Je » est donc pour l'homme la désignation de ce vers quoi il doit aller, non seulement « en se dépouillant » lui-même de tout, mais encore, en dépouillant Dieu de tous les voiles qui le recouvrent : devenir « Je » dans l'être-Lui, est le seul véritable but de la conversion : « Tu dois totalement échapper à ton être-toi et te fondre dans son être-Lui et ton être-toi et son être-Lui doivent devenir si totalement un "mien" que tu comprennes éternellement avec Lui son être originaire incréé et son néant innommé [33]. »

Cette conversion, cette double conversion, qui reprend en un sens nouveau le double mouvement extatique de Dieu vers l'âme et de l'âme vers Dieu chez Denys, est une conversion à l'intériorité transpersonnelle de l'être : « Dieu doit absolument devenir moi, et moi absolument devenir Dieu, si totalement un que ce "lui" et que ce "moi" deviennent un "est", et opèrent éternellement une seule œuvre dans l'être-Lui [34]. »

Le parcours de la conversion contient de multiples étapes, de nombreuses conditions ou caractéristiques.

L'étape ultime, le terme véritablement final de la béatitude peut être recherché de bien des manières. Cette poursuite multiple peut être menée de toutes parts. La nature du terme en tant que tel reste essentiellement fixée : c'est ce qu'Eckhart appelle le « Je ».

Selon la nature de la quête, ce « Je » va revêtir des appellations différentes, parfois contradictoires en apparence : ici « l'abîme de la Déité », là « l'Être », là « le Fond », là encore — et surtout — « le Néant ». De même, les instances de la quête seront constamment déplacées : ici la volonté, là l'intellect, ici l'agir, là encore le pâtir. Cette disparité n'est pas le signe d'une évolution, mais l'espace de jeu de la quête.

## La théologie de l'Image et les trois morts de l'esprit

Eckhart, qui ne les a pas connues, aurait pu faire siennes les affirmations d'Evagre le Pontique selon lesquelles « c'est en soi-même qu'on voit le lieu de Dieu »[35], en « s'élevant au-dessus de toutes les pensées ».

En effet, l'élévation de l'âme, but de la théologie, est en même temps pour lui consommation de la théologie : la théologie de l'Être, celle de l'Intellect, celle de l'agir et celle du pâtir sont « dépassées » dans une histoire de l'âme qui, selon la belle formule de Lossky, « se voit obligée de rejeter successivement tout ce qui peut être trouvé et nommé, en niant finalement la recherche même, pour autant qu'elle implique encore l'idée de ce qui est cherché[36]. » L'axe de la quête eckhartienne n'en est pas moins profondément inscrit dans la tradition de la théologie chrétienne issue d'Origène et de Grégoire de Nysse.

Si le terme de la quête est la contemplation de Dieu « dans le plus pur et le plus élevé », et quelle que soit la définition de ce lieu, la théologie eckhartienne ne se consume pas dans l'Un sans s'accomplir en même temps à tous les niveaux de la spiritualité chrétienne. De fait, si la vision bienheureuse est une absorption dans l'essence divine, ce qui la rend possible reste pour Eckhart, comme pour Origène, l'image de Dieu « semée en notre nature » qui devient par la grâce une véritable assimilation. Bien plus, la mystique eckhartienne de l'essence reste aussi pour lui, comme pour Grégoire, fondée sur une théologie de la « restauration de l'image divine en l'âme » : si Dieu est « vu », il n'est et ne peut être vu que dans le miroir de l'âme à travers ou par son image. Cependant, la vision eckhartienne tend d'elle-même à se résorber dans l'être.

En effet, dans la vision spéculaire de l'Image, l'âme n'est plus rien que l'effet du Fond.

Si, comme le proclament les sermons allemands, le savoir se consomme dans le non-savoir, c'est que, plus profondément, le voir lui-même se consomme dans l'être.

C'est en ce sens que la « mystique » eckhartienne est ontologique et non psychologique ou, *a fortiori*, affective. Elle n'est à aucun niveau ancrée dans une théorie du « sujet ».

En devenant totalement Image, l'homme ne « saisit » pas plus la Déité elle-même qu'il ne contemple en elle-même l'essence divine : simplement, il est l'effet de l'essence, il est l'Image divine, il est à la fois retenu dans l'être et dans le néant de l'Image en tant qu'Image.

Devenue Image, l'âme n'a plus rien à voir, elle n'est plus le sujet d'un voir, elle n'a plus d'objet de vision, elle n'a plus même la possibilité de se voir. En d'autres mots : elle n'est plus réfléchie sur elle-même, car elle est devenue le reflet de Lui-même, un reflet qui ne peut plus rien refléter pour elle, puisque c'est elle-même qui est le reflet.

A l'état de reflet, l'âme n'a plus à voir, mais à être, elle n'a plus à agir, mais à pâtir. Eckhart reprend donc les affirmations du *Compendium theologicae veritatis* : la béatitude suppose une préparation à la grâce qui soit en même temps une préparation par la grâce, elle est à la fois connaissance de son propre état et vision de la Sainte Trinité par la restauration de l'Image, mais elle est ultimement une union ontologique à Dieu dans l'être et le néant de son Image [37].

L'âme qui s'accomplit comme vision spéculaire s'anéantit comme vision réfléchie. Quand l'Image se découvre comme Image, l'âme ne vit plus de sa propre vie, elle est tout entière cachée dans son être-Image, dans son être-l'Image, elle est tout entière absorbée en Lui-même, elle est parvenue à la ressemblance véritable, c'est-à-dire à l'identité de *Lui*-même avec Lui-*même*. C'est ce cycle de l'absorption identitaire que décrit un sermon d'attribution douteuse, publié sous le titre : « Comment l'âme suit sa propre voie et se trouve elle-même [38]. »

Le thème du sermon est « Comment l'âme doit perdre sa propre essence » [39]. Il offre un point de comparaison intéressant avec les six caractéristiques de la *Pr.* 45, en ce qu'il mentionne à son tour les conditions nécessaires, non plus à la « saisie » de Dieu, mais à l'union véritable.

La première est « la mort de l'esprit » : il faut que « l'âme renonce à ce qu'elle est », « qu'elle se renonce elle-même et qu'elle renonce au monde entier », « qu'elle ne fasse pas plus de cas d'elle-même et de toutes choses qu'au temps où elle n'était pas encore ». Ce renoncement à soi est en même temps présenté comme un renoncement à Dieu. L'âme qui se perd perd Dieu. C'est là « la première sortie », celle qui réalise « le dessein bien arrêté de Dieu » qui est de « s'anéantir lui-même dans l'âme, afin que l'âme se perde elle-même » [40].

Cette double perte, qui libère Dieu de l'âme en même temps qu'elle libère l'âme de Dieu, fait que le destin de l'âme n'est pas de s'abandonner à Dieu pour s'affranchir d'elle-même, mais bien plutôt de s'affranchir de Lui pour « l'abandonner à Lui-même »[41].

La seconde condition précise le sens ontologique de la vision spéculaire chez Eckhart. L'âme ne doit pas seulement se perdre elle-même, elle doit aussi « perdre le Fils »[42], c'est-à-dire « se perdre dans son archétype éternel », « perdre cette égalité de Dieu qu'elle possède dans l'archétype éternel »[43] ou encore, selon une formule inspirée de Denys, se perdre « dans le néant même de son archétype ».

Cette seconde mort de l'esprit qui le fait sortir de son essence incréée, tout comme il était auparavant sorti de son essence créée, est clairement un dépassement de la vision en tant que vision[44]. Se perdre dans le néant de son archétype, c'est se perdre là où Dieu s'exprime comme tel, là où il se dit, c'est perdre la relation spéculaire elle-même qui différencie l'image du modèle autant qu'elle les unit. C'est perdre cette relation en tant qu'elle relie l'âme à elle-même dans son essence incréée.

Cette mort est donc bien une mort, non pas même de l'âme en tant que sujet du voir, mais bien en tant que lieu du visible.

S'anéantir dans le Verbe de la Sagesse du Père, c'est s'anéantir soi-même dans l'être de l'Image. S'anéantir comme archétype, c'est se constituer dans l'être-Image du Verbe, en laissant être l'Image librement. Cette liberté est double, au sens où l'Image n'est plus le trésor des archétypes ni le reflet de quoi que ce soit pour l'âme. Comme Eckhart aime à le répéter, et comme nous le verrons plus bas : il n'y a pas d'image de l'Image.

Dans le néant de l'union, l'âme ne connaît plus le Verbe comme modèle de toutes choses, comme son propre modèle, ni comme image de Dieu. La vision spéculaire ne peut s'accomplir qu'en supprimant la vision de Dieu. C'est pourquoi la deuxième mort de l'esprit est suivie d'une troisième mort dans laquelle l'âme perd jusqu'à « la nature divine primitive qui se manifeste dans le Père comme opérative » [45].

Cette mort suprême est caractérisée comme « la mort et l'ensevelissement de l'esprit dans la Déité », dans cette Déité qui « ne vit pour personne » sinon pour elle-même. La troisième mort est donc véritablement une « mort divine » [46] : ce n'est que quand l'âme « est noyée dans l'océan sans fond de la Déité » [47] qu'elle a véritablement « laissé Dieu pour Dieu » et n'a plus de Dieu, qu'elle a enfin absolument « dépassé toutes les pensées ».

Que le lieu de cette absorption soit ici appelé la « Déité », ailleurs le « Néant », l'« Un » ou le « Je », ne change donc rien à l'orientation fondamentalement de la théologie eckhartienne : l'âme doit devenir entièrement l'Image pour se perdre entièrement dans le Fond. Elle doit absolument se perdre elle-même dans toute l'amplitude de ses essences créées et incréées, pour se perdre absolument en Lui-même.

Une telle âme est celle de celui qu'Eckhart appelle après Albert un « homme pauvre ».

Pour Albert, l'homme « pauvre » est celui qui « ne peut se contenter de toutes les choses créées par Dieu » [48], autrement dit : celui qui, dans la terminologie de notre apocryphe, veut « sortir de son essence créée » et de toute espèce d'essence créée.

Dans la *Pr.* 52, Eckhart annonce qu'il va « parler encore mieux et considérer la pauvreté selon une signification plus haute » [49].

Cette considération tient en une formule : « Est un homme pauvre celui qui ne veut rien, et qui ne sait rien, et qui n'a rien [50]. »

L'homme pauvre ne veut rien — cela signifie qu'il ne veut pas même « Dieu ». Celui que nous appelons « Dieu » est toujours contemplé dans notre essence créée. Tel quel, il n'est pas l'Être qui est (en) Lui-même. Notre conception de son être en fait un autre, un toi, et non pas un mien. Autrement dit : *Celui qui est*, le Dieu de l'Exode, est, pour Eckhart comme pour tous ses confrères rhénans, celui qui est l'être-Lui-même, en un mot « Je ».

Le véritable sens de l'énoncé fait à Moïse : « Je suis celui qui suis », ne se peut donc découvrir qu'à l'homme pauvre, celui qui n'a pas de Dieu, car il s'est dépouillé de son être créaturel, s'est rendu libre de lui-même et de Dieu et a ainsi libéré Dieu pour Dieu.

C'est cet « Être-Un » qui de toute éternité surplombe la Création, les créatures et la diffusion de l'Être dans la multiplicité de ses effets créés. C'est ce « Être-Un » qui doit devenir un « mien ».

L'homme pauvre est ainsi celui qui recouvre l'être du « Je » en se dépouillant de tout être personnel — à quoi répond le désir de « Dieu » lui-même qui est que l'âme le perde comme « Dieu » afin qu'il puisse « rester en Lui-même ce qu'il est » [51].

Le sens véritable d'*Ex.* 3, 14 se prend donc au passé, avant la création. Il ne se découvre qu'à celui qui s'efforce d'être « au temps où il n'était pas encore » [52] et il lui parle d'un Être qui lui-même veut être au temps où il n'était pas encore « Dieu » : « Lorsque *j*'étais dans ma Cause première, *je* n'avais pas de Dieu et *j*'étais cause de moi-même ; alors, *je* ne voulais rien, *je* ne désirais rien, car *j*'étais un être libre, *je* me connaissais moi-même, jouissant de la vérité. *Je* me voulais moi-même et ne voulais rien d'autre ; ce que *je* voulais, *je* l'étais, et ce que *j*'étais, *je* le voulais, et là *j*'étais dépris de Dieu et de toutes choses, mais lorsque, par ma libre volonté, *je* sortis et reçus mon être créé, *j*'eus un Dieu, car avant que fussent les créatures, Dieu n'était pas "Dieu", mais *il était ce qu'il était*. Mais lorsque furent les créatures et qu'elles reçurent leur être créé, Dieu n'était pas "Dieu" en lui-même, il était "Dieu" dans les créatures [53]. »

L'ignorance à laquelle atteint l'homme pauvre « qui ne sait rien » est donc redoublée en elle-même : elle

porte aussi bien sur lui-même que sur Dieu. Elle est celle
d'un homme qui n'a plus de « Dieu » parce que sa
pauvreté d'esprit est telle qu'il a cessé d'être un « moi »
et que, là où il est, il n'a même pas à conserver le
souvenir de cette double et mutuelle déprise : `« Nous
avons dit parfois que l'homme devrait vivre comme s'il
ne vivait ni pour lui-même, ni pour la Vérité, ni pour
Dieu. Mais maintenant nous parlons différemment et
nous irons plus loin en disant que l'homme qui doit avoir
cette pauvreté doit vivre de telle sorte qu'il ignore même
qu'il ne vit ni pour lui-même, ni pour la Vérité, ni pour
Dieu ; bien plus, il doit être tellement dépris de tout
savoir qu'il ne sait, ni ne reconnaît, ni ne ressent que
Dieu vit en lui ; plus encore, il doit être dépris de toute
connaissance vivant en lui, car lorsque l'homme se tenait
dans l'être éternel de Dieu, rien d'autre ne vivait en lui
et ce qui vivait là, c'était lui-même. Nous disons donc
que l'homme doit être aussi dépris de son propre savoir
qu'il l'était lorsqu'il n'était pas [54]. »

L'homme pauvre est donc présenté dans la *Pr.* 52
comme dans l'apocryphe : c'est un homme qui est à la
fois libéré de toutes les créatures et de Dieu lui-même [55].
Toutefois, Eckhart ajoute ici une précision concernant
l'absorption de l'âme dans la Déité. Cette absorption est
« la plus extrême pauvreté » [56], elle suppose une mort
totale de l'esprit, ce que l'apocryphe appelait la
« troisième mort ». Cette mort est atteinte quand Dieu
ne peut plus vivre d'aucune façon dans l'âme, quand
l'âme s'est à ce point déprise d'elle-même et de Dieu
qu'il n'y a littéralement plus en elle la moindre place
pour Lui. La mort totale de l'esprit est donc l'exclusion
totale de « Dieu ».

Ici Eckhart inverse brutalement les données de la
tradition comme celle d'une partie de son
enseignement : la contemplation peut certes trouver en
elle-même le lieu de Dieu, l'union, non. Dans l'union,
c'est Dieu lui-même qui trouve en lui-même le lieu de

son opération sur l'âme. Autrement dit : *c'est en Dieu lui-même que l'âme de l'homme pauvre pâtit Dieu.* Telle est la condition que la *Pr.* 47 assignait déjà à l'âme étreinte par Dieu : « Comment l'âme peut-elle supporter sans mourir que Dieu l'étreigne en Lui ? Je dis : tout ce que Dieu lui donne, il le lui donne en Lui pour deux raisons. Voici l'une : s'il lui donnait quoi que ce soit en dehors de Lui, elle le dédaignerait. Voici l'autre raison : parce qu'il le lui donne en Lui-même, elle peut le recevoir et le supporter en Lui, et non pas en elle, car ce qui est à Lui est à elle. L'ayant soustraite à elle-même, il faut que ce qui est à Lui soit à elle, et que ce qui est à elle soit véritablement à Lui. Ainsi, elle peut supporter l'union à Dieu [57]. »

Telle est la condition que reprend la *Pr.* 52. L'homme pauvre est celui qui s'est tellement libéré en lui-même de Dieu qu'il peut désormais être Dieu en Dieu et ainsi recouvrer son être originel, celui qui était le sien quand il n'était pas encore : « J'ai dit souvent, et de grands maîtres l'ont dit aussi, que l'homme doit être libéré de toutes choses et de toutes œuvres, intérieures et extérieures, de telle sorte qu'il puisse être un lieu propre de Dieu où Dieu puisse opérer. Maintenant, nous parlons différemment. Si l'homme est libéré de toutes les créatures et de Dieu et de lui-même, mais s'il est encore tel que Dieu trouve en lui un lieu où opérer, nous disons : Tout le temps qu'il en est ainsi en cet homme, cet homme n'est pas pauvre de la plus extrême pauvreté. Car dans ses opérations, Dieu ne vise pas un lieu dans l'homme où il puisse opérer : la pauvreté en esprit, c'est que l'homme soit tellement libéré de Dieu et de toutes ses œuvres que Dieu, s'il veut opérer dans l'âme, soit lui-même le lieu où il veut opérer, et cela, il le fait volontiers. Car lorsqu'il trouve l'homme aussi pauvre, Dieu opère sa propre œuvre et l'homme pâtit ainsi Dieu en Lui, et Dieu est le lieu propre de ses opérations, du fait que Dieu opère en Lui-même. Ici, dans cette pauvreté, l'homme retrouve l'Être éternel qu'il a été, qu'il est maintenant et qu'il demeurera à jamais [58]. »

La pauvreté de l'homme pauvre est donc cela même que vise la « percée » libératrice. L'homme véritablement pauvre est celui qui s'est libéré de tout en une impulsion qui le rend capable de recevoir en dehors de « soi » son propre être originel, impulsion, percée, qui annule et retourne le geste de l'émanation : « Un grand maître dit que sa percée est plus noble que sa diffusion, et c'est vrai. Lorsque je fluai de Dieu, toutes choses dirent : "Dieu est", et cela ne peut pas me rendre heureux, car par là je me reconnais créature. Mais dans la percée où je suis libéré de ma propre volonté et de la volonté de Dieu et de toutes ses œuvres et de Dieu lui-même, je suis au-dessus de toutes les créatures et ne suis ni "Dieu", ni créature, mais *je suis* plutôt *ce que j'étais* et ce que je dois rester maintenant et à jamais. Là je reçois une impulsion qui doit m'emporter au-dessus de tous les anges. Dans cette impulsion, je reçois une richesse telle que Dieu ne peut pas me suffire selon tout ce qu'il est "Dieu" et selon toutes ses œuvres divines. En effet, le don que je reçois dans cette percée, fait que moi et Dieu nous sommes un. Alors *je suis ce que j'étais* et, là, je ne grandis ni ne diminue, car je suis là un moteur immobile qui meut toutes choses. Alors Dieu ne trouve pas de lieu dans l'homme, car par cette pauvreté, l'homme acquiert ce qu'il a été éternellement et ce qu'il demeurera à jamais. Alors Dieu est Un avec l'esprit, et c'est là suprême pauvreté que l'on puisse trouver [59]. »

## L'ÉTINCELLE DE L'ÂME ET LA DOCTRINE DE L'INTELLECT

Le thème principal de la prédication allemande d'Eckhart tient en une question : comment et où l'homme doit-il vivre en lui-même pour redevenir l'Image et ainsi se perdre dans la Déité?

A cette question, Eckhart répond simplement. Où? Dans « la petite étincelle », « le château », « le quelque chose dans l'âme », « la tête de l'âme » qui « n'a rien de commun avec quoi que ce soit » et où Dieu vit seul. Comment? En élevant cette « puissance supérieure de l'âme », cette « tête » sous « le rayon de la lumière divine » pour que, comblée sous l'action de la grâce par l'Esprit du Seigneur, brille en elle l'Image et qu'ainsi « Dieu l'étreigne en lui-même »[60]. Dans ces deux réponses, Eckhart se montre fidèle à l'inspiration directrice de la théologie rhénane : l'inscription de la théologie de l'union bienheureuse dans une certaine théorie de l'intellect fondée sur la distinction de l'essence et des puissances de l'âme.

### La syndérèse, le Fond de l'âme et l'union hypostatique

La théorie de « l'étincelle de l'âme » *(vünkelin)* est la version eckhartienne de la théorie de la syndérèse exposée par Albert le Grand et Hugues de Strasbourg. Cependant, elle prend chez lui une amplitude extraordinaire, car elle ne s'arrête pas comme chez Hugues à la simple poursuite du Bien, mais seulement, comme on l'a déjà dit, à l'absorption de l'âme dans « l'océan sans fond de la Déité ».

H. Hof a bien souligné cet aspect en montrant que la *scintilla animae* désignait tantôt le lieu de la naissance de Dieu en l'âme, tantôt l'intellect en tant qu'intellect *(intellectus in quantum intellectus)*, tantôt l'essence de l'âme *(essentia animae)*.

Il va de soi que la notion de syndérèse ou celles de *scintilla conscientiae* ou de *scintilla rationis*, qui l'ont précédée dans la littérature scolastique, ne pouvaient ici fournir à Eckhart un point d'appui très solide. Puissance habituelle *(potentia habitualis)* de la « rectitude », la syndérèse était encore une faculté de la volonté pour la majeure partie de ses contemporains. Et même chez Thomas d'Aquin, qui la plaçait dans la *ratio practica*, elle restait d'un rang très inférieur à celui de la *ratio superior* [61]. L'innovation eckhartienne est donc considérable.

La *Pr.* 48 fixe bien cet aspect en une page qui constitue le parallèle exact du sermon apocryphe que nous avons précédemment étudié.

En bref : l'étincelle de l'âme est le lieu d'une union dans l'être qui ne concerne aucune de ses essences créées — elle y « refuse toutes les créatures » — ou incréées — elle y refuse pour elle-même toute distinction des Personnes, que ce soit dans la vision de son archétype dans le Verbe ou dans le relevé de la puissance opérative du Père. L'étincelle veut à la fois le désert de l'union et l'union dans le désert, elle veut le silence de l'intérieur et l'intérieur du silence. Elle veut l'infériorité ineffable et impassible du Fond : « Je dis donc : quand l'homme se détourne de lui-même et de toutes choses créées — autant tu agis ainsi, autant tu es uni et bienheureux en l'étincelle dans l'âme qui ne touche jamais ni le temps ni l'espace. Cette étincelle refuse toutes les créatures et ne veut que Dieu dans sa nudité, tel qu'il est en lui-même. Ne lui suffit ni le Père, ni le Fils, ni l'Esprit saint, ni les trois Personnes dans la mesure où chacune d'elles demeure dans sa particularité. Je dis en vérité qu'à cette lumière ne suffit pas l'unicité de la nature divine en tant que féconde. Je dirai davantage qui rendra un son plus étrange encore ; je le dis en bonne vérité et en éternelle vérité et en perdurable vérité : à cette même lumière ne suffit même pas l'Être divin simple et impassible qui ne donne ni ne reçoit ; elle veut savoir d'où vient cet Être ; elle veut pénétrer dans le Fond simple, dans le désert silencieux où jamais distinction n'a jeté un regard, ni Père, ni Fils, ni Esprit saint, le plus intime où nul n'est chez soi. C'est là seulement que cette lumière trouve satisfaction et là, elle est plus intimement qu'elle n'est en elle-même, car ce Fond est un silence simple, immobile en lui-même, et par cette immobilité, toutes choses sont mues, et sont conçues toutes les vies que les vivants doués d'intellect sont en eux-mêmes [62]. »

Le trajet de l'âme selon Eckhart peut donc être décrit comme un emportement vers l'Un, au-delà de la distinction des Personnes. C'est toute la difficulté de sa théologie : la contemplation de la Sainte Trinité s'accomplit pour lui spontanément en une union dans l'Être-Un. Ce n'est pas qu'ainsi il « réalise » l'essence divine en dehors des Personnes. Bien au contraire : Ce qu'il désigne est l'union inscrutable et indicible des Personnes dans le Fond même d'où elles résultent et ce Fond n'est autre que leur être, l'être du Dieu « Un » en Trois. Théologie de l'Image et mystique trinitaire se dépassent donc d'elles-mêmes en une théorie de l'union de l'Un en lui-même et avec lui-même. Cet ensemble articulé, systématique, est soutenu par une noétique et une ontologie précises où confluent toutes les sources dionysienne, augustinienne et proclusienne d'Eckhart. La *Pr.* 67 décrit exactement la manière dont il conçoit la progression dynamique de l'âme.

La théologie de l'Image est d'abord une mystique trinitaire : nous sommes en Image ce que Dieu lui-même est en puissance. Autrement dit : nous sommes en Image ce que le Père est dans la puissance opérative, ce que le Fils est dans la sagesse, ce que l'Esprit saint est dans la bonté. C'est dans l'Image que l'intellect, faculté de la connaissance, et la volonté, faculté de l'amour, trouvent le principe de leurs opérations. La théologie de l'Image est donc une théologie de l'opération. Là où est l'Image est aussi l'opération de l'âme. Cette opération, cependant, n'est pas encore l'absorption dans la Déité. Opérant dans l'Image, l'âme opère dans les Personnes : « [Incluse dans l'Image], elle est encore incluse dans les

Personnes et se comporte selon la puissance du Père, la sagesse du Fils et la bonté du Saint-Esprit [63]. »

La théorie de l'union ne peut donc se formuler que comme mystique de l'Être-Un : au-dessus de l'opération personnelle, l'âme trouve l'être sans opération ou, plus précisément encore, elle trouve l'être sans opérer dans l'Image. Autrement dit : elle ne le trouve pas comme de l'extérieur, en elle-même ; elle est au contraire cet être-Lui-même, en Lui-même. Le Dieu qu'elle atteint n'est donc pas plus transcendant à son propre être personnel qu'il n'est lui-même au-delà de l'âme. Le Dieu qu'elle atteint est atteint dans l'immanence de Son être, en deçà d'elle-même, dans l'intériorité absolue de Lui-même : « Dans l'Image, il n'y a d'être que d'opération. Mais où l'âme est en Dieu, tout comme les Personnes s'enracinent dans l'Être, là, en vérité, opération et Être sont Un ; là, l'âme saisit les Personnes dans l'immanence de l'Être, d'où elles ne sont jamais sorties et où il n'y a qu'une pure Image essentielle [64]. »

La fonction théologique de l'Image trinitaire est donc de se révéler à l'âme comme Image essentielle. C'est cette Image essentielle qu'instrumente la noétique albertinienne avec le terme d'intellect « possible » : « [L'Image essentielle] est l'intellect essentiel de Dieu qui est la pure et simple puissance, *intellectus* que les maîtres nomment "réceptif" [65]. »

Cependant, allant en deçà de l'Image, l'âme ne reste pas à cette révélation de l'Image trinitaire comme Image essentielle.

Dans l'Image essentielle, l'âme n'œuvre plus et, n'œuvrant plus, elle a du même coup cessé d'être en Image.

La relation spéculaire de l'âme à Dieu vient donc se consumer dans l'effacement de l'Image essentielle. Sans opération ni image, l'âme est en quelque sorte passée en Dieu. Autrement dit : l'Image trinitaire est dépassée comme Image de l'essence dans l'Être-même de Dieu.

C'est au-dessus, plus exactement en deçà de cette Image essentielle, et donc, en termes de noétique, avant même que l'intellect ne flue de l'essence de l'âme, que l'âme doit s'établir, car essence de l'âme et essence divine ne sont qu'« Un ».

En tant qu'elle désigne cet « Un » dans l'âme, l'« étincelle » ne dit rien d'autre que l'éternel avant-propos de la représentation, l'avant-coup du flux qui distingue en l'âme les puissances et les facultés par lesquelles elle descend en quelque sorte dans la réalité créée. La véritable union suppose donc l'Image comme l'initiale toujours disponible du retour en Dieu : « C'est au-dessus de l'Image seulement que l'âme saisit l'Être absolu et sans mélange qui n'a pas de lieu, et où rien n'est reçu ni donné. C'est là le pur Être, privé de toute essence et de toute existence. Là, l'âme saisit Dieu seulement selon le Fond, en tant qu'il est au-dessus de toute étance. S'il y avait là encore de l'étance, elle saisirait cette étance dans l'Être, mais il n'y a qu'un Fond [66]. »

L'union par et dans le Fond est ce que l'on a appelé plus haut la « mort de l'esprit ». Mais l'« homme pauvre » reste vivant parmi les vivants et non pas mort.

L'homme a une âme et un corps. Il est intérieur, mais aussi extérieur. La théologie eckhartienne de l'union ne reste donc pas au niveau d'une simple eschatologie de l'Être. Elle s'adresse à l'homme viateur. Elle n'a pas de sens en dehors de l'Incarnation. En d'autres termes : la théologie d'Eckhart n'est ni une ontologie, ni une hénologie, bref, une *philosophie* de *l'union*. C'est de part en part une théologie *chrétienne*, et jusqu'à un certain point, une théologie de l'Incarnation.

La théorie du Fond est formulée, non pour la seule patrie céleste *(in patria)*, elle est aussi et d'abord destinée au pèlerinage terrestre *(in via)*.

Le chemin de la patrie commence ici bas : le chemin est dans la patrie, la patrie est dans le chemin.

Le thème néoplatonisant de l'union dans l'Un hérité de la tradition rhénane est donc naturellement prolongé, redressé ou repensé à la lumière de la théologie de l'union hypostatique. C'est là la partie la plus délicate de la pensée d'Eckhart, puisqu'elle fait communiquer entre elles une métaphysique christologique et une hénologie négative.

Eckhart distingue «la plus haute perfection de l'esprit à laquelle on puisse parvenir en cette vie selon le mode de l'esprit»[67] — autrement dit : l'union selon le Fond — et «la meilleure perfection que nous posséderons à jamais, corps et âme»[68].

La plus grande perfection de l'homme viateur, en tant que composé d'un corps et d'une âme, est «que l'homme extérieur soit totalement maintenu»[69] afin que la vérité soit possédée totalement dans un corps et dans une âme.

Par lui-même, l'homme extérieur ne peut que défaillir dans le néant. Il faut donc qu'un autre le porte dans l'être. Cet autre est le Christ : le maintien de l'homme extérieur s'accomplit dans la perte de son propre suppôt, lorsque «l'être personnel du Christ lui prête son suppôt»[70]. L'homme extérieur est ainsi maintenu, autrement dit : *supposé*, «lorsqu'il possède» dans le Christ «le suppôt de son être personnel», bref : lorsque celui qui vit en moi, plus exactement : à ma place, n'est plus Conrad ou Henri, mais l'humanité et la divinité qui, dans le Christ, sont un seul et même être personnel.

Réduit à lui-même, c'est-à-dire fixé dans son propre être personnel, l'homme extérieur est en réalité privé «du suppôt de lui-même». C'est là, pour ainsi dire, la loi ontologique de l'âme humaine : malgré les consolations et la coopération de la grâce, la fixation en soi-même de l'homme extérieur oblige l'homme intérieur à sortir de lui-même, pour être ce suppôt dans l'élément de la représentation.

Privé de son seul et véritable suppôt, l'homme extérieur « oblige » l'homme intérieur à se représenter lui-même comme être personnel, à « se comprendre lui-même », bref « à s'extraire, selon le mode de l'esprit, hors du Fond où il est Un » et « à se comporter selon l'être qui est sien par la grâce, dans lequel il est maintenu par la grâce »[71]. En se fixant en lui-même, l'homme extérieur fait donc sortir l'homme intérieur du Fond de l'Unité, il l'oblige à s'extérioriser dans la « pensée extérieure », il contraint le « Je » à se prononcer dans la fiction du « moi ».

La condition de l'homme viateur, distinction de l'intérieur et de l'extérieur, division du corps et de l'âme, détermine donc pour Eckhart le sens du combat chrétien : « L'esprit ne peut jamais parvenir à la perfection si le corps et l'âme ne sont pas parfaits[72]. » Pour que l'esprit reste dans le Fond, l'homme extérieur doit se dépouiller de la fiction de son propre suppôt. Pour que l'esprit reste « Je », l'homme extérieur doit se fixer ailleurs qu'en « moi » : « De même que l'homme intérieur échappe spirituellement à son être propre, étant un seul fond avec le Fond, de même l'homme extérieur doit être dépouillé de son propre suppôt et recevoir totalement le suppôt de l'être personnel éternel qui est ce même être personnel[73]. »

Ainsi donc l'âme et le corps doivent-ils se parfaire dans l'être personnel du Christ, lui-même un en substance avec l'être substantiel de la Déité, car c'est par le Christ que l'esprit peut se fixer en Dieu : « Il y a deux modes d'être. L'un, est le pur être substantiel selon la Déité, l'autre, est l'être personnel. Tous deux cependant ne sont qu'une seule substance [...]. Étant, selon mon humanité, de la même nature que le Christ, je suis uni à son être personnel de telle sorte que je suis par grâce dans l'être personnel un avec lui, et même, cet être personnel lui-même. Comme Dieu le Christ demeure éternellement dans le Fond du Père, et que je suis en lui comme un seul fond et le même Christ, porteur de mon humanité, celle-ci est aussi bien à moi qu'à lui dans l'unique substance de l'Être éternel, en sorte que l'être de l'âme aussi bien que celui du corps sont parfaits en un Christ : un Dieu, un Fils [74]. »

On voit ici combien Eckhart est loin d'hypostasier l'essence divine en dehors des Personnes et de proposer une mystique de l'essence essentiellement non chrétienne : sa théologie de l'Être est une théologie de l'union dans l'Être-Un, mais elle ne peut s'accomplir que chrétiennement, c'est-à-dire par ou plutôt dans l'être personnel du Christ.

Il ne faut donc pas confondre l'itinéraire de l'esprit décrit par l'apocryphe comme une remontée de l'âme en deçà ou au-delà de toutes ses essences créées ou incréées et l'itinéraire de l'homme viateur. Si le premier peut rester « un seul Fond » dans le « Fond même du Père », c'est que le second est parfait dans l'être personnel du Christ, identique en substance à l'unique substance de l'être-Lui-même. Cette perfection n'est pas, répétons-le, d'ordre opératif. Elle ne consiste pas à opérer en esprit « dans la sagesse du Fils ». Elle consiste à s'unir corps et âme dans l'être du Fils, à cet « Être pur » qui demeure éternellement en Lui-même. La « mystique spéculative » est ici avant tout un ascétisme ontologique et, du même coup, un ascétisme chrétien.

Contrairement à ce qu'écrit J. Ancelet-Hustache, Eckhart ne parle donc pas « tantôt en théologien, tantôt en philosophe » [75]. En effet, s'il est vrai que l'âme peut s'unir à Dieu « soit dans la grâce, soit dans l'être », s'il est également vrai que « l'union par la grâce implique que l'âme s'extraie de son fond, alors que l'union dans l'être se produit dans ce Fond lui-même », il paraît faux de dire que, de ce fait, « l'union par le Fond est [...] dans la pensée eckhartienne plus noble que l'union par la grâce » [76].

Selon nous, l'union par la grâce n'est moins noble

que là où le « suppôt de l'être personnel éternel » n'a pas été totalement reçu par l'homme extérieur. Là, en effet, l'action de la grâce ne peut être que de pure consolation. Mais là, où le changement de suppôt s'est opéré, l'action de la grâce est de tout autre nature. Eckhart l'écrit mot pour mot : c'est « par grâce que je suis dans l'être personnel du Christ un avec lui »[77]. Il semble donc bien nécessaire de distinguer l'action de la grâce qui remédie à la déficience ontologique fondamentale de l'homme extérieur et celle de la grâce qui maintient l'âme dans une manière d'union hypostatique à l'Être divin.

Par l'action de sa grâce en l'homme uni au Christ, Dieu réalise le désir qu'il a d'être connu de lui : « Jamais en effet homme ne désira quoi que ce soit autant que Dieu désire amener l'homme à le connaître[78]. » La grâce maintient l'homme intérieur en Dieu en fixant l'homme extérieur dans son suppôt véritable. Par la grâce, Dieu installe l'intérieur de l'âme à l'intérieur de Dieu. La condition humaine, l'éloignement de Dieu, est ainsi dépassée dans la présence sans présent, dans « l'immanence de l'Être »[79] : sans la grâce, l'homme resterait étranger à lui-même, car « Dieu est prêt en tout temps, mais nous sommes très peu prêts. Dieu nous est proche, mais nous sommes très loin. Dieu est à l'intérieur, mais nous sommes dehors. Dieu nous est intime, mais nous sommes étrangers »[80].

## L'intellect, capacité de Dieu

Comme tous ses confrères rhénans, héritiers de la noétique d'Albert le Grand, Eckhart situe la béatitude dans la connaissance. C'est là, dit-il, la doctrine de « nos meilleurs maîtres »[81]. Il lui arrive, certes, de la situer aussi dans l'amour, à la manière de saint Bernard et de la tradition « affective » ou « caritative » issue de Thomas de Verceil[82]. Nous reviendrons sur ce point. Il n'en reste pas moins que le cœur de sa doctrine de la béatitude est formé par une doctrine de l'intellect où retentit encore l'écho des grandes affirmations de Thierry de Freiberg sur la nature intellectuelle de Dieu et sur le caractère intellectuel de l'union bienheureuse.

L'intellectualité divine est exposée avec force dans la *Pr.* 9 : « L'intellect est le temple de Dieu. Nulle part, Dieu ne réside plus véritablement que dans son temple, l'intellect, comme le dit un maître : "Dieu est un Intellect qui vit dans la connaissance de lui seul, demeurant seul en lui-même, là où rien jamais ne l'a touché, car là il est seul dans son silence. Dans la connaissance de lui-même, Dieu se connaît lui-même en Lui-même [83]." » C'est également le cas dans la *Pr.* 66 : « Le Seigneur est un Intellect vivant, essentiel, subsistant, qui se comprend lui-même, qui est et vit lui-même en lui-même et est le même [84] » et dans la *Pr.* 80, sur les traces de Grégoire : « Saint Grégoire dit : « Si une chose en Dieu était plus noble que l'autre — au cas où on pourrait s'exprimer ainsi —, ce serait l'intellect, car, par l'intellect, Dieu se révèle à lui-même ; par l'intellect, Dieu se répand en lui-même ; par l'intellect, Dieu se répand en toutes choses ; par l'intellect, Dieu créa toutes choses. Et, s'il n'y avait pas d'intellect en Dieu, la Trinité ne pourrait pas être et jamais non plus la créature n'aurait flué de Lui [85]. »

Mais c'est dans la *Pr.* 69 que la théologie de l'Image dont nous avons précédemment montré l'importance centrale dans le système eckhartien, s'accomplit dans une noétique à la fois et inséparablement divine et divinisante. C'est là, en effet, que Maître Eckhart définit comme intellect ce qu'il nommait tantôt en termes plus voilés « une puissance absolument réceptive à Dieu » [86].

L'intellect eckhartien est, si l'on peut dire, formé de « cinq propriétés originaires » que l'âme a en elle « dès qu'elle prend conscience de Dieu et le goûte » [87] :

— La première est « le détachement d'ici et de maintenant » ;

— La deuxième est «qu'elle n'a de ressemblance avec rien» ;

— La troisième est qu'elle est «pure et sans mélange» ;

— La quatrième est qu'elle «opère ou cherche en elle-même» ;

— La cinquième est «qu'elle est une Image».

Comme on le voit, Eckhart maintient ici l'essentiel des thèses de Thierry de Freiberg : l'âme actualise son être intellectuel en connaissant son objet en elle-même, par la «conscience» de son Principe.

Ce parallélisme est encore plus frappant lorsqu'on éclaire la *Pr.* 69 par la théorie de la nature intellectuelle de l'homme exposée dans la *Pr.* 15.

A cet endroit, en effet, Eckhart définit explicitement l'intellect comme «une substance» donnant à l'être humain «être, vie et être-intellectuel»[88]. Et il précise : «Un homme doué d'intellect est celui qui se comprend lui-même intellectuellement et qui est en lui-même séparé de toutes matières et de toutes formes. Plus il est séparé de toutes choses et converti vers lui-même, plus il connaît clairement et intellectuellement toutes choses en lui-même, sans se tourner vers l'extérieur, et plus il est un homme[89].» Autrement dit, dans le langage de Thierry : l'intellect agent qui, en tant qu'image de Dieu, est une substance, est un exemplaire de tout l'être et il connaît toutes choses par son essence, de la même manière — intellectuelle — qu'il se connaît[90].

Les cinq propriétés intellectuelles de l'âme définissent donc la nature de l'intellectualité comme intellectualité, geste théorique amorcé dès les *Rationes Equardi* par la reconnaissance de la spécificité de la «subsistance intellectuelle»[91].

L'originalité d'Eckhart est de ployer cette noétique spéculative à la triple exigence de sa théologie de l'Image, de sa théologie de l'union hypostatique et de sa théologie du Fond principiel.

Le détachement par rapport au temps et au lieu
signifie la séparation d'avec la fiction du « moi », car si
« le lieu où je suis est bien minime », « si minime qu'il
soit, il faut qu'il disparaisse si l'on veut voir Dieu »[91].

Il en va de même pour la thèse selon laquelle
« l'intellect n'a de ressemblance avec rien » : pour se
rendre semblable à Dieu, c'est-à-dire réaliser sa propre
nature intellectuelle, l'âme ne doit plus avoir en elle la
moindre ressemblance avec le créé, elle ne doit, en
somme, rien contenir de ce qui est à l'extérieur, elle doit
se vider de toute représentation : « Pour que rien ne me
soit caché en Dieu [...], il faut qu'aucune similitude ne
soit ouverte en moi, aucune image, car aucune image ne
nous ouvre la Déité ni l'être de Dieu. Si quelque image
ou quelque similitude demeurait en toi, tu ne devien-
drais jamais un avec Dieu. C'est pourquoi, afin que tu
sois un avec Dieu, aucune image ne doit se former en
toi, qu'elle s'y imprime ou s'y exprime, c'est-à-dire, que
rien en toi ne soit caché qui ne devienne manifeste et soit
jeté dehors[93]. » Ainsi purifiée, l'âme est de la nature
même de Dieu qui est « de ne pouvoir souffrir ni
mélange, ni composition »[94] ; il n'y a plus « rien d'étranger en elle » et plus rien d'étranger « ne peut s'y
introduire »[95].

C'est donc en elle-même que l'âme cherche, à
l'intérieur, mais cette intériorité n'est pas ou n'est plus
celle de son propre suppôt. C'est la résidence ou fixation
de Dieu Lui-même, en Lui-même, car : « Dieu est un
être qui réside toujours dans le plus intime et c'est
pourquoi l'intellect cherche toujours intérieurement[96]. »

Ainsi formée en Dieu comme intellect pur, l'âme est
devenue l'Image de Dieu, non pas la représentation ou
la copie de cette Image, car l'Image, le Verbe éternel,
n'a pas d'image. Elle est « l'Image elle-même qui est sans
médiation et sans image, afin que l'âme saisisse Dieu
dans le Verbe éternel et le connaisse sans médiation et
sans image[97] ».

L'intellect-Image est donc sans image visible, car si l'Image elle-même « n'est pas vue dans une autre image », l'intellect lui-même ne saurait se voir dans une autre image sans sortir de lui-même, sans être vu de l'extérieur dans ce que Thierry de Freiberg, reprenant Augustin, appelait tantôt la « cogitative » ou « pensée extérieure ».

La théorie de l'intellect exprime et fonde donc à la fois le mot d'ordre de la *Pr.* 52 : « Dépasser toutes les pensées », en même temps qu'elle permet à Eckhart de formuler dans un langage proche de celui d'Albert et de Thierry ce que l'apocryphe avait annoncé en termes plus rudes dans les « trois morts de l'esprit ».

L'intellect qui cherche en lui-même n'a plus ni « Dieu », ni « moi », uni au Fils dans l'Image, aiguillonné par l'Esprit saint, il a perdu toutes les médiations représentatives, il est au Fond, il est le Fond : « Notez-le bien ! L'intellect regarde à l'intérieur et fait sa percée à travers tous les arcanes de la Déité, il prend le Fils dans le cœur du Père et dans le Fond et l'introduit dans son propre fond. L'intellect pénètre plus avant : ni la bonté, ni la sagesse, ni la vérité, ni Dieu lui-même ne lui suffit. Oui, en bonne vérité : Dieu ne lui suffit pas plus qu'une pierre ou un arbre. Il ne se repose jamais. Il pénètre dans le Fond d'où émanent la beauté et la vérité, et le saisit *in principio* dans le commencement d'où sont issues la bonté et la vérité avant de prendre aucun nom, avant la percée, dans un fond beaucoup plus noble que le sont la bonté et la sagesse [98]. »

C'est cette capacité au Fond qui élève l'intellect au-dessus de la volonté, puissance éminemment tournée vers l'extérieur, et qui « va toujours sus à ce qu'elle aime » [99]. La volonté s'arrête à ce qui est émané, l'intellect remonte en Lui-même jusqu'à principe de l'émanation : « A sa sœur la volonté, Dieu suffit bien en tant qu'il est bon, mais l'intellect sépare tout cela, pénètre et fait sa percée dans les racines d'où émane le Fils et où s'épanouit le Saint-Esprit [100]. »

## *L'intellect, la volonté et la controverse sur la béatitude*

Lors de son second séjour à Paris (1303-1304), Maître Eckhart a participé à la dispute sur la nature de la béatitude, opposant l'école franciscaine volontariste aux principaux théologiens dominicains intellectualistes du *Studium* parisien [101]. Les *Rationes Equardi* nous ont conservé un témoignage fidèle de ces discussions universitaires [102].

C'est cependant la prédication allemande qu'il faut consulter, si l'on veut avoir une idée de la manière dont Eckhart a vécu cette controverse, et, en même temps, une vision d'ensemble de ses doctrines.

Il est clair, en effet, que la position abrupte des *Rationes Equardi* ne recouvre pas l'intégralité de la pensée eckhartienne.

Née de la polémique, la doctrine des *Rationes* n'a pas la subtilité et la flexibilité des efforts intellectuels confiés à la prédication. Elle représente, au demeurant, un moment de la recherche eckhartienne, exemplaire dans son intellectualisme, mais nécessairement incomplet, s'agissant d'un théologien qui a, autant que tout autre, et souvent plus que bien d'autres, médité sur l'amour divin, la charité et la volonté.

On peut distinguer deux groupes de sermons sur la béatitude.

Le premier groupe affirme la prééminence de la connaissance sur l'amour, de l'intellect sur la volonté. Le second montre que la béatitude ne réside ni dans l'un, ni dans l'autre, mais dans quelque chose de plus élevé, autrement dit, dans le Fond de l'âme.

Cette relative disparité manifeste à nos yeux la complexité interne de la théologie rhénane, plutôt qu'elle ne révèle une difficulté ou un embarras spécifiques dans la pensée d'Eckhart. On ne saurait évidemment exclure l'idée d'une évolution du Maître. Les données de la critique interne et externe ne suffisent pourtant pas pour accréditer la thèse d'un changement radical. Au demeurant, Eckhart n'est pas passé de l'intellectualisme dominicain au volontarisme franciscain. Il paraît bien plutôt qu'il a souvent successivement, mais aussi souvent simultanément, accentué les deux aspects fondamentaux du legs rhénan : la noétique spéculative héritée d'Albert et de Thierry de Freiberg, la doctrine de l'Un tirée de Denys et, surtout, de Proclus, selon des modalités et des médiations, on l'a dit, encore assez mal connues.

En d'autres termes : Eckhart n'a pas varié dans son appréciation des rapports entre intellect et volonté. Il a tantôt exposé sa doctrine de la béatitude en insistant sur l'instrument de la percée — l'intellect —, tantôt sur son terme final : le Fond de l'âme. Ces deux points de vue ne s'excluent pas. Ils coexistent souvent au sein d'un même sermon. La difficulté du propos eckhartien est qu'il donne parfois l'impression d'identifier, et parfois de distinguer, l'intellect et ce qu'on pourrait appeler avec Proclus « l'un de l'âme ». Mais en fait, il va de soi que l'on ne saurait réellement séparer les deux. S'il incombe à l'intellect de « dépasser toutes les pensées » pour conduire l'âme en son Fond, il lui faut aussi, sur le point d'aboutir, se perdre lui-même en tant que tel, c'est-à-dire non pas même se nier, mais se trouver nié comme « simple médiation d'un non-être antérieur »[103]. Ce qui nie alors l'intellect en l'intellect ne saurait être l'intellect lui-même, mais bien seulement l'effet de cette « non-pensée » dont parle Proclus, ce « germe de non-être » qui est « le foyer générateur » de toute la dynamique intellectuelle, l'origine de tout flux et de toute puissance, qu'il s'agisse de l'intellect lui-même ou de sa sœur la volonté[104].

Les deux groupes de sermons que nous avons mentionnés se distinguent donc, avant tout, par le fait qu'ils portent davantage, ici, sur l'intellect, là, sur l'un de l'âme. En fait, ils ne s'opposent pas et leur répartition même n'est pas toujours absolue. La preuve en est que très souvent Eckhart corrige ou équilibre un thème par l'autre au cours d'un seul et même sermon.

D'ailleurs, en une occasion au moins, il associe explicitement l'intellect et l'Un. Dans le *Sermon latin* XXIX, en effet, Eckhart définit l'unité divine «comme étant, d'une part, le propre de l'intellect, de l'autre, ce qu'il y a de plus immédiat à l'Être» [105]. Autrement dit : Dieu est l'Être parce qu'il est l'Un. Entendons : il est à la fois son propre être, l'être pur et l'être de toutes choses, du fait même qu'il est Un ; et il n'est véritablement Un ou l'Un que parce qu'il est «Intellect par tout Lui-même» *(se toto intellectus)* [106].

On constate donc que le thème de l'Un n'est pas le pur et simple dépassement de la noétique. Si l'Un éclipse petit à petit l'intellect, c'est, comme on le verra, parce que l'hénologie d'Eckhart est foncièrement négative.

La «néantité» intellectuelle caractérisant l'Un est donc chez lui de plus en plus pensée comme une néantité pure et simple. La notion d'Intellect divin n'en reste pas moins affirmée quand il s'agit de dire la productivité de l'origine. Sur ce point, Eckhart ne semble pas avoir jamais abandonné la thèse, caractéristique de la théologie rhénane, selon laquelle, dans les termes du *Sermon XIX* : «Dieu seul, par son intellect, produit les choses dans l'être, car, en lui seul, être c'est connaître [107].»

Il n'a donc en ce sens, jamais rompu avec la thèse soutenue dans les *Questions Parisiennes*. Tout le problème est de savoir si son hénologie, et notamment sa théorie de l'Un dans l'âme, résulte d'une réinterprétation de sa propre pensée dans le cadre de la philosophie proclusienne. Nous y reviendrons.

Notons simplement, pour le moment, que l'identification de l'Intellect et de l'Un en Dieu se lit déjà chez Albert le Grand en des termes qui évoquent aussi bien Thierry de Freiberg : « Il faut savoir qu'est réalité intelligente par son essence, uniquement celle qui, absolument et universellement, est un intellect existant toujours en acte. C'est un intellect, une intelligence, absolument séparé, qui donc ne se trouve jamais en puissance, mais toujours en acte, non seulement pour posséder tous les intelligibles, mais pour les constituer tous par lui-même, n'ayant en tant qu'intellect rien à chercher hors de soi-même. Le principe de tout l'ensemble ordonné de l'univers créé, est l'Un : tel est l'Intellect divin qui, par sa connaissance, qui n'est pas différente de lui-même, est Cause de tous les êtres et se trouve vis-à-vis d'eux dans un rapport originaire et identique. C'est lui, en effet, qui les constitue, les distribue et les ordonne, à la façon de la puissance technique *(ars)* qui, latente dans la semence humaine, constitue, distribue et ordonne tous les membres du corps [108]. »

## *L'intellect et le Fond de l'âme*

Parmi les sermons du premier groupe, deux font allusion à la controverse parisienne d'Eckhart. La *Pr.* 9 rappelle les thèses de son adversaire Gonzalve d'Espagne (grâce à qui nous connaissons les *Rationes Equardi*) : « J'ai dit à l'École que l'intellect est plus noble que la volonté [...]. Un maître d'une autre École dit que la volonté est plus noble que l'intellect, car la volonté prend les choses telles qu'elles sont en elles-mêmes et l'intellect prend les choses telles qu'elles sont en lui [...]. Mais je dis que l'intellect est plus noble que la volonté. La volonté prend Dieu sous le vêtement de la Bonté. L'intellect prend Dieu dans sa nudité, dépouillé de Bonté et d'être [109]. » La *Pr.* 70 reprend le même thème, cette fois, apparemment, sans qu'Eckhart mentionne sa propre participation aux discussions : «Les meilleurs Maîtres disent que le noyau de la béatitude se situe dans la connaissance. Un grand clerc vint récemment à Paris ; il contredit, cria et s'agita très fort. Un autre Maître parla bien mieux que tous ceux qui, à Paris, tenaient pour la meilleure doctrine : "Maître, vous criez et vous vous agitez beaucoup ; si ce n'était la parole de Dieu dans le saint Évangile, vous pourriez crier et vous agiter très fort [110] !" »

La parole de l'Évangile censée clore la discussion est : «La vie éternelle, c'est que l'on peut te connaître, comme seul vrai Dieu [111]. » Toutefois, Eckhart ne s'y tient pas, puisque, conformément à la tendance que nous avons annoncée, il indique immédiatement que «l'accomplissement de la béatitude réside dans les deux : la connaissance et l'amour » [112].

L'interprétation intellectualiste de l'autorité de Jn 17, 3 permet cependant de classer la *Pr.* 70 dans le groupe des sermons sur l'intellect, ou plutôt de la connaissance dans l'Image : connaître Dieu c'est, en fait, «le connaître comme nous sommes connus » [113] ou, «comme il se connaît lui-même » [114]. «Je dis "nous le connaîtrons comme il se connaît lui-même, dans le reflet [le Fils] qui est la seule Image de Dieu et de la Déité, de la Déité seulement en tant qu'elle est le Père [115]". »

Quelques sermons du premier groupe identifient le Fond de l'âme et l'intellect. C'est principalement le cas de la *Pr.* 10 : «Il est dit : "Il est trouvé intérieurement." L'intérieur est ce qui réside dans le Fond de l'âme, dans le plus intérieur de l'âme, dans l'intellect qui ne sort pas, qui ne regarde rien [116]. »

En général, toutefois, l'intellect est clairement distingué du Fond de l'âme. Il est «ce que l'âme a de plus élevé », il lui revient seulement de s'unir à Dieu dans l'Image, sous la conduite de l'Esprit saint, et de là, de se laisser conduire dans le Fond : «L'intellect de l'âme est ce que l'âme a de plus élevé. Quand il est fixé en Dieu, il est conduit par l'Esprit saint dans l'Image et il y est uni. Et avec l'Image, et avec l'Esprit saint, il est conduit et introduit dans le Fond [117].»

On doit souligner l'aspect trinitaire de cette progression de l'intellect. La *Pr.* 70 nous a présenté l'Image comme «Image de la Déité seulement en tant qu'elle est le Père». La *Pr.* 23 marque le rôle conducteur de l'Esprit saint. La *Pr.* 26 fait, en quelque sorte, la synthèse de tous ces éléments.

D'abord, elle distingue «la partie supérieure de l'âme» et «l'intellect». La partie supérieure ou «visage supérieur» se situe dans l'éternité, elle n'a rien à voir avec le temps et ne sait rien du temps ni du corps» [118]. Dans ce visage, «quelque chose est caché». Ce «quelque chose» est ce qu'Eckhart a appelé dans la *Pr.* 24 «la chose où Dieu est dans sa nudité», cette chose qui est «innommée», «sans nom particulier», qui est et «cependant n'a pas d'être propre», qui n'est «ni ceci, ni cela», «ni ici, ni là» [119].

Ce quelque chose est ici pensé sur le mode de l'origine inassignable, «c'est comme une origine de tout bien, et comme une lumière brillante qui rayonne en tout temps, et comme un embrasement ardent qui brûle sans cesse» [120]. De cette origine, fluent l'intellect et la volonté, deux puissances, «et la perfection de ces puissances se situe dans la puissance supérieure qui se nomme l'intellect» [121].

Supérieur à la volonté, l'intellect n'est que la puissance de l'origine, celle qui en résulte, celle qui y ramène. Dans sa fonction restauratrice, l'intellect «ne connaît pas de repos», il ne s'arrête ni à l'Esprit saint qui le conduit, ni au Fils, pas même «à Dieu selon qu'il est Dieu».

Ce que l'intellect veut, c'est «faire sa percée» «là où Dieu n'a pas de nom». Ce qu'il veut, c'est «Dieu selon qu'il est Père», entendons : selon qu'il est «une moelle d'où jaillit la pensée», «un noyau d'où flue la pensée»,

« une racine, une veine dans laquelle jaillit la Bonté », ce que l'intellect veut, c'est l'origine [122].

Ce vouloir de l'intellect, qui ne s'arrête à rien, ne saurait cependant commencer qu'en l'Esprit saint.

En effet, quand l'âme œuvre à l'intérieur, dans la connaissance, lorsqu'elle est « devenue semblable à la connaissance », en termes albertiniens : lorsqu'elle est devenue intellect, il faut encore que « l'Esprit saint l'élève et l'enlève avec lui dans le Fond d'où il est issu » [123], car c'est l'Esprit saint et lui seul « qui amène » l'âme « dans l'Image éternelle dont elle est issue, dans l'Image d'après laquelle le Père a formé toutes choses, dans l'Image où toutes choses sont Un » [124]. Autrement dit : l'intellect a besoin de l'Esprit saint pour entamer sa progression dynamique vers le fond.

Tant que l'âme « ne vit pas dans l'intellect », elle est « veuve », car en elle « l'homme » est mort [125]. L'homme, « le jeune homme », c'est-à-dire : l'intellect, car « l'âme n'a rien en quoi Dieu puisse parler, si ce n'est l'intellect » [126]. L'âme qui vit dans l'intellect est prête pour le don de l'Esprit saint : « On lit dans l'Évangile qu'une veuve avait un fils unique qui était mort. Alors Notre-Seigneur vint à lui et dit : "Je te le dis, jeune homme, lève-toi", et le jeune homme se dressa. Par cette veuve, nous entendons l'âme. Parce que l'"homme" était mort, le "fils" aussi était mort. Par le "fils" nous entendons l'intellect qui est l'"homme" dans l'âme. Parce qu'elle [la veuve, c'est-à-dire, l'âme] ne vivait pas dans l'intellect, l'"homme" était mort, c'est pourquoi elle était "veuve". Notre-Seigneur dit à la femme près du puits : "Va chez toi, amène-moi ton mari." Il voulait dire : comme elle ne vivait pas dans l'intellect, qui est l'"homme", elle ne recevait pas l'"eau vive" qui est l'Esprit saint : il est donné seulement quand on vit dans l'intellect [127]. »

L'âme qui vit dans l'intellect est prête pour « enfanter ». Eckhart décrit cet enfantement en déplaçant le *dictum* de celui qu'il appelle «un Maître» : «L'âme s'enfante elle-même, en elle-même et s'enfante à partir d'elle-même et s'enfante de retour en soi [128].» La conversion réflexive de l'âme en elle-même, constitutive de son propre être, devient ainsi la conversion même de Dieu en Dieu : «L'âme enfante à partir d'elle-même Dieu à partir de Dieu en Dieu ; elle l'enfante vraiment à partir d'elle-même ; elle fait cela afin d'enfanter Dieu à partir d'elle-même, là où elle a la couleur de Dieu ; là, elle est une Image de Dieu [129].»

Eckhart retrouve donc ici l'intuition centrale de l'albertisme : le caractère noétique de l'union dite «mystique», le rôle de ce qu'Albert appelait lui-même, avec Denys, le «Rayon divin» qui, «touchant» l'esprit «le convertit et le ramène dans l'unité du Père» [130].

La noétique eckhartienne accueille ainsi en profondeur le thème à la fois dionysien et augustinien de la lumière et de l'illumination par la grâce auquel Ulrich de Strasbourg avait su donner une première configuration indissolublement philosophique et spirituelle.

De fait, si pour Eckhart «l'homme humble» est celui dont «l'âme pénètre dans l'Image, où rien n'est étranger, où seule est l'Image avec laquelle elle est une seule Image» [131], c'est au sens précis où «ayant dépouillé et séparé tout ce qui est d'elle : sa vie, ses puissances, sa nature», l'âme s'établit et «demeure dans la pure lumière où elle est une seule Image avec Dieu» [132].

La noétique eckhartienne de la béatitude est donc en sa réalisation même une théologie de la lumière : «*Homo* veut dire "humilité" et signifie "celui sur qui se répand la grâce", c'est-à-dire que l'homme humble reçoit immédiatement l'influx de la grâce. Dans cet influx de la grâce, la lumière de l'intellect s'élève immédiatement, alors Dieu rayonne dans une lumière que l'on ne peut dissimuler [133].»

La lumière dont parle Eckhart est d'abord la lumière qui caractérise chez Albert la connaissance de foi théologale, laquelle, dans la théophanie de la ténèbre mystique reçoit, on l'a dit, « une impulsion relevant de la lumière de gloire » [134] : « Quand l'âme s'adonne à la connaissance de l'authentique Vérité, à la puissance simple par laquelle on connaît Dieu, l'âme est appelée une lumière. Et Dieu aussi est une Lumière, et quand la Lumière divine s'épanche dans l'âme, l'âme est unie à Dieu comme une lumière à une Lumière, elle est appelée alors Lumière de foi, et c'est là une vertu divine [135]. »

Mais c'est aussi « la lumière de la grâce » [136] et, finalement, l'expression même de l'intellectualité, puisque si l'âme connaît dans la lumière, elle est en même temps lumière en sa partie supérieure et devient toujours plus lumière à mesure qu'elle progresse dans la connaissance. « L'homme, dit Eckhart, connaît dans une vraie lumière où ne sont ni temps ni espace, ni ici, ni maintenant », mais « dans la mesure où l'âme avance, elle pénètre davantage dans la lumière. » « L'âme, qui est une lumière » inclut alors « beaucoup de Dieu en elle » [137]. La connaissance de Dieu est ainsi foncièrement une « connaissance lucide » [138] puisque, ultimement, l'intellect lui-même est lumière. Telle que l'entend ici Eckhart, la « petite étincelle de l'âme » est finalement identifiée à l'intellect pris comme lumière indivise, à la fois lumière de l'intellect et Lumière divine : « La petite étincelle de l'intellect est la tête dans l'âme, elle se nomme le "mari" de l'âme, c'est comme une petite étincelle de nature divine, une Lumière divine, un rayon et une image de nature divine imprimée dans l'âme [139]. »

Théologie de l'Image, théologie de la lumière et théorie de l'intellect trouvent donc dans l'étincelle de l'âme, à la fois le lieu et l'expression de leur équivalence : « J'ai parlé d'une lumière qui est dans l'âme, qui est incréée et incréable. De cette lumière, je parle toujours dans mes sermons, et cette même lumière saisit Dieu sans intermédiaire, sans que rien le recouvre et dans sa nudité, tel qu'il est Lui-même, et, c'est là le saisir dans l'accomplissement de la naissance [140]. »

On voit ici comment Eckhart accueille et transforme les thèses de la théologie rhénane : En effet, alors que chez Albert, le contact noétique de l'intellect agent avec Dieu servait avant tout de modèle à la connaissance de foi chez l'homme viateur, l'affirmation eckhartienne de la présence en l'âme de la Lumière divine comme lumière de connaissance n'abolit rien de moins que la distinction du pèlerinage et de la patrie, la connaissance eschatologique de Dieu étant, pour ainsi dire, absorbée d'emblée dans la Lumière indivise, à la fois incréée et incréable où Dieu et l'âme sont « un seul Un ».

La distinction de la lumière de l'intellect, de la lumière de grâce et de la Lumière divine marque, certes, chez Eckhart comme chez ses confrères, l'amplitude de l'espace à parcourir pour l'âme en sa croissance dynamique vers l'Être divin. Mais, une fois la grâce accomplie, c'est la Lumière divine elle-même qui brille en elle-même : « La lumière du soleil est minime, comparée à la lumière de l'intellect et l'intellect est minime, comparé à la lumière de grâce. La grâce est une lumière transcendante et domine tout ce que Dieu a jamais créé ou pourrait créer. La lumière de grâce, si grande qu'elle soit, est encore minime comparée à la Lumière divine. Notre-Seigneur réprimanda ses disciples et dit : "La lumière est encore minime en vous". Ils n'étaient pas sans lumière, mais elle était minime. On doit monter et grandir en grâce. Tant que l'on croît en grâce, c'est encore la grâce, et elle est minime, celle dans laquelle on connaît Dieu de loin. Mais quand la grâce est accomplie en ce qu'elle a de plus élevé, ce n'est pas la grâce, c'est une Lumière divine dans laquelle on voit Dieu. Saint Paul dit : "Dieu habite et réside dans une lumière vers laquelle il n'est pas d'accès." A cela, il n'y a pas d'accès progressif, c'est une arrivée [141]. »

L'arrivée de l'âme s'oppose ainsi à ce qu'Eckhart

appelle « l'approche de l'âme » dans la *Pr.* 71 [142]. De fait, la croissance dynamique de l'âme n'atteint Dieu qu'en Dieu lui-même. Tant que dure la croissance, l'âme n'est pas encore parvenue en Dieu, c'est-à-dire au Fond d'elle-même, là où règne cette lumière indivise qui, comme le feu, « en son lieu le plus élevé, ne brille pas » [143]. Tant que dure la croissance, Dieu brille pour l'âme. Lorsque la croissance est achevée, la lumière ne brille plus, elle est, pour ainsi dire, prise en son foyer, dans ce que la tradition dionysienne a fixé comme « la ténèbre de la Lumière », cette ténèbre où le foyer de l'illumination divine et la tache aveugle de la vision coïncident en un même Fond « suressentiel » : « Celui qui s'élève encore et croît en grâce et en lumière n'est encore jamais parvenu en Dieu. Dieu n'est pas une lumière qui croît ; il faut en croissant être parvenu en lui. Dans la croissance on ne voit rien de Dieu. Pour que Dieu soit vu, il faut que ce soit dans une Lumière qui est Dieu lui-même [...]. Tout le temps que nous sommes engagés dans l'approche, nous n'y parvenons pas [144] ».

C'est dans le Fond de l'âme que se résorbe l'écart entre la lumière de l'intellect et la lumière de grâce, « dans la nuit, quand aucune créature ne brille ni ne jette un regard dans l'âme, dans le silence où rien ne parle à l'âme » [145].

L'arrivée de l'âme est arrivée dans l'immanence même de sa source.

La théorie des « deux visages de l'âme » précédemment alléguée nous révèle alors sa vraie nature : c'est l'expression augustinienne de l'intuition centrale de la noétique d'Eckhart.

Comme avant lui Thierry et tous les théologiens rhénans, le Maître intègre Augustin à sa propre vision de l'union bienheureuse. Le premier visage de l'âme, celui qui est « tourné vers le monde » et vers le corps est le lieu où elle « pratique le savoir, la vertu et la vie simple ». C'est le domaine de l'extériorité et de la pensée extérieure. Le second visage est « tourné directement vers Dieu » : C'est l'*abditum mentis* d'Augustin, le lieu secret de la Lumière divine, caché à l'âme elle-même, étranger à elle dans sa capacité représentative, indisponible pour elle, mais toujours à l'œuvre dans cette intériorité de l'intériorité qui, en tant que telle, n'est à personne et reste inconnue à quiconque est resté fixé en soi-même : « En lui est sans cesse la Lumière divine et elle y opère, seulement l'âme ne le sait pas, car elle n'est pas chez elle [146]. »

C'est ce Fond secret augustinien, tantôt identifié par Thierry de Freiberg à l'intellect agent, que Maître Eckhart appelle « la petite étincelle de l'âme », l'« homme », l'intellect qui « lorsqu'il est saisi en Dieu dans sa pureté » « vit » une vie qui n'est plus celle de Conrad ou d'Henri, mais la vie même de Dieu.

L'intégration d'Augustin à la noétique du péripatétisme arabe proposée par Thierry se répète donc ici *mutatis mutandis* quand Eckhart transpose à son tour la théorie des deux visages de l'âme dans la formulation albertinienne des deux parties de l'intellect : l'intellect agent et l'intellect possible, tous deux émanés de leurs principes constitutifs ou, dans la terminologie eckhartienne, tous deux « fils de l'intellect » : « Parlons encore en un autre sens des "deux fils" de l'intellect. L'un est la possibilité, l'autre est l'activité [...]. Un maître païen dit : "Dans cette puissance passive, l'âme peut devenir spirituellement toutes choses." Dans la puissance active, elle ressemble au Père et fait de toutes choses un être nouveau [147]. »

La dualité de l'intellect possible et de l'intellect agent reproduit ainsi à son niveau propre la dualité de la connaissance angélique selon Augustin. L'ange, dit Eckhart, a une double connaissance : « L'une est une lumière du matin, l'autre est une lumière du soir. La lumière du matin fait qu'il voit toutes choses en Dieu. La lumière du soir fait qu'il voit toutes choses dans sa

lumière naturelle. » Il en va de même pour l'intellect :
« Dans la puissance passive il ressemble à la lumière
naturelle des anges qui est la lumière du soir », « avec la
puissance active, il porte toutes choses en Dieu, et il est
toutes choses dans la lumière du matin [148]. »

Cette noétique, à la fois augustinienne et albertinienne, rapproche Eckhart de Thierry de Freiberg.

Certes, il serait faux d'affirmer qu'Eckhart identifie
partout l'activité de l'intellect agent avec le Fond secret
de l'âme, ou qu'il fait de ce qu'il nomme la « puissance
active » le « Fond qui fonde l'essence de l'âme dans
l'âme » [149]. On l'a vu, en effet, nombreux sont les
passages où il paraît plus proche d'Albert, posant avec
lui l'intellect agent comme émané de l'essence de l'âme.
Ainsi de la *Pr.* 76 : « La connaissance intérieure est celle
qui se fonde par l'intellect dans l'être de notre âme ;
cependant, elle n'est pas l'être de l'âme, mais c'est là
qu'elle a sa racine et elle est quelque chose de la vie de
l'âme [150]. »

Toutefois, nombreux aussi sont les sermons où
identifiant l'intellect à la lumière incréée, Eckhart fait de
la conversion intellectuelle de l'âme dans l'Image et
au-delà de l'Image, un processus dans lequel ce qui est
engendré n'est autre que Dieu Lui-même « à partir de
Dieu et en Dieu » [151].

Autrement dit : nombreux sont les passages où
Eckhart, tel Thierry, présente l'intellect agent comme
émané de Dieu lui-même en Dieu Lui-même : « Voilà
pourquoi sa connaissance est mienne, de même qu'elle
est une dans le maître du fait qu'il enseigne et dans le
disciple du fait qu'il est enseigné. Et puisque sa
connaissance est mienne, et puisque sa substance est sa
connaissance et sa nature et son être, il s'ensuit que son
être et sa substance et sa nature sont miens [152]. »

Par ce dernier aspect, la théologie eckhartienne de
l'intellect se rattache indiscutablement à l'expression
noétique de la métaphysique de la conversion caractéris-

tique de la pensée de Thierry. Par le premier, elle s'ancre plus généralement dans la noétique spéculative caractéristique de la théologie rhénane. Cette double conception de l'émanation de l'intellect n'est d'ailleurs pas la marque d'une tension dans la tradition issue d'Albert, car, on l'a vu, tous les théologiens rhénans s'accordent, au moins dans leur théologie de la lumière, pour penser en termes d'émanation le rapport de l'âme à Dieu, que ce soit dans le flux des intelligibles émané de ce qu'Avicenne appelait « le trésor des concepts » ou dans le procès même de l'âme dans le Fond secret où Dieu réside et où elle reflue.

La différence des perspectives tient avant tout à la place réservée dans ces noétiques de la lumière, au thème augustinien de l'intériorité.

En faisant de Dieu lui-même le lieu essentiellement caché de l'âme, Thierry et Eckhart offrent, chacun à leur manière, une théorie de l'intériorisation absolue de la vie divine que tous les théologiens rhénans à des degrés divers, projettent ou esquissent. A ce titre, et paradoxalement, ce sont eux qui, tout en étant les plus novateurs sur le plan de la noétique héritée d'Avicenne et d'Albert, restent de tous les plus augustiniens, réalisant ainsi l'intégration maximum de la tradition latine au monde du péripatétisme gréco-arabe, intégration qui, on l'a dit, constitue une charte commune de l'école de Cologne.

Reste la seconde perspective de l'œuvre allemande, la dimension que l'on pourrait qualifier au plus de « proclusienne », au moins de « dionysienne », de la prédication d'Eckhart. C'est elle que nous allons à présent considérer.

## L'Un de l'âme et le Néant divin

En de nombreux sermons, Eckhart abandonne la conception intellectualiste de la béatitude qu'il avait défendue à Paris contre Gonzalve d'Espagne. Cet abandon ne signifie pas qu'il se rallie à la thèse « affective » ou « volontariste » des franciscains. Tous ces sermons ont, au contraire, un point commun bien différent : le Maître y place la source de la béatitude au-dessus de la distinction même entre l'intellect et la volonté.

Ce geste correspond sans doute à une évolution théorique. Il est, en tout cas, manifestement lié à une doctrine qui interprète en des termes nouveaux le lieu de l'union. Ces termes sont, on l'a dit, « proclusiens ». En un mot : Eckhart appelle désormais « Un » ce qu'il appelait tantôt « intellect », « étincelle » ou « lumière ». Pareille différence de perspective appelle quasi irrésistiblement l'idée d'un changement, d'une maturation dans la pensée eckhartienne. Ce changement semble lui-même pouvoir s'expliquer naturellement par la réception de « Proclus » dans les milieux rhénans, en général, et colonais, en particulier. De fait, si Thierry de Freiberg a pratiqué l'*Elementatio theologica*, il n'y a aucune raison pour qu'Eckhart n'en ait pas fait autant avec l'*Elementatio* elle-même ou d'autres œuvres proclusiennes, même s'il ne s'en réclame pas explicitement.

On a dit que C. Steel excluait formellement l'hypothèse d'une influence de l'*In Parmenidem* sur Eckhart [153]. J. Koch, en revanche, soutient qu'il a emprunté au texte de Proclus sa notion de « l'Un dans l'âme » comme ce en quoi Dieu lui-même et, en Lui l'Esprit, « fleurissent et verdoient » [154].

H. Hof de son côté renvoie au *De providentia et fato* de Proclus la thèse attribuée par Eckhart à Platon dans la *Pr.* 28, selon laquelle « la pureté qui n'est pas dans le monde», autrement dit l'Un, n'est «ni dans le temps, ni dans l'éternité»[155] ; en effet, dit-il, seul Proclus a écrit : «Neque tempore neque aeterno ente *in tô* uno» («le *"to unum"* n'est ni du temps ni de l'éternité»)[156].

Il va de soi, toutefois, que le Maître pouvait trouver dans la tradition dionysienne de quoi asseoir cette primauté de l'Un sur l'intellect et la volonté.

On doit souligner, de ce point de vue, la fréquente association chez Eckhart de la dimension hénologique à une sorte de néantologie divine : la réflexion sur l'Un est souvent inséparable d'une méditation sur le néant de Dieu.

Il faut donc équilibrer les deux influences l'une par l'autre : celle de Proclus — que nous connaissons mal —, celle de Denys — qui est aisément décelable —, et garder à l'esprit que l'hénologie négative reste comme la tentation permanente de toute théologie d'inspiration dionysienne.

### L'Un dans l'âme et la doctrine des puissances

La *Pr.* 2 résume presque à elle seule les données du problème. Eckhart y rappelle la doctrine de l'intellect et de la volonté, tous deux, puissances émanées de l'esprit, «fluées de l'esprit et demeurant dans l'esprit», «tous deux absolument spirituels»[157], puis il revient sur la doctrine de l'étincelle. Cette étincelle, tantôt appelée «garde de l'esprit» ou «lumière de l'esprit», doit maintenant, dit-il, être «nommée d'une manière plus noble» qu'elle ne «l'a jamais été»[158].

Cette manière nouvelle est pour ainsi dire ontologiquement neutre : c'est «quelque chose qui est plus élevé au-dessus de ceci et de cela que le ciel ne l'est» au-dessus «de la terre», c'est «aussi absolument un et simple que Dieu est Un et simple»[159], c'est un «petit château fort» que ni l'intellect, ni la volonté, ne peuvent même scruter d'un regard, fût-ce «une seule fois», fût-ce un

« instant » [160]. Ce « quelque chose » que Dieu lui-même ne peut pénétrer est manifestement ce qu'Eckhart a toujours appelé le « Fond ». Ici, toutefois, ce « Fond » est caractérisé en termes plus néoplatoniciens comme cet « Un unique » transpersonnel où reste « l'Un » lui-même « dans sa simplicité » : « Si vraiment un et simple est ce petit château fort, si élevé au-dessus de tout mode et de toutes les puissances est cet Un unique, que jamais puissance ni mode, ni Dieu lui-même ne peuvent y regarder. En toute vérité, et aussi vrai que Dieu vit, Dieu lui-même ne le pénétrera jamais un instant, ne l'a encore jamais pénétré de son regard selon qu'il possède un mode et la propriété de ses Personnes. On le comprend aisément, car cet Un unique est sans mode et sans propriété. C'est pourquoi, si Dieu doit jamais le pénétrer de son regard, cela lui coûtera tous ses noms divins et la propriété de ses Personnes. Il lui faut les laisser toutes à l'extérieur pour que son regard pénètre. Il faut qu'il soit l'Un dans sa simplicité, sans aucun mode ni propriété là où il n'est en ce sens ni Père, ni Fils, ni Saint-Esprit, et où il est cependant un quelque chose qui n'est ni ceci, ni cela [161]. »

L'union de l'âme à Dieu est donc désormais pensée comme l'unité même de l'Un dans l'Un de l'âme : « Voyez : selon qu'il est Un et simple, Dieu vient dans cet un que je nomme un petit château fort dans l'âme, autrement il n'y pénètre d'aucune manière, ainsi seulement il y pénètre et y demeure. Par cette partie d'elle-même, l'âme est semblable à Dieu, et non autrement [162]. »

C'est là le siège d'une béatitude qui, loin d'être renvoyée au futur eschatologique de la vision dans la patrie, est, pour ainsi dire, toujours déjà là. Comme le rappelle la *Pr.* 5b : « Si nous exaltons et vénérons le Christ comme notre Seigneur et notre Dieu », c'est parce qu'il a été « un messager de Dieu vers nous et nous a apporté notre béatitude. » Mais cette béatitude « qu'il

nous a apportée était à nous » : elle était dans la
« noblesse » même de notre « nature » « une et simple »,
de cette nature qui est de toute éternité « incluse dans le
Fond le plus intime », « là où le Père engendre son Fils »,
en un mot : dans « l'Un » [163].

L'union à Dieu est donc en un sens une union dans
l'Un qui devance d'emblée tous les efforts de l'intellect
et de la volonté. Cette union est ainsi, non seulement
plus unitive que toute union dans la connaissance ou
dans l'amour, elle est l'unité originaire même, l'identité
inscrutable du Fond de Dieu et de mon fond, l'Un que
Dieu et moi nous sommes — non en tant que Dieu et
non en tant que moi, mais en tant qu'« Unique Un ».

Eckhart peut donc écrire dans la *Pr.* 7 que « ni
l'amour, ni la connaissance n'unissent », l'un parce qu'il
prend Dieu « sous le pelage et le vêtement » de la Bonté,
l'autre, parce qu'elle prend Dieu « en le projetant sur
l'Être pur » « dans sa nudité » [164]. Le véritable lieu de
l'union est le « Fond » inconnu « de l'âme », ce « Je ne
sais quoi de tout à fait secret au-dessus de la première
diffusion d'où sont issus l'intellect et la volonté » [165]. Ce
« Je ne sais quoi » qu'un Maître a annoncé « dans une
belle parole », cet « on ne sait quoi » qui est « mystérieux
et caché bien plus haut que là où se diffusent les
puissances que sont l'intellect et la volonté » est ce que la
*Pr.* 12 appelle un « Un et une union pure » [166]. Le
« quelque chose » n'est donc pas même l'union de l'un de
l'âme et de l'Un divin, dans la mesure où le terme
d'union dit encore une distinction entre ce qui unit et ce
qui s'y unit. En fait, le « quelque chose dans l'âme » est à
ce point « apparenté à Dieu » que « c'est un et non uni » :
« C'est Un cela n'a rien de commun avec rien et cela n'a
non plus rien de commun avec le créé [167]. »

Autrement dit : tout ce qui est compris dans l'unité
« n'est rien d'autre que ce qu'est l'unité elle-même » [168].

L'« unique-Un » est donc, à la fois, le lieu de Dieu et
le lieu de l'âme : « l'Un éternel » [169], « l'unité d'où toute

Bonté flue de la surabondance de la bonté divine » [170].
C'est dans cet « Un » que l'âme vient se fixer, dans le
désert de l'unité inconnue qui n'a ni nom, ni raison.
C'est cet « Un » qui, dans la pensée d'Eckhart assume
l'identité absolue de l'apophatique de l'âme et l'apophatique de Dieu : « L'esprit doit franchir tout nombre et
faire sa percée à travers toute multiplicité, et Dieu fait
en lui sa percée, et de même qu'il fait sa percée en moi,
je fais à mon tour ma percée en Lui. Dieu conduit cet
esprit dans le désert et dans l'unité de lui-même, là où il
est l'Un pur et jaillit en lui-même. Cet esprit n'a pas de
pourquoi, et s'il devait avoir quelque pourquoi, l'unité
devrait avoir son pourquoi. Cet esprit se situe dans
l'unité et la liberté [171]. »

C'est cet Un qui est au-dessus de la lumière même,
au-dessus « de toute connaissance et de tout
entendement » [172], que personne ne saurait voir, car « la
lumière inaccessible », la lumière qui, en elle-même, ne
« brille pas », est « l'un pur en Lui-même » [173] auquel
personne n'accède, car qui y est « n'est plus rien en
lui-même », qui y est « est dépouillé de toute ressemblance » et « ne ressemble plus à personne » : « C'est un
Un en soi qui n'accueille rien d'extérieur à soi [174]. »

On comprend qu'en ce point de la méditation de
l'Un, Eckhart ne situe plus la béatitude dans l'amour ou
dans la connaissance. La « vision » de Dieu est celle d'un
homme dont la naissance en Dieu n'est pas encore
accomplie. Pour voir, il faut être deux. Comme le dit la
*Pr.* 39 : « La béatitude de l'esprit a lieu lorsqu'il est né et
non lorsque la naissance s'accomplit [175]. »

La béatitude de l'âme n'est accomplie que là où Dieu
est Dieu, par-delà toute ressemblance et tout mode, en
deçà même de tout intellect et de toute intellection. La
béatitude ne règne que là où l'âme est l'âme, c'est-à-
dire, Dieu en Dieu : « Quelques maîtres cherchent la
béatitude dans l'intellect. Je dis : la béatitude ne réside
ni dans l'intellect, ni dans la volonté, mais au-dessus des

deux, la béatitude réside là où elle est en tant que telle, non pas en tant qu'intellect [...]. Là, l'âme est l'âme, et la grâce est la grâce, et la béatitude est la béatitude, et Dieu est Dieu [176]. » C'est dans la tautologie de l'Un que se consomme l'identification de l'Être : un seul Dieu, un seul Être, un seul Un. La pureté de l'être de Dieu est la pureté même de l'être de l'âme constituée en lui comme unique-Un : « L'âme qui est bien ordonnée dans le Fond de l'humilité [...] monte [...] et est attirée en haut dans la puissance divine ; elle ne repose jamais avant d'être allée tout droit vers Dieu et de l'avoir touché dans sa nudité, elle reste entièrement à l'intérieur, elle ne cherche rien au-dehors, elle ne se tient pas non plus à côté de Dieu ni près de Dieu, elle se dirige tout droit en Dieu, dans la pureté de l'Être ; c'est là aussi qu'est l'être de l'âme, car Dieu est l'Être pur. Un maître dit : En Dieu, qui est l'Être pur, ne parvient rien qui ne soit aussi être pur. Est donc "être" l'âme qui est parvenue droit vers Dieu, et en Dieu [177]. »

Le solipsisme ontologique de Dieu est donc inséparable de l'apophatisme de l'Un et de la noétique négative. Connaître Dieu, c'est connaître qu'il est l'Un, c'est-à-dire, l'Être *pur*. C'est là la connaissance la plus élevée à laquelle puisse parvenir la théologie. C'est là que l'âme doit prendre son essor pour, dépassant toute connaissance, s'élever jusqu'au « vrai Dieu » et, là, demeurer cachée en lui. Ensuite, tout est Un : « Plus on connaît Dieu lucidement et profondément comme Un, plus on connaît la racine d'où sont issues toutes choses. Plus on connaît comme Un la racine, et le noyau et le Fond de la déité, plus on connaît toutes choses. C'est pourquoi il dit : "Que l'on te connaisse comme seul vrai Dieu." Il ne dit pas "comme Dieu sage", ni "comme Dieu juste", ni "comme Dieu puissant", mais "comme seul vrai Dieu". Il veut dire que l'âme doit détacher et dépouiller tout ce que l'on ajoute à Dieu par la pensée ou la connaissance, et qu'elle le saisisse dans sa nudité, en tant qu'être pur : Ainsi est-il "vrai Dieu". C'est pourquoi Notre-Seigneur dit : "La vie éternelle, c'est qu'il te connaisse comme seul vrai Dieu." Que Dieu nous aide pour que nous parvenions à la vérité qui est être pur et que nous y demeurions éternellement. Amen [178]. » La demeure éternelle de l'âme est donc l'Un lui-même : « La déité est seule le lieu de l'âme » et ce lieu « n'a pas de nom » [179].

L'Un n'est pas un nom de Dieu. C'est la désignation de l'Unique comme demeure. Autrement dit : ce qui dans le langage soutient la pratique d'une négation absolue. « Quand l'âme a trouvé "l'Un où tout est un" et "qu'elle demeure dans cet unique Un", elle a "brisé tous les symboles" [180], "elle est établie dans l'unité selon le mode de l'unité, où il n'y a plus de nom" [181]. » Elle est « au-dessus de tout ce qui » en Dieu comme en elle-même « a un nom », elle est « au-dessus de tout ce que l'on peut exprimer par des paroles » [182].

## Dieu, l'âme et le Néant

Si l'hénologie est le fin mot de la théologie négative d'Eckhart, on aurait tort de se la représenter pour autant comme une théologie affirmative de l'Un. L'hénologie eckhartienne est une hénologie négative. C'est pourquoi la *Pr.* 23 va jusqu'à rejeter l'enseignement des maîtres qui « prennent Dieu en tant qu'il est Un », car Dieu n'est « ni Bonté, ni Être, ni Vérité, ni Un » [183]. Autrement dit : l'hénologie ne consiste pas à mettre l'« Un » à la place de « Dieu ». En un sens, le terme d'« Un », même attribué négativement, ne nomme pas Dieu. Il ne fait qu'indiquer le lieu de l'unité incirconscriptible et inassignable de Dieu et de l'âme. Tout nom, même celui d'« Un » est un simple « nonce » [184]. Le mot « Un » a le privilège d'annoncer l'origine, mais cette annonce ne montre rien, elle ne dévoile pas la présence d'un présent. C'est pourquoi le terme même d'« Un » doit être dépassé par sa propre négativité. Ce que pose l'« Un », c'est le « né-ant » de Dieu, la « nég-entité » de l'origine : « Et s'il [Dieu] n'est ni Bonté, ni Être, ni Vérité, ni Un, qu'est-il donc ? Il n'est rien de rien, il n'est ni ceci, ni cela. Si tu penses encore qu'il est quelque chose, il n'est pas cela. Où donc l'âme doit-elle saisir la vérité ? Ne la trouve-t-elle pas là où elle est établie dans l'unité, dans la pureté première, dans l'impression de la pure essentialité ? Ne trouve-t-elle pas là la vérité ? Non, elle ne trouve pas là à saisir la vérité ; bien plutôt, c'est de là que procède la vérité, c'est de là qu'elle est issue [185]. »

La « né-antité » de Dieu est la néantité du « Fond incréé de l'âme ». L'« Un » dans l'âme est le néant dans l'âme : « Il est quelque chose au-dessus de tout l'être créé de l'âme, à quoi ne touche rien de créé, qui n'est rien ; même l'ange qui a un être pur, qui est pur et immense, ne le touche pas. C'est apparenté à la nature divine, c'est "un" en soi, cela n'a rien de commun avec rien [186]. »

En posant l'identité de l'« Un » et du Néant, Eckhart ne se contente pas de transférer à l'un de l'âme les prédicats négatifs qui, dans les *Rationes Equardi*, définissaient pour lui « l'incréabilité » de l'intellect *(intellectus)* et de l'intellection *(intelligere)*. La séparation de l'intellect, sa pureté d'être, l'intellectualité pure sont, et restent bien, en un sens, pur néant. Ici, toutefois, il ne s'agit plus tant de désontologiser notre conception de la connaissance que de communiquer l'équivalence intrinsèque de toutes les désignations de l'origine pure, et, par là même, de dénoncer d'avance toutes les « représentations » de ce « Lieu » innommé que Dieu est en Lui-même.

La *Pr.* 71, sans doute le plus apophatique de tous les sermons d'Eckhart, expose en toute précision cette pensée du Né-ant qui dépasse en elle-même tout ce que les discours théologique, noétique, hénologique, présentent en « similitudes », distribuent en espaces et dé-

ploient en temps : « Quand l'âme parvient dans l'Un »,
qu'elle « y pénètre en un total rejet d'elle-même, elle
trouve Dieu » dans « la vraie lumière qui est néant » [187].

La vision de saint Paul est donc le prototype de toute
représentation de la théomorphose de l'âme. Quand
l'auteur des *Actes des Apôtres* dit que « Paul se releva de
terre et » que « les yeux ouverts, il vit néant », « il ne veut
rien dire d'autre sinon que, les yeux ouverts, il voyait le
Néant. Ne voyant rien, il voyait le Néant divin » [188].

En cette vision du Néant, il n'y a plus ni objet, ni
sujet, ni lumière, ni temps, ni lieu. S'il y a l'intellect, ce
n'est plus « l'intellect en recherche », mais cet autre
« intellect qui ne cherche pas, qui demeure dans son
être, saisi » dans la lumière qui ne brille pas [189].

L'« intellect » est donc ultimement l'un des noms de
ce qui dans l'âme ne cherche pas, n'a jamais cherché et
ne cherchera jamais, car c'est l'un des noms du désert de
l'origine. L'intellect qui a fait sa percée n'est plus rien. Il
est totalement anéanti en Dieu.

La théologie de la lumière engagée par Albert le
Grand et Ulrich de Strasbourg s'accomplit ainsi dans la
nuit de l'origine. La vraie lumière, la lumière inaccessible, est à ce point cachée en elle-même, qu'elle ne peut
être dite qu'en tant que désaisissement, déprise, déplacement de toutes les saisies.

Rien ne vient clore le cycle des théologies. Le
non-savoir de la divine inconnaissance ne se referme sur
rien. Si aucune *pré*-sence ne nous livre Dieu, l'entrée
dans l'unique-Un nous délivre de la présence.

Dieu ne peut être saisi que dans un « mode sans
mode » en tant qu'il se saisit de l'âme en son propre
Fond où « nul » n'a jamais pénétré. L'âme ne peut
trouver sa satisfaction tant qu'elle ne s'est pas absolument perdue elle-même, tant qu'en elle-même elle n'a
pas libéré Dieu en Dieu : « Aussi, la fiancée dit-elle au
*Livre de l'Amour* : "Lorsque j'avançai un peu, je trouvai
celui qu'aime mon âme." Le "peu" qu'elle dépasse,

c'était toutes les créatures. Celui qui ne les repousse pas ne trouve pas Dieu. Elle veut dire aussi : si minime, si pur que soit ce par quoi je connais Dieu, cela doit être écarté. Et même si je prends la lumière qui est vraiment Dieu, en tant qu'elle touche mon âme, ce n'est pas comme il se doit. Il me faut la saisir dans son jaillissement. Je ne pourrais pas bien voir la lumière qui brille sur le mur, si je ne tournais les yeux là où elle jaillit. Et même alors, si je la saisis là où elle jaillit, il faut que je sois libéré de ce jaillissement ; je dois la saisir telle qu'elle plane en elle-même. Même alors, je dis qu'il ne doit pas en être ainsi. Qu'il ne me faut la saisir, ni dans son contact, ni dans son jaillissement, ni quand elle plane en elle-même, car tout ceci est encore un mode. Il faut saisir Dieu comme mode sans mode, comme être sans être, car il n'a pas de mode. Saint Bernard dit à ce sujet : "Qui veut te connaître, Dieu, doit te mesurer sans mesure". [190] »

## Le Dieu d'amour et la mission de l'Esprit

L'âme ne peut se perdre absolument elle-même sans l'avoir voulu.

Les rapports de la volonté et de la béatitude chez Eckhart ne sauraient donc être réduits aux seules positions antivolontaristes de ses premières polémiques universitaires.

Pour que règne l'unique-Un, la volonté de l'homme doit d'abord rencontrer la volonté de Dieu. Plus encore : la volonté de Dieu doit devenir sa volonté, fût-ce au prix de la béatitude : « Si notre volonté devient la volonté de Dieu, c'est bien, mais si la volonté de Dieu devient notre volonté, c'est beaucoup mieux [...]. C'est une vérité certaine et une vérité nécessaire : si toutes les peines de l'enfer, et toutes les peines du purgatoire, et toutes les peines du monde y étaient attachées, la volonté voudrait souffrir éternellement et sans cesse avec la volonté de Dieu dans les peines de l'enfer, elle voudrait les subir toujours comme son éternelle béatitude, elle voudrait dans la volonté de Dieu renoncer à la béatitude, à toute la perfection de Notre-Dame et à celle de tous les saints ; elle voudrait demeurer à jamais dans les peines et l'amertume éternelles, elle ne pourrait s'en détourner un instant, et même la pensée ne pourrait pas lui venir de vouloir quoi que ce soit d'autre [191]. »

La volonté d'unité doit être pensée comme l'unité d'un seul vouloir où l'âme et Dieu sont conjoints dans une même extase. La volonté manifeste, réalise, ce double mouvement de l'Un vers lui-même qui inclut dans une identité totale l'être et le devenir de l'âme dans l'être et le devenir de Dieu : « Quand la volonté devient ainsi unie, en sorte que ce soit un unique Un, le Père du royaume céleste engendre en soi son Fils unique en moi. Pourquoi en soi en moi ? Parce que je suis un avec lui, il ne peut m'exclure, et dans cette opération, l'Esprit saint reçoit son être et son devenir de moi comme de Dieu. Pourquoi ? parce que je suis en Dieu. S'il ne le reçoit pas de moi, il ne le reçoit pas non plus de Dieu ; il ne peut m'exclure, en aucune manière [192]. »

La problématique de la béatitude personnelle est ainsi résorbée dans la théorie du vouloir divin. De même que Paul était le modèle de la vision de Dieu dans son néant suressentiel, Moïse est celui de l'adhésion ontologique au devenir divin, le modèle d'un être-pour-Dieu qui accompagne et redouble l'extatisme de l'Un : « La volonté de Moïse était si totalement devenue la volonté de Dieu que l'honneur de Dieu dans son peuple lui était plus cher que sa propre béatitude [...]. Et Moïse pria Dieu et dit : "Seigneur, efface-moi du Livre des vivants." Les maîtres demandent : Moïse aima-t-il le peuple plus que lui-même ? Et ils disent non, car Moïse savait bien qu'en cherchant l'honneur de Dieu dans le peuple, il était plus proche de Dieu que s'il avait abandonné l'honneur de Dieu dans le peuple et cherché sa propre béatitude [193]. »

Le vouloir de Dieu est donc essentiellement volonté d'amour. Cette volonté s'accomplit dans la mission de l'Esprit saint qui vient enlever l'âme pour la conduire dans le Fond de l'unique-Un.

Autrement dit : la théorie eckhartienne du vouloir ne prend son véritable sens que dans sa théologie des missions divines [194], et non dans sa doctrine des puissances de l'âme.

C'est là où le vouloir de Dieu et le vouloir de l'âme sont unis dans un même amour, que l'être-Lui-même se dévoile dans l'être-pour-Dieu. Le commandement d'amour est pour l'âme un commencement d'être : « "C'est mon commandement que vous aimiez." Quand il dit "que vous aimiez", qu'entend-il par là ? Il veut dire, notez-le bien : l'amour est si pur, si dépouillé, si détaché en lui-même, que les meilleurs maîtres disent que l'amour avec lequel nous aimons est l'Esprit saint. Certains ont voulu contredire, mais c'est toujours vrai : en tout mouvement par lequel nous sommes mus vers l'amour, rien d'autre que l'Esprit saint ne nous meut. L'amour, en ce qu'il a de plus pur, de plus détaché, n'est en lui-même rien d'autre que Dieu [195]. »

L'extatisme dionysien trouve ainsi sa place dans une doctrine de l'amour qui fait de l'Esprit saint «l'amour éternel sans mesure», grâce auquel Dieu «peut opérer divinement » dans l'âme et ainsi ramener à lui toutes les créatures. Le désir de l'âme et celui de Dieu sont ainsi le même désir : «Dieu s'aime lui-même dans toutes les créatures. De même qu'il cherche l'amour pour lui dans toutes les créatures, il cherche aussi en elles son propre repos [196]. »

Ainsi compris, l'amour est la «puissance supérieure de l'âme» qui «fait sa percée en Dieu et conduit l'âme en Dieu avec la connaissance et avec toutes ses puissances et l'unit à Dieu [197]. » C'est uniquement par la

mission de l'Esprit que Dieu peut opérer dans l'âme
« non pas en tant qu'elle est âme, mais en tant que divine
en Dieu [198] ».

On a suffisamment dit que ce stade « opératoire »
était le principe, l'initiale du dynamisme de l'âme dans
son retour à l'Un pour ne pas y arrêter l'hénologie
négative eckhartienne. On ne saurait, pour autant,
négliger le rôle de la mission de l'Esprit dans le cycle de
l'émanation et du retour. C'est par là, en effet, que la
pensée d'Eckhart s'affirme en même temps comme une
authentique théologie chrétienne.

Si l'âme doit « rester près de l'Un » [199], puis s'établir
dans l'Un, c'est-à-dire, comme on l'a vu, « dans l'unité
selon le mode de l'unité » [200], il faut d'abord qu'elle aime
et qu'elle soit aimée. Il faut qu'elle soit l'amour même.
Car « Dieu est l'origine *et* il est amour » [201]. C'est
pourquoi « l'âme ne peut se satisfaire que d'amour » [202],
car cet amour est l'amour même que Dieu lui porte, c'est
la mission divine elle-même. Le Saint-Esprit est l'amour
que Dieu a pour l'âme. L'amour est en l'âme l'épanouissement même de Dieu : « Sachez que Dieu aime si
puissamment l'âme que c'est merveille. Celui qui
priverait Dieu d'aimer l'âme le priverait de sa vie et de
son être, ou il tuerait Dieu si l'on pouvait parler ainsi,
car le même amour dont Dieu aime l'âme est sa vie et
dans ce même amour le Saint-Esprit s'épanouit, et ce
même amour est le Saint-Esprit [203]. » « Notez-le ! Nulle
part Dieu n'est plus spécifiquement Dieu que dans
l'âme. Dans toutes les créatures il existe quelque chose
de Dieu, mais dans l'âme, Dieu est divin, car elle est son
lieu de repos. C'est pourquoi un maître dit : "Dieu
n'aime rien que lui-même ; il consume tout son amour en
lui-même." [...] Son amour est en nous un épanouissement du Saint-Esprit [204]. »

L'hénologie d'Eckhart appelle une théorie de l'a-
mour qui est aussi une mystique trinitaire. La tension, la
différence des deux formes rectrices du néoplatonisme

chrétien, la dionysienne et l'augustinienne, est ainsi magnifiquement surmontée. La théologie d'Eckhart est bien le couronnement de l'entreprise la plus caractéristique de la théologie rhénane : trouver une formulation de l'Unitrinité divine qui intègre la course constante de l'âme vers l'unique-Un comme un moment essentiel de son autoconstitution.

La *Pr.* 75 déploie cette synthèse ultime en unissant dans une même théorie de l'amour les thèmes de la lumière, de l'intellect et de l'émanation.

Il y a, dit Eckhart, trois sortes d'amour en Dieu. Ces trois amours sont, en lui, une unique « vérité, simple, pure, essentielle » [205], mais, pour nous, ils ouvrent l'espace d'un parcours, d'une trajectoire qui nous fait « monter du bon au meilleur » et « d'un meilleur à un plus parfait ». Ces trois amours, que nous devons apprendre à *connaître*, c'est-à-dire aussi à *reconnaître* en nous, sont l'amour naturel, l'amour de grâce et l'amour divin.

L'amour naturel est celui de l'émanation créatrice. Le trouver en soi, c'est connaître que Dieu a formulé d'avance toutes les créatures dans son Verbe éternel, c'est reconnaître toutes choses dans leurs idées incréées comme fluant, émanant de ce Verbe, dans la générosité de l'effusion divine : « Par le premier amour qu'éprouve Dieu, nous devons apprendre comment sa bonté naturelle le contraignit à former toutes les créatures qu'il portait éternellement en lui dans l'image de sa providence, afin qu'elles jouissent avec lui de sa bonté [206]. » L'âme qui s'ouvrirait ainsi entièrement à l'amour naturel de Dieu serait comme celle du séraphin. Devenue « toute vacuité », Dieu « s'épancherait » en elle « aussi parfaitement que dans le séraphin ».

Eckhart retrouve ici l'idée du « point spirituel » chère à Albert le Grand et Ulrich de Strasbourg : l'âme est comme un petit point sur une circonférence. Pour qu'elle devienne « plus proche de Dieu », il lui faut changer de place, pour s'établir plus près du « Point » de l'Être divin, qui « demeure toujours également au centre ». Il lui faut « sortir d'elle-même », faire le vide d'elle-même. Cette proximité du vide la place plus près du Centre de l'émanation. Elle est alors traversée par le flux de la Bonté, sans rien retenir pour elle. Elle est transie par le flot de l'amour producteur. Chaque petit point a ainsi en lui-même l'amorce d'un destin spirituel, selon le degré de vacuité qu'il a su assumer, car « Dieu se répand en son être dans toutes les créatures, en chacune autant qu'elle peut recevoir [207]. » Ce destin, cependant, ne saurait s'accomplir par les seules forces naturelles de l'âme, car dans sa lumière naturelle l'âme reste essentiellement éloignée de l'amour séraphique. L'amour naturel qu'elle trouve en elle ne lui permet pas de changer véritablement de « place », car cette « place » est celle d'une finitude, d'une capacité que la vacuité n'abolit pas comme place.

Il lui faut donc quitter véritablement cette place et la joie même qu'elle y éprouve, pour s'approcher plus près encore du centre, à égalité avec l'ange.

Ce changement est opéré en elle par le deuxième amour de Dieu. La créature spirituelle, douée d'intellect, doit être emportée avec son intellect naturel dans la lumière de grâce : « Par le deuxième amour de Dieu qui est conféré par la grâce, ou spirituel, Dieu flue dans l'âme et dans l'ange : j'ai dit précédemment que la créature douée d'intellect doit être mue hors d'elle-même par une lumière située au-dessus de toute lumière naturelle. Toutes les créatures éprouvent tant de joie dans leur lumière naturelle qu'il faut que ce soit quelque chose de plus élevé qui les en retire : une lumière de grâce. Dans la lumière naturelle, l'homme éprouve de la joie en lui-même, mais la lumière de grâce, inexprimablement plus élevée, retire à l'homme sa propre joie et l'attire en elle [208]. » C'est donc par l'intellectualité pure,

illuminée par la grâce, que l'âme se rapproche décisivement du «point essentiel qui est Dieu»[209].

Eckhart n'oppose plus ici l'intellect, faculté de la
connaissance, et la volonté, faculté de l'amour, mais
l'intellect tourné vers le monde et l'intellect uni à Dieu
dans l'amour. L'amour est la fin suprême de l'intellectualité, car l'opération même de l'intellect, la connaissance, dans sa double dimension cathartique et anagogique, est, une fois saisie par la grâce, une simple union
d'amour. L'intellectualité pure est l'amour pur : «Si je
détourne de toutes choses mon intellect qui est une
lumière pour le diriger droit vers Dieu, Dieu s'épanchant sans cesse par sa grâce, mon intellect est illuminé
et uni dans l'amour ; par là il connaît Dieu et aime Dieu,
tel qu'il est en lui-même. Nous apprenons ainsi comment
Dieu se répand dans les créatures intellectuelles par la
lumière de la grâce, comment nous devons ainsi, par
notre intellect, nous rapprocher de cette lumière de
grâce et comment nous sommes retirés à nous-mêmes et
élevés dans une lumière qui est Dieu lui-même[210].»

Le troisième amour, qui est divin, est l'accomplissement du destin spirituel de l'âme. C'est la naissance de
l'âme en Dieu, sa percée dans le Centre : «Pour y
parvenir, il faut que nous montions de la lumière
naturelle, dans la lumière de la grâce et qu'en elle, nous
croissions vers la Lumière que le Fils est lui-même[211].»

Le troisième amour nous introduit alors dans la
société des Personnes, dans la Tri-unité : «Là, nous
sommes aimés dans le Fils par le Père, avec l'amour qui
est le Saint-Esprit, éternellement jailli et s'épanouissant
dans sa naissance éternelle — c'est la troisième Personne
— et s'épanouissant du Fils vers le Père en tant que leur
amour réciproque[212].»

Mais cette Tri-unité de l'amour, en tant qu'elle est la
vie de Dieu, nous emporte elle-même dans le Fond des
Personnes. L'amour n'est véritablement Lui-même, que
lorsque Dieu a cessé d'être aimable, «lorsqu'il est

au-dessus de l'amour et de tout attrait d'amour » [213].

Le troisième amour s'accomplit donc en Lui-même de manière absolue. Le vouloir divin n'est Lui-même que quand l'amour s'est fixé dans l'Unité des trois.

La mission de l'Esprit nous révèle ainsi sa véritable nature : conduire l'âme à l'Un dans l'amour véritable du Dieu caché. Ainsi prise dans la vie trinitaire, l'âme fait sa percée dans le néant divin. La mystique trinitaire ne consiste donc pas à contempler Dieu en tant qu'il est trinitaire, mais à épouser dans la société des Personnes l'unique-Un qui s'y diffuse, car, si l'âme « contemple Dieu en tant qu'il est Dieu, ou en tant qu'il est Image, ou en tant qu'il est trinitaire, c'est en elle une insuffisance. Mais quand toutes les images de l'âme sont écartées et qu'elle contemple seulement l'unique-Un, l'être nu de l'âme reposant passivement en lui-même rencontre l'être nu, sans forme, de l'unité divine qui est l'Être superessentiel [214]. »

La trinité des puissances de l'âme — mémoire, intellect, volonté — et la Trinité des Personnes — Père, Fils, Esprit — ont, là, même Fond. La contemplation qui s'y ouvre est un regard sans regard, ce qu'Eckhart appelle « un amour sans attrait d'amour », bref : un amour apophatique.

L'âme s'y trouve totalement dépouillée d'elle-même, totalement divinisée, dans un total rejet d'elle-même, sans pensées et sans images, autrement dit : sans intellect — dans la mesure où l'intellect vit encore la dualité du pensé et du pensant — et sans Personnes — dans la mesure où les Personnes découpent encore pour elle des Figures sur le Fond du Repos.

Le véritable amour se porte sur ce qui en Dieu n'a pas de nom et il se fixe et jaillit en l'âme dans ce qui y est et de ce qui y est sans nom.

Ainsi l'amour est-il passé du Dieu aimable au Dieu Amour. Ainsi l'âme a-t-elle changé de place pour s'établir en cette place sans emplacement, ce Centre

inassignable de l'intériorité pure qu'est le « Je » originaire. C'est dans ce mouvement que se réalise la
destinée de l'âme comme destinée d'amour. C'est le fin
mot de la théologie d'Eckhart : « Comment donc dois-je
aimer Dieu ? — Tu dois aimer Dieu, non pas intellectuellement, c'est-à-dire que ton âme doit être non
intellectuelle et dépouillée de toute intellectualité, car
tant que ton âme est intellectuelle, elle a des images ;
tant qu'elle a des images, elle a des intermédiaires ; tant
qu'elle a des intermédiaires, elle n'a ni unité, ni
simplicité. Tant qu'elle n'a pas la simplicité, elle n'a
jamais vraiment aimé Dieu, car le véritable amour réside
dans la simplicité. C'est pourquoi ton âme doit être
non-intellectuelle, dépouillée de toute intellectualité,
demeurer sans intellect, car si tu aimes Dieu en tant qu'il
est Dieu, en tant qu'il est Intellect, en tant qu'il est
Personne, en tant qu'il est Image — tout cela doit
disparaître. — Comment donc dois-je l'aimer ? — Tu
dois l'aimer en tant qu'il est un Non-Dieu, un Non-
Intellect, un Non-Personne, un Non-Image. Plus
encore : en tant qu'il est un Un pur, clair, limpide,
séparé de toute dualité. Et dans cet « Un », nous devons
éternellement nous abîmer : du Quelque chose au
Néant.

Que Dieu nous y aide. Amen [215]. »

## NOTES

1. *Cf.* essentiellement J. KOCH, « Kritische Studien zum Leben Meister Eckharts», *in : Kleine Schriften* I (Storia e Letteratura. Raccolta di Studi e Testi 127), Rome, 1973, pp. 247-347.

2. *Cf.* G. THÉRY, « Édition critique des Pièces relatives au Procès d'Eckhart contenues dans le manuscrit 33b de la Bibliothèque de Soest», *AHDLMA 1*, (1926/1927), pp. 129-268.

3. *Cf.* É. WÉBER, « Mystique parce que théologien : Maître Eckhart», *La vie spirituelle* 652 (1982), p. 734.

4. *Cf.* É. WÉBER, « Mystique... », p. 734.

5. V. LOSSKY, *Théologie négative et connaissance de Dieu chez Maître Eckhart*, (Études de philosophie médiévale XLVIII), Paris, 1960.

6. B. MOJSISCH, *Meister Eckhart. Analogie, Univozität und Einheit*, Hambourg, 1983.

7. *Cf.* É. WÉBER, « Maître Eckhart à Paris... », pp. 29 *sqq.*

8. *Cf.* É. ZUM BRUNN, « Une source méconnue de l'ontologie eckhartienne», *in : Métaphysique, Histoire de la Philosophie. Recueil d'études offert à Fernand Brunner*, Neuchâtel, 1981, pp. 111-117.

9. *Cf.* sur ce point le dossier établi par le traducteur d'Hadewijch, *Lettres spirituelles*, Genève, 1972 : « Introduction», pp. 7-58, « Annexes » A et B, pp. 251-294. *Cf.* également M.-M. LABOURDETTE, « Les mystiques rhéno-flamands», *La vie spirituelle* 652 (1982), pp. 646-647.

10. *Cf.* K. ALBERT, *Meister Eckharts These vom Sein. Untersuchungen Zur Metaphysik des Opus Tripartitum*, Kastellaun, 1976.

11. F. BRUNNER, *Maître Eckhart* (Philosophes de tous les temps 59), Paris, 1969, p. 11.

12. F. BRUNNER, *ibid.*, p. 12.

13. F. BRUNNER, *ibid.*

14. F. BRUNNER, *ibid.*

15. *Cf.* A. DE LIBERA, *Le problème de l'être chez Maître Eckhart. Logique et métaphysique de l'analogie* (Cahiers de la Revue de théologie et de philosophie 4), Genève, Lausanne, Neuchâtel, 1980.

16. *Cf.* A. DE LIBERA, « La métaphysique du Verbe », *in* : É. ZUM BRUNN *et* A. DE LIBERA, *Maître Eckhart. Métaphysique du Verbe et théologie négative*, Paris, 1984, pp. 71-155.

17. F. BRUNNER, *Maître Eckhart*, p. 13.

18. Nous citons la traduction de J. Ancelet-Hustache (= *A.H.*), Paris, 1974-1979. Nous la modifions chaque fois que nous le pensons nécessaire. Nous indiquons également les références de l'édition allemande : *Deutsche Werke* (= *DW*), Stuttgart, 1936 *sqq*. *Cf.*, ici, *Pr.* 45, *A.H.* 2, p. 98 ; *DW* II, p. 370, 1-9.

19. *Pr.* 45, *A.H.* 2, pp. 96-97 ; *DW* II, p. 363, 3-7.

20. *Ibid.* *A.H.* 2, p. 98 ; *DW* II, p. 368, 4-5 : « Diu sêle, diu dâ ist gekêret mit aller kraft under daz lieht gotes, diu wirt inhizzic und inviuric in götlîcher minne. »

21. *Ibid.*, *A.H* 2, p. 97. « Portée en haut » : « ûfgetragen » : *DW* II, p. 367, 5.

22. *Ibid.*, *A.H.* 2, p. 98 ; *DW* II, p. 370, 10-11.

23. *Ibid.*, *A.H.* 2, p. 99 ; *DW* II, p. 373, 4.

24. *Ibid.*, *A.H.* 2, p. 99 ; *DW* II, p. 373, 5.

25. *Ibid.* : « Dâ er sîn wesen inne hât, in dem selben grunde. »

26. *Pr* 28, *A.H.* 1, p. 234 ; *DW* II, p. 68, 1-3.

27. *Pr.* 28, *A.H.* 1, p. 234 ; *DW* II, p. 68, 3-5. Cette « pureté qui n'est pas dans le monde », cet « Un » « à partir duquel le Père diffuse la lumière de sa déité » est lointainement référé à « Platon, le grand clerc » : « Platô, der grôze pfaffe » [*DW* II, p. 67, 1]. Eckhart pense-t-il ici à l'Un « platonicien » comme Bien suprême et Idée suprême, tel que le présente Thomas d'Aquin [*Summa theologiae*, Iᵃ Pars, q. 6, a. 4] ou à l'Un « néoplatonicien » de Proclus ? On pencherait volontiers pour la seconde hypothèse, si Eckhart n'avait l'habitude d'appeler Proclus par son nom.

28. *In Exodum*, § 16 ; *LW* II, p. 22, 1-3.

29. *Pr.* 77, *A.H.* 3, p. 119 ; *DW* III, p. 339, 1-6. Le terme « être-Lui » rend l'allemand « isticheit », celui de « Il-est », l'allemand « istes ».

30. Sur ce point, *cf.*, A. DE LIBERA, « L'Être et le Bien... », à paraître. *Cf.* également B. MOJSISCH, « Die Theorie des Ich in seiner Selbst-und Weltbegründung bei Meister Eckhart », *in* : *L'Homme et son univers. Actes du Colloque de la S.I.E.Ph.M.*, Louvain, 1982, sous presse.

31. *Pr.* 77, *ibid.* ; *DW* III, p. 340, 1-2.

32. *Pr.* 77, *ibid.* ; *DW* III, p. 341, 5 : « Und alsô meinet daz wort "ich" gotes lûterkeit des wesens, daz dâ ist in im selben. » Cette « pureté nue de l'être » est la *puritas essendi* de l'œuvre latine.

33. *Pr.* 83, *A.H.* 3, pp. 152-153 ; *DW* III, p. 443, 5-7. Le français « fondre » rend l'allemand « fliesen ». On pourrait ici dire « fluer », ce qui rendrait un son plus albertinien.

34. *Pr.* 83, *A.H.* 3, p. 153 ; *DW* III, p. 447, 5-6. Le terme
« être-Lui » rend à nouveau « istikeit ». Sur cette notion, *cf.*, M.-ST.
MORARD, « Ist, istic, istikeit bei Meister Eckhart », *Freiburger
Zeitschrift für Phil. und Theol.* 3 (1956), p. 173. Le mot « istekeit »
est originairement un « ist » substantivé. *Cf.* dans le même sens le mot
« istes », *supra* note 29.

35. *Cf.* l'article « contemplation » dans le *Dictionnaire de spiritualité*, col. 1781 qui renvoie, notamment, à *Practicos* I, 71.

36. *Cf.* V. LOSSKY, *Théologie négative...*, p. 13.

37. Sur le « néant » intentionnel de l'Image — et de toute image
ou représentation en général — *cf.* notre traduction des *Rationes
Equardi, in : Maître Eckhart à Paris...*, pp. 208-209, note 24. Sur le
« Fils » comme « Image de la déité » (« bilde der gotheit ») et « néant
de la déité » (« niht der gotheit ») *cf. Pr.* 70, *Anhang., DW* III, pp.
202, 8-203, 5.

38. Ce sermon publié dans la traduction française de Molitor et
Aubier [*Maître Eckhart. Traités et sermons*, Paris, 1942, d'après la
traduction en allemand moderne de F. Schulze-Maizier (*Meister
Eckharts deutsche Predigten und Traktate*, Leipzig, 1927, pp.
337-347) rend un son très eckhartien. On ne saurait, pour autant
affirmer qu'il est bien du Maître. Par ailleurs, le texte n'est
évidemment pas « critique ». Nous l'indiquons donc ici par simple
prudence comme « apocryphe », en attendant une information plus
sûre. Le titre que nous citons se trouve p. 247. Sur l'authenticité du
sermon, *Cf.* F. SCHULZE-MAIZIER, *Meister Eckhart...*, pp. 434-435.

39. *Op. cit.*, p. 247 ; Schulze-Maizier, p. 337.

40. *Op. cit.*, p. 248 ; Schulze-Maizier, p. 338.

41. *Op. cit., ibid.*, Schulze-Maizier, *ibid.* (« dass sie ihn sich
selber überlasse und seiner ledig stehe »).

42. *Op. cit.*, p. 249 ; Schulze-Maizier, p. 340.

43. *Op. cit., ibid.*, Schulze-Maizier, p. 341 (« in dem Nichts
seines Urbildes »).

44. *Op. cit.*, p. 250 ; Schulze-Maizier, p. 341.

45. *Op. cit., ibid.*, Schulze-Maizier, *ibid.*

46. *Op. cit.*, p. 251 ; Schulze-Maizier, p. 343.

47. *Op. cit., ibid.*, Schulze-Maizier, *ibid.*. Le thème de l'« océan
sans fond de la déité » rappelle l'« Océan infini » de Jean de Damas lu
comme « abîme de la divine essentialité » chez Guillaume d'Auxerre
ou Alexandre de Halès. *Cf. supra*, p. 91, note 28.

48. *Pr.* 52, *A.H.* 2, p. 145 ; *DW* II, p. 488, 3-4. *Cf.* ALBERT, *Enn.
in Evang. Matth.*, 5, 3 ; Borgnet 20, pp. 149b, 150a, 151a.

49. *Pr.* 52, *A.H* 2, p. 145 ; *DW* II, p. 488, 4-5.

50. *Pr.* 52, *A.H.* 2, p. 145 ; *DW* II, p. 488, 5-6 : « Daz ist ein arm
mensche, der niht enwil und niht enweiz und niht enhât. »

51. *Cf.* « Comment l'âme suit sa propre voie... », *ed. cit.*, p. 248 ; Schulze-Maizier, p. 338.

52. *Ibid.*, p. 247 ; Schulze-Maizier, p. 337.

53. *Pr.* 52, *A.H.* 2, p. 146 ; *DW* II, pp. 492, 3-493, 2. On peut éventuellement rapprocher ce passage de *Lib. Parab. Gen.*, § 109 ; *LW* I, p. 57, 6 *sqq.* où l'opposition de Je (= Dieu) et de « Dieu » est rendue par celle de *Deus* (= Dieu) et de *Dominus* (= le Seigneur) : « Sciendum ergo quod deus ab aeterno quidem est et dicitur *deus, dominus* autem magis proprie dicitur ex tempore. Quo enim creatura esse coepit, et *creator* et *dominus* dicitur deus. » L'idée selon laquelle Dieu *reste* Dieu en Lui-même et *devient* « Dieu » dans les créatures me paraît être une reprise de la doctrine de Scot Erigène selon laquelle Dieu ne peut se connaître en Lui-même mais seulement en devenant quelque chose d'autre que Soi, « se créant lui-même », en « descendant dans les principes des choses », c'est-à-dire « en apparaissant dans ses théophanies ». La simple opposition tradition-nelle de *deitas* et *Deus* exprime mal cette théomorphose du Je dans la création. Sur la doctrine de Scot, voir la belle page d'É. Gilson dans *La Philosophie au Moyen Age...*, p. 213.

54. *Pr.* 52, *A.H.* 2, pp. 146-147 ; *DW* II, pp. 494, 4-495, 4, notamment 495, 3-4 : « Der mensche also *ledic* sol stân sînes eigenen wizzenes, als er tete, dô er niht enwas. » « Lorsqu'il n'était pas » ou « quand il (n') était *rien* » ?

55. *DW* II, p. 500, 3-4. « Libéré » rend le terme allemand « ledic » = « vide ». Un sermon publié par F. Pfeiffer dans *Deutsche Mystiker des XIV. Jahrhunderts*, II, Leipzig, 1857, p. 4, 11-14 dit que l'homme doit « se retirer et se vider *(ledic machen)* de toutes pensées, paroles et œuvres et de toutes images de l'intellect, pour demeurer entièrement en un pâtir Dieu *(in eime gotlîden)* qui le laisse oisif ». La « béatitude de l'homme pauvre » eckhartien s'articule ici sur deux notions — la vacuité et la passivité ou pâtir — incompatibles avec la théorie de la vision béatifique de Thierry de Freiberg. De fait, le résumé que Thierry donne de sa doctrine dans le *De int.*, II, 31, 8 ; Mojsisch, p. 170, 95-101 rejette explicitement l'une et l'autre : « J'ai montré que c'est l'intellect *agent* lui-même qui est le principe béatifiant. Informés par lui — quand il sera devenu pour nous forme — nous serons bienheureux, par l'union entre Dieu et nous, par la contemplation béatifiante immédiate qui nous fera voir Dieu par essence. En effet, il n'est pas vraisemblable que la réalité supérieure et la plus noble que Dieu a plantée dans notre nature reste *vacante (vacet)* dans la béatitude. Au contraire, puisque c'est en nous ce qu'il y a de suprême selon la nature, c'est aussi le principal dans l'*acte* béatifique, qui consiste dans la vision de Dieu par essence. » La différence entre les deux maîtres a été énergiquement soulignée par

Eckhart de Gründig. Reste à se demander si le *gotlîden* condense *toute* la pensée de Maître Eckhart.

56. *Pr.* 52, *A.H.* 2, p. 148 ; *DW* II, p. 500, 6 : «arm in der naehsten armuot».

57. *Pr.* 47, *A.H.* 2, p. 109 ; *DW* II, pp. 408, 3-409, 2.

58. *Pr.* 52, *A.H.* 2, p. 148 ; *DW* II, pp. 491, 9-501, 5.

59. *Pr.* 52, *A.H.* 2, p. 149 ; *DW* II, pp. 504, 4-505, 9. Le «grand maître» est-il Eckhart lui-même ? *Cf.* sur ce point les remarques de J. Quint, *DW* II, p. 516, note 55.

60. La «tête de l'âme» : c'est là l'expression même d'Augustin. *Cf. supra*, p. 44.

61. Sur tout ceci, *Cf.* H. Hof, «Der Begriff *Scintilla animae*», in : *Scintilla animae...*, II. Teil, pp. 161-220. Sur la «ratio superior» et la «ratio practica», *cf. ibid.*, pp. 199-201. Eckhart a, peut-être, emprunté les termes d'«étincelle» et de «syndérèse» au *Commentaire sur Ezechiel* de Jérôme dont l'exégèse d'Ez 1, 1 présente parallèlement la division platonicienne des puissances de l'âme (*rationale animae, irascitivum, concupiscitivum*) alléguée dans la *Pr.* 32, *A.H.* 2, p. 15 ; *DW* II, p. 141, 5 *sqq*, la *Pr.* 33, *A.H.* 2, p. 19 ; *DW* II, pp. 152, 6-153, 4 et la *Pr.* 34, *A.H.* 2, p. 24 ; *DW* II, p. 168, 1-5, comme «support» des vertus théologales (la «puissance intellectuelle» correspondant à la foi, la «puissance irascible» ou «ascendante» à l'espérance, la «concupiscive» à l'amour ou charité). On doit, cependant, noter que l'ensemble du passage de Jérôme était déjà utilisé par Albert dans la *Summa de creaturis*, Pars II[a], q. 71, a. 1 ; Borgnet 35, p. 591a. L'originalité d'Eckhart réside dans l'usage qu'il fait de la notion de syndérèse — en elle-même parfaitement traditionnelle —, puisque, en attendant la notion d'«Un de l'âme», c'est surtout à elle qu'il confie l'expression de l'unité originaire de l'âme et de Dieu. Sur l'«étincelle de l'âme», *cf.* M. Tardieu, «ΨΥΧΑΙΟΣ ΣΠΙΝΘΗΡ, Histoire d'une métaphore dans la tradition platonicienne jusqu'à Eckhart», *Revue des Études Augustiniennes* 21 (1975), pp. 225-255.

62. *Pr.* 48, *A.H.* 2, p. 114 ; *DW* II, pp. 419, 1-421, 3.

63. *Pr.* 67, *A.H.* 3, p. 49 ; *DW* III, p. 132, 6-7.

64. *Pr.* 67, *A.H.* 3, p. 49 ; *DW* III, pp. 132, 8-133, 3.

65. *Pr.* 67, *A.H.* 3, p. 50 ; *DW* III, p. 133, 3-4 : «Ez ist diu wesenlich vernünfticheit gotes, der diu lûter blôz kraft ist *intellectus*, daz die meister heizent ein enpfenclîchez.» Cette doctrine est, à nouveau, exactement opposée à celle de Thierry de Freiberg, pour qui l'intellect possible n'est que *similitudo* de l'essence divine, à la différence de l'intellect agent qui est *imago* véritable. *Cf. supra*, p. 180. La *Pr.* 67 est incontestablement une pièce allant dans le sens de la présentation des deux maîtres par Eckhart de Gründig.

66. *Pr.* 67, *A.H.* 3, p. 50 ; *DW* III, p. 133, 5-8. Nous avons

sensiblement modifé la traduction de J. Ancelet. Nous conservons, cependant, le jeu sur « être », « essence », « existence », sans oublier que le maître a, en fait, employé deux fois le mot « isticheit » : « Ez ist diu blôze isticheit, diu dâ beroubet ist alles wesens und aller isticheit. »

67. *Pr.* 67, *A.H.* 3, p. 50 ; *DW* III, pp. 133, 8-134, 1.

68. *Pr.* 67, *A.H.* 3, p. 50 ; *DW* III, p. 134, 2.

69. *Pr.* 67, *A.H.* 3, p. 50 ; *DW* III, p. 134, 3 (« daz der ûzerste mensche alzemâle enthalten werde »).

70. *Pr.* 67, *A.H.* 3, p. 50 ; *DW* III, p. 134, 3-4 (« in dem understantnisse haben ne von dem persônlîchen wesene »).

71. *Pr.* 67, *A.H.* 3, p. 50 ; *DW* III, p. 134, 14-16 (« selon le mode de l'esprit » = « nach geistes art »). Sur l'« être par grâce » (= *esse gratiae*), *cf.* Albert, *In III Sent.*, d. 27, A, a. 3 ; Borgnet 28, p. 51b.

72. *Pr.* 67, *A.H.* 3, p. 50 ; *DW* III, p. 134, 16-17.

73. *Pr.* 67, *A.H.* 3, p. 50-51 ; *DW* III, pp. 134, 17-135, 4.

74. *Pr.* 67, *A.H.* 3, p. 51 ; *DW* III, p. 135, 4-14.

75. *A.H.* 3, p. 48.

76. *A.H.* 3, *ibid.*

77. *Pr.* 67, *A.H.* 3, p. 51 ; *DW* III, p. 135, 10-11 : « Sô bin ich alsô vereiniget dem persônlichen wesene, daz ich *von gnâden* in dem persônlichen wesene bin ein und ouch daz persônlich wesen. »

78. *Pr.* 68, *A.H.* 3, p. 57 ; *DW* III, p. 152, 1-2.

79. *Pr.* 67, *A.H.* 3, p. 50 ; *DW* III, p. 133, 2 (« in der inneblîbunge des wesens »). On pourrait dire aussi : « dans l'intériorité de l'essence ».

80. *Pr.* 68, *A.H.* 3, p. 57 ; *DW* III, p. 152, 3-4.

81. *Pr.* 68, *A.H.* 3, p. 54 ; *DW* III, p. 141, 5-6 (« Ein meister sprichet — und ouch unser besten meister »). Le *Lib. Parab. Gen.*, § 83 ; *LW* I, p. 545, 4-5 dit dans le même sens : « Il est évident que la béatitude, puisque c'est une vie éternelle, consiste proprement dans l'intellection ou connaissance de Dieu par essence » : « Patet quod beatitudo, cum sit vita aeterna, proprie consistit in intellectu sive in cognitione dei per essentiam. » Ce passage qui établit un lien explicite entre vie, intellectualité et connaissance de Dieu par l'essence fait penser à la théorie de la vision bienheureuse de Thierry de Freiberg. Plusieurs lignes du § 83 rappellent d'ailleurs des thèses théodoriciennes. C'est le cas de p. 544, 8-10 : « Vivum enim est, quod distinguitur a non vivo, quod habet ex se ipso et in se ipso et ab intra, non ab alio extra » = *De int.*, II, 7, 2 ; Mojsisch, p. 150, 49-50 ; de p. 544, 10-12 : « Intellectus iuxta nomen suum intus, in se ipso rem legit ; hoc enim est intelligere, id est intus legere. Rursus rem ipsam intus legit in suis principiis » = *De int.*, III, 26, 5 ; p. 200, 18-21 ; et de p. 545, 2 : « [...] principia intima et intrinseca, substantialia ipsi rei » = *De subst. spir.*, 4, 4 ; Pagnoni-Sturlese, p. 305, 4-6. Ces

recoupements doivent, cependant, être pris avec précaution, car dans les trois derniers passages Thierry parle de l'intellect possible, alors que les différents textes où il présente la connaissance de Dieu *per essentiam* concernent, évidemment, tous l'intellect agent. La présence simultanée de tous ces thèmes dans le § 83 du *Lib. Parab. Gen.* n'implique donc pas que Maître Eckhart y soutient une théorie de la vision plaçant la béatitude dans l'activité de l'intellect agent. Au contraire, on pourrait être tenté de dire sur cette base que le Thuringien attribue à l'intellect possible des propriétés que son confrère rhénan répartit entre l'intellect agent et l'intellect possible !

82. Sur Thomas de Verceil, *cf. supra*, p. 34. Sur le rôle de l'amour chez Eckhart, *cf. supra*, pp. 287-295.

83. *Pr.* 9, *A.H.* 1, p. 150 ; *DW* I, p. 150, 3-7 (« vernünfticheit ist der tempel gotes »). *Cf. ibid.*, pp. 150-151, note 1 (J. Quint) pour les parallèles dans l'œuvre latine.

84. *Pr.* 66, *A.H.* 3, p. 45 ; *DW* III, p. 124, 2-3 : « Der herre ist ein lebende, wesende, istige vernünfticheit, diu sich selber verstât und ist und lebet selber in im selber un dist daz selbe. »

85. *Pr.* 80, *A.H.* 3, p. 133 ; *DW* III, p. 379, 3-10. L'affirmation de l'intellectualité de Dieu est un leitmotiv de la pensée eckhartienne. Suffit-elle à la rattacher à celle de Thierry de Freiberg ? On peut en douter, puisque la thèse du *Deus Intellectus* est, on l'a vu, un bien commun à *toute l'école* d'Albert. Les « convergences » entre les deux maîtres doivent donc toujours être *mises en perspective*. Sur l'intellectualité de Dieu chez Eckhart, *cf. In Exodum*, § 176 ; *LW* II, p. 152, 1-5 (notamment : « [Dieu est] Intellect pur par lui-même tout entier » : « Intellectum se toto purum ») ; *In Iohannem*, § 34 ; *LW* III, p. 27, 12-14 : « C'est en Dieu que l'Intellect est au plus haut point — et sans doute en Lui seul, en tant que Premier principe de toutes choses — par lui-même tout entier *Intellect par essence*, par lui-même tout entier pur acte de penser » : « In Deo maxime, et fortassis in ipso solo, utpote primo omnium principio, se toto *intellectus est per essentiam*, se toto purum intelligere » ; *In Iohannem*, § 669 ; *LW* III, p. 582, 8-9 : « L'intellect premier, qui est par lui-même tout entier Intellect, n'ayant pas d'être en dehors de son acte de penser » : « In primo intellectu, qui se toto intellectus est, non habens esse praeter intelligere. »

86. *Pr.* 68, *A.H.* 3, p. 54 ; *DW* III, p. 141, 7 : « Ich hân eine kraft in mîner sêle, diu ist gotes alzemâle enpfenclich ». Cette affirmation nous éloigne à nouveau de Thierry : cette « puissance » — *potentia animae* — peut-elle être autre chose que l'intellect possible ou intellect « réceptif » ?

87. *Pr.* 69, *A.H.* 3, p. 63 ; *DW* III, p. 169, 1-5. Voici, en revanche, un passage assez « théodoricien » : « prendre conscience de Dieu » semble signifier la même chose que « connaître son Principe » ;

« chercher en soi-même » évoque la conversivité intellectuelle ; « être une Image » rappelle le thème de l'exemplarité intellectuelle. Comment expliquer de telles variations d'un sermon à l'autre (par exemple de la *Pr.* 68 à la *Pr.* 69) ? L'hypothèse la plus vraisemblable est que Maître Eckhart considère l'*intellectualité* en tant que telle (la « vernunf*ticheit* ») plutôt que la différence et l'ordre des *intellects*. De fait, il fait rarement référence à la notion d'intellect agent, en ces quelques occasions sa démarche reste plutôt doxographique. *Cf.* par exemple *In Iohannem*, § 155 ; *LW* III, p. 128, 5-10, qui présente la doctrine de l'intellect agent et de l'intellect acquis des « philosophes ».

88. *Pr.* 15, *A.H.* 1, p. 141 ; *DW* I, p. 250, 4-6. La définition de l'intellect comme *substance* rapproche à la fois Eckhart d'Albert et de Thierry. La triade « être-vie-pensée ou "être-intellectuel" », vraisemblablement héritée du *Liber de causis* prop. XII (§ XI), n° 104 ; Pattin, p. 73, 67 *sqq.*, est surbordonnée à l'intellect *in concreto*, c'est-à-dire *ut participantia*, selon le principe développé dans *In Iohannem*, § 61 ; *LW* III, p. 51, 3-4 : « L'acte d'être et celui de vivre, pris dans l'intelligence, sont l'intelligence elle-même et pur acte de penser » : « Esse et vivere in intelligentia intelligentia et simplex intelligere est ». *Cf.* également § 63, p. 53, 3-4 la notion d'*ordo essentialis* réglant les rapports hiérarchiques des participes : « Intelligents, vivants, étants ».

89. *Pr.* 15, *A.H.* 1, p. 141 ; *DW* I, p. 250, 6-10.

90. Sur l'intellect agent comme substance, *cf. supra*, pp. 179-191.

91. « Intelligere inquantum huiusmodi est subsistens ». *Rationes Equardi*, ratio 5ᵃ, texte et traduction par A. de Libera, *in : Maître Eckhart à Paris*, p. 208.

92. *Pr.* 69, *A.H.* 3, p. 63 ; *DW* III, p. 170, 6-9.

93. *Pr.* 76, *A.H.* 3, p. 116 ; *DW* III, pp. 323, 2-324, 4.

94. *Pr.* 69, *A.H.* 3, p. 64 ; *DW* III, p. 173, 2-3.

95. *Pr.* 69, *ibid., DW* III, p. 172, 3.

96. *Pr.* 69, *ibid., DW* III, p. 174, 6 : « Dar umbe vernünfticheit ist alwege inne suochende. »

97. *Pr.* 69, *A.H.* 3, p. 63 ; *DW* III, p. 168, 8-10 : « Das êwic wort ist daz mittel und daz bilde selbe, daz dâ ist âne mittel und âne bilde, ûf daz diu sêle in dem êwigen worte got begrîfet und bekênnet âne mittel und âne bilde. »

98. *Pr.* 69, *A.H.* 3, p. 65 ; *DW* III, pp. 178, 3-179, 7. Nous modifions la traduction Ancelet qui rend « wîsheit » par « vérité » (p. 179, 7).

99. *Pr.* 69, *A.H.* 3, p. 64 ; *DW* III, p. 174, 6-7.

100. *Pr.* 69, *A.H.* 3, p. 65 ; *DW* III, pp. 179, 7-180, 2.

101. *Cf.* A. DE LIBERA, « Les "Raisons d'Eckhart" », *in : Maître Eckhart à Paris...*, pp. 109 *sqq.*

102. *Cf.* traduction, *op. cit.*, pp. 200-223.
103. *Cf.* J. Trouillard, *L'Un et l'âme selon Proclos,* Paris, 1972, p. 137.
104. Eckhart semble faire de cette «non-pensée» l'essence de l'âme d'où fluent les puissances (intellect et volonté). Faut-il rapprocher cette doctrine de la théorie théodoricienne de la quasi-passivité de l'intellect agent en tant qu'émané de sa cause essentielle ou l'opposer à cette autre doctrine de Thierry, selon laquelle l'intellect agent est lui-même la cause essentielle de l'essence de l'âme ? La seconde hypothèse nous paraît plus vraisemblable.
105. *Cf.* É. Zum Brunn, «Dieu n'est pas être», *in : Maître Eckhart à Paris...*, p. 103 ; H. Hof, *Scintilla animae...*, pp. 213 *sqq.*
106. *Serm. lat.* XXIX, § 301, texte et traduction dans *Maître Eckhart à Paris...*, p. 196.
107. *Serm. lat.* XXIX, *ibid.*, trad. *ibid.*
108. Albert le Grand, *De anima*, III, tract. 3, cap. 6 ; Ed. Colon. VII/1, p. 214, 87 *sqq.* ; *Metaphysica*, VI, tract. 2, cap. 6 ; Ed. Colon. XVI/2, p. 331, 86 *sqq.* ; *De causis et processu...*, II, tract. 2, cap. 42 ; Borgnet 10, p. 541 *sqq.* Textes traduits par É. Wéber, *in : Maître Eckhart à Paris...*, p. 32.
109. *Pr.* 9, *A.H.* 1, p. 103 ; *DW* I, pp. 152, 9-153, 5.
110. *Pr.* 70, *A.H.* 3, p. 69 ; *DW* III, p. 188, 1-6. Le «grand clerc» est, sans doute, Gonzalve d'Espagne. Son adversaire pourrait être Eckhart lui-même ou Jean Quidort. La candidature d'Hervé de Nédelec n'est guère vraisemblable. Sur ce point *cf. DW* III, pp. 188-189, note 2 (J. Quint).
111. Jn 17, 3.
112. *Pr.* 70, *A.H.* 3, p. 69 ; *DW* III, p. 188, 7-8 : «Volbringunge der saelicheit leget an beiden : an bekantnisse und an minne.»
113. *Pr.* 70, *A.H.* 3, p. 71 ; *DW* III, p. 197, 3-4. D'après 1 Co 13, 12 : «Tunc autem cognoscam sicut et cognitus sum.»
114. *Pr.* 70, *ibid., DW* III, p. 197, 1 : «Wir suln got bekennen rehte, als got sich selber bekennet.» Allusion à 1 Jn 3, 2 : «Quoniam videbimus eum sicuti est.»
115. *Pr.* 70, *ibid., DW* III, p. 197, 4-6 : «In dem widerbilde, daz aleine bilde ist gotes und der gotheit, niht der gotheit dan als vil, als sie der vater ist.» Cette tournure restrictive correspond au latin «nonnisi inquantum».
116. *Pr.* 10, *A.H.* 1, p. 112 ; *DW* I, p. 173, 10-12 : «Im innersten der sêle, in vernünfticheit.» Cette identification de l'intérieur de l'âme et de l'intellect fait penser à Thierry de Freiberg.
117. *Pr.* 23, *A.H.* 1, p. 200 ; *DW* I, pp. 398, 5-399, 2. La définition de l'intellect : «Die vernunft der sêle daz ist daz hoehste der sêle» rappelle les formules d'Augustin et de Thierry [*cf.* également *Pr.* 26, *DW* II, p. 30, 3 : «Das oberste der sêle»]. C'est

également le cas de passages parallèles dans le *Serm. lat.* XLIX, § 505 ; *LW* IV, p. 421, 9 : «Ubi superius in anima, ubi vertex animae nectitur lumini angelico», § 507, p. 422, 13 : «Quia in supremo animae [...]». *Cf.* également *Serm. lat.* XXXVI, § 366 ; *LW* IV, p. 315, 3 *sqq.* («Sic nec sanctificatur anima spiritu sancto nisi in summum intellectualis naturalis luminis deducta»). Dans le *Lib. Parab. Gen.*, § 140 ; *LW* I, p. 607, 11 le «suprême de l'âme» est appelé «raison supérieure» («de supremo animae, quod est ratio superior»). On est donc ici à nouveau très proche d'Augustin. Il faut cependant reconnaître que dans d'autres passages le vocabulaire augustinien ne s'applique plus à l'intellect mais à l'essence de l'âme. C'est le cas, par exemple, dans *In Iohannem*, § 581 ; *LW* III, p. 508, 11-12 : «Septimo ait : "Pater in me manens [Jn 14, 10] ad denotandum, quod deus ipse illabitur *essentiae animae*. Iterum etiam manet in abditis, intimis et supremis ipsius animae.» Le *Serm. lat.* XXIV/2, § 248 ; *LW* IV, p. 227, 7-9 est, quant à lui, exactement opposé à la doctrine de la *Pr.* 23, puisqu'il soutient la nécessité d'une «ascensio intellectus» en arguant que «c'est dans l'essence de l'âme qu'il est propre à Dieu d'habiter» et que «cette essence est plus élevée que l'intellect».

118. *Pr.* 26, *A.H.* 1, p. 220 ; *DW* II, p. 30, 1 *sqq.* La distinction des «deux visages de l'âme» est évidemment augustinienne. Elle est aussi avicennienne. Eckhart lui-même rapproche les deux auteurs dans le *Lib. Parab. Gen.*, § 138 ; *LW* I, p. 605, 7 *sqq.* («Sic intellectuale in nobis distinguitur in superius et inferius, quae Avicenna vocat duas facies animae. Augustinus vero vocat ista rationem superiorem et rationem inferiorem.» Pour Avicenne, *cf.* É. Gilson, «Les sources gréco-arabes...», pp. 56-58.

119. *Pr.* 24, *A.H.* 1, p. 206 ; *DW* I, p. 417, 10-418, 4.

120. *Pr.* 26, *A.H.* 1, p. 220 ; *DW* II, p. 30, 5-7.

121. *Pr.* 26, *A.H.* 1, p. 220 ; *DW* II, p. 31, 2-3 : «Diu eine heizet wille, diu ander vernünfticheit, und der krefte volkomenheit liget an der obersten kraft, diu dâ heizet vernünfticheit.» *Cf.* dans le même sens *Lib. Parab. Gen.*, § 80 ; *LW* I, p. 542, 3 *sqq.* («Notandum quod in regione rationali sive intellectuali sunt duae potentiae, intellectus scilicet et voluntas, intellectus vero praestantior est»).

122. *Pr.* 26, *A.H.* 1, p. 221 ; *DW* II, p. 32, 1-3.

123. *Pr.* 23, *A.H.* 1, pp. 199-200 ; *DW* I, p. 396, 1-2 («Diu sêle, diu alsô alliu dinc überkommen hât, die erhebet der heilige geist und underhebet sie mit im in den grunt, dâ er ûzgevlozzen ist»). La théologie eckhartienne de la «mission de l'Esprit saint» est une partie centrale de sa théologie générale et, si l'on peut dire, le point décisif de sa théologie mystique. Tel que l'entend Eckhart, l'Esprit est la charité même — autrement dit : l'amour. Cet «amour divin» est réellement présent dans l'âme embrasée par la vertu théologale

de charité, car, pour Eckhart, « le caractère créé de la charité n'exclut nullement la présence dans l'âme de l'Esprit saint charité incréée » [É. WÉBER, « Eckhart et l'ontothéologisme... », p. 63]. Cette présence réelle est interprétée dans le cadre de la noétique « philosophique » du *contact direct* entre le créé et l'incréé héritée d'Averroès par Albert le Grand. On voit donc que l'amour et l'intellect ne sauraient être disjoints dans sa pensée, contrairement à ce que certains critiques tirent des affirmations brutales de la polémique avec Gonzalve d'Espagne. La « mission de l'Esprit » — c'est-à-dire de l'amour — est d'ordre intellectif. Le rôle de l'amour est de conduire l'âme au Fils comme Idée incréée (= Image). Les missions de l'Esprit et du Fils sont indissociables. Nous reviendrons sur la mission de l'Esprit, *infra*, pp. 314-315, note 195.

124. *Pr.* 23, *A.H.* 1, p. 200 ; *DW* I, p. 396, 4-5. Le « Fils » est ici « l'Idée incréée » d'Albert, autrement dit : le Rayon qui « se répand, émane, jusque dans les effets créés dont il est l'Idée (« radius ille est increata Idea exerens se in ideata ») pour revêtir, absolument parlant, l'état de multiplicité au niveau des effets créés », tout en conservant l'unité, en tant qu'il « demeure » originairement « dans la simplicité et l'unité de l'Idée » elle-même [É. WÉBER, « Eckhart et l'ontothéologisme... », p. 62]. La diffusion du Verbe divin est la mission du Fils dans l'âme, de ce Fils qui « émane » intellectuellement dans l'illumination, *sine medio*. Cette mission, productrice d'une « union noétique directe » et « déifiante », suppose que l'intellect de l'homme soit, si l'on ose dire, le lieu naturel de la grâce. Telle est bien, semble-t-il, la position d'Eckhart, quand il affirme : « On peut expliquer ainsi cette parole : "Moi [ = Jésus, le « bon pasteur »] je suis venu, afin qu'elles [ = les brebis] aient la vie, et qu'elles l'aient plus abondamment." Jn 10, 10 : "Les dons *(dona)* de Dieu sont surabondants." Ro 5, 20 : "Et la grâce a été surabondante." C'est pourquoi j'ai dit plus haut que "Dieu ne fait pas don de l'Esprit selon une mesure limitée." En effet, en règle universelle, les réalités inférieures ne peuvent s'adapter à l'influence des supérieures [Jn 1, 5 : "La lumière brille dans les ténèbres et les ténèbres ne l'ont pas comprise"]. Si donc la grâce est supérieure à toute la nature, la grâce *gratum faciens* ne peut être que dans l'intellect et dans lui seul, car l'intellect est de par sa condition *(secundum genus suum)* supérieur à toute la nature, comme le montrent le *De causis* et Proclus [*cf.* prop. IX (§ VIII), nᵒ 82 sqq., Pattin, p. 67, 60 *sqq.*, PROCLUS, *Elementatio theol.*, prop. 171, comm. Trouillard, p. 163]. Voici donc comment on peut encore expliquer cette parole [...] L'intellectif est plus abondant que le vivant, tout comme le vivant est plus abondant que l'étant [*cf. supra*, note 88]. Lui-même dit [Jn 14, 6] : "Je suis la vérité et la vie." La vérité appartient à l'intellect. On peut avec cela expliquer aussi Jb 28, 21 : "Elle [= la vérité] est cachée

aux yeux de tous les vivants", car il ne dit pas "les intelligents". En effet, la vie éternelle est de le [= Dieu] connaître par l'intellect, Jn 17, 3 et 1 Jn 3, 2 : "Et nous le verrons tel qu'il est." Enfin, il dit : "Pour qu'elles aient la vie et qu'elles l'aient plus abondamment", parce qu'il [= Jésus] illumine l'intellect *et* enflamme l'affect.» [*In Iohannem*, § 500-501 ; *LW* III, p. 431, 1-432, 2]. La référence au *don sans mesure de l'Esprit* est la reprise de la théorie de la présence réelle de la charité incréée dans l'âme, par-delà les limitations ou «mesures» qui la situent dans la Hiérarchie. *Cf.* en ce sens *In Iohannem*, § 369 ; *LW* III, pp. 313, 9-314, 3 : «On pourrait dire, de façon encore plus belle, que l'Esprit et tout don divin, en tant que divin, est immense et sans mesure, sans mode et sans nombre. Ps 146, 5 : "Sa sagesse est sans nombre." Cela est absolument vrai de la Sagesse : non seulement celle qui est Dieu *(quae Deus est)*, mais aussi celle qui vient de Dieu *(quae a Deo est)*. En effet, le nombre n'est pas proprement dans les réalités spirituelles, mais uniquement dans le continu. Et c'est pourquoi Bernard dit que le mode de l'amour de Dieu est un "mode sans mode". Et les Docteurs disent que la charité et sa croissance n'ont ni terme ni mesure au-delà desquels elles ne puissent encore grandir.» [*Cf.* BERNARD, *De diligendo Deo*, cap. 1, n° 1 ; *Opera*, III, Rome, 1963, p. 119, 19].

125. *Pr.* 43, *A.H.* 2, pp. 82-83 ; *DW* II, p. 317, 1.

126. *Pr.* 43, *A.H.* 2, p. 84 ; *DW* II, pp. 322, 7-323, 1.

127. *Pr.* 43, *A.H.* 2, pp. 82-83 ; *DW* II, pp. 316, 1-317, 7.

128. *Pr.* 43, *A.H.* 2, p. 85 ; *DW* II, p. 328, 6-7 : «Ein meister sprichet : diu sêle gebirt sich selben in sich selben und gebirt sich ûz ir und gebirt sich wider in sich.»

129. *Pr.* 43, *A.H.* 2, p. 85 ; *DW* II, pp. 328, 10-329, 1 : «Diu sêle gebirt ûzer ir got ûz got in got ; si gebirt in rehte ûzer ir ; daz tuot si in dem, daz si ûzer ir got gebirt in dem, dâ si gotvar ist : dâ ist si ein bilde gotes.»

130. *Cf. supra.*, p. 55.

131. *Pr.* 44, *A.H.* 2, p. 90 ; *DW* II, p. 341, 1-2.

132. *Pr.* 44, *A.H.* 2, p. 91 ; *DW* II, pp. 343, 11-344, 1.

133. *Pr.* 44, *A.H.* 2, p. 92 ; *DW* II, p. 346, 2-6.

134. Cf. *supra*, p. 56.

135. *Pr.* 32, *A.H.* 2, p. 15 ; *DW* II, pp. 141, 7-142, 4. Sur la «lumière de foi», *cf. Pr.* 34, *A.H.* 2, p. 24 ; *DW* II, p. 168, 1 : «La foi est liée à la lumière de l'intellect» : «Gloube klebet in dem liehte der vernünfticheit.»

136. *Pr.* 49, *A.H.* 2, p. 125 ; ; *DW* II, p. 450, 7 («liehte von gnâden»).

137. *Pr.* 54b, *A.H.* 2, p. 165 ; ; *DW* II, p. 569, 3-4 : «Diu sêle, diu ein lieht ist, diu sliuzet gotes gar vil in sich.»

138. *Pr.* 54a, *A.H.* 2, p. 160 ; *DW* II, p. 560, 5 («lucide»,

c'est-à-dire : à la fois « plus intime » et « plus approfondie » : « nâher » et « tiefer »).

139. *Pr.* 37, *A.H.* 2, pp. 42-43 ; *DW* II, p. 211, 1-3 : « Daz vünkelîn der vernünfticheit, daz ist daz houbet in der sêle, daz heizet der "man" der sêle und ist als vil als ein vünkelin götlicher natûre, ein götlich lieht, ein zein und ein îngedrücket bilde götlicher natûre. »

140. *Pr.* 48, *A.H.* 2, p. 113 ; ; *DW* II, p. 418, 1-4 (« dans l'accomplissement de la naissance » : « in der wûrklicheit der îngeberunge »).

141. *Pr.* 70, *A.H.* 3, p. 71 ; *DW* III, p. 196, 2-12. Pour l'opposition entre *accès progressif* et *arrivée, cf.* p. 196, 11-12 : « Dâ enist kein zuoganc, dâ ist ein dar komen. » Cette distinction entre un processus continu et un terme discret fait penser à l'opposition « aristotélicienne » entre altération *(alteratio, motus)* et génération *(generatio, mutatio)* qu'Eckhart se plaît, en général, à utiliser pour marquer le caractère *instantané* de la naissance de Dieu en l'âme et de l'âme en Dieu.

142. *Pr.* 71, *A.H.* 3, p. 75 ; *DW* III, p. 215, 1-2 : « Die wîle wir in dem zuogange sîn, sô enkomen wir niht dar în. »

143. *Pr.* 71, *A.H.* 3, p. 75 ; *DW* III, pp. 212, 7-213, 1. Sur le feu qui « dans sa sphère propre » ne « brille » pas, *cf.*, entre autres, *In Iohannem*, § 74 ; *LW* III, p. 62, 9 *sqq.* qui explique que *la lumière ne brille que dans les ténèbres* [Jn 1, 5], c'est-à-dire dans les créatures, empreintes d'« opacité » et de « néant », mais pas en elle-même, tout comme le feu ne brille que dans une « matière étrangère » (= le charbon, pour l'élément-terre, la flamme, pour l'élément-air), mais pas « en lui-même, dans sa sphère propre ». L'origine du *dictum* se trouve dans le chapitre 31 du livre II du *Dux neutrorum* de Maïmonide [Parisiis, 1520, f. 60r].

144. *Pr.* 71, *A.H.* 3, p. 75 ; *DW* III, pp. 214, 4-215, 2.

145. *Pr.* 73, *A.H.* 3, p. 91 ; *DW* III, p. 266, 5-6.

146. *Pr.* 37, *A.H.* 2, p. 44 ; *DW* II, pp. 218, 2-219, 3 (« chez elle » : « Wan sî dâ *heime* niht ist »). Nous avons déjà rencontré ces expressions dans la *Pr.* 26, *cf. supra*, p. 305, note 118. En la rigueur des termes, Eckhart oppose ici la « vertu pratique » (tournée vers le monde) et la « vertu contemplative » d'Avicenne (qui toutes deux correspondent plus ou moins exactement aux intellects pratique et contemplatif ou théorétique d'Aristote), plutôt que la raison inférieure *(= cogitativa)* et la raison supérieure *(= mens)* d'Augustin filtrées par la lecture « péripatéticienne » de Thierry de Freiberg. Le glissement de cette opposition vers la distinction — toute différente — de l'intellect possible et de l'intellect agent est néanmoins compréhensible dans la mesure où Eckhart s'attache à définir la *mens*, pointe de la contemplation et de la vie contemplative, *par opposition à tout ce qui n'est pas elle*. Or, ce « négatif » de la *mens*

c'est aussi bien l'intellect pratique que l'intellect possible. Tout dépend si l'on considère au départ l'âme dans son ensemble *(anima)* ou l'intellectualité comme telle *(intellectuale in nobis)*.
147. *Pr.* 37, *A.H.* 2, p. 44 ; *DW* II, pp. 220, 1-221, 1. Le « maître païen » est celui dont parle la *Pr.* 17, *A.H.* 1, p. 157 ; *DW* I, pp. 228, 7-229, 2 : « Un maître dit : Il appartient à la nature et à la perfection naturelle de l'âme de devenir en soi un monde intelligible, là où Dieu a formé en elle les images de toutes choses » — allusion reprise et développée dans *In Genesim*, § 115 ; *LW* I, p. 270, 13 *sqq.* et le *Serm. lat.* LV/4, § 550 ; *LW* IV, p. 460, 9 *sqq.* Ce « maître » est, évidemment, Avicenne. Le « devenir » intelligible est la passion de l'intellect possible. L'activité de l'intellect agent, ici qualifiée de « rénovatrice », est ensuite rapprochée de la lumière matutinale d'Augustin, qui « élève », c'est-à-dire « ramène », toutes choses à Dieu. L'« être nouveau » est ainsi clairement identifié à l'« être idéal » ou « idéel ». Si l'on comprend bien, Eckhart subordonne ici nettement la passivité à l'activité : nouvel indice de la pluralité de ses perspectives sur l'union bienheureuse. Ce primat de l'activité signifie-t-il qu'on doive ici rapprocher automatiquement le Thuringien de Thierry de Freiberg ? La « rénovation » eckhartienne est, avant tout, l'*adaptation* des réalités sensibles à la « lumière » — c'est-à-dire l'être idéel — de/par l'intellect agent qui conditionne leur *réception* dans l'intellect possible [*cf.* sur ce point *Serm. lat.* X, § 109 ; *LW* IV, p. 102, 12 *sqq.*] Quant à l'« élévation » en Dieu des choses ramenées à lui par ces « raisons idéelles », elle est, sans doute, plus proche d'Erigène que de Thierry. « Rénovation » et « élévation » sont, apparemment, les deux moments essentiels de l'activité de l'intellect agent. Cette dualité n'a pas, semble-t-il, de correspondant exact chez le Fribourgeois — à moins d'y lire une transposition du couple connaissance de l'objet-connaissance du Principe. On le voit, la question du rapport d'Eckhart à Thierry n'est pas simple. On comprendra peut-être mieux sur cet exemple pourquoi nous préférons parler de *convergences au sein d'un ensemble* plutôt que d'influence directe.
148. *Pr.* 37, *A.H.* 2, p. 45 ; *DW* II, pp. 221, 4-222, 2 ; 223, 3-5. *Cf.* Augustin, *De Genesi ad litteram*, IX, xxiv, 41 ; BA 48, pp. 340-342.
149. *Cf. supra*, p. 204.
150. *Pr.* 76, *A.H.* 3, p. 111 ; *DW* III, p. 316, 5-7. On notera, toutefois, que cet « inner bekennen » n'étant, évidemment, pas l'intellect agent lui-même, mais la simple connaissance intellective (d'origine intrinsèque) distinguée d'avec la connaissance sensible (d'origine extrinsèque), Eckhart ne veut peut-être pas dire *ici* que l'intellect, fondateur pour la connaissance, soit lui-même fondé dans l'essence de l'âme. Pour autant, néanmoins, ces lignes ne rendent pas un son théodoricien.

151. *Cf. supra*, p. 271. C'est là, à nos yeux, le point le plus important, la convergence la plus significative. C'est là aussi que doit, selon nous, se fixer l'appréciation historico-philosophique des « rapports » entre les deux maîtres.
152. *Pr.* 76, *A.H.* 3, p. 112 ; *DW* III, pp. 320, 10-321, 3. L'identité de la science dans l'esprit du maître et celui du disciple — thème issu d'Albert [*De anima*, III, tract. 2, cap. 11 ; Ed. Colon. VII/1, p. 192, 67 *sqq.*] — est très proche des thèses théodoriciennes sur la causalité essentielle. Ces lignes sont, d'ailleurs, précédées d'un passage qui, dans son obscurité même, évoque une transposition raccourcie de la noétique de Thierry : « Dieu nous rend connaissant de lui-même, et c'est lui-même en connaissant qu'il nous rend connaissant de lui-même ; or son être est son connaître, et de même cela est identique qu'il me rende connaissant et que je connaisse » : « Got machet uns sich selber bekennende, und bekennende machet er uns sich selber bekennende, und sîn wesen ist sîn bekennen, und ez ist daz selbe, daz er mich machet bekennende und daz ich bekenne. » [*DW* III, p. 320, 8-10. La traduction Ancelet, *A.H.* 3, p. 112 n'est guère satisfaisante]. Sauf erreur de notre part, ces textes d'Eckhart affirment bien que l'intellect connaît en connaissant son Principe et que cette connaissance est son émanation même. On voit ainsi qu'en quelques gestes Eckhart est passé d'une conception plutôt albertinienne [*cf. supra*, note 150] à une conception plutôt théodoricienne. Cette stratégie de prédicateur n'anticipe-t-elle pas, à sa manière, les *déplacements textuels* plus silencieux d'un Berthold de Moosburg ?
153. *Cf. supra*, p. 31.
154. *Cf.* J. Koch, « Platonismus im Mittelalter », *in : Akademische Festrede geb. am 26. Mai 1948 zur Universitäts-Gründungsfeier*, Krefeld, 1948, p. 31, qui renvoie à Proclus, *In Parmenidem*, VI, éd. V. Cousin, *in : Procli Philosophi Platonici Opera*, VI, 1827, pp. 42 *sqq.*
155. *Pr.* 28, *A.H.* 1, p. 234 ; *DW* II, p. 68, 3-5. *Cf. supra*, p. 297, note 27.
156. H. Hof, *Scintilla animae...*, pp. 214-215. L'hypothèse de Hof est séduisante. De fait, les *Opuscula* sont pour Berthold de Moosburg (connaisseur de Proclus s'il en est) le lieu privilégié de la théorie de l'« un de l'âme ». Rien n'interdit donc de penser que c'est là qu'Eckhart l'y a lui-même lue — même si le renvoi à « Platon » est un peu déroutant.
157. *Pr.* 2, *A.H.* 1, p. 54 ; *DW* I, p. 32, 1 *sqq.* (pour la « première puissance » : l'intellect) et 35, 4 *sqq.* (pour la « seconde » : la volonté).
158. *Pr.* 2, *A.H.* 1, p. 55 ; *DW* I, p. 39, 6.
159. *Pr.* 2, *ibid., DW* I, p. 40, 3-4.

160. *Pr.* 2, *A.H.* 1, p. 56 ; *DW* I, p. 42, 3-4 («un regard», «un instant» rend le sens général de «iemer ze einem einigen mâle einen ougenblick»).

161. *Pr.* 2, *ibid., DW* I, pp. 42, 6-44, 2.

162. *Pr.* 2, *ibid., DW* I, p. 44, 3-7.

163. *Pr.* 5b, *A.H.* 1, pp. 77 et 79 ; *DW* I, p. 87, 1-7 et 93, 6-7. Dans ce dernier passage, Eckhart identifie clairement l'Un et le Néant comme marques de l'origine *(ursprunc)* — ainsi que le précise la suite du texte [*A.H.* 1, p. 71 ; *DW* I, pp. 94, 10-95, 3]. La conversion de l'âme, qui réintègre le temps dans l'éternité, est libre *(vrî)* et instantanée *(einen ougenblick),* dans la mesure où elle s'anéantit, c'est-à-dire se «libère» ou se «vide», dans la simplicité de l'Un.

164. *Pr.* 7, *A.H.* 1, p. 91 ; *DW* I, p. 122, 5-6. Le terme de «nudité» rend l'allemand «blôz». A l'intellect qui «dénude» Dieu du «pelage» ou «vêtement» (= le Bien) dont le couvre l'amour mais ne peut le saisir dans la «mer de son insondabilité» («in dem mer sîner gruntlôsicheit»), Eckhart oppose ici la Miséricorde qui «opère dans le plus haut et le plus pur que Dieu puisse opérer» [*A.H.* 1, p. 91 ; *DW* I, pp. 122, 9-123, 5]. La position de Dieu comme *fondement infondé* (plutôt qu'«insondable») va de pair avec une détermination du Fond secret de l'âme comme lieu de l'irruption *(illapsus)* de la grâce divine «au-dessus de toute (la) nature, au-dessus de l'opération et de toutes les puissances intellectives». Cf. *DW* I, p. 123, note 2 (J. Quint) qui renvoie à *Serm. Lat.* IX, § 98 : «Nota, quomodo gratia est supra omnem naturam, supra opus, supra potentias intellectivas *in abdito animae,* ubi solus Deus illabitur.»

165. *Pr.* 7, *ibid., DW* I, p. 123, 6-8. Ce «Fond» absolument secret a été «annoncé par un maître». Ce maître n'est évidemment pas Augustin, puisqu'il est mentionné immédiatement après [*A.H.* 1, *ibid., DW* I, p. 123, 8 *sqq.*]. S'agit-il d'un ancien (peut-être païen) ou d'un confrère (peut-être Thierry lui-même)?

166. *Pr.* 12, *A.H.* 1, p. 122 ; *DW* I, p. 197, 6 : «Ez ist ein ein und ein lûter einunge.»

167. *Pr.* 12, *ibid., DW* I, p. 197, 9-10 : «Ez ist ein, ez enhât mit *nihte niht* gemeine noch enist dem *nihtes niht* allez daz gemeine, daz geschaffen ist.»

168. *Pr.* 12, *ibid., DW* I, p. 198, 4-5.

169. *Pr.* 15, *A.H.* 1, p. 141 ; *DW* I, p. 247, 4 («in dem ewigen ain»).

170. *Pr.* 15, *A.H.* 1, p. 140 ; *DW* I, p. 245, 5 : «Alles gůt flússet us der úberflússikait der gúthait gottes.»

171. *Pr.* 29, *A.H.* 1, p. 237 ; *DW* II, p. 76, 2-4. Le «sans pourquoi» («kein warumbe») vient de la mystique rhéno-flamande. Il sera, on le sait, abondamment repris par Angelus Silesius.

172. *Pr.* 29, *A.H.* 1, p. 240; *DW* II, p. 89, 1-2 («über alle verstantnisse und über alle begrîfunge», *i.e.* plus littéralement : «au dessus de toute compréhension et de toute conception»).

173. *Pr.* 29, *ibid., DW* II, p. 89, 3-4 : «In einem liehte dâ [...] in im selben ein lûter ein ist.»

174. *Pr.* 29, *ibid., DW* II, p. 88, 9-10 : «Ez ist ein ein in im selben, daz ûzerhalp im selben niht ennimet.»

175. *Pr.* 39, *A.H.* 2, p. 59; *DW* II, pp. 265, 6-266, 1 : «Dâ er geborn *ist*, und niht, dâ er geborn *wirt*.» Cette opposition de l'être et du devenir reprend le thème classique de la génération (discrète) et de l'altération (continue), du *factum esse* et du *fieri*, abondamment développé dans l'œuvre latine.

176. *Pr.* 43, *A.H.* 2, p. 86; *DW* II, pp. 329, 7-330, 3. Parmi ces maîtres, il y a Eckhart lui-même — du moins celui des *Rationes Equardi*. On peut, sur de tels passages, penser que le Maître a sérieusement évolué dans sa conception de la béatitude. La *Pr.* 9 (vraisemblablement contemporaine des *Rationes*) ne déclarait-elle pas : «Dâ von bin ich aleine saelic, daz got vernünftic ist und ich daz bekenne» [*DW* I, p. 153], avant que le *Serm. lat.* XI/2, § 117; *LW* IV, p. 110, 2 *sqq.* ne confirme encore plus radicalement : «Hinc patet beatitudinem esse substantialiter et originaliter in intellectu, cuius est pati et recipere, non in voluntate, cuius est agere.» Face à de telles fluctuations (y compris dans la formulation même de la thèse intellectualiste, puisqu'elle passe du «bekennen» — l'activité — au «pati» —la passivité et ainsi — peut-être — de l'intellect agent à l'intellect possible), on peut se demander si, après avoir prôné différentes formes d'«intellectualisme» (dont sans doute l'*intellectus affectivus* d'Albert), Eckhart n'a pas purement et simplement «dépassé» le tout, grâce à une lecture de Proclus confirmée par Denys.

177. *Pr.* 54a, *A.H.* 2, p. 158; *DW* II, pp. 553, 6-554, 3 («est attirée en haut» : «wirt ufgezôgen»).

178. *Pr.* 54a, *A.H.* 2, p. 160; *DW* II, pp. 560, 5-561, 7.

179. *Pr.* 36a, *A.H.* 2, p. 34; *DW* II, p. 188, 4-5 : «Diu gotheit ist aleine ein stat der sêle und ist ungenant.»

180. *Pr.* 51, *A.H.* 2, p. 136; *DW* II, p. 473, 9 («So wenn das sy daß ein findet, da es alles eyn ist, da bleibet sy <in> dem einigen <ein>») et 473, 7-8 («So mussent die gleyschnuß alle zerbrechenn»). Le terme de «gleyschnuß» rend le latin «similitudo».

181. *Pr.* 64, *A.H.* 3, p. 33; *DW* III, pp. 88, 5-89, 1 («[...] seizen in die art der eini<kait>, da der nam ab ist "al versament"»).

182. *Pr.* 65, *A.H.* 3, p. 38; *DW* III, p. 101, 5-6 («Über allez, daz er heizet, über allez, daz man geworten mac»).

183. *Pr.* 23, *A.H.* 1, p. 201; *DW* I, p. 402, 1-2. Le même passage

précise [*ibid.*, p. 402, 2] : «Er ist *nihtes niht*, er enist weder diz noch daz» : «Il n'est *rien de rien*, il n'est ni ceci ni cela» (la traduction Ancelet : «Il est Néant» est trop réifiante).

184. *Cf. In Exodum*, § 167 ; *LW* II, p. 147, 1-3. Eckhart, dérive «nomen» (= nom) de «notitia» (= connaissance). Le nom est un «nonce» («nuntius») qui «annonce» («nuntiat») un concept de l'intellect en le «notifiant» («notificat» = noti-*fier*, faire connaître) à quelqu'un. Le mot «un» *ajoute* à l'idée d'être celle de privation ou de distinction (au niveau conceptuel, *secundum intentionem*, et non au niveau réel, *secundum rem*). Autrement dit : *être un* être, c'est *ne pas être un autre* être. L'«un» que rejette ici Eckhart c'est donc l'«un» convertible avec l'«être» *in re*, mais différent de lui, *secundum intentionem*. C'est l'«un transcendantal» d'Aristote, non l'«Un transcendant» des *platonici philosophi*. Sur la négativité interne de l'«un transcendantal», *cf. Serm. lat.* X, § 111 ; *LW* IV, p. 104, 4-5. Berthold de Moosburg donnera une formulation philosophique systématique de la distinction entre l'un aristotélicien et l'Un néoplatonicien. *Cf. infra*, p. 387. Sur l'attribution négative de l'un chez Eckhart, *cf.* en sens inverse V. LOSSKY, *Théologie négative...*, pp. 67 *sqq.*

185. *Pr.* 23, *A.H.* 1, p. 201 (trad. modifiée) ; *DW* I, p. 402, 1-7 («essentialité» : «weselicheit»). Ce passage est repris dans la *Pr.* 3, *A.H.* 1, p. 60 ; *DW* I, pp. 55, 9-56, 2.

186. *Pr.* 28, *A.H.* 1, p. 233 (trad. modifiée) ; *DW* II, p. 66, 2-5 : «Ez enhât mit *nihte niht* gemein.» On entend ici à nouveau la *reduplicatio* de la *Pr.* 23. *Cf. supra*, note 183.

187. *Pr.* 71, *A.H.* 3, p. 78 ; *DW* III, p. 224, 4-5. Pour voir la «vraie lumière» qui est *ne-ens*, né-ant *(n-iht)*, il faut être «aveugle», autrement dit : «retirer entièrement Dieu de l'étant *(ens)*» : «Der muoz blint sin und muoz got al abenemen von *ihte*.» (*Cf. ibid.*, p. 224, 1-2.)

188. *Pr.* 71, *A.H.* 3, p. 79 ; *DW* III, p. 228, 8-9 («le néant divin» : «daz götlich niht»). *Cf. Act.* 9, 8.

189. *Pr.* 71, *A.H.* 3, p. 76 ; *DW* III, p. 215, 9-11. L'intellect «qui cherche» et l'intellect «qui ne cherche pas» sont, vraisemblablement, l'intellect pratique et l'intellect théorétique d'Aristote-Avicenne.

190. *Pr.* 71, *A.H.* 3, p. 80 ; *DW* III, pp. 230, 6-231, 3. Pour le mode «sans mode» *cf. supra*, note 124.

191. *Pr.* 25, *A.H.* 1, pp. 212-213 ; *DW* II, pp. 9, 6-11, 1.

192. *Pr.* 25, *A.H.* 1, p. 213 ; *DW* II, p. 11, 1-6.

193. *Pr.* 25, *ibid.*, *DW* II, p. 11, 6-7 et 12, 2-6.

194. Sur la théologie des «missions divines» au XIIIᵉ siècle, *cf.* É. WÉBER, «Eckhart et l'ontothéologisme...:», pp. 61-64.

195. *Pr.* 27, *A.H.* 1, p. 225; *DW* II, pp. 41, 2-43, 1. Le « commandement d'amour » est tiré de Jn 15, 12. Ce texte est, de tous les sermons d'Eckhart, celui qui fait le plus directement allusion à la théorie de la présence réelle de la charité incréée dans l'âme créée. Le thème est *essentiel* pour la pensée d'Eckhart, car lui seul permet de dépasser l'opposition unilatérale de l'amour et de la connaissance programmée dans les *Questions parisiennes.* Par « les meilleurs maîtres », Eckhart entend évidemment l'initiateur même de la théorie, autrement dit : Pierre Lombard. Les thèses du « maître des Sentences » sont, rappelons-le, les suivantes : « C'est l'Esprit saint lui-même *(ipse idem)* qui est l'amour ou la charité, avec lesquels *(qua)* nous aimons Dieu et le prochain. Cette charité est en nous, de façon qu'elle nous fasse aimer Dieu ou le prochain. C'est pourquoi on dit que l'Esprit saint nous est "envoyé" *(mitti)* ou "donné" *(dari).* Et qui *aime l'amour*, avec lequel il aime le prochain, aime Dieu dans cet amour même, car c'est l'amour lui-même qui est Dieu, c'est-à-dire l'Esprit saint (« quia ipsa dilectio Deus est, id est Spiritus Sanctus »). » [*Sent.* I, dist. 17, cap. 1, § 2 ; Grottaferrata, p. 142, 9-14]. La référence à « ceux qui ont voulu contredire » est déjà chez le Lombard (« [...] quod autem ipse idem sit caritas, qua diligimus Deum et proximum, a plerisque negatur », *ibid.*, cap. 6, § 1 ; p. 149, 1-2). Le même passage subordonne la foi à la charité : « La charité qui est en nous vient de l'Esprit et pourtant elle est elle-même l'Esprit saint. La foi, en revanche, vient de l'Esprit saint, mais n'est pas l'Esprit, car elle est seulement un don *(donum)* ou une dotation *(datum)* et non Dieu lui-même qui donne *(non Deus dans).* » [*Ibid.*, § 5 ; p. 150, 24-27]. Eckhart reprend la doctrine du Lombard dans *In Iohannem*, § 506 ; *LW* III, p. 438, 1-2 : « L'amour avec lequel le Père aime le Fils et le Fils, le Père, l'amour avec lequel Dieu nous aime, et nous, Dieu, sont un seul et même amour » : « Sic [...] et idem amor est spiritus sanctus quo pater filium diligit et filium patrem, quo deus nos diligit et nos deum. » La même doctrine est encore plus explicitement alléguée dans les *Serm. lat.* XI/1, § 113 ; *LW* IV, p. 106, 6 : « Magister in *Sententiis* non ponit habitum caritatis praeter spiritum sanctum » (« Dans les *Sentences*, le Maître n'admet d'autre *habitus* de charité que l'Esprit saint ») ; VI/3, § 65, p. 63, 9-11 : « En nous aimant Dieu nous fait aimer. C'est lui qui cause en nous et donne l'amour avec lequel nous aimons [...] Il nous aime par essence avant tout don surajouté [...] Il est l'amour même avec lequel nous aimons » (« Deus diligendo facit nos diligere. Ipse causat in nobis et dat dilectionem qua diligimus [...] Ipse per essentiam diligit nos ante dona superaddita [...] Ipse est dilectio qua diligimus »). La même position est soutenue par Albert le Grand, *In I Sent.*, dist. 17, L-R ; Borgnet 25, pp. 484-488. *Cf.* notamment, p. 484 : « C'est l'Esprit saint lui-même qui est la charité avec laquelle

nous aimons Dieu et le prochain» ; p. 487 : «La charité est un mouvement ou une affection de l'âme parce qu'elle affecte l'âme et la meut vers l'amour de Dieu. Il ne faut pas s'étonner que la charité, qui est l'Esprit saint, soit qualifiée de "mouvement de l'âme" [...]. On ne dit pas, en effet, que la charité est un "mouvement de l'âme" parce qu'elle est elle-même mouvement, affection ou vertu de l'âme, mais parce que l'âme est affectée et mue en-et-par elle *(per eam)* comme si c'était sa propre vertu» ; *ibid., infra* : «La charité est donc l'Esprit qui est Dieu et le don et la dotation de Dieu.» Pour plus de détails, *cf.* É. WÉBER, «Éléments néoplatoniciens en théologie mystique au XIIIᵉ siècle», à paraître.

196. *Pr.* 60, *A.H.* 3, p. 10 ; *DW* III, p. 14, 2-3.

197. *Pr.* 60, *A.H.* 3, p. 11 ; *DW* III, p. 22, 5-7.

198. *Pr.* 60, *ibid., DW* III, pp. 22, 7-23, 1. La traduction Ancelet, que nous suivons malgré tout, est assez lâche. Le texte dit littéralement : «Alors Dieu opère au-dessus de la puissance de l'âme, non pas donc en tant que dans l'âme, mais en tant que, divinement, en Dieu» : «Und dâ würket got ober der sêle kraft, niht als in der sêle, sunder als in gote götlich.»

199. *Pr.* 63, *A.H.* 3, p. 27 ; *DW* III, p. 74, 7 («das man beleibe bey ain»).

200. *Pr.* 64, *A.H.* 3, p. 33 ; *DW* III, p. 88, 5 («in die art der eini<keit>»).

201. *Pr.* 63, *A.H.* 3, p. 27 ; *DW* III, p. 76, 12 : «Got ist der ursprung und ist mynne.»

202. *Pr.* 63, *A.H.* 3, p. 27 ; *DW* III, p. 76, 12-13.

203. *Pr.* 69, *A.H.* 3, p. 61 ; *DW* III, pp. 163, 6-164, 1. *Cf.* dans un sens voisin *Pr.* 10, *A.H.* 1, p. 110 ; *DW* I, p. 168, 3-8.

204. *Pr.* 73, *A.H.* 3, p. 91 ; *DW* III, pp. 267, 7-268, 2. *Cf.* également *Pr.* 41, *A.H.* 2, p. 70 ; *DW* II, p. 285, 9-10 : «Qu'est-ce que Dieu aime ? Dieu n'aime que lui-même, ainsi que tout ce qui lui ressemble, pour autant qu'il le trouve en moi, et moi en Lui.»

205. *Pr.* 75, *A.H.* 3, p. 103 ; *DW* III, p. 293, 3-4.

206. *Pr.* 75, *ibid., DW* III, p. 293, 5-7.

207. *Pr.* 75, *ibid., DW* III, pp. 295, 4-296, 1.

208. *Pr.* 75, *A.H.* 3, p. 104 ; *DW* III, p. 297, 1-7 («der wesenlîche punct, der got ist»).

209. *Pr.* 75, *A.H.* 3, p. 104 ; *DW* III, p. 298, 1-2.

210. *Pr.* 75, *ibid., DW* III, p. 298, 7-13.

211. *Pr.* 75, *A.H.* 3, p. 105 ; *DW* III, pp. 299, 9-300, 2.

212. *Pr.* 75, *A.H.* 3, p. 105 ; *DW* III, p. 300, 2-5.

213. *Pr.* 83, *A.H.* 3, p. 154 ; *DW* III, p. 445, 11-12 : «Er ist uber alle minne und minneklicheit.» («aimable» : «minneklich»).

214. *Pr.* 83, *A.H.* 3, p. 151 (trad. modifiée) ; *DW* III, pp. 437, 11-438, 2. La traduction Ancelet qui attribue « lidende ligende in ime selben » [p. 438, 1] à l'Être de Dieu et traduit « lidende » par « impassible » est un contresens évident.

215. *Pr.* 83, *A.H.* 3, p. 154 ; *DW* III, pp. 447, 12-448, 10.

# CHAPITRE VII

# BERTHOLD DE MOOSBURG

## L'HOMME

On ne sait quasiment rien de la vie de Berthold de Moosburg. Une postille au traité sur l'*Arc en ciel (De iride)* de Thierry de Freiberg le désigne comme l'auteur d'un Commentaire des *Météorologiques* d'Aristote (avant 1318)[1]. On le retrouve en 1327 lecteur au couvent dominicain de Ratisbonne. Sa présence est ensuite attestée à Cologne en 1335 et 1343. Le 4 août 1343, il est nommé exécuteur testamentaire d'une béguine colonaise : Bela Hardevust. Il est présent le 13 juin 1348 à Nuremberg comme vicaire des frères prêcheurs représentant la *Natio Bavariae*. En 1350, il célèbre la messe au couvent d'Engelthal en présence de la mystique Adélaïde Langmann. Après cette date, on ne sait plus rien de lui que par les documents de la succession Hardevust : le 20 juillet 1353, il est confirmé dans ses tâches d'exécuteur testamentaire ; il y renonce le 11 mars 1361. La date de sa mort est inconnue[2]. Dernier des théologiens rhénans, Berthold peut avoir rencontré Eckhart. Il a, en tout cas, connu et utilisé la presque totalité des travaux de ses prédécesseurs : Albert, mais aussi Ulrich de Strasbourg et, plus particulièrement, Thierry de Freiberg dont il est le disciple.

## L'ŒUVRE

Découverte seulement au début de ce siècle par W. Rubczynski[3], l'œuvre de Berthold a dû être immense. R. Creytens[4] mentionne notamment « un gros volume sur la philosophie de Platon », « une somme de théologie », « plusieurs écrits sur l'astronomie ».

Ce qui nous en est parvenu tient cependant avant tout dans le gigantesque commentaire de l'*Elementatio theologica* de Proclus, premier et unique commentaire médiéval de l'œuvre connu à ce jour[5].

Le texte de Berthold, fondamental pour l'histoire du néoplatonisme médiéval, est encore presque totalement inédit.

De fait, il a fallu attendre 1974 pour voir paraître le texte critique du commentaire des propositions 184-211, grâce au travail de pionnier de L. Sturlese[6]. Depuis 1971, quelques extraits intéressants ont également circulé, notamment dans deux articles de B. Faës de Mottoni[7].

L'édition critique de Berthold dans le *CPTMA* (dont elle constituera le tome VI, 1-9) s'avère donc d'une absolue nécessité.

Compte tenu de sa situation éditoriale, peu d'interprètes se sont penchés sur la signification philosophique et théologique du *Commentaire*. Ce sont en fait les éditeurs qui ont sur ce point apporté le plus de matériaux[8].

Nous essaierons donc ici, non de présenter une synthèse — dont personne n'est encore réellement capable —, mais de faire un bilan aussi exact que

possible de tout ce que la littérature récente a pu établir
— notre axe restant ici le même que dans tout le reste du
livre : marquer avec son grand et ultime propagandiste
la continuité et les convergences constitutives de la
tradition colonaise.

## LES ÉLÉMENTS DE THÉOLOGIE ET LE SUJET DE LA SCIENCE DIVINE

Berthold, on l'a souvent dit, est le plus « grec » de
tous les théologiens rhénans. Comme Eckhart, c'est un
théologien de la déification. Pour certains de ses
interprètes, cependant, c'est surtout le théologien d'une
« connaissance supra-intellective » (*cognitio supra intellectus*), expliquée en termes d'hénologie proclusienne
avec l'«un de l'âme» *(unum animae)* et l'«uniel»
*(uniale)* [9].

Cette différenciation est sans doute excessive. On
espère avoir suffisamment montré ici que l'hénologie
avait pénétré la pensée des Rhénans avant même que
Berthold ne reçût et ne commentât en profondeur les
écrits de Proclus.

Reste que le dominicain de Moosburg pourrait
effectivement avoir donné à sa théologie de la déification une coloration plus « grecque » que celle de ses
devanciers.

Reconnaître cette particularité, c'est poser le problème des sources bertholdiennes.

Si l'on excepte Proclus, deux auteurs « grecs » ou
sous l'influence grecque ont, en profondeur, imprégné la
pensée du commentateur : le Pseudo-Denys et « Honorius Augustodunensis ». Du Pseudo-Denys, il n'y a rien à
dire. Les écrits dionysiens ont été le trésor commun de
tous les Colonais. Le cas du moine irlandais Honorius
est plus intéressant. On sait qu'Eckhart s'y est référé,
notamment dans son *Commentaire de la Genèse*, pour

l'ouvrage intitulé *De imagine mundi*. Les emprunts de Berthold à Honorius sont, toutefois, sans commune mesure avec ceux du Thuringien. C'est ainsi, par exemple, que la *Clavis physicae* est citée quarante fois dans le seul commentaire des propositions 184-211 de Proclus, ce qui la met presque à égalité avec Denys et Augustin, tous deux cités respectivement quarante-trois fois [10].

On ignore encore la véritable personnalité d'Honorius. On sait toutefois que sa *Clavis* est une sorte d'abréviation ou de condensation du *De divisione naturae* de Jean Scot Érigène. Si l'on en croit E. Massa [11], Berthold s'inscrirait donc dans la mouvance plus ou moins lointaine de l'érigénisme. Le fait est incontestable. Sa signification doctrinale est cependant moins éclatante.

Berthold semble s'être senti, sinon « néoplatonicien » (la catégorie n'existait pas à l'époque), du moins « platonicien ». Il n'en cite pas moins abondamment Aristote et Averroès. La présence muette de l'Érigène ne le rend donc pas plus « grec » que ses devanciers. Elle témoigne plutôt de l'ampleur de ses lectures et de ses horizons. De fait, c'est tout le courant porteur de la théologie rhénane qui se déverse dans son *Commentaire*. Gundissalinus et Ibn Gabirol y ont droit de cité — à vrai dire souvent plus qu'Avicenne lui-même. Si donc Berthold est plus « grec » que ses confrères, c'est par l'étendue des matériaux qu'il mobilise. Sur le fond, sa doctrine est comme l'agrandissement, le développement de ce qu'un Thierry de Freiberg ou, dans une mesure moindre, un Ulrich avaient déjà formulé.

Soyons clair. Ce qui distingue véritablement le dominicain de Moosburg est à la fois simple et évident : c'est Proclus lui-même. Jamais avant lui la pensée de l'auteur de l'*Elementatio* n'avait été à ce point honorée, fût-ce par Thierry, celui de tous ses prédécesseurs qui s'y est le plus volontiers référé.

Berthold restera dans l'histoire de la théologie en général et de l'école de Cologne en particulier, le premier — peut-être le seul — sectateur médiéval du philosophe athénien.

C'est donc le lecteur de Proclus plus que celui d'Érigène que nous considérerons ici.

Pour Berthold, le thème général de l'*Elementatio* est « la totalité des choses divines dans leur double procession descendante et ascendante de l'Un vers l'Un » [12]. L'auteur lui-même est présenté comme « l'un des plus excellents disciples de Platon » [13]. Son nom seul l'indique déjà : « Il s'appelle Proclus comme "Procul cluens" [illustre au loin], ou "proprement", ou "avant tout illustre", c'est-à-dire : "excellent" ou "supérieur" *(pollens)* [14]. »

L'« excellence » de Proclus tient à ce qu'il a su « mettre en ordre la pensée de Platon » : « Son excellence et son absolue supériorité *(praepollentia)* sur les autres platoniciens apparaissent à l'évidence dans ce qu'il a su ordonner les théorèmes de Platon et les expliquer très subtilement une fois qu'il les a eu ordonnés [15]. » On a vu, plus haut, que cette excellence ne s'arrêtait pas à la connaissance du bien suprême dans la lumière naturelle de l'intellect, c'est-à-dire à la connaissance « oblique » des philosophes, mais culminait dans une connaissance directe, dans une vision véritable [16]. Cette « vision », autrement dit cette union, est, selon Berthold, le but même de l'*Elementatio theologica*. Proclus se retrouve ainsi au croisement des deux postulations fondamentales du néoplatonisme chrétien — la béatitude augustinienne, la déification dionysienne : « Le titre d'*Éléments de théologie* signifie l'ascension progressive des réalités divines par participation aux réalités divines par essence, et par là à ce divin exclusivement divin *(principaliforme)*, qui est aussi divin en tant qu'objet de la contemplation et qui non seulement apporte le bonheur au contemplateur quand il atteint l'état de perfection résultant du concours de tous les biens, mais encore en fait Dieu lui-même [17]. »

Philosophie et théologie s'accordent ainsi à un premier niveau dans la visée augustinienne, amplifiée par Albert, de la sagesse comme béatitude : « En s'élevant par la très haute philosophie des *Éléments de théologie*, l'homme revient à la perfection finale pour laquelle il a été créé : le bonheur, ou plutôt [...] la béatitude [18]. »

Cette béatitude est conférée par l'objet ou plutôt par le sujet unique de la philosophie et de la théologie, le Bien suprême, l'Un : « Le livre de Proclus traite de l'univers des réalités divines dans leur procession à partir du Bien suprême et dans leur retour à l'Un, et cela d'après la disposition et les modalités propres qui ont été conférées *(inditos)* à ces réalités divines par ce qui est divin à titre exclusif *(principaliformiter)* ou d'après sa causalité [19]. »

Ce passage attire immédiatement l'attention. De fait, le lecteur de Thierry de Freiberg peut y reconnaître une adaptation d'un paragraphe du *Fragmentum de subiecto theologiae*. Voici ce qu'écrit le Fribourgeois : « Cette science [= la théologie] traite de tout l'univers des êtres, dans leur procession à partir de Dieu et dans leur rapport à lui, d'après leur disposition et les modalités propres qui leur ont été conférées *(inditos)* par Dieu [20]. » La suite du texte de Berthold confirme le parallélisme : « Il est nécessaire que toutes les choses dont traite ce livre s'accordent dans un même concept du sujet (dont il traite) — ce qui explique, d'ailleurs, que la philosophie soit une science une. Ce sujet, on l'appelle — et c'est conforme à la vérité — le Bien divin, qui convient simplement et absolument, causalement et principiellement au Premier Principe de toutes choses [21] » ; puisqu'on lit chez Thierry : « Il est nécessaire que toutes ces choses s'accordent dans un même concept du sujet, qu'on appelle — et c'est conforme à la vérité — l'Être

divin qui convient premièrement, simplement et essentiellement au Premier Principe de toutes choses[22]. »

Comme on le voit, Berthold est redevable à Thierry
de Freiberg de sa présentation du sujet de la théologie
proclusienne. Or, la théologie de Thierry est une
théologie chrétienne — ce qui n'est évidemment pas le
cas de celle de Proclus. Est-ce dire que Berthold
considère d'emblée Proclus comme théologiquement
« assimilable » ?

Non. Comme un autre fragment de son commentaire
le montre, le prêcheur de Moosburg, reprenant tacite-
ment une définition théodoricienne de la *Scientia divina
philosophorum*, classe Proclus parmi les « philosophes »,
puisqu'il écrit que l'œuvre de Proclus « traite du Bien
divin selon l'ordre de la Providence naturelle »[23]. En
effet, c'est bien ainsi que Thierry définit la théologie
*(scientia divina)* des philosophes, par rapport à la
théologie *(theologia)* des théologiens : « La science
divine des philosophes considère l'univers des êtres
selon l'ordre de la Providence naturelle — ordre par
lequel les choses ont une nature stable et sont gouver-
nées d'après leur mode et leurs propriétés naturelles par
le Principe de l'univers —, sans s'attacher à une fin
transcendante par rapport à cet ordre de la nature.
Notre science divine, au contraire, celle des Pères
*(Sanctorum)* considère les êtres, en tant qu'ils sont
établis et disposés sous l'ordre de la Providence
volontaire — ordre où l'on considère la raison du mérite
et de la récompense et tout ce qui concerne la vie sainte,
l'acquisition de la béatitude éternelle et l'arrivée à une
fin transcendante, que ce soit dans le bien ou le mal, et
même après le terme fixé à ce monde, quand la sagesse
divine aura détruit celle des sages de ce monde,
1 Co 13, 8[24]. »

Si l'on considère de près les termes de Berthold, on
doit donc dire que l'*Elementatio* est pour lui, comme
pour Thierry, une *scientia divina philosophorum*. Toute-

fois, cette séparation relative de la théologie des philosophes et de celle des théologiens n'est pas une séparation pure et simple de la théologie et de la philosophie en tant que telles. Au vrai, comme on le verra plus loin, Berthold confiera à une *positio philosophiae platonicae* le soin de réconcilier le théologien Denys et le philosophe Proclus contre leur commun adversaire : le péripatétisme. En ce sens, on peut donc dire que, pour Berthold, Proclus est l'un de ces « philosophes théologiens ou théologiens philosophes » que leur platonisme rapproche pour ainsi dire structurellement de la théologie chrétienne bien comprise : la théologie — « platonicienne » — de Denys.

On aurait, d'ailleurs, tort de s'en tenir à des oppositions générales. On sait en effet que, selon Berthold, Proclus a parlé à la fois en philosophe et en théologien, qu'il a combiné la méthode philosophique et l'intuition directe de l'inspiré.

Berthold lui-même est, en tout cas, d'emblée fasciné par la construction proclusienne, par son caractère organique, articulé, totalisateur. Véritable déploiement du cercle de l'Absolu, la théologie proclusienne est pour lui plus qu'une simple « interlocutrice philosophique » : c'est bien plutôt le *système* de la véritable théologie philosophique, une architecture mobile d'éléments et de démonstrations, de principes et de règles, qu'il appartient au commentateur de composer à la sagesse chrétienne.

De fait, les « éléments » sont d'abord des principes de constitution, autrement dit : la matière même du système. En ce sens, les *ele*menta sont des *yle*menta. Ce sont les 211 lettres d'un alphabet dont la théologie est la grammaire [25]. Mais ce sont aussi de véritables règles générales, des théorèmes dont la « coordination » et la « distribution » engendrent cette élévation ou ascension de l'esprit qui est le but de la théologie. En ce second sens les *ele*menta sont des *eleva*menta — élévations —

ou des *eli*menta — perfectionnements : « La forme d'exposition de ce Livre est la coordination et la différenciation *(disgregatio)* des théorèmes ou éléments qui sont comme des élévations *(elevamentorum)* ou des perfectionnements *(elimentorum)*, parce qu'ils élèvent *(elevant)* et perfectionnent *(elimant)* l'esprit *(mentem)* [26].

Commentant Proclus, Berthold va donc suivre une méthode d'analyse elle-même systématique pour dégager et travailler les contenus, marquer les intentions, souligner les cohérences et les rencontres, récapituler les structures argumentatives. Chaque élément est ainsi décomposé en *propositio* ou *intentio elementi, suppositum, propositum, commentum* et *probatio elementi*. Chaque passage difficile est éclairé, complété, glosé par des extraits empruntés aux auteurs les plus variés, les sources classiques de la théologie rhénane : Augustin, Denys, le *Livre des causes*, les philosophes arabes, Honorius Augustodunensis, mais aussi les théologiens rhénans eux-mêmes : Albert le Grand, Ulrich de Strasbourg, Thierry de Freiberg. Le *Commentaire* de Berthold apparaît ainsi sous son jour véritable : c'est la somme de la théologie rhénane, sa synthèse, le bilan d'une tradition séculaire, celle du néoplatonisme médiéval, et d'une recherche récente, celle de l'École de Cologne.

Il est encore trop tôt pour prendre la mesure exacte du travail de « marqueterie silencieuse » [27] accompli par celui qui, en un sens, a assumé le rôle paradoxal d'être le fondateur d'une école qui existait avant lui. Il est clair pourtant qu'en se référant constamment à ses grands devanciers Berthold a fait de la théologie rhénane une véritable entité culturelle, qu'il a pour ainsi dire fondée en la propageant.

La quasi-totalité du *Commentaire* étant encore inédite, nous essaierons de donner ici une idée aussi précise que possible de cette stratégie complexe, en traitant successivement trois thèmes que nous avons pu

suivre jusqu'ici avec assez de détails chez d'autres
auteurs : la doctrine de l'âme et de l'intellect, celle de
l'Un, celle de la lumière.

## LA THÉORIE DE L'INTELLECT

### *L'intellect agent et l'essence de l'âme*

Le commentaire de la proposition 193 de Proclus
fournit à Berthold l'occasion de synthétiser l'ensemble
des identifications et des glissements successifs opérés en
terrain noétique par ses confrères, Ulrich, Thierry,
Eckhart, d'Augustin à Aristote, d'Aristote à Proclus.

Cette proposition énonce que «toute âme a dans
l'intellect le principe immédiat de sa subsistance» :
«*Omnis anima proxime ab intellectu subsistit*[28].»

Conformément à sa méthode générale, Berthold
distingue d'abord le *suppositum* et le *propositum* de la
proposition.

Concernant le *suppositum*, il annonce qu'il développera trois points : 1° — la description de «l'âme
participable», 2° — l'explication *(expositio)* de cette
description, 3° — le sens ou intention *(intentio)* du
*suppositum*.

La description de l'âme participable est empruntée
au *De motu cordis* d'Alfred de Sareshel : «L'âme est
une substance incorporelle, intellectuelle, qui perçoit les
illuminations qui viennent du Premier, *ultima
relatione*[29].»

L'explication de la description reprend chacun des
termes employés. L'âme est «substance», car «elle
subsiste par soi» ; «incorporelle», parce qu'elle n'a rien
de commun avec ce qui «touche aux corps» ; «intellectuelle», parce qu'elle ne fait pas partie des hypostases
intellectuelles qui sont «intellects par essence», c'est-à-
dire de ces hypostases qui sont *intellectus* et non

simplement *intellectuales* — de fait, l'âme ne fait que
participer à l'intellectualité.

L'explication du terme « illuminations » est conduite
du double point de vue de la Providence volontaire et de
la Providence naturelle — distinction dont on a noté plus
haut la première apparition technique dans le *De
subiecto theologiae* de Thierry de Freiberg.

Pour la Providence volontaire, Berthold renvoie au
chapitre IV des Noms divins : « Le Bien [...] archétypique — c'est-à-dire à titre exclusif *(principaliforme)* —
distribue par son essence même les rayons de son entière
Bonté à tous les êtres, proportionnellement à leurs
forces. C'est à ces rayons que doivent de subsister tous
les intelligibles et intelligents, toutes les substances,
toutes les puissances et toutes les opérations[30]. » « Tout
ce qui concerne la hiérarchie céleste, les purifications qui
conviennent aux anges, les illuminations qui ne sont pas
de ce monde, ces opérations par quoi se parachève leur
perfection angélique, tout cela procède de la Bonté qui
est cause et source universelles[31]. » « Au-dessous de ces
intelligences simples et vénérables les âmes elles-mêmes
et tous les biens propres aux âmes ne doivent pas moins
leur bonté au Bien qui dépasse tous biens ; c'est grâce à
lui qu'elles sont douées d'intellection, que la vie
appartient à leur essence et demeure en soi impérissable
et qu'elles peuvent s'approcher de la vie propre aux
anges, conduites par d'excellents guides jusqu'au Principe bienfaisant de tous biens, participant ainsi, selon la
mesure de leurs forces, aux illuminations qui jaillissent
de là-haut, et recevant autant qu'elles peuvent les dons
de ceux qui ont revêtu la forme du Bien[32]. »

De cette succession de passages, Berthold conclut
que « les âmes sont au dernier rang dans le domaine de la
Providence volontaire. » Il explique en ce sens l'expression *ultima relatione.* « Les âmes perçoivent intellectuellement les illuminations intellectuelles qui viennent de la
première source et du rayon super-manent de la

Bonté [33]. » Cette perception est une *relation de dernier
ordre* dans la mesure où elle relie le premier au dernier
dans le dernier lui-même : en tant que « perceptif ».
Cette explication concerne ici les seules âmes « particulières » *(partiales)* [34], c'est-à-dire celles qui, tout en étant
indivisibles par la quantité, n'en ont pas moins « trois
parties intrinsèques essentielles » — intellective, sensitive et végétative —, autrement dit : les âmes humaines.

En revanche, si l'on étend la considération à toutes
les âmes et donc aussi aux âmes « universelles », « sans
parties », la proposition 193 peut être également
comprise du point de vue de la Providence naturelle.
Dans ce cas, les âmes particulières perçoivent aussi « les
illuminations émanant du Bien premier » par une
« relation de dernier ordre », dans la mesure où elles les
reçoivent « par l'intermédiaire des hypostases intellectuelles et de toutes les autres essences qui existent
au-dessus d'elles [35] ».

Berthold renvoie ici au chapitre XIII de la *Hiérarchie
céleste* : « Cette purification, que la Théarchie elle-
même, par des causes transcendantes, opère de façon
mystérieuse et suressentielle en tous les esprits saints, est
en quelque sorte plus manifeste dans les Vertus qui
vivent auprès d'Elle, en tant qu'elles sont les plus hautes
de toutes, et c'est là qu'elle se montre et se transmet
davantage, mais, en ce qui concerne les Vertus intellectuelles de second rang ou de dernier ordre, ou nos
propres vertus selon la distance à laquelle chacune
d'elles est située par rapport à la déiformité, la
Théarchie réduit plus ou moins sa claire illumination
pour revenir à l'unité inconnaissable de son propre
secret. Elle éclaire, à chaque niveau, les secondes par
l'entremise des premières et, s'il faut parler bref, on est
d'abord conduit du mystérieux au manifeste par les
Vertus premières [36]. » Il conclut alors : « Puisque les
âmes participables sont les dernières dans la participation à l'intellectualité, elles perçoivent aussi les illumina-

tions qui viennent du Premier par une *ultima relatio*, c'est-à-dire, une relation de dernier ordre[37].»

Cette extension de la proposition 193 au domaine de la Providence naturelle — extension qui implique le recours aux hypostases intellectuelles des philosophes et de Proclus lui-même — constitue le troisième point : l'*intentio suppositi*.

Concernant le *propositum*, Berthold annonce à nouveau trois points : 1° — trois explications de l'*elementum*, 2° — la justification de la troisième explication pour les âmes particulières, puis 3° — pour les âmes universelles.

Les trois explications de l'élément sont fondées sur une distinction entre trois types de causes essentielles. De fait, tout en reprenant la définition théodoricienne de la *causa essentialis* comme «précontenant ses effets causés sur un mode plus éminent que celui qu'ils ont en eux-mêmes», Berthold montre qu'il y faut distinguer entre les causes essentielles «absolument transcendantes à leurs effets» — qui donc «n'existent pas dans leurs effets» —, celles qui sont incluses *(concluduntur)* dans leurs effets, qui sont soumises «au même ordre qu'eux, tant général que spécial» et sont donc contenues avec eux dans une seule et même substance numériquement identique, celles, enfin, qui ont un statut intermédiaire entre les premières ou causes transcendantes et les deuxièmes ou causes auxiliaires *(concausae)*[38]. Ces troisièmes causes sont contenues dans leurs effets soit sous un ordre universel, soit aussi sous un ordre spécial, sans pour autant être contenues avec eux dans une même substance[39].

Les trois sens de l'élément sont les suivants : 1° — «Toute âme tient le principe immédiat de sa subsistance du Premier Intellect, par qui est toute intellectualité, puisqu'il est la cause de toute intellectualité en toutes choses en tant qu'imparticipable *(amethectum)*, qu'il ne subsiste pas par une autre cause [proposition 99] mais précède tout ce qui participe à l'intellect, par l'éminence de sa causalité [proposition 101]. Puis donc que l'âme participable est intellectuelle, le principe immédiat de sa substance réside dans l'intellect *in quantum huiusmodi*[40]. » Ce premier sens renvoie donc la subsistance de l'âme à Dieu, lui-même défini comme Premier Intellect. 2° — Le deuxième reprend la notion proclusienne d'hypostase intellectuelle : « Toute âme tient le principe immédiat de sa subsistance d'une hypostase intellectuelle (c'est-à-dire, un intellect par essence) en tant qu'intellectuelle, qu'elle soit divine ou seulement intellectuelle [propositions 182 et 183] — effet, toute âme particulière participe à l'intellect tout entier, et par l'âme tout entière et par l'intellect particulier [proposition 109, seconde partie] — et cela par une certaine intellectualité inséparable dont elle est dotée [proposition 81][41] ». 3° — Contrairement aux deux précédentes, l'explication du troisième sens ne s'appuie pas sur la systématique interne de l'*Elementatio*. Berthold ne fait pas référence à d'autres propositions pour éclairer l'élément. C'est pourquoi il doit le justifier ensuite par une explication autonome. Le sens, qui s'applique aussi bien aux âmes particulières qu'aux âmes universelles, est le suivant : « Toute âme participable tient le principe immédiat de sa subsistance de l'intellect qui lui est conjoint et qui est inclus avec elle dans une même substance, comme les causes du second genre ou causes auxiliaires[42]. » La justification du troisième sens part de la thèse d'Augustin selon laquelle « il y a dans l'âme une certaine intranéité *(intraneitas)* qui n'est pas unie comme forme au corps ». Nous avons déjà rencontré cette thèse chez Thierry de Freiberg. La convergence entre nos deux auteurs n'est pas fortuite. En fait, Berthold reprend en détail l'ensemble de la théorie de l'intranéité développée par le *De intellectu et intelligibili* sur la base de l'autorité d'Augustin[43]. Le recours à Thierry, habituel chez Berthold, est ici limité au cas des âmes particulières. Il est néanmoins, comme on va le voir, massif, puisqu'il cite de très larges extraits des pages consacrées chez son prédécesseur à la démonstration que l'intellect agent est « le principe causal de la substance de l'âme, comme le cœur dans l'animal »[44] — thèse que Berthold reprend lui-même explicitement en annonçant qu'il va expliquer « la causalité de l'âme elle-même » à la lumière du « troisième sens » *(quoad tertium elementi intellectum)*[45].

Avant d'entamer sa longue citation de Thierry, le prêcheur de Moosburg précise, toutefois, ce qu'il entend par « cette partie essentielle et supérieure de l'âme, qu'est l'intellect ou l'intellectif en l'homme » — intellect dont il s'agira précisément ensuite d'expliquer comment il est *concausa* de l'essence de l'âme.

La précision introduite à cet endroit constitue la véritable synthèse de toutes les affirmations précédemment avancées par les théologies rhénans.

Pour Berthold, en effet, l'intellect est « ce qu'Aristote appelle l'intellect agent » et « ce qu'Augustin appelle l'*abditum mentis* ». Cette première identification est, c'est clair, la reprise des bases mêmes de la noétique de Thierry de Freiberg. Mais ce n'est pas tout. Prolongeant résolument le geste naguère esquissé par Albert, Berthold continue en posant que cet intellect est aussi ce que Denys appelle « l'unition » ou « l'unité dépassant la nature de l'âme », cette *hénôsis* que Thomas de Verceil avait — dans la mouvance de Bonaventure — identifiée à « la pointe suprême de l'amour »[46].

L'identification explicite de l'*abditum mentis* augustinien à l'*unitio* dionysienne marque, sur le terrain fondamental de la noétique, l'achèvement de la tendance constitutive générale de la théologie rhénane : accorder les deux formes canoniques du néoplatonisme chrétien. Cette identification, on l'a vu, a également été soutenue en termes plus ou moins clairs par Eckhart, chez qui le Fond de l'âme est assez souvent caractérisé en termes d'Un ou d'unité.

Mais Berthold est avant tout lecteur de Proclus. Il pousse donc la synthèse à son plein achèvement, en fixant la chaîne des équivalences noétiques dans le concept proprement hénologique de son *auctor* : le Fond secret, l'intellect agent, l'unition, est aussi ce que Proclus appelle « l'un de l'âme ». Le commentateur renvoie ici aux *Opuscula* de Proclus : « Mais notre auteur l'appelle "un de l'âme" et c'est ainsi qu'il dit dans la dixième Question du *De Providentia* : "Il y a jeté en nous un certain vestige de l'Un qui est plus divin que l'intellect qui est en nous." C'est pourquoi aussi, au chapitre du *De fato et Providentia* parlant de la cinquième connaissance qui dépasse celle de l'intelligence, il dit louer "cette connaissance supérieure à l'intellect qu'est la folie *(maniam)* qu'on appelle l'Un de l'âme" [47]. »

Le recours aux *Opuscula* confère une sorte de légitimité rétrospective aux interprètes qui, comme H. Hof, ont cru pouvoir trouver dans le *De Providentia* l'origine des thèses hénologiques d'Eckhart sur l'étincelle de l'âme [48]. On doit en tout cas souligner que la quadruple identification proposée par Berthold constitue la synthèse spéculative de toutes ses sources, qu'elles soient autoritaires ou spécifiquement rhénanes. C'est bien la position d'une école qui est donnée ici, une école qui, partant de la doctrine albertinienne de l'intellect, aboutit, à travers Thierry et Eckhart, à une véritable doctrine proclusienne de l'Un.

Cela étant, c'est chez Thierry que Berthold trouve sa propre formulation de la causalité dans l'âme : « De quelque façon qu'on l'appelle, la partie essentielle et supérieure de l'âme particulière est contemporaine *(simul)* de sa partie résiduelle, puisqu'elles sont liées ensemble *(colligantur)* dans une même substance numériquement identique [49]. » Cette simultanéité est apparemment expliquée dans les termes mêmes du *De intellectu*, II, 2, 3 : les coexistants ne peuvent être ici que de trois sortes. Ce sont soit des réalités formant « une seule essence simple » *(una simplex essentia)*, soit des réalités identiques selon l'être, mais différentes selon l'essence, soit des réalités dont l'une est la cause de l'autre « par son essence ».

Il y a, pourtant, une différence notable dans l'explication de la deuxième classe de réalités. En effet, là où Thierry écrivait : « L'intellect agent n'est pas identique par essence à l'âme, comme le sont les choses qui sont une par essence, tels les composés d'une matière et d'une forme [50] », Berthold écrit : « L'intellectif [...] n'est pas identique à l'essence de l'âme par l'être et différent d'elle par l'essence, puisqu'il ne fait pas nombre avec elle [51] » — ayant auparavant précisé que « dans les composés de matière et de forme », il y avait « un seul être, mais deux essences, unies essentiellement l'une à l'autre » [52].

Cette correction montre quel traitement Berthold réserve à ses sources. C'est bien là une « marqueterie silencieuse », car, d'un texte à l'autre, il semble que ce soit le concept même d'*essentia* qui ait changé — Berthold substituant l'idée de deux essences essentiellement unies dans l'être du sujet qu'elles composent à l'idée théodoricienne que tout sujet composé a nécessairement *une* essence.

Cette précision introduite, Berthold n'en reprend pas moins le principe de la solution du *De intellectu*. Le rapport de l'intellect et de l'essence de l'âme est un rapport de causalité essentielle : « L'intellectif est cause par essence de la partie résiduelle de l'âme particulière elle-même, c'est donc de l'intellect que celle-ci tient le principe immédiat de sa subsistance [53]. »

Au premier regard, cette conception de la causalité essentielle de l'intellect paraît n'être pas totalement conforme à l'enseignement de Thierry. D'une part, en ce qu'elle fait de l'intellect une *partie* de l'âme, d'autre part, en ce qu'elle fixe la causalité de l'intellect en un langage quasi albertinien comme une causalité de partie (intellective) à parties (sensitive et végétative), là où Thierry évoquait plutôt une *dynamique* d'engendrement, de fondation de l'*essentia animae* à partir de l'*abditum mentis*.

Ces différences ne sont pourtant pas réellement décisives, car, après tout, Thierry lui-même avait noté que « les substances composées de matière et de forme étaient *essentiellement nombrées (essentialiter numerata)* du fait de la *différence essentielle (quantum ad diversitatem essentialem)* de leurs principes : une matière et une forme »[54], avant de présenter l'intellect agent comme « la portion principale de l'âme » *(principalis portio animae rationalis)*[55].

A regarder attentivement, le travail de Berthold est donc moins de correction que de précision ou de clarification. Toute la suite de sa démonstration est d'ailleurs une simple condensation de *De intellectu*, II, 7-8, qui vise à inscrire le plus nettement possible la démonstration de Thierry dans le cadre général de la théorie proclusienne.

De fait, une fois rappelé que tout ce qui dans « la totalité de l'univers » a une « étantité » *(entitas)* simple et par soi, pour lors qu'il se rapporte à un autre étant *(ens)* « d'après lui-même et conformément à sa nature », est nécessairement ou sa cause, ou identique à lui, ou causé par lui[56], Berthold fait un centon des principales affirmations du Fribourgeois en II, 7 : la forme de vie suprême pour une âme particulière est de vivre selon l'intellect et intellectuellement[57], il lui faut donc être dotée d'un principe interne qui ne soit autre que l'intellectif ou la partie intellective[58]. Cette intranéité — autrement dit, ce principe interne — est une identité substantielle[59]. Pareille identité pouvant, d'après la proposition 140 de Proclus, s'expliquer de trois manières : soit par la causalité, soit par l'essence, soit par la participation [60], et l'intellect n'étant univoquement ni identique à l'essence de l'âme, ni identique à elle par participation, c'est causalement qu'il s'identifie à elle [61].

C'est sur cette base, une fois rejetées les trois formes de causalité, matérielle, formelle et finale, également rejetées par Thierry dans le *De intellectu* [62], que Berthold conclut par une explication de la causalité essentielle de l'âme, qui consiste exclusivement à transposer la vision de Thierry dans le langage proclusien de la causalité auxiliaire *(concausa)*. Thierry : « L'intellect agent contient en puissance toute la sustance résiduelle de l'âme [...]. Mais de plus, il est lui-même toute l'essence de l'âme, différent d'elle par l'être *(secundum aliud esse)* à travers son intellectualité et sur le mode d'une cause essentielle. Il est donc ainsi — par la causalité *(secundum causam)* — identique à l'essence de l'âme en tant que principe actif subordonné à l'agent principal *(sub ordine principalis agentis)* [63]. » Berthold : « L'intellectif ou intellect agent préconcient l'essence de l'âme, mais pas seulement potentiellement ou virtuellement, au contraire : il est identique à l'essence de l'âme en tant qu'il est la cause qui la possède d'avance *(prehabens)* en lui-même sur un mode plus noble et qu'il est pour elle principe causal — cela, toutefois, en tant que subordonné à un agent principal qui l'instaure lui-même et en même temps que lui la substance résiduelle de l'âme. Il est donc plus une cause auxiliaire *(concausa)* qu'une cause (proprement dite) [64]. »

Il est inutile d'insister davantage : la noétique de Berthold est bien celle de Thierry de Freiberg. Pour les deux auteurs, l'intellect agent est le « principe causal effectif » *(principium causale effectivum)* de l'essence de l'âme. C'est un principe qui est la même chose que son effet, *sed secundum aliud esse* ; bref, c'est une cause essentielle, ou comme le précise Berthold « un principe substitutif *(principium substitutivum)* » [65]. Cette « substi-

tution » — autrement dit, cette « fondation » (en allemand moderne : cette « Begründung ») — paraît de
prime abord exprimer plus explicitement chez Berthold
que chez Thierry un rapport de dépendance réciproque.
De fait, pour le prêcheur de Moosburg, l'intellect est, en
tant qu'agent, pris sous un certain *ordo*, un ordre, un
rapport, ce même rapport dans lequel l'âme elle-même
est engagée. Autrement dit : l'intellect est cause de
l'essence de l'âme, mais comme il agit « nécessairement », il est à la fois, en tant que fondateur, dépendant
de ce qu'il fonde et, en tant que fondant nécessairement,
pris avec ce qu'il fonde dans une dépendance mutuelle
vis-à-vis de ce qui agit naturellement ou nativement en et
par lui : « Le cœur dépend de ce dont il est le principe
générateur, à savoir : le reste du corps, sans quoi il ne
serait ni ne resterait cœur. L'intellectif se rapporte
pareillement à l'âme : puisqu'il agit par nécessité de
nature et qu'il est inclus avec l'âme dans un même
rapport *(conclusum sub uno ordine)* à ce dont tous deux
dépendent l'un et l'autre par essence [à savoir : l'agent
principal], tous deux dépendent aussi par conséquent et
réciproquement l'un de l'autre [tous deux : c'est-à-dire
l'intellectif et l'âme] [66]. »

Cette dépendance originaire du principe actif vis-à-
vis de l'agent principal exprime, c'est clair, la dépendance de l'intellect agent vis-à-vis de son principe :
Dieu.

Mais c'est là, précisément, la pure doctrine de
Thierry. Aucune différence sur ce point entre nos deux
auteurs. C'est même Thierry qui, une fois de plus,
fournit à Berthold l'exemple (la comparaison avec le
cœur) et le principe de la démonstration. Citons
simplement ces quelques lignes du *De intellectu* :
« L'intellect agent est comme le cœur. En effet, de même
qu'en opérant son action le cœur dépend en substance et
en opération d'un agent principal et supérieur à lui, et
cela par soi, de même, l'intellect agent dépend-il dans sa

causalité, en substance et en opération, d'un efficient principal et supérieur qui le produit, lui, et avec lui la portion résiduelle de l'âme ; de sorte que l'intellect reste ainsi dans son action subordonné à un efficient principal. En outre [...] le cœur dépend de ce dont il est le principe générateur, autrement dit, tout le reste du corps, sans quoi il ne serait ni ne resterait cœur ; l'intellect agent se rapporte pareillement à l'âme : puisqu'il est le principe radical de l'essence de l'âme de par la nécessité de sa nature, et que tout ce qui produit par nécessité de nature un certain être absolu, en l'occurrence une substance, est inclus avec cette substance même dans un même rapport, duquel tous deux dépendent par essence, tous deux aussi dépendent par conséquent et réciproquement l'un de l'autre [67]. » On le voit, Berthold résume Thierry tout en le glosant. Ce n'est donc pas assez dire que sa doctrine est la même. C'est quasiment à la lettre que le Fribourgeois est suivi, Berthold rassemblant en quelques lignes des passages épars mais homogènes dans l'œuvre de son précédesseur.

Ces quelques brefs exemples suffisent, nous l'espérons, à montrer au lecteur moderne que le commentaire de Proclus proposé par Berthold de Moosburg est aussi, pour ne pas dire d'abord, une promotion des doctrines les plus caractéristiques de la pensée de Thierry de Freiberg.

En quelques pages, ne vient-on pas de voir se reconstituer toute la théorie de la causalité essentielle de l'intellect agent, depuis son instrumentation la plus technique, jusqu'à son cadre théologique le plus général : l'émanation de l'intellect à partir de son principe divin, Dieu lui-même, sous les espèces de ce qu'on appelle ici efficient, là agent principal ? Ne vient-on pas de retrouver le concept d'ordre de dépendance essentielle *(ordo dependentiae essentialis)* caractéristique de la production réglée des êtres conceptionnels ?

Cette utilisation de Thierry par Berthold ne suffit peut-être pas pour autant à nous persuader que le Moosburgeois a voulu faire de son commentaire de l'*Elementatio theologica* un exposé aussi ordonné que possible de toute la théologie rhénane. Certes, on l'a vu synthétiser les différentes acceptions augustinienne, péripatéticienne, dionysienne et proclusienne de la «*pars principalis animae*», successivement présentées par ses devanciers. L'élément théodoricien n'en paraît pas moins l'emporter nettement sur les autres.

Il est évidemment difficile de tirer des conclusions satisfaisantes fondées sur l'examen d'une proposition tirée d'un ouvrage qui en contient 211. C'est là, sans aucun doute, se fermer à l'incroyable diversité des sources et des emprunts de Berthold. De fait, comme Albert le Grand, le commentateur de Proclus est un homme-livre, un véritable textualiste qui cite aussi bien Alexandre d'Aphrodise qu'Avicenne, Alfred de Sareshel que Boèce, Isaac Israeli que l'*Asclepios*. C'est un homme de confrontations, d'approximations et d'ajustements entre les traditions et les cultures (alexandrine, arabe, juive, latine). C'est aussi un homme qui vit sa culture au présent, un homme, semble-t-il, parfaitement conscient du particularisme allemand. On aurait donc tort d'enfermer Berthold dans Thierry. C'est un disciple, certes, mais confronté à une entreprise gigantesque, en son genre unique au Moyen Age, celle de penser la systématicité de la «théologie platonicienne».

A nos yeux, il est assez vraisemblable que Berthold a conçu l'*Elementatio* comme un véritable organisme vivant, capable d'assimiler, d'intégrer, de filtrer tous les textes et toutes les doctrines de la tradition[68]. Par rapport à ses prédécesseurs, Berthold ne cherche plus tant à harmoniser ses sources, qu'il ne les regarde sourdre, rejaillir, comme d'elles-mêmes et en des points bien déterminés de l'harmonieux système proclusien.

Dans cette perspective, l'*Elementatio* est le livre des sources ou si l'on préfère, le livre de la totalité.

Il y a, c'est sensible, une véritable méthode démonstrative dans le commentaire bertholdien. Chaque proposition est expliquée de manière interne par d'autres propositions, puis, en quelque sorte, nourrie une seconde fois des énoncés extérieurs qu'elle condense.

Berthold ne propose donc pas une « lecture » de Proclus : il ne veut pas simplement *lire l'Elementatio* avec les yeux de la « modernité », mais — projet plus ambitieux et vraiment unique — *lier* ses cultures dans le seul livre qui puisse véritablement les composer. C'est, en ce sens, que les différentes séquences de son passé culturel immédiat trouvent à s'enchaîner spontanément dans son commentaire : Albert avec Ulrich, Ulrich avec Thierry, et, sans doute, bien d'autres choses encore.

Essayons de montrer cela sur d'autres exemples.

## *L'intellect, exemplaire de tout l'être*

La thèse de l'exemplarité de l'intellect est, on l'a vu, un bien commun à Thierry de Freiberg et Maître Eckhart. Rappelons simplement : « Tout intellect en tant qu'intellect est similitude de tout l'être ou de l'être en tant qu'être, et cela par son essence [69]. » « L'intellect en tant qu'intellect est similitude de tout l'être, contenant l'universalité des êtres et non celui-ci ou celui-là en particulier [70]. » La retrouver chez Berthold ne pourrait donc que renforcer l'importance doctrinale de cette rencontre, puisqu'il s'agirait, du coup, d'une thèse fondamentale pour la théologie rhénane.

L'examen du commentaire de la proposition 194 de l'*Elementatio* montre que tel est bien le cas.

Berthold y écrit en effet que : « L'intellect par essence, qui est image du Bien suprême dans la mesure où l'âme est à son image, est exemplaire et similitude de tout l'être en tant qu'être, puisqu'il est une certaine nature générale, du fait de la propriété de son intellectualité grâce à laquelle il n'est déterminé à penser ni ceci ni cela en particulier [71]. »

A première vue, l'affirmation de Berthold est un véritable condensé de celles de ses deux prédécesseurs. A l'un, il emprunte le terme de l'exemplarité essentielle *(per essentiam)*, à l'autre, le rejet du « ceci » et du « cela ». Certes, cette dernière expression est également attestée, à de multiples reprises, chez Thierry lui-même. Eckhart n'est donc pas obligatoirement visé ici. Il suffit, toutefois, à notre propos de noter que le passage du Maître est simultanément en accord avec la présentation de Thierry et de Berthold, et même qu'il fait référence à la notion typiquement érigénienne d'*universitas entium* (fondamentale chez ses deux confrères).

Ces premiers croisements n'épuisent cependant pas la richesse de la notation bertholdienne, puisqu'on y remarque aussi non seulement le thème de la création à l'image *(ad imaginem)* cher à Thierry et Eckhart (et naturellement prévisible dans ce contexte), mais encore celui de l'intellect « image du Bien suprême », formulation qui évoque plutôt Ulrich de Strasbourg.

Mais ce n'est pas tout. On aurait bien tort, en effet, de se borner à un simple jeu de définitions, car l'examen détaillé du commentaire montre que c'est toute la théorie rhénane de la processualité intellectuelle que Berthold s'efforce de synthétiser.

La preuve : la proposition 194 énonce que « toute âme contient toutes les idées que contient l'intellect à titre primordial » (« omnis anima omnes habet species quas intellectus prime habet ») et le commentaire de la proposition stipule que « puisque l'âme procède de l'intellect et que l'intellect donne la subsistance à l'âme » (ce que la proposition 193 a justement établi) et « puisque », aussi bien, « l'intellect produit toutes choses par son essence même en restant immobile », il doit aussi

« donner à l'âme qu'il constitue les raisons substantielles *(ousiôdeis logous)* de tout ce qui est en lui » [72]. Le texte de Proclus est donc comme une espèce de programme de la noétique de Thierry et, par extension, de toute noétique processive. C'est dans cet esprit que Berthold l'explique, en ramenant la thèse théodoricienne dans l'espace complexe de tous les textes péripatéticiens ou néoplatoniciens qui, plus ou moins explicitement, la traversent, l'encadrent ou la motivent.

C'est ainsi que le premier point du *suppositum* nous livre la source de l'expression introduite par Thierry : c'est le *De spiritu et anima* du Pseudo-Augustin (= Alcher de Clairvaux) : «L'âme [...], telle que le philosophe l'a définie, est une similitude de toutes choses» (anima [...] a philosopho definita est omnium similitudo [73]).

Le deuxième point fixe ensuite cette similitude dans le langage à la fois chrétien et néoplatonicien de l'exemplarité : «L'âme est faite à l'image de toute la Sagesse, en qui réside l'exemplarité de toutes les choses, elle est donc bien une similitude de toutes choses [74]. »

La démonstration combine à cet endroit langage proclusien et langage ulricien : «Dans l'art [= la *têchnè*, le savoir producteur] de la suprême Sagesse ou Bien suprême réside l'exemplaire de tout l'univers [...]. Tout ce qui est dans le Bien premier et dans l'Un, y est et y préexiste de manière transcendante au bien et à l'unité. Ainsi donc, puisque le Bien premier, en tant que cause absolument première de toutes choses, a créé l'être de l'âme par l'intermédiaire de l'Intelligence, selon le *De causis*, il est nécessaire que l'âme elle-même contienne — il est vrai sur le mode propre à l'âme *(animealiter)* — une similitude de ce qui est dans le Premier Bien de manière transcendante et dans l'Intelligence sur le mode intellectuel *(intellectualiter)*. L'âme est donc similitude de toutes choses *animealiter*, comme l'Intelligence est, sur le mode intellectuel, tout ce qui est avant elle et tout ce qui est après elle (par la proposition 173). Elle est donc bien similitude de toutes choses [75]. »

Ce parallélisme de l'Intelligence et de l'âme est expliqué à l'aide de la *Source de vie* d'Ibn Gebirol, pour qui « l'Intelligence et l'âme connaissent toutes choses », ce qui — dans la mesure même où « la connaissance est la subsistance de la forme du connu dans l'âme et dans l'Intelligence » — implique que « la subsistance des formes de toutes choses se trouve dans l'âme et dans l'Intelligence » [76].

Berthold poursuit en montrant que l'âme particulière est « similitude de toutes choses à la fois substantiellement et accidentellement ».

De fait, en tant que composée de trois parties essentielles : intellective, sensitive et végétative, elle est en même temps similitude de toutes choses *animealiter* et similitude *intellectualiter*, dans sa partie intellectuelle, similitude *sensibiliter*, dans sa partie sensitive.

De plus, elle est intellectuellement similitude « essentielle ou substantielle en tant qu'intellect agent » — puisque « cet intellect est la capacité de tout produire » — mais elle est aussi « similitude accidentelle », en tant qu'intellect possible, puisque cet intellect est « la capacité de tout devenir » ; là donc, elle est « similitude potentielle de toutes choses ».

On voit que, dans tout ce développement [77], le dominicain de Moosburg accepte à la fois la théorie de l'*Intelligentia* des philosophes arabes et la théorie théodoricienne de l'*intellectus*.

La suite de nos analyses montrera qu'en fait Berthold rejette énergiquement la théorie péripatéticienne de l'*Intelligentia* médiatrice. Sa réflexion sur l'*Intelligentia* n'est donc, en fin de compte, qu'une noétique de l'esprit pur, l'âme universelle de Proclus, filtrée par la *récitation* ulricienne de la noétique philosophique des Arabes.

Ce que Berthold veut faire comprendre, c'est la différence entre le psychique (l'« animéal ») et l'intellectuel pur. Il lui est donc possible, à ce niveau originaire, d'intégrer et de combiner les différents apports du péripatétisme et du néoplatonisme. Les véritables difficultés sont ailleurs : quand il s'agit d'intégrer la noétique de l'émanation à la théologie chrétienne de la création. A ce moment, en effet, il faut choisir entre Aristote et Platon.

Pour l'heure, ce choix ne s'impose pas ou plus. Aussi, Berthold se contente-t-il de compléter sa théorie de l'âme par une théorie globale de la connaissance psychique.

L'analyse du *propositum* lui permet, sur ce point, de faire une distinction systématique entre *species* et *idea*, introduisant du même coup à une véritable onto-phénoménologie de la sphère idéelle.

Berthold remarque que l'on utilise souvent un terme pour l'autre [78]. Il faut pourtant distinguer les raisons essentielles *(rationes essentiales)* ou espèces intelligibles *(species intelligibiles)* des idées proprement dites. Certes, toutes deux ont en commun d'être précontenues en tout intellect, en tant qu'il est une cause essentielle qui possède d'avance tout ce qu'il produit. Il y a toutefois une différence. L'intellect en tant qu'intellect précontient les raisons spécifiques des choses, autrement dit, « les êtres pris dans leur seule raison spécifique », c'est-à-dire, les êtres « selon l'espèce », et il précontient aussi des êtres individués jusqu'à un certain point, en l'occurrence des êtres individués par des parties de la forme, ces *partes ante totum* alléguées par Thierry de Freiberg, à la suite d'Aristote, pour définir la connaissance rationnelle ou connaissance de l'intellect possible « selon ses propres principes formels ». Dans les deux cas mentionnés, on n'a donc jamais affaire à des individus, sauf dans le second, *largo sensu*. Les idées ou formes, en revanche, ne concernent que des individus *stricto sensu*. Ce sont « des formes exemplaires à l'imitation desquelles les choses procèdent dans l'être individuel » [79]. Ces formes individuelles ou formes d'individus ne concernent donc pas l'être spécifique absolu, cet être dont on a noté la première occurrence chez Thierry de Freiberg avec la théorie de la fonction constitutive de l'intellect possible déterminée comme « quiddification des étants ». Berthold conclut : l'intellect en tant qu'intellect « possède » premièrement — c'est-à-dire, originairement *(prime id est primarie)* — les seules espèces, à savoir « les raisons essentielles qui concernent » « les réalités inférieures » en tant que visées exclusivement « dans leurs raisons spécifiques » [80]. Il ne possède d'idées qu'à titre secondaire ou dérivé *(secundario)*, dans la mesure même où les individus sont effectivement des réalités secondaires et dérivées par rapport aux espèces [81].

La suite du texte qui redéploie le processus de l'émanation cognitive en sens inverse, en partant du *medium* de la connaissance, permet de comprendre en quoi l'âme particulière contient d'une certaine manière la raison de l'individuel.

La « raison de cause essentielle et par soi » *commence d'une certaine façon (incipit quodammodo)* — nous ne disons pas *s'origine* — dans la partie sensitive de l'âme, ce qui signifie que « l'âme possède là, d'avance », tous les artefacts qu'elle produit, d'après une « raison particulière ». C'est en effet d'après l'image de la « raison particulière » — terme, on l'a vu, repris par Thierry de Freiberg à la suite d'Averroès pour qualifier à la fois l'aspect subjectif et l'aspect objectif du *cogitativum* — que l'artiste possède d'avance « sur un mode plus noble » la statue ou l'effigie qu'il réalise à l'extérieur dans la matière [82].

La partie sensitive de l'âme peut, cependant, aussi être considérée du point de vue des sens eux-mêmes. Or, dit Berthold, même là on peut dire qu'elle « possède d'avance les contenus de sensations » d'après « les sens particuliers » *(quoad sensus particulares)* [83]. Autrement dit : l'âme particulière contient d'avance des espèces sensitives dans sa partie sensitive. Certes, elle n'est pas là *stricto sensu* l'exemplaire de toutes les réalités individuelles en tant que telles. Elle n'en est pas moins une certaine capacité intrinsèque de former le sensible, de le lier en un senti individuel, grâce à ses propres espèces ou, selon le mot propre, grâce à ses idées — autre manière de dire que sans elle il n'y aurait pas d'unité individuelle dans le sensible.

Cette théorie est en soi intéressante. Mais Berthold ne s'y arrête pas. En fait, ce qui l'intéresse, ce n'est pas de construire une théorie de la perception sensible, ni même de souligner le rôle, pour ainsi dire apriorique, de la *vis cogitativa* et de l'organisation sensorielle elle-même dans la coproduction du sensible individuel.

Ce qui l'intéresse, c'est de rendre impossible la réduction des raisons essentielles — l'essence avicenno-albertinienne, l'*esse quidditativum* de Thierry de Freiberg — à un quelconque concept abstrait, dégagé, pour ainsi dire inductivement, de l'expérience sensible par une puissance d'abstraction donnée.

En d'autres termes : les contenus proprement intelligibles qui se trouvent dans l'âme ne proviennent ni des sens ni de l'imagination, quelque intermédiaire qu'on suppose entre eux.

La « précontenance » est une structure universelle de la connaissance. Si elle « commence » dès la sensation, il va de soi qu'elle concernera, *a fortiori* et au plus haut point, le sommet de la connaissance dont une âme particulière soit capable : la connaissance de l'intelligible en tant que tel.

En soulignant qu'il y a déjà une « avance » dans la réceptivité la plus pure, celle de la donne sensible sensorielle, Berthold rend d'autant plus vraisemblable l'avance pure que l'on peut attendre de ce qui est « actif par son essence ». C'est donc en trouvant de l'exemplaire au plus bas degré de la connaissance, qu'il entend justifier qu'on en retrouve au plus haut.

Cela posé, il ne lui reste plus qu'à déplier intégralement la noétique de Thierry de Freiberg et à affirmer que : «La partie intellective, ou bien plutôt l'âme particulière selon cette partie *(secundum talem partem)*, possède à titre dérivé toutes les espèces que l'intellect possède originairement et à titre principal[84].»

Telle est la traduction bertholdienne de la proposition 194 de Proclus. La démonstration qui suit est la pure doctrine de Thierry.

En premier lieu, l'essence de l'intellect est intellectuellement tout ce qu'elle est (le prêcheur en appelle ici à nouveau à la proposition 173 : «Tout intellect est, sous le mode noétique, et ce qui le précède et ce qui le suit» — ce qui le suit, à titre de cause, ce qui le précède à titre de participation)[85]. En tant que principe de la subsistance de l'âme (proposition 193) qui le «suit», il est donc nécessaire qu'il ait par son essence «une similitude et donc une espèce pour tout être, cela toutefois sur un mode simple, c'est-à-dire selon la propriété des essences simples», et ainsi «qu'il soit d'une certaine façon lui-même intellectuellement tout être qui se trouve nécessairement», c'est-à-dire par mode d'émanation nécessaire, «dans l'âme particulière».

Cet être qui procède nécessairement dans l'âme s'origine dans l'intellect agent, c'est-à-dire dans cet «intellectif intérieur et essentiel» à qui revient «de tout produire». C'est donc cet intellect qui «précontient nécessairement les espèces de toutes choses». Mais cet être se trouve également dans «l'intellectif extérieur et potentiel», à qui revient «de tout devenir» : l'intellect possible, qui «au commencement de lui-même *(in principio sui)* est comme une table rase», un simple «lieu pour toutes les espèces», l'intellect possible, qui a moins à «recevoir» lesdites espèces qu'à se transformer en elles : *non ut recipiat sed magis ut fiat*[86].

Au sortir de ce développement des thèses du *De intellectu*, Berthold peut donc conclure avec Augustin :

« Il est manifeste que l'âme humaine est immortelle et
que toutes les raisons vraies se trouvent dans ses replis
cachés *(in secretis eius)* » et Platon — puiqu'il retrouve,
dans le même passage d'Augustin un écho direct du
*Phédon* : « Quand nous raisonnons avec nous-mêmes ou
quand, bien interrogés, nous trouvons de quoi répondre
sur des questions touchant aux arts libéraux, ce que nous
trouvons, nous ne le trouvons nulle part ailleurs que
dans notre esprit. Or ce n'est pas la même chose que de
trouver et de faire ou de créer. Autrement, l'esprit
créerait des réalités éternelles par une invention réalisée
dans le temps. En effet, c'est souvent qu'il trouve des
réalités éternelles : qu'y a-t-il d'aussi éternel que le
concept du cercle [87] ? »

Cette conclusion augustinienne et platonicienne fait
elle-même suite à deux passages de Thierry de Freiberg.
Un premier qui définissait le troisième objet de
l'intellect agent : « L'universalité des êtres, qu'il
contient tout entière dans son extension, de par sa
connaissance, comme le dit Augustin au chapitre VII de
*l'Immortalité de l'âme* : "Il est aussi manifeste que l'âme
humaine est immortelle et que toutes les raisons vraies
se trouvent dans ses replis cachés, même si à cause de
notre ignorance ou de l'oubli nous semblons ne pas les
posséder ou les avoir perdues [88]." » Un second, qui
opposait mémoire extérieure et connaissance
intérieure : « Mais Augustin parle ici de la mémoire
habituelle, qui est au service de la cogitative extérieure
et tire son origine de la connaissance extérieure ; et il la
distingue de cette profondeur plus cachée de la mémoire
[...] où brille l'universalité des vérités *(universitas
veritatum)*, qu'il appelle [...] "Fond secret de l'âme". Ce
Fond, c'est l'intellect agent, dans le secret duquel
l'homme trouve tout ce qui est vrai, soit qu'il le découvre
en lui-même en raisonnant, soit qu'il réponde à
quelqu'un qui l'a correctement interrogé. Je dis
"trouve", et non "fait" ou "crée", selon cette parole

d'Augustin : "Ce n'est pas la même chose que de trouver et de faire ou de créer ; autrement l'esprit créerait des réalités éternelles par une invention réalisée dans le temps" et, il donne ici l'exemple de la raison éternelle du cercle [89]. »

La juxtaposition de ces passages nous montre à nouveau Berthold au travail. Thierry, Augustin, Proclus, Platon sont consciemment, systématiquement, glissés, sertis, tramés les uns dans les autres, jusqu'à former un texte unique, homogène, filé de toutes les métaphores et de tous les théorèmes du néoplatonisme.

Allons maintenant plus directement à la rencontre d'Albert et d'Ulrich.

### Causalité essentielle et ébullition de l'intellect

Le commentaire de la proposition 174 (« Tout intellect fait subsister ce qui vient après lui par son acte de penser. Son activité réside dans son acte de penser, et sa pensée dans son activité. ») permet à Berthold de mettre en place le « bloc doctrinal » de l'école de Cologne, en glissant subrepticement Ulrich de Strasbourg et Thierry de Freiberg entre le *De causis* d'Albert et sa propre lecture de Proclus, sur le problème de la causalité du Premier Intellect [90].

Berthold définit tout d'abord l'intellect universellement agent : « L'intellect universellement agent *(universaliter agens)* est le siège de toute activité sans être celui d'aucune réceptivité. Il est, en effet, comme l'art vis-à-vis des artefacts et le soleil vis-à-vis de tous les visibles, et il leur serait absolument semblable si l'art était le principe des artefacts par sa simple lumière *(c'est-à-dire par son essence)* et qu'il était la substance et non la forme de l'artiste, ou si, pareillement, le soleil était *lumière par essence* et non, un composé de sa propre substance et de la forme de la lumière. De fait, si tel était le cas, l'un et l'autre produiraient par leur essence tous les effets qu'ils causent. [91] »

Comme l'a bien montré M.R. Pagnoni-Sturlese, ce texte de Berthold est à la fois un résumé du *De causis* d'Albert et une citation muette, presque littérale, du *De summo Bono* d'Ulrich [92].

En fait, c'est la preuve que Berthold a utilisé le texte d'Ulrich comme un résumé fidèle de celui d'Albert. L'intervention propre du prêcheur se réduit aux deux gloses indiquées ici en italique : *scilicet per suam essentiam* et *lux per essentiam* (au lieu de *ipsa lux solis*, littéralement : « Si le soleil était la lumière même du soleil ») — vocabulaire éminemment théodoricien !

La suite immédiate de l'*expositio* va nous livrer l'intention profonde de ce montage. Berthold poursuit : « Mais quand on dit "intellect universellement agent", *on ne veut pas dire* agent d'une manière univoque à celle d'un intellect qui n'agit pas par essence ou selon ce qu'il est *(secundum id quod est)* mais seulement en fonction dc l'illumination qu'il reçoit et qui émane en lui d'un intellect supérieur agissant par soi ; *au contraire (sed)* on entend "universellement agent", c'est-à-dire : *soit absolument (sive simpliciter)*, comme c'est le cas du Premier Intellect, qui dominc toute la série de l'intellectualité qui dépend de lui, soit *universellement agent dans un genre*, (visant par là un intellect) qui ne produit pas absolument toutes les réalités intellectuelles, mais seulement celles qui viennent après lui [93]. »

Ce texte reprend à nouveau et Ulrich et Albert, toutefois « en dénaturant complètement leurs intentions », puisque la séquence « au contraire on entend [...] viennent après lui » se présentait ainsi dans les originaux : « Et on ne veut pas dire *non plus (nec) universellement agent dans un genre*, au sens où toutes les sortes d'intelligences sont dites agir universellement, car ces intelligences ne produisent que les réalités qui viennent après elles, *au contraire (sed)* on entend *universellement agent en dehors de tout genre*, au sens où le Premier Intellect illumine *absolument* tout ce qui est, n'ayant lui-même rien qui lui soit antérieur[94].» «Et on ne veut pas dire *non plus (nec)* qu'il agit *universellement* au sens où agit l'intelligence d'un premier, puis d'un second, et ainsi de suite *au sein d'un ordre, au contraire*, on entend *absolument universellement (universaliter simpliciter)*, comme c'est le cas de l'Intellect qui illumine tout ce qui est, n'ayant lui-même rien d'antérieur pour l'illuminer[95].»

On le voit, Berthold tient compe à la fois de la lettre d'Albert et de celle d'Ulrich, puisqu'il utilise l'expression *absolument universellement*, au lieu d'*universellement en dehors de tout genre*. C'est dire qu'il confronte ses sources. Mais comment ne pas voir aussi qu'il leur fait dire plus qu'elles ne disent, en substituant un simple *sed* au *nec* d'Ulrich-Albert.

Ce travail du texte est en apparence bien modeste. Le résultat n'en est pas moins considérable, puisqu'il consiste à étendre l'activité universelle aux intellects agissant *in genere*. Or, pareille extension était absolument exclue par Albert lui-même, lorsqu'il écrivait dans le même *De causis* (et Berthold ne pouvait l'ignorer) : «Mais si on dit que le Premier Principe est comme un intellect agent, on ne saurait pour autant prendre "agent" d'une manière univoque à celle de l'intellect qui est en nous, ou d'un intellect qui se trouve dans un ordre déterminé. En effet, aucun intellect agent dans un ordre déterminé n'est agent selon ce qu'il est *(secundum id, quod est)*[96].» Il l'ignorait si peu, qu'à bien y regarder c'est précisément ce passage qu'il insère dans la première partie de son texte, mais de manière telle qu'il ne s'y applique précisément plus à ce qu'Albert visait effectivement : l'intellect agent de l'homme et celui des Intelligences !

Autrement dit : le résultat de l'intervention de Berthold est exactement contraire aux intentions de ses

modèles, puisque ce sont toutes les hypostases intellectuelles de Proclus qui reçoivent le titre d'universellement
agent, y compris l'intellect agent de l'homme et non plus
seulement l'Intellect du Premier Principe : Dieu.

On est évidemment en droit de se demander
pourquoi Berthold procède de cette manière. S'agit-il
simplement d'une « adaptation ingénieuse mais complètement arbitraire » de la noétique albertinienne « à la
structure du cosmos proclusien » ou bien d'une « véritable opération culturelle », configuratrice d'histoire ?
La réponse est évidente dès que l'on regarde l'explication bertholdienne de la notion d'intellect universellement agent. L'intellect universellement agent est un
intellect qui est en acte par essence : « L'intellect en acte
par essence [...] est, en vérité, producteur, à titre de
cause essentielle, de tous ceux qui lui sont inférieurs
[...]. On l'appelle donc plus proprement intellect
universellement agent, puisqu'il est de sa raison d'intellect d'être cause essentielle. De fait, toute cause
essentielle conçoit d'avance *(praeconcipit)* son effet en
elle-même, essentiellement et intellectuellement, par
des raisons causales grâces auxquelles elle possède
d'avance en elle-même *(praehabet)* la totalité de son
effet sur un mode plus noble et plus éminent que celui
qu'a l'effet en lui-même [97]. »

En effet, c'est là une fois de plus la doctrine de
Thierry de Freiberg. L'opération de Berthold consiste à
identifier l'intellect universellement agent d'Ulrich-
Albert à l'intellect en acte par essence à titre de cause
essentielle de Thierry : « En formulant une équivalence
entre trois expressions », on propose ainsi « une équation
entre deux élaborations théoriques » distinctes, celle
d'Albert-Ulrich et celle de Thierry [98]. C'est toute la
théorie théodoricienne de l'intellect que Berthold réin-
troduit dans la noétique albertinienne qui lui avait
partiellement donné naissance.

L'intellect en acte par essence est à la fois l'Intellect

divin et l'intellect créé : celui des Intelligences, celui des Âmes du Ciel et l'intellect agent de l'homme. Berthold conclut son explication de l'intellect universellement agent en reprenant les thèses du *De cognitione entium separatorum* : « Dans le concept de l'intellect en acte par essence, concept qui est essentiel à celui-là même qui conçoit, le fait de se penser lui-même est en même temps une conversion vers ce qui lui est plus intime que lui-même, c'est-à-dire sa cause essentielle. Pareil intellect procède donc dans l'être en se pensant lui-même. Il n'est en aucune façon converti par intellection directe vers quelque chose d'extérieur à lui : ce n'est qu'en sa propre essence qu'il est lui-même cause d'autres êtres [99]. »

Autrement dit : le véritable enjeu de toute la proposition 174 est la théorie émanatiste de l'intellectualité : comment la « quasi-passivité » de l'intellect en tant qu'il est émané de son principe divin, est en même temps son activité essentielle et intellectuelle, et, de plus, étant donné l'identité en lui de l'objet, de l'essence et de l'opération, comment, connaissant son principe, il connaît aussi du même coup la totalité de l'être et est ainsi la totalité sur le mode de la « précontenance » caractérisant la cause essentielle.

La toute dernière conclusion de Berthold ne laisse à cet égard aucun doute : « Tout intellect en acte par essence, selon la préexistence absolue de sa substance, est réellement et essentiellement tout ce qui vient après lui — quoique, sur un mode de simplicité et d'unité —, et ainsi, en tout intellect de ce genre, trouve-t-on un principe actif, grâce auquel il déborde à l'extérieur [100]. »

En résumant Thierry, Berthold met toutefois explicitement en jeu une notion que le *De cognitione* ne mentionnait pas à cet endroit : celle du débordement, de l'effusion *ad extra*.

La notion de débordement ou d'effusion est expliquée plus en détail dans le commentaire de la proposition 18 : «Tout dispensateur qui agit par son être est lui-même, de façon primordiale, ce qu'il communique aux bénéficiaires de ses dispensations[101].» Le lien entre la proposition 174 et la proposition 18 est manifeste. Il a souvent été noté par les interprètes modernes de Proclus[102].

Dans son développement, Berthold revient sur le thème de l'émanation en reprenant la notion d'ébullition dont on a vu plus haut le rôle central qu'elle jouait chez Thierry de Freiberg et Maître Eckhart. Son point de départ est un passage de la *Clavis physicae* d'Honorius Augustodunensis, le célèbre, quoique mystérieux, compilateur de Jean Scot Érigène : «Il résulte de ses paroles que toutes les sources secondaires, c'est-à-dire les causes primordiales» (on reconnaît au passage le vocabulaire de l'Érigène), «émanent d'une source *(fonte)* première : c'est là en effet que se trouve la première origine *(prima origo)*, le jaillissement *(scaturigo)* ou l'ébullition *(ebullitio)* qui se déverse *(se profundens)* en toute espèce de subsistance, à partir de la surabondante exubérance de Dieu. Je dis "la première origine, etc.", car c'est en lui-même et par lui-même, et non par un autre — tant du point de vue causal que du point de vue formel — qu'il [= le principe] a de quoi s'épancher *(habeat quod derivat)*, et c'est pourquoi il est appelé "fond absolument principiel d'un mouvement, d'une lumière et d'un fleuve". D'un mouvement, comme l'atteste Denys au chapitre II des *Noms divins* [...]. D'une lumière, comme l'atteste ce même Denys au chapitre IV. D'un fleuve, comme l'affirme expressément le passage d'Honorius. Il est donc source de tout autre, que ce soit un fleuve ou une lumière [...]. Il y a une image obscure de cette source première et archétypique chez Denys, au chapitre IV des *Noms divins*, quand il parle de la source de la lumière corporelle, c'est-à-dire du soleil qui, lui aussi, fait bouillonner les lumières à l'extérieur, de sorte qu'il s'épanche ou qu'il semble être continuellement mû par un mouvement d'ébullition. Dans le soleil ces lumières ont une seule forme, nature ou essence, mais quand elles parviennent dans les autres corps, elles reçoivent un être différent [...] en fonction des différentes puissances des corps qui les reçoivent. C'est ainsi que ces mêmes lumières *(luces)* deviennent une "lumière émise" *(lumen)* dans le milieu transparent *(in perspicuo)* et qu'arrivées au corps qui (dé)termine *(terminante)* la vision, elles acquièrent telle ou telle couleur, plus claire ou plus obscure [103]. »

Comme l'a bien montré M.R. Pagnoni-Sturlese, toute la fin du texte, et donc avec elle le terme d'*ebullitio*, est empruntée au *De animalibus* d'Albert le Grand. Albert se retrouve ainsi entre Scot Érigène (qui fournit l'image de la source) et Denys (qui fournit celle du soleil). Une fois de plus, Berthold tisse donc sa propre doctrine avec les fils les plus variés ! Mais ce faisant, il récupère aussi tout le contenu spéculatif dont un Thierry de Freiberg et un Eckhart avaient auparavant lesté ce terme.

Ainsi, en fin ce compte, c'est bien l'intellectualité en tant que telle qui se trouve assumée, dans toute son extension, par la notion d'*ebullitio* : le Premier principe lui-même, les « dieux », les hypostases intellectuelles de Proclus, et l'intellect agent de l'homme.

Il y a cependant, cette fois, une différence importante : c'est qu'Albert lui-même avait déjà programmé cette extension.

De fait, le *De animalibus* établit systématiquement pour l'ébullition le réseau d'équivalences retrouvé par Berthold dans la théorie théodoricienne de la causalité essentielle. Autrement dit :

— « Bouillonner à l'extérieur » signifie « agir par essence » ;

— En témoignent : dans les corps : l'activité du soleil identique à son essence : « Il n'y a pas d'exemples satisfaisants dans les corps sinon dans ceux qui agissent par soi et selon leur essence [...] comme le soleil» ; au niveau supérieur : l'intellect pratique : «Cet intellect, en effet, tient de lui-même la forme de l'art et c'est elle qu'il fait bouillonner à l'extérieur dans les instruments et la matière» ;

— Ce mouvement bouillonnant caractérise aussi bien les Intelligences («une Intelligence n'opère par soi que dans le bouillonnement de sa propre lumière active vers l'extérieur») que l'Intellect divin («il en est ainsi de la cause universelle de toutes choses qui fait bouillonner les formes hors d'elle-même [...] puisque l'Intellect de la Cause première n'opère pas par un *habitus* différent de sa propre lumière») [104].

Il y a donc bien chez Albert l'idée d'une activité essentielle, l'ébullition, propre à tout ce qui est de nature intellectuelle. La présence de ce thème dans le *De animalibus* nuance donc l'impression de lecture forcée qu'avait pu susciter le travail de Berthold sur les textes ulrico-albertiniens concernant l'activité universelle.

C'est bien alors une position d'école que Berthold synthétise dans son commentaire de la proposition 18 : l'intellect, quel qu'il soit, est à titre de cause essentielle source d'un dynamisme orienté à l'extérieur ou *ebullitio*.

De fait, comme le note M.R. Pagnoni-Sturlese, c'est chez Albert qu'on trouve pour la première fois l'idée de «précontenance» appliquée à une sorte de noétique générale englobant à la fois Dieu et les Intelligences. Dieu : «La forme du premier moteur absolu [...] possède d'avance et possède absolument toute la multitude des seconds [...].» Les Intelligences : «Et c'est pourquoi on dit que toute Intelligence motrice d'un orbe est "pleine de formes", mais que les supérieures contiennent plus de formes universelles. Je dis "universelles" dans le sens précis où un universel est une cause qui possède d'avance formellement et possède absolument tout ce qui vient après elle, et non dans le sens de la simple extension logique *(non secundum ambitum praedicationis)* [105]. »

Cette mention de la théorie albertinienne de l'universel éclaire singulièrement le sens de la *praehabitio*, du *proêchein* proclusiano-dionysien, si abondamment repris par les Rhénans avec le thème de l'ébullition de la cause essentielle.

Ainsi, quand Berthold écrit qu'« il y a possession d'avance grâce à un concept essentiel intellectuel [...] dans l'essence de l'intellect [...], grâce auquel (concept) l'intellect se déverse à l'extérieur *(redundando)* en bouillonnant essentiellement et intellectuellement », voit-on clairement que c'est la notion albertinienne de l'*essentia* dans la double dimension noétique et noématique qu'elle a — au titre d'*ens conceptionale* — revêtue chez Thierry de Freiberg qui sous-tend toute la noétique spéculative.

La suite du commentaire de la proposition 18 est à cet égard très révélatrice, car, définissant plus précisément encore l'*ebullitio* ou *derivatio*, c'est-à-dire la *choregia* de Proclus, Berthold reprend la théorie albertinienne et ulricienne du flux *(fluxus)*, trouvant par là le plus sûr moyen de fonder la synthèse spéculative des deux grandes élaborations théoriques du néoplatonisme rhénan : celle d'Ulrich-Albert, celle de Thierry de Freiberg.

De fait condensant divers passages d'Ulrich et d'Albert, Berthold montre que la *choregia* proclusienne est la même chose que le *fluxus* albertinien. Autrement dit : un processus d'émanation dans lequel la source et ce qui en émane sont identiques par essence *(secundum essentiam)* et différents par l'être *(secundum esse)*.

Cette assimilation est décisive, puisque, on l'a vu, cette structure ontico-ontologique est propre à l'univers de la causalité essentielle telle que la formule Thierry de Freiberg pour qui : « Une cause essentielle est essentiellement identique à son effet causé tout en différant de lui par l'être [106]. »

C'est donc la synthèse finale de toutes ses sources que Berthold nous propose ici. Traduisons en entier cette page admirable :

« La dérivation est une émanation causale, simple et continue qui conserve l'identité de l'essence de la forme du fluant dans la totalité du flux. Dans cette description "émanation" signifie le genre. On dit plus proprement émanation que "influx" *(influxio)* parce que l'influx est l'émission d'une forme fluant dans un certain réceptacle et que l'idée de contenance impliquée par le préfixe *[in]* tient à la possibilité de la chose en qui se fait l'influx, alors que, dans l'émanation, le préfixe *[e]* implique beaucoup plus l'exubérance du principe actif se communiquant de toutes parts [...]. On dit aussi "simple" [...], et on ajoute "continue", parce que tout ce dont la raison d'émanation est constituée par sa propre essence excerce cette action de manière active, continue et sans interpolation. Le meilleur exemple en est dans la lumière. Et de ce point de vue, l'être des choses est en devenir, bien que, du point de vue de la chose déjà constituée, il soit dans l'accompli. On poursuit avec "qui conserve" etc. pour dire que la dérivation diffère de la causalité équivoque qui ne préserve pas l'unité formelle dans le fluant et dans celui dont il procède. Quant à la causalité univoque, elle a également été exclue par le mot "simple", puisqu'elle ne comporte aucune transmutation. La dérivation décrite ici diffère enfin par sa dernière différence de la principiation ou élémentation, puisque le principe dans la principiation entre dans l'être de la chose principiée, alors que, au contraire, dans la dérivation, l'être du dérivant ne pénètre pas dans l'être de la chose produite par dérivation, puisqu'elle diffère selon l'être et ne conserve d'identité qu'en essence [107]. »

Allons plus loin. La théorie albertinienne de l'universel est le point de départ de la théorie de la détermination, que Berthold oppose à la théorie aristotélicienne de la *causalitas*.

En témoigne, par exemple, ce passage de l'exposition de la proposition 18 : « L'être dérivant [...] est le principe originaire et quasi formel de tout ceux auxquels il s'applique, se rapportant à eux comme le déterminable se rapporte aux réalités où il se détermine, plutôt que comme la cause se rapporte à ses effets causés. En effet, les effets causés en tant que tels se rapportent à leur cause en tant que cause, grâce à une addition qui concerne à la fois leur essence et leur être [...]. Mais ce n'est pas ainsi que le déterminable se rapporte à ceux dans lesquels a lieu la détermination [...]. En effet, ceux-ci ne se rapportent pas à lui par une addition concernant l'essence, bien qu'ils fassent nombre selon le mode d'être. De fait, le déterminable existant dans le déterminé ne perd pas sa raison propre, contrairement à ce que fait la cause dans le causé. Il demeure le même et garde la même raison, la même intention et la même propriété par essence dans la détermination même et il ne varie que d'après l'être, puisqu'il est plus noble et plus éminent en lui-même que dans le déterminé [108]. »

Ce texte combine deux sources différentes : la théorie albertinienne et ulricienne du flux (identité *secundum essentiam*, variation *secundum esse*), la théorie théodoricienne de la causalité essentielle, telle que l'assume le couple déterminable/détermination dans le *De intellectu et intelligibili*. Toutefois ces deux théories sont l'expression d'un même phénomène fondamental : la spécificité de la causalité intellectuelle.

Or, c'est bien cette question centrale qu'avait affrontée Albert dès son *Commentaire sur le Livre des prédicables de Porphyre* en s'efforçant de penser la manière dont l'universel *(ante rem)* peut bien se diviser dans les particuliers, tout en restant un et identique à lui-même, et donc indivisible selon l'essence (ou selon le mot de Berthold, sans « faire nombre » avec quoi que ce soit).

Et c'est bien lui aussi qui avait dans ce contexte introduit le thème de la lumière, que devait populariser ensuite son *De causis et processu universitatis*.

De fait, à l'épineuse question de la multiplication de l'universel, le *De praedicabilibus* répond en s'appuyant sur une théorie de la couleur. La couleur est la même dans le corps dimensionné, dans le milieu transparent *(perspicuum)* et dans l'œil. Cette identité repose sur l'unicité de l'agent opérant en ces trois : la lumière. De fait, c'est en elle que la couleur exerce sa motion sur la vue et elle est évidemment une et la même dans le milieu transparent où elle se propage et sur le corps où elle se diffuse. Il en va ainsi de la forme universelle qui agit aussi bien en elle-même, dans l'âme et dans le singulier. Une et identique en essence, elle n'est distinguée que selon l'être.

La comparaison avec la lumière n'est pas fortuite. Loin d'être une simple métaphore du réel, elle est, pour mieux dire, l'image même de la réalité. En effet, la cause de l'unité essentielle de la forme dans ses trois aspects ou états n'est rien d'autre que cette force de l'entendement divin qui réside en toutes choses à titre de cause de la totalité de l'être. Chaque universel, chaque nature simple est un rayon de la *lux intelligentiae*, mais il va de soi que chaque rayon est réductible à l'unité, c'est-à-dire à la lumière incréée qui irradie les intelligences séparées d'où fluent les formes intelligibles, ici dans la matière, là, dans les intellects humains [109]. La lumière est donc la fontaine et la cause de toutes les formes [110]. Celles-ci sont tantôt indiscernables et tantôt distinguées, à mesure de leur proximité relative à la source d'où tout émane. Unes en pleine lumière, elles sont multipliées dans l'ombre du réel, mais elles sont aussi dans l'âme humaine, entre la lumière et l'ombre, comme principes de l'agir et de la spéculation, images et instruments de la lumière intellectuelle dans la matière sensible. Il y a donc une seule et même essence, qu'elle soit prise en elle-même, dans l'âme ou dans le singulier, et cette essence n'est diversifiée que par l'être. Dans l'âme, cet être est spirituel, dans le singulier, matériel, en elle-même, pur ou absolu : « Et c'est pourquoi l'essence est une et la même, en elle-même, dans l'âme et dans le singulier. Mais dans l'âme, selon un être spirituel, dans le singulier, selon un être matériel et naturel, en elle-même, selon un être simple [111]. »

La théorie albertinienne du flux programmée à l'occasion d'une réflexion sur le problème de la diffusion de l'universel est donc bien le modèle de la théorie rhénane de la causalité essentielle.

Mais ce n'est pas tout. Le thème du *determinabile/determinatum*, illustré par Thierry de Freiberg, semble esquissé par Albert lui-même dès son *De praedicabilibus*, puisqu'il exprime le couple universel *ante rem/* universel *in re* dans une opposition entre universel *per se acceptum* et universel *determinatum et particulatum* et montre que l'être de l'universel demeure inchangé *in substantia* (en termes avicenniens, quant à l'être d'essence ou *esse essentiae*), même s'il est autre en tant qu'il est déterminé *(determinatum)* dans un particulier. Citons ce passage, qui nous paraît sans équivoque anticiper Thierry de Freiberg et Berthold : « Si on demande : l'être que possède l'universel pris en lui-même et celui qu'il a en tant que déterminé et particularisé est-il le même ? Il faut répondre qu'il n'est ni absolument le même, ni absolument différent, mais qu'il est le même ou un de deux façons. En effet, en substance il est le même. Mais il est bien double en tant que ce même et cet un est soit indéterminé, soit déterminé [112]. »

Revenons à Berthold. Une fois de plus, notre auteur nous a livré sa doctrine dans une double condensation de textes : il résume Ulrich qui avait lui-même auparavant résumé Albert. Mais il faut souligner qu'il n'a plus ici à modifier ses sources, car Ulrich lui-même avait déjà totalement accentué l'identité essentielle dans le processus émanatiste, anticipant ainsi en termes de flux essentiel ce que Thierry et Berthold allaient penser en termes de causalité essentielle.

Le flux n'est rien d'autre que la dynamique de la causalité intellectuelle. C'est en un sens l'exercice, la réalisation, le déploiement de cette causalité. En témoigne ce passage d'Ulrich allégué par M.R. Pagnoni-Sturlese : « La source de ce flux est celui que Platon appelle le "donateur des formes", au sens où il est la première origine des formes, de façon telle que tout ce qui par ailleurs donne ou infuse une forme, le fait en vertu de cette source et des trésors répandus par elle, de sorte aussi que tout ce qui flue depuis le premier à travers tous les seconds est un en essence, bien que différent selon l'être [...], tout comme la différence ne multiplie pas l'essence du genre, mais seulement son être »[113] — passage lui-même repris par Berthold dans son commentaire de la proposition 181 de Proclus (« Tout esprit participé est ou bien divin en tant qu'uni aux dieux, ou bien seulement pensant »). La théorie de la causalité essentielle comme flux essentiel du Premier Principe est donc bien la théorie de l'école d'Albert en même temps que l'affirmation consciente d'un particularisme néoplatonicien.

Certes, Albert ne donne toute sa mesure que dans la version bertholdienne riche d'un quart de siècle de développements philosophiques et théologiques originaux. C'est bien malgré tout Albert qui, le premier, a opposé la causalité du flux à la causalité aristotélicienne. Pour lui, en effet, l'une ne saurait en aucun cas se réduire à l'autre. Comme le *De causis* l'affirme à deux reprises au moins : « Fluer n'est pas la même chose que causer », « autre est la division des causes, autre celle du principe qui flue »[114]. La théorie de l'identité de l'essence dans le flux producteur est donc bien l'amorce de toute la noétique rhénane.

On voit aussi combien les Rhénans doivent à Avicenne, même s'ils ne s'en réclament pas explicitement. De fait, sans la théorie avicennienne de l'universel comme indifférence de l'essence, sans l'idée d'une neutralité phénoménologique de l'*essentia*, à la fois irréductible au particulier sensible et au concept général abstrait, enfin sans la théorie de la diffusion des universaux dans l'univers des êtres, jamais la théorie de la causalité essentielle n'aurait pu être aussi parfaitement intégrée au dynamisme proclusien de la *choregia*, ni transposée dans la vision théologique chrétienne de l'illumination dionysienne.

Autrement dit : c'est la doctrine albertinienne de l'universel *ante rem* qui a, du point de vue noématique, fourni le socle épistémologique de la noétique rhénane. La notion d'ébullition introduite par Albert dans son *De animalibus*, notion reprise par Thierry, Eckhart et Berthold au détriment de la notion aristotélicienne de la causalité, dans le but d'exprimer à la fois la spontanéité de l'intellect et sa productivité, est bien la formulation d'un « nouveau théorème de la participation », « conçue comme identité d'essence et différence d'être », en un mot, comme flux. Mais, l'expression finale de ce théorème dans la théorie théodoricienne et bertholdienne de la détermination peut être aussi légitimement regardée comme amorcée dans la conception albertinienne de la diffusion de l'universel *ante rem*.

La synthèse bertholdienne n'est donc pas une synthèse artificielle. Son opération culturelle est plus le renforcement d'une tendance initiale qu'un coup de force rétrospectif.

Ainsi, l'école d'Albert ne s'est faite ni contre lui — ce qui était évidemment prévisible — ni sans lui — ce qui l'était moins.

L'opération de Berthold permet aussi à l'historien

moderne de prendre une mesure plus exacte de l'importance et philosophique et historique de la logique d'Albert.

L'opposition traditionnelle dans l'historiographie moderne entre logique formelle et logique métaphysique acquiert elle-même un sens nouveau. La distinction de l'*essentia* et des *modi essendi* n'a certes pas été ignorée par les logiciens terministes (c'est-à-dire les logiciens purs) de l'université de Paris. Dès la fin du xiiie siècle, Simon de Faversham, commentateur anglais de Pierre d'Espagne, s'autorise d'une définition du prédicable de genre dont, à tort ou à raison, il attribue la paternité à Albert. Siger de Brabant discute la doctrine albertinienne de l'essence dès la question *Utrum haec sit vera...*, déterminée à Paris en 1269. Enfin, Radulfus Brito consacre une place non négligeable à certaines doctrines du Colonais dans ses *Questions sur Porphyre*. Toutefois, ce n'est pas à Paris que la pensée logique d'Albert a exercé son influence la plus importante sur les générations ultérieures. Le texte de Berthold en témoigne : c'est à Cologne, et dans le domaine rigoureusement philosophique de la théorie de l'intellect.

De fait, si les maîtres parisiens, imbus de logique formelle, n'ont pas su mesurer la force épistémologique des théorèmes néoplatoniciens produits par Albert au contact de sources aussi différentes que l'essentialisme avicennien ou le monde dionysien de l'illumination, ses successeurs colonais ont, eux, véritablement assumé, repris et développé les lignes principales de sa théorie du flux illuminateur.

Ce n'est pas un hasard si l'héritage logique d'Albert s'est transmis de manière quasi exclusive par l'intermédiaire de textes de noétique. C'est bien seulement dans des traités de ce genre que la conception de l'essence proposée par le Colonais pouvait s'exprimer dans son intégralité.

Pour pouvoir articuler une théorie des états de

l'essence, il fallait pouvoir articuler une conception des rapports de l'Un et du multiple, de l'*essentia* et des *modi essendi*. C'est ce qu'offrait le vieux schéma émanatiste et dionysien de la lumière du soleil, parfaite illustration, dans sa diffraction unanime, du double mouvement de concentration et de diffusion caractéristique de la production des universaux et appelant, par-delà, une théorie intellectualiste de la causalité essentielle, elle-même caractéristique de l'agir divin. C'est ce qu'offraient à l'état inchoatif les textes de noétique d'Albert. C'est ce qu'ont développé, expliqué et construit les Thierry de Freiberg, Eckhart de Hochheim et Berthold de Moosburg.

La fortune littéraire et doctrinale du thème alberti-nien du flux, un selon l'essence, mais multiple selon l'être à mesure que l'on descend du Premier Principe (la cause) aux réalités secondes (les effets), celle, parallèle, de l'*ebullitio*, eussent été sinon impensables, du moins difficiles sans une doctrine de la causalité intellectuelle capable d'envelopper, dans une même théorie générale de la manifestation, la conception avicennienne de l'indifférence de l'essence et la description néoplatoni-sante de ses avatars phénoménaux.

Le mérite d'Albert est d'avoir su penser l'universel de manière réellement métaphysique, d'avoir montré le lien systématique de la logique et de la noétique.

De fait, si l'universel n'est ni l'intention de la *res* dénudée des phantasmes, ni cette réalité individuelle qu'il informe, mais une seule et même réalité qui se continue dans l'un et qui se retrouve dans l'autre ; si l'universel n'a de définition métaphysique que de différer par le mode d'être de ce à quoi il se donne et de ce en quoi il se reprend, il faut nécessairement qu'il y ait un point aveugle, transphénoménal, à la fois ontologi-quement antérieur au réel et horizon de sa constitution intentionnelle, un point qui condense et contienne d'avance tout ce qui, ici, dans le monde, ou là, dans l'intellect humain, le monnaie ou le détaille. Ce point n'est autre que la lumière de l'Intellect divin, ou plutôt l'Intellect lui-même, Lumière de la lumière : la Cause première, avant qu'elle ne « bouillonne à l'extérieur » dans l'exubérance de l'émanation.

Mais ce point n'est pas un point fixe. Il flue, il se donne, il se diffuse lui-même en lui-même dans la série de ses participes.

La doctrine de l'universel appelle celle de la hiérarchie intellectuelle.

Thierry de Freiberg ne s'y est pas trompé, puisqu'il a lui-même inscrit la problématique de l'universel au cœur de sa noétique.

Ce geste n'est certainement pas celui qui a le plus retenu l'attention des historiens. C'était pourtant un geste fondateur. La rupture avec la conception tradition-nelle de la logique proposée par les maîtres parisiens du xiii<sup>e</sup> siècle finissant était absolument nécessaire si l'on voulait garantir la logique de la participation exigée par le système émanatiste où confluaient irrésistiblement tous les néoplatonismes.

Il fallait certes proposer une nouvelle théorie de la causalité (la causalité essentielle), donner une nouvelle théorie de l'intentionnalité et de l'intelligibilité (l'*ens conceptionale*) ; il fallait aussi penser une nouvelle théorie de l'universel. C'est ce que le *De intellectu* de Thierry, dans la ligne du *De praedicabilibus*, a offert à la tradition philosophique allemande, marquant du même coup une spécificité que les modernes théories phéno-ménologiques de la *Wesenschau* (intuition éidétique) ont, en quelque sorte, avec leurs ressources propres et avec les différences introduites par six siècles d'histoire, su retrouver face à la même collusion — elle toujours actuelle — de l'empirisme et du formalisme.

Berthold a tiré les conclusions. Mais c'est le moment pour nous de rappeler les prémisses, car rien n'a jamais été véritablement ajouté à l'élaboration de Thierry de

Freiberg. Considérons donc quelques instants cette doctrine de l'universel dont la valeur d'exemplarité sera, selon nous, toujours plus évidente, à mesure que notre connaissance de la pensée rhénane — particulièrement celle de Berthold — progressera.

La théorie théodoricienne de l'universel repose à la fois sur une distinction entre universel logique et universel proprement dit, et sur la théorie des êtres conceptionnels.

Contrairement aux sens qui perçoivent les choses « en eux-mêmes, absolument et selon leur nature propre », l'intellect possible « appréhende les choses intellectuellement », dans leur raison, il lit ainsi « à l'intérieur des choses », puisque « intelliger » c'est « lire à l'intérieur » *(intelligit, id est intus legit)* [115]. L'appréhension intellectuelle est donc toujours en même temps une saisie de la raison des choses en tant que principe d'intellection *(principium intelligendi)* de ces choses.

Or, il y a deux sortes de raisons : la raison universelle et la raison particulière. La *ratio* n'est pas, en effet, une propriété intrinsèque de la *res,* mais l'ouverture ou la déclosion de l'être qu'aménage en elle le *medium* cognitif dans le mouvement même de sa saisie cognitive. En tant que *principium intelligendi*, la raison n'est donc pas la nature *(natura)* d'une chose, mais bien plutôt une puissance *(vis)* ou vertu *(virtus)* du sujet connaissant.

Une chose universelle peut donc être considérée de deux manières, ou plus exactement encore : il y a deux manières distinctes de considérer une chose comme universelle.

La première est la *vis distinctiva*, c'est-à-dire l'estimative ou cogitative d'Avicenne et d'Averroès : la raison particulière qui « compose et divise les intentions », autrement dit, les aperceptions des choses. La seconde est la raison universelle, la *cogitativa* d'Augustin ou intellect possible d'Averroès et Avicenne.

L'universel logique est le fruit de la première

puissance, l'universel proprement dit, celui de la seconde.

Précisons. Le logicien ne distingue pas la raison particulière et la raison universelle proprement dite. Ce qu'il considère dans une *res*, c'est uniquement *ce par où* elle est prédicable de plusieurs individus. Autrement dit : la considération logique de la *res* est une abstraction de « tout ce qui particularisant et individualisant une chose » fait qu'elle est prédicable d'un seul. Le concevoir logique sépare donc la *res* de ses accidents, ou, selon la formule d'Averroès, il « dénude la chose de son idole sensible » *(denudat rem a suo idolo)* [116]. L'intention logique, autrement dit l'aperception logique, d'une *res universalis*, par exemple : l'intention de l'homme ou du cheval est donc ce qui, d'une chose, est visé à travers le principe d'intellection d'une raison particulière, qui est la cogitative de la noétique arabe. L'universel logique est ainsi considéré *in ratione particularis* et non *in ratione universalis*. En quelque sorte, c'est un universel pris particulièrement [117].

L'universel proprement dit est un universel pris universellement, un universel appréhendé intellectuellement selon la *ratio universalis* qu'est la *virtus intellectiva* ou intellect possible [118]. Cette *ratio* noétique a comme corrélat noématique la quiddité de la chose, l'*esse quidditativum*, en un mot : l'étance de la chose, cette étance qui, en tant que telle, n'est ni prédicable de plusieurs ni prédicable d'un seul et est donc ainsi à la fois indifférente à l'universel abstrait et au particulier concret.

Pour exprimer cet entrelacement originaire du connaissant et du connu dans une même *ratio universalis*, Thierry de Freiberg distingue l'universel correspondant à la raison universelle du côté de la chose et la raison universelle en tant que *virtus intellectiva*.

L'universel correspondant à la *ratio universalis ex parte rei* est « à la fois la chose même conçue universelle-

ment et la raison universelle en qui elle est conçue » [119].
Cette raison est triple : c'est soit « la raison définitive »
par laquelle une chose peut être dé-finie (au sens où par
exemple « animal rationnel » est la raison d'« homme ») ;
soit une raison inférentielle (au sens où les prémisses
sont la raison de la conclusion ; soit une raison
exemplificatrice (au sens où le tout, c'est-à-dire les
prémisses et la conclusion, ou la définition et le défini
sont la raison de la chose extérieure qu'ils signifient) [120].
Ces trois raisons sont évidemment ordonnées : la raison
principielle et radicale est la *ratio definitiva*, puisqu'elle
seule livre la quiddité de la chose dans sa définition. La
deuxième raison est donc fondée dans la première,
puisque la connaissance d'une proposition susceptible de
servir de prémisse inférentielle demande d'abord la
connaissance des termes qui la composent. La troisième
suppose les deux premières (ou la première seule, s'il
s'agit d'une inférence immédiate de la définition au
défini) [121].

Ce dispositif noématique — la considération des
contenus intelligibles à travers les raisons qui les ouvrent
au cœur de l'étant — doit être complété par une analyse
proprement noétique, c'est-à-dire par une analyse
fondée à la fois sur la nature des puissances cognitives
qui s'y trouvent mises en œuvre et sur le statut noétique
des êtres intellectuels qui opèrent à travers elles. C'est
par cette double considération noétique que la doctrine
théodoricienne de l'universel dépasse la théorie inten-
tionniste des maîtres de l'université de Paris contemporains de Thierry, plus connus sous le nom de
Modistes [122].

De fait, alors que l'analyse modiste reste essentiellement noématique, celle de Thierry intègre et subordonne la considération de l'universel *ex parte rei* à une
théorie générale de la processualité intellectuelle, qui
suppose la distinction des différents niveaux d'intellectualité. Cette distinction est la reprise pure et simple de

la différenciation proclusienne (reprise ensuite par
Berthold de Moosburg) entre le Premier Intellect
(Dieu), les Intellects absolument séparés (les âmes
universelles de Proclus et de Berthold) et l'intellect
humain, qui n'est pas absolument séparé puisqu'il se
trouve dans une âme qui par elle-même n'est pas tout
entière intellect (l'âme particulière de Proclus). La thèse
de Thierry est, sur ce point, très exactement celle que
nous avons vue à l'œuvre dans le commentaire bertholdien de la proposition 173 de l'*Elementatio* : autre est
l'activité noétique de l'Intellect pur et des âmes
universelles, autre celle des âmes particulières. «Pour
Dieu et pour les Intellects absolument séparés, les trois
modes des raisons relatifs aux choses dont elles sont les
raisons se trouvent» en eux-mêmes, «selon les propriétés de la substance de chacun d'entre eux». De fait, en
ces Intellects «absolument séparés», «dont toute la
substance est intellect», «il n'y a pas de puissance
cognitive inférieure à l'intellect» : ces Intellects, qui
sont à la fois «simples dans leur essence» et «pleins des
raisons des choses», sont donc eux-même les «raisons
causales des choses» quant aux deux premiers modes
rationnels, et les exemplaires des choses quant au
troisième, puisqu'ils sont eux-mêmes et par essence
«représentatifs et des choses et de leurs raisons», et non
pas seulement de leurs raisons ou concepts [123]. L'homme,
au contraire, est doté de puissances cognitives inférieures à l'intellect : la sensitive, l'imaginative, la
mémorielle, la cogitative et, «au-dessus de toutes»,
l'intellective [124]. Sa connaissance n'est donc pas purement intellectuelle.

Cette finitude de la connaissance humaine s'exprime
dans le fait que l'intellect possible ne peut penser par
lui-même les incomplexes *(incomplexa)* en tant que tels :
«*Universaliter loquendo nullum incomplexum inquantum huiusmodi potest esse obiectum intellectus* [125].»
Comme l'écrit B. Mojsisch : «La fonction constitutive

de l'intellect possible se produit toujours sous forme de propositions [126].» La pensée humaine n'atteint d'incomplexes que sous la forme abstraite de l'universel logique, rôle dévolu à l'instance non intellectuelle de la *vis cogitativa* prise comme *virtus distinctiva*, puissance séparatrice de la chose et de son idole sensible. L'intellect possible n'est pas en lui-même un pouvoir de représentation. Il se sert de la représentation, disons, de l'universel logique, que lui fournit la *vis cogitativa*, pour constituer l'être quidditatif des choses. Ainsi : la *vis cogitativa* produit une représentation prédicable de plusieurs individus. L'intellect possible, lui, détermine ce que sont ces individus dans leur raison universelle prise universellement. Cette quiddité n'est évidemment pas en tant que telle prédicable desdits individus : l'homme n'est pas plus l'humanité que l'humanité n'est homme. Elle ne peut être exprimée que dans une proposition qui, précisément, fixe l'être quidditatif des choses en le déployant comme une définition essentielle qui dit, par exemple, «ce que c'est que d'être» pour un homme. N'étant prédicable de rien, l'essence des choses est donc bien à la fois indifférente à l'universel abstrait (c'est-à-dire l'universel *in ratione particularis : homo*) et, au particulier concret (cet homme-ci ou cet homme-là). D'une formule : il n'y a pas pour la pensée humaine de représentation de la quiddité, il n'y a qu'une possibilité de définir l'être quidditatif.

La multiplicité des puissances cognitives dans l'âme particulière correspond donc à un statut noétique spécifique de l'homme dans la hiérarchie intellectuelle.

Quelle que soit son éminence, la connaissance de l'intellect possible reste une connaissance selon «les parties de la forme» : une connaissance discursive dans son expression, sinon dans son principe. Cette connaissance n'est pas pour autant stérile, car, même si elle n'est pas par elle-même représentative des incomplexes, elle connaît l'universel comme universel, là où la *vis cogitativa* ne fait que représenter l'universel. Comparée à la puissance cognitive de Dieu et des Intellects absolument séparés, la connaissance humaine dans/par l'intellect possible produit la raison des choses et non les choses elles-mêmes avec leur raison. Sa causalité intellectuelle n'est donc pas productrice d'êtres, elle n'en est pas moins constitutive de leur être quidditatif.

Reste l'intellect agent de l'homme. Cet intellect, agent par essence, est, quant à lui, producteur dans la pleine acception du terme. Lui seul en l'homme produit tout ce qui vient après lui. Cette production, cependant, ne regarde pas les êtres mais l'essence de l'âme et la fondation de l'intellect possible dans son activité de connaissance. Car c'est bien l'intellect agent, « totalité indéterminée des contenus de connaissance », qui en tant que premier objet de l'intellect possible permet à celui-ci de devenir un contenu déterminé « en tant qu'il en émane » ; émanation qui, précisément, constitue son connaître.

On retrouve ainsi le couple bertholdien du déterminable et du déterminé. L'intellect possible n'est pas l'intuition d'une essence. Il y a toutefois intuition essentielle dans le passage du déterminable au déterminant. L'intuition est, en fait, le passage même de l'unité irreprésentable à la détermination différenciée dans un *logos*. C'est un mouvement d'actualisation de l'intellect possible qui est en même temps une détermination du plus actuel (le déterminable) par le moins actuel (le déterminant). *En la rigueur des termes, le lieu des essences est donc leur flux même.* L'intellect possible ne saisit pas l'essence en elle-même : il la termine. Il est la condensation d'un flux qu'il épelle ensuite dans un contenu définitionnel.

La hiérarchie des êtres conceptionnels, leur ordre dans le processus global de l'émanation intellectuelle est bien le dernier mot de la théorie de la connaissance rationnelle. Ce qu'apporte la connaissance rationnelle

de l'intellect possible, c'est la détermination, c'est-à-dire
la *ratio universalis*, la raison de détermination. En
elle-même, la préconnaissance de l'intellect agent,
exemplaire de tout l'être en tant qu'être, est une pure
déterminabilité. La pensée humaine finie — c'est-à-dire
la pensée opérant par la raison discursive — est donc le
pont nécessaire entre la puissance supérieure et les
puissances inférieures de l'âme particulière.

L'ébullition de l'intellect agent se laisse ainsi intégralement reprendre dans le langage de la déterminabilité/
détermination. La théorie bertholdienne apparaît alors
comme la synthèse harmonieuse de tous les langages
épistémologiques successivement essayés dans l'école de
Cologne.

La théorie théodoricienne de l'universel est un
développement de la doctrine albertinienne. Sa subordination de la logique — autrement dit de l'abstraction —
à la noétique pure est appelée par la conception
albertinienne de l'*esse determinatum sive particulatum* de
l'*essentia* engagée dans le réel. Le mérite de Berthold est
de montrer que la connaissance humaine dudit réel est à
la fois transcendante dans son principe — l'intellect
agent comme déterminable pur — et efficace dans son
expression — l'intellect possible comme détermination
réelle des précontenus de connaissance —, tout en
maintenant l'épistémologie de la connaissance humaine
dans le cadre général, à la fois théologique et métaphysique, du *de fluxu entis*. De fait, le passage du précontenu
déterminable au contenu déterminé est un moment dans
la processivité intellectuelle générale de l'intellectualité,
un moment qui préserve, toutefois, le rôle ancillaire
mais indispensable de la *vis cogitativa*.

Si la pensée humaine est, dans son principe, flux
divin, elle est aussi, dans sa terminaison, connaissance
du réel en tant que réel, et cette connaissance est à son
tour un moment libre, quoique réceptif, d'une processualité libre parce que absolument spontanée. La

connaissance du réel est ainsi une connaissance réelle — disons véritable — car l'être quidditatif est un être véritable. L'œuvre de connaissance coopère dans sa réceptivité même à la constitution de l'être pur et, plus largement, à la constitution de la nature comme telle. Pas plus que la doctrine de Thierry, celle de Berthold n'ouvre sur un acosmisme. La théorie de l'intellect n'exclut pas une philosophie de l'univers, bien plutôt elle l'appelle et la rend possible à la fois.

*Les « manières » de l'être :*
*de la théorie de l'intellect à la philosophie du cosmos*
*chez Thierry de Freiberg et Berthold de Moosburg*

La noétique de Thierry de Freiberg appelle une philosophie de l'univers de par son insertion même dans la vision proclusienne du cosmos.

Dès le *De intellectu*, Thierry introduit une quadruple division de l'univers sous le titre de : « La quadruple manière des êtres d'après la distinction de Proclus » *(De quadruplici manerie entium secundum distinctionem Procli)* [127].

La notion de « quadruple manière » reprend la division exposée dans la proposition 20 de l'*Elementatio* : « La substance de l'âme est supérieure à tous les corps, la nature intellectuelle supérieure à toutes les âmes, et l'Un lui-même supérieur à toutes les hypostases intellectuelles [128]. » Thierry y revient dans le *De substantiis spiritualibus*, parlant cette fois des « quatre manières des choses » (« quattuor rerum maneries ») : « Proclus, dit-il, présente ces quatre manières des choses [...] en partant *(procedens)* des extérieurs ou inférieurs, là où le nom d'âmes désigne la manière des êtres spirituels. Quant à ce qui est proprement innommable, à savoir : la Cause première, il l'exprime du nom d'Un. Il écrit donc dans la proposition 20 : "La substance de l'âme, etc." Voilà ce que dit Proclus. Et il explique les quatre manières des choses, c'est-à-dire celles des corporelles, des spirituelles, des intellectuelles et de la Première Cause, en partant des extérieurs ou inférieurs selon la nature pour s'élever aux intérieurs ou supérieurs selon la nature [129]. »

On a parfois dit que Thierry acceptait la division proclusienne des manières de l'être sans chercher à la fonder philosophiquement. H. Steffan demande en ce sens : « D'où Thierry tient-il qu'il y a effectivement quelque chose comme Dieu, les Intelligences, les âmes du ciel, les anges et les âmes séparées ? » Et il répond : « Thierry construit un système dont le fondement n'est pas assuré par la réflexion. L'existence des êtres séparés est supposée, elle est assumée implicitement. On ne montre pas plus sa nécessité intellectuelle qu'on ne cherche à la fonder [130]. » Cette critique est sans doute justifiée jusqu'à un certain point. Il faut pourtant noter que Thierry propose, sinon une fondation (une « Begründung ») du moins une « déduction » peut-être empirique et certainement transcendantale.

De fait, nous n'avons aucune expérience « pour démontrer la réalité objective » des Intelligences en elles-mêmes. Ceci ne signifie pas pour autant que nous n'en ayons aucune pour considérer leur nécessité à partir des effets produits — leur « nécessité », c'est-à-dire la « légitimité de leur concept » plutôt que le « fait d'où résulte sa possession » [131]. En outre, si le lecteur moderne peut admettre depuis Kant qu'il y a quelques difficultés à prétendre déduire empiriquement les concepts de l'espace et du temps, comme formes de la sensibilité, ou les catégories, comme concepts de l'entendement, il reconnaîtra aussi que Thierry de Freiberg a, en quelque sorte, sur ce chapitre, devancé Kant dans son traité sur *l'Origine des réalités prédicamentales*, en expliquant philosophiquement qu'il existe des *res primae intentionis* constituées par le seul intellect.

Dès lors, si l'on concède qu'une classe d'objets peut

trouver l'expression de sa nécessité conceptuelle à partir d'un certain cadre épistémologique prédonné — lui-même fondé par une double déduction, empirique et transcendantale — on admettra sans trop de laxisme que Thierry a le droit de déduire cette classe, pour ainsi dire *a priori*, des principes épistémologiques qui sont les siens. On voudra donc bien considérer avec nous qu'une telle démarche, si elle existe, constitue plus qu'une simple supposition. Or, cette démarche existe. De fait, si Thierry, à de multiples reprises, assortit ses réflexions sur les Intelligences d'un prudent *« si quae sint »*, il faut aussi noter qu'il propose une déduction empirico-transcendantale de la division proclusienne des quatre manières de l'être, et cela, en recourant aux seuls principes de sa noétique.

Cette déduction est donnée dans une section du *De substantiis spiritualibus* qui, curieusement, n'a jusqu'ici guère focalisé l'intérêt des commentateurs [132].

Rappelons-en les étapes.

Le point de départ de Thierry est la théorie de l'universel portée et complétée par sa doctrine plus générale de l'être conceptionnel — nouvelle preuve du rôle fondamental de la logique alternative (néoplatonicienne) qu'il oppose à la logique aristotélicienne *stricto sensu*.

Il y a, dit-il, deux façons de considérer les êtres conceptionnels. Si on les définit correctement, on pourra par analogie, ou plutôt topiquement, d'après le *locus a simili*, justifier également la division proclusienne de l'universalité des êtres, à la fois quant au nombre, à l'ordre et à l'exhaustivité des manières distinguées. Cette déduction topique n'a évidemment pas toute la portée d'une démonstration nécessaire. Compte tenu de la finitude de notre expérience, elle offre toutefois ce qu'on pourrait appeler une nécessité optimale.

Il y a quatre sortes d'êtres conceptionnels en tant que tels, c'est-à-dire d'êtres dont l'être consiste à concevoir quelque chose. L'univers des êtres conceptionnels comprend donc quatre manières, qui sont autant de modes ou de façons de concevoir. Le premier — autrement dit le plus inférieur — est exclusivement corporel. Il se fait par les sens extérieurs. Il est à la fois corporel quant au *medium* (les organes des sens) et quant à l'objet (les réalités perçues qui sont les corps) [133]. Le deuxième est spirituel, c'est-à-dire imaginaire, à la fois dans son *medium* (la *vis imaginativa* ou *cogitativa*) et dans son objet (la réalité perçue, dotée d'un certain être spirituel) [134]. Le troisième est intellectuel. Il se fait par l'intellect possible qui retrouve dans la chose « ses propres principes intrinsèques » [135]. Le quatrième, également intellectuel, se fait par l'intellect agent, grâce au « principe de ces principes » *(per principium talium principiorum)*. Ce quatrième mode du concevoir est lui-même double : il est soit absolument autonome *(secundum se)*, c'est-à-dire développé à partir de « ce qui appartient à la substance de l'intellect agent en lui-même », soit reçu en autre chose, c'est-à-dire développé comme « intellect acquis *(intellectus adeptus)* grâce à une conjonction formelle avec l'homme » [136].

Cette division de l'univers des êtres conceptionnels recoupe à l'évidence, quoique d'un point de vue différent, celle de l'univers des êtres de Proclus.

Les intellects agents que nous avons appelés autonomes — ceux qui agissent exclusivement d'après leur substance — constituent intégralement les deux premières manières des êtres, Dieu et les substances séparées (Intelligences et âmes universelles). Reste le monde des corps et, plus précisément, celui de l'homme qui appartient à la fois au monde sensible et au monde intelligible : l'homme dont l'âme connaît *conceptionaliter* au quadruple niveau de la corporalité *(per sensus exteriores)*, de l'imagination, de la raison discursive (intellect possible) et de l'intellect agent. Cette quadruple possibilité de la connaissance humaine n'entraîne pas une multiplication des objets de la connaissance naturelle. De ce point de vue, en effet, ce sont les mêmes objets qui peuvent être connus et sont effectivement connus de quatre manières différentes. Thierry retrouve ici les bases mêmes de la théorie de la connaissance esquissées dans son traitement de la question des universaux.

Une *res* peut être connue de deux manières fondamentales, chacune de ces manières se subdivisant elle-même en deux.

Le premier mode fondamental est celui qui « appréhende une chose quant à ce qui relève de sa substance » — autrement dit « l'intime de sa substance » *(quod est aliquid intimum subtantiae)*. Le second, au contraire, « tend vers ce qui est extérieur à elle » *(vergit ad exteriora substantiae talis)* [137]. Cette double possibilité nous redonne par analyse les quatre manières du connaître conceptionnel. Le premier mode, en effet, se subdivise en deux. Une chose peut être « appréhendée dans les principes » qui constituent les *intima substantiae*, c'est-à-dire les éléments intrinsèques de sa substance, comme « animal » et « rationnel » pour l'homme, ce qu'Aristote appelle les *partes ante totum*, les « parties antérieures au tout ». Ce premier mode conceptionnel est celui de l'intellect possible. La même chose peut aussi être appréhendée grâce au principe de ces principes : l'intellect agent. Pareille conception est « plus intime » que la précédente, puisque l'intellect agent est un intellect en acte dans sa substance et que, par cet acte, « il connaît sur un mode à la fois plus élevé, plus simple et plus noble que l'intellect possible » [138].

Le second mode général « tourné vers ce qui est extérieur à la substance », en d'autres termes : précision faite de ses propres principes, se réalise à son tour de deux manières, reproduisant en cela le mouvement même par lequel la substance est elle-même tournée vers ce qui lui est extérieur *(secundum quod dupliciter substantia vergit ad extra se)*. Ce parallélisme noético-noématique, qui résorbe ordinairement toute dualité du sujet et de l'objet (au sens de la psychologie cognitive moderne) est, on l'a vu, la marque propre de la connaissance conceptionnelle.

La première connaissance extérieure ou extrinsèque livre donc la *res* dans l'intention de la substance prise comme revêtue de ses idoles [139]. La seconde donne la substance en tant qu'elle « reste sous » ce qu'Aristote appelle les « parties postérieures du tout » [140].

Le premier mode est le fruit de l'imaginative d'Avicenne proprement dite. On doit toutefois souligner qu'au sens large *(communiter)* l'imaginative comprend la cogitative qui « appréhende la chose séparée de son idole » [141]. Mais, même ainsi entendue, l'imaginative-ou-cogitative reste bien tournée vers l'extérieur, car, appréhendant la chose précision faite de ses propres principes intrinsèques, elle « saisit la substance en tant qu'elle est elle-même tournée vers l'extérieur » [142]. Le second mode est le fait des sens extérieurs qui « appréhendent la chose revêtue des accidents » qui sont de simples « dispositions de la substance », en tant qu'elle est dotée de parties qui sont en elles postérieures au tout [143].

Il y a donc bien *au moins* quatre manières d'êtres conceptionnels déduites de la simple considération de ce qu'est le concevoir, tant *ex parte concipientis* qu'*ex parte concepti*.

Mais la déduction ne s'arrête pas là, car Thierry montre qu'il ne peut y en avoir *plus*. D'une part, en effet, ces quatre manières suffisent pour lui à expliquer la connaissance humaine. D'autre part, ce nombre même est connu par soi *(per se notum)*, autrement dit nécessaire, puisque, étant donné la nature de l'âme, c'est-à-dire la finitude de l'*anima partialis*, aucune connaissance humaine n'est possible qui ne combine les quatre types de concevoir.

Les quatre manières sont donc les conditions à la fois nécessaires et suffisantes de la connaissance.

La déduction peut d'ailleurs se poursuivre en dehors de la simple analyse du nombre des facteurs nécessaires et suffisants du connaître et intégrer la considération de leur ordre.

De fait, chaque être conceptionnel diffère des autres « selon le degré de plus ou moins grande intériorité de sa nature » [144]. Cette différence est l'expression d'un ordre, ordre de dépendance essentielle qui veut que certains êtres « tendent davantage vers l'extérieur », alors que les autres « s'incluent d'eux-mêmes davantage à l'intérieur » [145].

D'autre part, il y a entre chaque être « une certaine immédiation » qui empêche l'intervention d'êtres intermédiaires [146].

Enfin, sur un plan plus général, délié de la seule considération de la connaissance humaine, on voit bien que si la corporéité se rencontre en l'homme avec la spiritualité, la spiritualité peut ou doit, à son tour, pouvoir se trouver sans elle en d'autres et, avec elle, la seule nature intellectuelle et le principe de cette intellectualité [147]. De tels êtres purement spirituels existent au témoignage d'Augustin. Mais l'important est de considérer qu'ils peuvent exister du seul point de vue de la théorie noétique, dans la mesure où la conception sensorielle ne définit que la servitude d'un être fini : l'âme humaine unie à un corps.

On voit donc en quel sens on peut parler d'une déduction des manières de l'être conceptionnel chez Thierry de Freiberg. Le recours aux notions de suffisance, de nécessité, d'ordre, de continuité et de possibilité, n'est pas la marque d'une théorie « non réfléchie ». L'application de cette déduction à l'univers des êtres en général, *in entibus realibus,* permet bien de légitimer la structure du cosmos proclusien, *ad proportionalem similitudinem*, c'est-à-dire par raisonnement

topique. Une première légitimation *(quoad numerum)*
est donnée dans le *De substantiis spiritualibus* 6, 1 : de
même que les êtres conceptionnels peuvent considérer
deux sortes d'éléments dans ce qu'ils conçoivent, *i.e.*,
soit ce qui est «premier et intérieur à l'être conçu»,
autrement dit : les principes du conçu ou le principe de
ses principes ; soit ce qui «est tourné vers l'extérieur de
la chose», c'est-à-dire la substance, précision faite de ses
propres principes, ou ladite substance en tant que corps
visé «d'après ses parties postérieures au tout» ; de
même, *a simili*, l'univers des êtres réels est-il également
structuré de manière quaternaire quant au nombre, mais
aussi, comme on le verra, quant à l'ordre et à la
suffisance de ses manières [148]. C'est ici que le donné
philosophique trouve à s'articuler sur le donné épistémologique. Les philosophes, dont Proclus, nous parlent de
certains êtres réels comme les Intelligences. Nous ne
pouvons évidemment, dans ce cas, recourir à des
données empiriques strictes pour vérifier la pertinence
de leurs dires. Nous pouvons toutefois *de jure* nous
prononcer sur la légitimité transcendantale de leurs
concepts, car leur existence sera sinon prouvée, du
moins déduite, c'est-à-dire placée, si nous arrivons à les
situer, dans la théorie générale de l'être conceptionnel.

Pareille déduction est possible, et c'est là ce que nous
propose Thierry : rien de plus, mais rien de moins.

De fait, si nous considérons ce qui est «intime et
supérieur», non plus dans une substance isolée, mais
dans l'universalité des êtres elle-même, nous trouvons
nécessairement certains êtres intellectuels. Ces êtres
comprennent *ipso facto* les Intelligences des philosophes, puisqu'ils définissent eux-mêmes ces Intelligences comme «des intellects en acte selon leur
substance et leur opération». Ils comprennent également Dieu, Premier Principe absolu, Dieu qui «donne à
ses premières créatures le pouvoir d'être elles-mêmes
principes des autres êtres», en sorte qu'il est lui-même,

comme tantôt l'intellect agent, «principe de principes». Certes, ces principes ne produisent pas par mode créationnel, mais «d'après un mode inférieur de la causalité essentielle». Ils n'en constituent pas moins les choses à leur manière *(suo modo)* à partir du néant, dans l'être [149].

La distinction entre principes et principe des principes permet donc bien d'accommoder le cosmos proclusien dans sa partie suprême à l'épistémologie générale tirée de la considération de la structure noético-noématique de l'*ens conceptionale*.

Les deux dernières manières sont également déduites *a simili*. Il y a dans l'univers des réalités qui «tendent vers l'extérieur», tout comme il y en a dans une substance. Ces réalités sont ici d'un seul type général. Ce sont évidemment des êtres, «précision faite de leurs propres principes», mais surtout, ce sont des êtres qui ne peuvent exister qu'en tant qu'ils «restent sous leurs parties postérieures au tout». De fait, après les hypostases intellectuelles (la deuxième manière des êtres), tous les êtres sont nécessairement dotés de «parties postérieures au tout» — c'est même ainsi, et ainsi seulement, qu'ils sont individués. Ces réalités n'en comprennent pas moins deux grandes classes, car «on peut rester sous de telles parties» de deux manières distinctes : soit spirituellement, soit corporellement. On a ainsi les deux dernières manières des êtres : les spirituelles et les corporelles [150].

L'univers proclusien est donc bien structuré quant au nombre, car les entités qu'il admet se laissent placer dans la structure générale de l'être conceptionnel.

Thierry explique ensuite à ce niveau la raison, c'est-à-dire la nécessité et la suffisance, des quatre manières distinguées.

Pour les trois manières subalternes, nombre et différences résultent de la raison même de leurs principes [151]. Pour Dieu, en revanche, la justification est

immédiate. Comme le dit en effet Proclus lui-même :
« En tout ordre la multiplicité se ramène à une unité [152]. »
La simple application de cet axiome nous donne la
justification de la première manière des êtres. Il faut
pour tout l'univers « un premier principe de toutes
choses » qui soit « suprêmement Un » ou « Un suprême »
*(summe unum)* et de qui toute la multiplicité ordonnée
de l'univers « procède en s'écoulant » *(profluit)* [153].

Telle est donc, brièvement résumée, la déduction de
la structure du cosmos proclusien chez Thierry de
Freiberg : déduction qui implique et présuppose l'épistémologie rigoureuse de l'être conceptionnel.

Comme on le voit, théorie de l'univers et théorie de
l'intellect sont à tous moments liées.

C'est cette vision que reprend intégralement Berthold dans son *Commentaire* de Proclus.

Tout d'abord, on l'a dit, Berthold accepte complètement le concept théodoricien de *maneries* et il l'oppose
consciemment au genre aristotélicien : « Métaphysique-
ment, écrit-il, il y a deux sortes de genres car, autre est le
genre d'Aristote, autre celui de Platon. » Puis il précise :
« Nous prenons ici la notion de genre dans l'acception
qu'elle a chez Platon », ce genre platonicien est ce que
« ceux qui ont voulu s'exprimer plus proprement, ont
appelé les différentes manières des choses » [154].

Ensuite, comme chez Thierry, ces *maneries* sont
utilisées pour penser, non pas n'importe quelle unité,
mais bien l'unité du cosmos dans son essentielle
relativité au Premier Principe.

De fait, comme le montre clairement le commentaire
à la proposition 136, l'univers de Berthold est un tout
ordonné à un Un-Tout qui précontient « exemplairement et essentiellement » tout ce que cet univers est « sur
un mode causé », un univers qui est cet Un même
*secundum aliud esse* [155]. En d'autres termes, l'unité du
cosmos proclusien dans la vision de Berthold est bien
celle-là même que Thierry définit dans le *De cognitione*

*entium separatorum* : « L'unité ou l'intention unique [...]
de l'univers est l'essence même du Premier Principe, qui
existe en elle-même selon la propriété de sa substance,
mais est diffusée intentionnellement *(intentionaliter)*
selon sa vertu dans l'universalité des choses. Par là,
toutefois, l'entière universalité des choses ne dépend pas
seulement du Premier comme d'un premier principe
causal, car la dépendance causale se fait aussi entre ses
différentes parties. On peut donc dire que l'essence du
premier se trouve intentionnellement dans les êtres,
comme une cause par soi l'est dans ses effets. Je dis
"intentionnellement", en considérant l'essence du Premier Principe en lui-même d'après la propriété de sa
substance. Mais cette essence s'y trouve aussi réellement, si l'on considère les substances des réalités
causées, car elles ne sont rien d'autre que l'essence de ce
même Principe selon un être différent [156]. »

Pour Thierry, le couple identité de l'essence/diffé-
rence de l'être, dont on a vu la genèse chez Albert, est
cela même qu'enseigne Proclus : « Ces deux *modi
essendi* dans les choses [celui de l'essence et celui de
l'être] se laissent penser à partir de la proposition 141 [=
145] : "La propriété de chaque ordre divin pénètre tous
ses dérivés et se communique elle-même à tous" [157]. »
C'est lui que Berthold explique dans le commentaire de
la proposition 29, en modulant le couple *discerni/
seiungi* : « En toute émanation, ce qui procède doit être
nécessairement distingué *(discerni)* de son principe, mais
pas toutefois au point d'en être totalement séparé
*(seiungatur)*. Réciproquement, il doit en être aussi
séparé *(seiungi)*, mais pas au point d'en être totalement
distingué *(discernatur)* [158]. » En d'autres termes : l'univers émané n'est ni totalement distingué, ni totalement
séparé de son principe émanateur. Cette relation
paradoxale est assumée comme une véritable relation de
présence, car il y a à la fois présence intentionnelle de
Dieu dans son produit comme continuation essentielle

*(in essentia)* de l'essence divine dans les multiplicités ordonnées et présence réelle de Dieu dans les choses comme discontinuité ontologique *(secundum esse)* de ladite essence dans lesdites multiplicités.

Tous les plans de l'univers, qui sont eux-mêmes et en eux-mêmes des totalités expressives de l'Un-Tout, sont donc constitués par le même mouvement d'épanchement, le flux albertinien, la transfusion intérieure et respective de Thierry. Ce « flux d'ébullition » qui, faisant bouillonner chacune des manières de l'être, relie dynamiquement chaque manière à une autre manière et toutes les manières en elles-mêmes et prises ensemble à l'Un.

La théorie de l'univers philosophiquement déduite grâce à la théorie de l'être conceptionnel appelle donc à son tour une théorie de l'Un. Plus que tous ses confrères rhénans, Berthold de Moosburg a médité le problème philosophique et théologique de l'Un.

C'est cette méditation que nous allons à présent essayer de suivre en lisant son commentaire des premières propositions de l'*Elementatio theologica*.

## LA DOCTRINE DE L'UN

### *L'Un et l'être : Platon contre Aristote*

On l'a dit en commençant, le *Livre des causes* ne contenait pas les premières propositions de l'*Elementatio theologica* portant sur l'Un [159]. Compte tenu de toutes les informations disponibles par ailleurs, l'arrivée du véritable texte de Proclus n'a pas considérablement modifié les données du problème hénologique dans l'école d'Albert. Elle en a toutefois profondément changé la signification historico-philosophique.

Berthold est le principal témoin de ce bouleversement. A la fois historien de sa propre culture, propagateur de Thierry, d'Ulrich et d'Albert, et historien de la philosophie au sens le plus large, riche d'une formidable masse de lectures, versé dans tous les néoplatonismes et informé de toutes les variétés de l'aristotélisme, le prêcheur de Moosburg a été le premier à prendre conscience du fondement de la différence des systèmes philosophiques d'Aristote et de Platon, et, ce faisant, à justifier le primat des thèses platoniciennes sur le double terrain de la philosophie et de la théologie.

Le commentaire de la proposition 1 (« Toute multiplicité participe à l'Un sous quelque mode ») [160] est largement consacré à l'élucidation philosophique du désaccord radical entre les deux positions.

Le premier point du *suppositum* est le suivant. Étant donné l'existence de la multiplicité *(supposita multitudinis anitate)*, « il faut, à son sujet, montrer avec le plus grand soin que les philosophes Platon et Aristote sont fondamentalement séparés » [161].

Le terrain du conflit est celui de l'origine même de la multiplicité. De fait, Platon et Aristote s'accordent à définir la multiplicité comme « une distinction entre des choses ou des raisons causée par une opposition », mais ils se séparent totalement sur la nature de cette opposition.

Reprenant terme à terme les éléments de la définition commune, la question centrale est donc : « Quelle est pour eux la raison fondamentale de la distinction des choses et des raisons ? Quelle est et comment est sa cause ou son origine ? Bref, quel est le contenu de l'opposition [162] ? »

Le développement de Berthold est à nouveau fascinant dans la subtilité de sa stratégie textuelle.

La position d'Aristote est reconstruite sur la base du *De natura contrariorum* de Thierry de Freiberg, bien que l'exposé en soit explicitement ponctué par un : « Et telle est brièvement résumée la pensée d'Aristote au livre X de sa *Métaphysique* [163]. » Cette position est la suivante :

la *ratio unius et multi* est dérivée de la première et de la plus radicale de toutes les oppositions, celle de l'être et du non-être au sens absolu *(entis ad non ens simpliciter)* [164]. De fait, la *ratio unius* et la *ratio multi* ne peuvent s'obtenir que négativement : dans un cas, en supprimant la distinction liée à l'opposition de l'être et du non-être, disons en posant comme Un ce qui est à la fois indistinct en soi et distinct composé à autre chose [165] ; dans l'autre, en posant ladite distinction, disons en déterminant comme multiple ce qui est «un et un», «ceci et non cela, et réciproquement» [166].

Pour Platon, au contraire, l'opposition de l'être et du non-être n'est pas l'origine de l'un et du multiple.

L'origine de l'un et du multiple est l'opposition de l'acte et de la puissance.

Encore faut-il distinguer ici deux manières de considérer les rapports de l'acte et de la puissance : la première, logique, la deuxième, théologique.

Pour le logicien, en effet, l'universel est un universel «de prédication» : en lui-même potentiel, il est déterminé ou plutôt distingué par l'acte ou l'actuel. A l'inverse, pour le théologien, l'universel est un «universel de séparation» qui est en lui-même acte ou actuel et n'est distingué que par une puissance [167].

Cela posé, la théorie platonicienne est que la raison du multiple est tirée des variations dans la détermination de l'acte par la puissance ou de la puissance par l'acte, alors que celle de l'Un est tirée de l'exclusion même de cette détermination [168].

Ce désaccord initial sur l'origine de la raison de l'un et du multiple est riche de conséquences métaphysiques et théologiques.

Pour Aristote, en effet, l'être en tant qu'être est un transcendantal : c'est la première de toutes les intentions (= conceptions), intentions qui ne possèdent aucun être dans la nature à l'extérieur de l'âme. L'un et le multiple comme «propriétés de l'être en tant qu'être» sont donc pour lui, à son tour, de simples transcendantaux *(transcendentia)* «qui n'ont aucun être en dehors de l'âme». Ce sont aussi des intentions de l'âme, postérieures à celle de l'être et qui ne font qu'ajouter à elle une certaine modification : «L'un ajoute à l'être l'idée d'indivision, l'autre lui ajoute celle de division ou de distinction [169].» La théorie aristotélicienne est la théorie classique des transcendantaux, celle que reprend, entre autres, la notion eckhartienne d'attribution négative de l'un *(unum negative dictum)* [170].

A cette théorie logique, Berthold oppose la théorie métaphysique de Platon, telle que la résume Eustrate dans son *Commentaire de l'Éthique à Nicomaque* : «Platon dit que l'Un ineffable et bon est la cause commune de tous les êtres. Il place l'Un au-dessus de tous les êtres, comme cause de toutes choses. Il dit cela parce que l'Un est supérieur à l'être et au non-être, qu'il ne dérive pas de l'être, mais qu'il est placé au-dessus de tout être [171].» Glosant Eustrate, Berthold ramène subtilement la distinction *idem secundum essentiam/aliud secundum esse*, dont on a vu l'importance cardinale dans l'école albertinienne : ce qui est Cause de tout être est aussi Premier Principe de toutes choses. Un principe est à la fois principe d'un principié *(principiati)* et d'autres principiés *(principiatorum)*. Un principe est lui-même à la fois distinct du Principe et de tous les autres principiés *(conprincipiatis)*. Le principié, toutefois, se distingue du principe par le fait qu'il n'a pas le même degré d'actualité *(eiusdem actualitatis)* c'est-à-dire le même être *(esse)* que lui : «Il choit ainsi dans une potentialité plus ou moins grande selon qu'il s'éloigne plus ou moins du Premier Principe absolu qui est purement Un [172].»

La suite du texte constitue une récapitulation des grands thèmes de la théologie sur la base de l'hénologie platonicienne.

Si la racine formelle première de toute multiplicité est la distinction résultant de l'opposition de la puissance et de l'acte, on peut, de ce point de vue, distinguer plusieurs sortes de multiplicités. Berthold désigne deux variétés fondamentales : la potentielle et l'actuelle. La multiplicité potentielle se subdivise elle-même en deux : la potentialité passive et la potentialité active. La multiplicité potentielle active est tout spécialement celle de « la cause essentielle qui précontient et possède d'avance en elle-même la multiplicité de tous ses effets »[173]. La potentielle passive est, par exemple, celle de la matière première aristotélicienne dans son aptitude à recevoir toutes sortes de formes différentes. La multiplicité actuelle se subdivise en trois : par soi *(per se)*, par un autre *(per aliud)*, par accident *(per accidens)*. L'analyse de la multiplicité actuelle par soi reconduit dans un contexte nouveau le couple *essentia/esse*. La multiplicité actuelle par soi désigne, en effet, soit « une multiplicité dans l'essence assortie d'une unité dans l'être » (comme la matière et la forme dans un composé), soit « une multiplicité et dans l'essence et dans l'être, assortie d'une unité spécifique » (comme dans le cas des individus), soit « une multiplicité spécifique assortie d'une unité générique »[174].

Au terme de son exposé des différents types de multiplicités selon la « position platonicienne », Berthold conclut donc tout naturellement son exposition de la proposition 1 de Proclus par une citation de Denys : « Il n'est aucune pluralité qui n'ait quelque part à l'unité, car tout ce qui est multiple par le nombre de ses parties demeure un si on le considère dans son ensemble ; ce qui est multiple par le nombre de ses accidents demeure un en tant que substance ; ce qui est multiple arithmétiquement ou par le nombre de ses puissances demeure un du point de vue de la forme ; ce qui est multiple par le nombre de ses formes, n'appartient qu'à un seul genre ; ce qui est multiple par le nombre de ses procès procède d'un seul principe[175]. » On le voit, le Platon de Berthold est le nom propre d'un être biface, c'est Proclus-Denys, un être dont le visage n'a qu'un trait : celui de l'union native, substantielle et irrévocable de la philosophie grecque et de la théologie chrétienne.

L'analyse du *propositum* permet au frère prêcheur de revenir sur la confrontation fondamentale de Platon à Aristote.

Le premier point du *propositum* expose les différentes acceptions de l'un. Là encore, Aristote et Platon s'opposent. Pour le Stagirite, l'un et le multiple sont des subdivisions de l'être. Pour lui, on l'a dit, l'être est « la première et la plus formelle de toutes les intentions formelles », et l'un qui se convertit avec lui n'a, comme lui, aucune espèce d'existence *extra animam* [176]. Cette position, dit Berthold, est également celle des péripatéticiens : Averroès [177] et Algazel [178]. Elle est sans intérêt, car « elle n'est pas conforme à ce que disent les platoniciens ».

Mais qui sont, justement, ces platoniciens ? La réponse de Berthold, que l'on avait tantôt pressentie, est cette fois sans équivoque : c'est Denys et c'est Proclus.

Denys distingue l'un dans la multiplicité ou un participé *(in multis sive in multitudine)* et l'Un transcendant *(quod non est in multis)*. L'Un transcendant est « toutes choses de façon unitive [= synthétique] dans la transcendance d'une seule unité » et il « produit toutes choses sans sortir pour autant de lui-même » (il est *causa inegressibilis)* [179]. Cet Un n'est donc pas « l'unité de plusieurs réalités » : « Il précède la distinction même de l'unité et de la pluralité [180]. » L'un « dans la multiplicité » se divise en deux : l'un par soi *(secundum se)*, qui existe dans les existants et y fait nombre, l'un par un autre *(ab alio sive per aliud)*, qui est un par participation. Berthold renvoie ici au passage où Denys, renversant totalement la position « aristotélicienne », écrit : « L'Un définit tout être et l'être même, il est la cause unique, totalement et tout ensemble préexistante et transcendante, qui dépasse l'être-un et qui pourtant définit l'être-un, dans la mesure où l'être-un, au sein des êtres, devient nombre [...]. C'est donc l'Un suressentiel qui définit tout ensemble l'être-un et le nombre quel qu'il soit. C'est elle [= la déité totale et une] qui est en soi le principe et la cause, le nombre et l'ordre de l'unité, de l'unité numérique et de tout ce qui existe [181]. »

Cette division tripartite de l'Un est, pour Berthold, celle-là même qu'expose Proclus dans le *De providentia*, quand il écrit : « L'Un et le Bien se présentent sous trois modes, c'est-à-dire : selon la cause, selon l'existence et selon la participation [182]. »

Le deuxième point du *propositum* est un exposé rapide de la nécessité d'une théorie de la participation du multiple à l'Un. Aucune multiplicité n'étant une par essence, et encore moins *secundum causam*, il lui est nécessaire pour exister d'être une par participation. Le témoignage de Denys ponctue une fois de plus la réflexion : « Rien n'existe qui ne participe à l'un, de même que tout nombre participe à l'unité numérique et qu'on dit une dyade, une décade, un demi, un tiers et un dixième, de même tout être et toute portion d'être ont part à l'un, et il faut que tout être soit un pour exister comme être. Cet Un, cause universelle, n'est pas cependant l'unité de plusieurs réalités, car il précède la distinction même de l'unité et de la pluralité [...]. Il n'est en effet aucune pluralité qui n'ait quelque part à l'unité [183]. »

Le troisième point du *propositum* esquisse une typologie des modes de participation à l'Un. L'Un n'est pas présent partout ou en tout de la même façon. Berthold s'appuie ici sur le *De providentia* [184] et sur les *Noms divins* [185] : toutes les espèces de multiplicités sont par rapport à l'Un comme les nombres par rapport à l'unité. Elles ne participent pas à l'Un à égalité *(aequaliter)* mais seulement « sous quelque mode » *(aliqualiter)*, c'est-à-dire d'autant plus qu'elles en sont plus proches, et d'autant moins qu'elles en sont plus éloignées [186]. Berthold reprend sur ce point l'image dionysienne du cercle et de son centre, si chère à Albert et à Ulrich de Strasbourg, et il conclut : « Puisque toutes multiplicités se rapportent à l'Un qu'elles participent, comme le nombre à l'unité et la ligne au centre, et tout spécialement la multiplicité des choses qui se multiplient par un procès, il est nécessaire que toutes les multiplicités participent à l'Un lui-même sous quelque mode, certaines plus, d'autres moins [187]. »

La théorie de la multiplication processive *(secundum processum)* ici rapidement mentionnée, est reformulée plus en détail dans le cadre de la doctrine de la lumière. Nous y reviendrons tout à l'heure. Restons pour le moment sur le problème de la participation.

### La théorie de la participation : de l'Un à l'univers

Le commentaire de la proposition 2 est un exposé général de la métaphysique de la participation, comme en témoignent les trois points du *suppositum* : la participation au sens général, la participation au sens spécial, la participation dans « l'univers total ».

Le premier point permet à Berthold de rappeler (toujours sans citation explicite) les trois sens du terme « participé » dans le *De ente et essentia* de Thierry de Freiberg, sens qu'il éclaire par de longues citations de la *Clavis physicae* d'Honorius Augustodunensis [188].

Les trois définitions de Thierry sont les suivantes :
— Participer signifie d'abord « qu'une chose possède quelque chose qu'elle reçoit de l'extérieur et d'un supérieur. C'est ainsi que tout ce qui est en deçà du Premier participe grâce à lui à toute son essence » [189]. Définie en ces termes, la participation recouvre ce qu'Honorius appelle la distribution « des dons *(dationum)* et des dotations *(donationum)* divines aux ordres inférieurs, du haut jusqu'en bas, par l'intermédiaire des

ordres supérieurs ». C'est, dans le double registre érigénien de la nature et de la grâce, une « dérivation de l'essence seconde à partir de l'essence supérieure » [190] ;

— Participer signifie ensuite que « l'essence d'une chose reçoit quelque chose d'ailleurs *(aliunde)* qui entre en composition avec elle » [191] ;

— Participer signifie enfin « prendre part » *(partem capere)*. En ce dernier sens « tout ce qui est limité participe à ce qui est *(id quod est)*, prenant pour ainsi dire part à ce Bien suprême très pur et suprêmement infini qu'est Dieu — tout être limité étant déterminé, c'est-à-dire, contractant en partie ce qui dans la Première Cause embrasse tout selon la totalité, la simplicité absolue et l'amplitude » [192].

Ces trois définitions posées, Berthold déduit les « règles » — c'est-à-dire les hebdomades de Boèce [193] — comme autant de théorèmes de la participation. Il suffit, en effet, d'identifier avec Gilbert de Poitiers *esse* et principe, *quod est* et principié, pour obtenir une véritable métaphysique de la participation déployée du haut (où *esse* et *quod est* sont identiques) au bas (où ils sont autres et composés) [194].

Le second point du *suppositum* qui précise les sept modes de participation *in speciali* permet à Berthold d'arriver à la conclusion que « tout ce qui est en deçà de l'Un absolument simple, participe à l'Un et se trouve différencié dans son mode de participation [195]. » La différence ne saurait en effet se trouver « du côté de l'Un supersimple, qui est absolument immuable », mais seulement « du côté des participants » [196].

L'univers étudié dans le troisième point, sera donc à la fois l'univers de la différence et l'univers de la participation. La différence des participants s'explique de deux manières : par leur plus ou moins grande similitude et par l'affinité ou la proximité plus ou moins intime qu'ils ont avec « l'Un superuniel » *(unum superuniale)* [197].

La notion d'affinité intérieure rappelle la notion théodoricienne de confinité. Mais, en fait, il est clair que l'inspiration principale de Berthold est le Pseudo-Denys. Le thème de la similitude et de la dissimilitude est longuement développé par les *Noms divins* avec le célèbre exemple du sceau : « C'est une propriété commune, synthétique et unique pour toute la déité, que d'être participée pleine et entière par tous ses participants, et non point jamais par aucun d'entre eux de façon partielle, comme le point central d'un cercle est participé par tous les rayons qui constituent le cercle, et comme les multiples empreintes d'un sceau unique participent à l'original, lequel est immanent tout entier et de façon identique dans chacune des empreintes, sans se fragmenter d'aucune manière [...]. On pourrait objecter, pourtant : le sceau n'est pas entier et identique dans toutes les empreintes. Je réponds que ce n'est pas la faute du sceau qui se transmet à chacune entier et identique, mais c'est l'altérité des participants qui fait dissembler les reproductions de l'unique modèle, total et identique [198]. » Berthold transpose : « C'est la ressemblance et la dissemblance entre les participants et les participés qui est la cause des différents modes de participation [199]. » La proximité plus « intérieure » ou plus « extérieure » des participants au participé fait, si l'on ose dire, le reste. A tout le moins, elle résulte des relations de ressemblance et de dissemblance. Denys n'écrit-il pas qu'il est impossible de « nier que ceux qui participent mieux au Dieu unique et infiniment généreux soient plus proches de ce Dieu et plus divins que ceux dont la participation est inférieure » [200] ?

Berthold arrête donc sa considération de l'univers comme univers de la participation à la thèse récapitulative de toute la théologie rhénane, selon laquelle l'Un « supersimple » est participé de manière « très intime » ou « la plus intime qui soit » par les participants qui sont « au premier degré de la participation ». Ces êtres sont de tous «les plus semblables» à lui, et ils en sont «les plus proches». Les participants du «second degré», en revanche, participent moins à l'Un. Ils ne participent que «sous quelque mode» et «plus extérieurement», et ainsi de suite, «jusqu'au degré» qui, dans «la chute» du simple au composé, participe lui-même «très peu» à l'Un [201].

L'Un est donc bien pour Berthold, comme pour Ulrich et tous ses prédécesseurs, le centre de l'univers. L'Un est l'intérieur de tout l'univers. Tout l'univers tend vers sa propre intériorité.

La métaphysique de la participation est ainsi une métaphysique de l'intériorité universelle où la noétique exprime consciemment ce que l'univers réalise insconsciemment. Telle qu'elle est ici formulée, la théorie bertholdienne de l'Un vise bien à englober d'avance l'ensemble de toutes les théories possibles de la processualité. En un sens, on pourrait dire qu'elle précontient le reste du système et de la conceptualité non seulement proclusiens mais rhénans. A bien des égards, en effet, les théories de la cause essentielle ou de l'être conceptionnel déploient noétiquement ce que l'hénologie enveloppe sur un mode plus simple. Il n'en reste pas moins que la doctrine de l'Un se déploie spontanément dans la noétique, dans la mesure même où l'Un bertholdien est aussi le premier Intellect. Berthold est donc le continuateur de ses confrères rhénans : son mérite particulier est d'affirmer haut et fort, non seulement le caractère platonicien de l'école colonaise, mais encore, et plus généralement, la supériorité de la pensée platonicienne sur la pensée aristotélicienne.

On a là un geste de rupture avec la tradition parisienne, éclatant, par exemple, dans la subordination de la logique à la théologie des universaux ; l'affirmation d'un mode de penser réellement autonome, soutenu et éclairé par la connaissance historique et la perception de la singulière persistance des rencontres entre Denys et Proclus.

Précisons maintenant un peu mieux la théorie bertholdienne de la procession de l'univers à partir de l'Un.

*La procession universelle :*
*création, détermination, information*

La tradition rhénane avait élaboré deux grands concepts de la processualité non «créatrice» : chez Ulrich de Strasbourg, celui d'information ; chez Thierry de Freiberg, celui de détermination. Ces deux concepts s'étaient, on l'a montré plus haut, développés à partir d'un réseau complexe de thèses déjà présentes à l'état plus ou moins coordonné chez Albert.

Le commentaire de la proposition 3 permet à Berthold d'en donner une formulation définitive, parfaitement systématique, une formulation qui, par conséquent, synthétise les efforts et les résultats des précédentes générations de théologiens rhénans.

La proposition de Proclus («Tout ce qui devient un, le devient en participant à l'Un») permet de penser conjointement le devenir et la participation comme participation uni-fiante.

Conformément à sa méthode, Berthold commence par distinguer deux sens de «devenir» : *in generali* et *in speciali*. Ces deux sens sont expliqués dans les deux premiers points du *suppositum*.

Le devenir *in generali* se prend lui-même de deux manières : *largo* et *stricto sensu*. Au sens large, le devenir est la «sortie» *(exitus)* d'une chose «dans ses effets» *(in effectum* = «dans l'effectif»), «hors des replis secrets de son éminence» *(ex secretis suae eminentiae).* Cette terminologie, d'allure érigénienne, ne s'applique pas aux seules «causes primordiales» «qui se multiplient par essence dans leurs effets»[202], elle vaut aussi bien pour Dieu — le Dieu de la *Lettre à Titos*, qui par « la perfection de sa Providence » est « cause de tout ce qui est », « descend processivement sur toutes choses, naît en tout [*fit in communi* = « devient tout »] et contient tout » [203]. Berthold renforce l'aspect érigénien du passage en alléguant immédiatement la *Clavis* d'Honorius : « Nous voulons dire que la Sagesse de Dieu le Père [...] est la cause créatrice de toutes choses, qu'elle se crée et naît *(creari et fieri)* dans toutes les choses qu'elle crée, et qu'elle contient toutes les choses dans lesquelles elle naît [204]. »

Au sens strict le devenir est :

— La procession du non-être absolu à l'être un *(de simpliciter nihilo ad esse unum)* ;

— La procession de l'acte dans la puissance. Dans ce type de procession, quelque chose qui a été fait par création se voit déterminer par quelque chose de « moins formel ». Le devenir, dit Berthold, est une détermination *(determinatio)* ou « comme disent certains, une information » *(informatio)*, ou encore une composition *(compositio)* ;

— La procession de la puissance à l'acte. Ce type de devenir se subdivise lui-même, selon qu'il y a passage à l'acte d'un être en puissance — par exemple dans l'actualisation d'une forme —, ou composition d'un être en puissance et d'un acte. Dans ce second cas, on a alors soit dotation d'être absolu *(esse simpliciter)* par l'acte, c'est-à-dire génération si le don est instantané, ou génération et altération s'il se fait sur un intervalle de temps, soit dotation d'être relatif *(secundum quid)*, c'est-à-dire altération proprement dite, augmentation ou mouvement (autrement dit *motus* et non plus *mutatio)* [205] ;

— La réplication d'un acte sur une puissance et inversement ; ce type de devenir désignant la simple variation d'une réalité non immuable, qu'elle soit spirituelle ou corporelle [206].

Cette typologie générale du devenir forme le cadre de la réflexion bertholdienne sur l'émanation.

Négligeant le devenir relatif *(secundum quid)* le prêcheur revient sur la problématique fondamentale du don d'être *simpliciter.* C'est le second point du *suppositum.*

La thèse centrale est que, tout ce qui « naît » *(fit)* absolument se « fait » *(fit)* par création, détermination ou génération.

La théorie de la création met en place la doctrine commune à toute l'école de Cologne — doctrine que le commentaire de la proposition 5 reprendra plus spécialement dans une polémique antipéripatéticienne, à laquelle Eckhart lui-même a contribué. Berthold appelle « création » la procession du non-être absolu à l'être effectif *(de simpliciter nihilo ad effectum).* Cette procession a deux caractères essentiels : elle part exclusivement du Créateur et elle en procède immédiatement « à l'exclusion de toute autre cause coagente ». Le « Créateur » est Dieu, autrement dit « L'Un absolu ». La créature en tant que telle est donc elle-même un « être un ». Berthold en appelle ici au principe aristotélicien allégué par les partisans de l'éternité du monde, au témoignage de la *Summa de creaturis* d'Albert [207], selon lequel l'Un « demeurant un ne peut jamais donner naissance qu'à de l'un » *(« unum manens semper natum est facere unum »)* [208]. Son intention est cependant exactement opposée à celle des utilisateurs du principe — les avicenniens ou péripatéticiens que le commentaire de la proposition 5 réfutera expressément.

De fait, pour Berthold, il n'y a bien qu'un seul Principe de toutes choses : l'Un absolu qui est en même temps le « Créateur superparfait ». La procession créatrice se fait, certes, hiérarchiquement, selon un ordre *(secundum ordinem)* qui délimite *(concernit)* à la fois des réalités supérieures, des réalités inférieures et des réalités intermédiaires, un ordre qui, du même coup, comprend des réalités créées qui transcendent par leur éminence tout ce qui vient après elles, de par leur « très grande ressemblance » et leur « très grande proximité » à l'Un « supersimple, superpur, superparfait et superillimité » ; le Créateur n'en est pas moins unique, et son effet, immédiat. C'est le sens même de l'*ordo essentialis* que d'affirmer et de rendre pensable cette immédiateté : la création se déploie entièrement dans la détermination, toutefois, c'est à ce niveau seulement que commence la dualité des principes, et non au niveau de la création elle-même. Dans l'un qui est ce qu'il y a de plus immédiat et de plus semblable à lui dans l'ordre de la Providence naturelle, le Créateur superparfait dont parle Rm 11, 36 « détermine » — et non pas « crée » — son propre effet « par l'intention qui est elle-même la première et la plus absolue après l'unité ». Cette intention est la Vertu *(virtus)* : « Et c'est dans cette détermination que commence la première composition de deux principes formels — l'Unité et la Vertu —, principes qui, toutefois, dans cette composition même déterminent le plus formel et le plus actuel par le moins formel et le plus potentiel, et, ce faisant, font de l'un *(unum constituunt)* [209]. »

Il y a donc bien deux modes principaux du devenir : la création et la détermination, mais seul le premier est fondé dans « un principe très formel » qui est aussi « absolument premier parmi tous les principes qui constituent de l'intérieur les choses dans l'être quidditatif ». Ce principe « renferme tous les autres dans l'extension de son universalité », puisqu'il est « l'existence même de toutes choses », existence grâce à laquelle « toute chose subsiste originairement et formellement par la cause universellement première » [210]. Ce principe est l'extension de la causalité de l'Un superparfait, son essence une qui naît la même en toutes choses, mais déterminément, c'est-à-dire différemment, selon la manière dont se règle la vertu déterminante. La création fait de tout être un être par un seul principe : le Créateur lui-même qui agit par son essence. La détermination et la génération réalisent, c'est-à-dire modalisent l'unité en modifiant les êtres par des principes distincts.

Cette affirmation rigoureuse de la causalité essentielle — c'est-à-dire ici unique et immédiate — du Créateur est expliquée dans les deux premiers points du *propositum* qui reprennent l'ensemble des théories rhénanes sur la création et la détermination ou information.

La question directrice est : quelle différence y a-t-il entre devenir un en participant à l'Un par création et devenir un en participant à l'Un par détermination ?

La réponse de Berthold permet de donner la formulation philosophique finale de la thèse centrale de la théologie rhénane selon laquelle toutes les créatures sont Dieu en Dieu, tout en restant elles-mêmes en elles-mêmes.

La théorie de la Création reprend la distinction entre *idem in essentia/aliud in esse*. Ici, les formules de Berthold condensent merveilleusement toutes les recherches antérieures. *Devenir* un par création, c'est *être* un : « Les choses qui deviennent un par création, deviennent un de manière telle que leur devenir un même est pour elles être un [211]. » Cette coïncidence de l'être et du devenir s'explique par le statut de l'être créaturel. En tant que créées, les créatures sont seulement « l'un qui est l'essence de chacune d'entre elles » [212]. La coïncidence de l'être et du devenir signifie donc que toutes les créatures deviennent et sont un dans l'unique essence qui se déclôt en elles. On rejoint ainsi la théorie de la causalité essentielle caractéristique de l'agir divin. Toutes les créatures sont un « dans l'unique essence », « de par la similitude essentielle qu'elles ont en elles-mêmes et entre elles au Premier ». Elles diffèrent, toutefois, « dans leur être », « de par le degré plus ou moins élevé de leur similitude » et, de ce fait,

« par leur proximité ou leur éloignement de l'Un absolu ».

La terminologie de Berthold *(unum in essentia [...] differunt in esse)* montre clairement qu'il situe son hénologie dans la ligne directe de la théorie colonaise de la participation. Ce sont là, en effet, les mots d'ordre de toute l'école d'Albert.

Autrement dit — théorème fondamental pour « toute mystique spéculative » —, tout ce qui procède de l'Un par création est un « en soutenant une participation à l'Un absolu, qui le fait participer à lui, précision faite de toute différence entre le participant et le participé »[213]. Dans le processus de la création où toutes choses deviennent et sont à la fois, chaque créature repose ainsi dans l'unité de l'essence divine en « soutenant » une participation essentielle essentiellement indifférenciée. Il n'en va pas de même dans le devenir un de la participation par détermination. Dans la détermination, ou « selon certains » : l'information, il faut, en effet, deux principes : le déterminable et le déterminant. La participation est donc ici ontologiquement différenciée. Elle est même différenciation originaire entre l'Un lui-même et ce qui n'est pas un par lui-même, mais peut le devenir en « recevant » une modification qui le fait devenir un.

Les termes de *determinatio* et *d'informatio* renvoient clairement d'une part, à Thierry de Freiberg, d'autre part, à Ulrich de Strasbourg. Berthold assume ici leur totale équivalence. Son explication de la *determinatio*, qui fait à nouveau intervenir la différence entre logique et théologie des universaux, montre qu'il situe cette équivalence sur le fond de la réflexion albertinienne amorcée dans le *De praedicabilibus*.

Suivons sa démonstration.

Dans toute détermination, le déterminable a raison d'acte, le déterminant doit être « immédiat au déterminable qui le contient dans son extension à titre de principe plus universel ». Berthold résume ces deux conditions par une citation muette de la *Qauestio utrum in deo* de Thierry de Freiberg : « Il est nécessaire que du déterminable et du déterminant résulte quelque chose d'un sur un mode essentiel, de manière que le déterminable passe *(transeat)* dans le déterminant et qu'il devienne lui *(fiat ipsum)* [214]. » Il développe ensuite la théorie au niveau hénologique. L'Un est « le Premier et le plus universel de tous les principes formels ». Son universalité maximum s'entend au sens de l'acte et non au sens de la puissance. C'est dans le domaine de la logique que « quelque chose est d'autant plus potentiel qu'il est universel » — l'universalité logique étant, on l'a vu, une simple « universalité de prédication », une prédicabilité *de multis*. « Ici », au contraire, c'est-à-dire dans le domaine des « principes formels », on a affaire à une « universalité de séparation » où une chose est d'autant plus actuelle qu'elle est plus universelle. Dès lors, le « Premier absolu » qui est « le plus universel et le plus simple », a aussi « l'actualité maximum ». Si donc il doit être « déterminé », ce ne peut être que par un principe « moins actuel que lui », un principe « plus potentiel, inclus *(conclusum)* dans son universalité et immédiat à lui ». Ce principe moins formel est ce qu'on a appelé plus haut la « Vertu » : « Ainsi donc, de l'Un — en tant que premier déterminable — et de la Vertu — au titre de premier déterminant — résulte quelque chose d'un sur un mode essentiel, par le passage *(per transitum)* de l'Un dans la Vertu. Et c'est ainsi que l'acte passe dans la puissance [215]. »

Pour tout fixer, Berthold reproduit deux passages de la *Quaestio utrum in deo* où Thierry de Freiberg formule sa théorie de la détermination des universaux. Dans la « ligne prédicamentale » — c'est-à-dire les rapports genre-différences-espèces articulés sur l'Arbre de Porphyre —, le général n'est pas déterminé par n'importe quelles différences, mais seulement par celles qui lui

sont à la fois propres et immédiates : « Le déterminant
[c'est-à-dire la différence] coïncide donc avec le déterminable commun dans une identité d'essence *(in identita-
tem essentiae)*. C'est par exemple le cas d'animal et de
raisonnable qui sont un [= une seule chose] par essence
*(unum per essentiam)* [216]. » Il en va de même pour la
détermination de « l'universalité du premier principe
formel par un moins universel ». On peut même dire *a
fortiori* ; car, contrairement à animal et rationnel qui
sont ce qu'ils sont *secundum rem*, mais sont aussi de
simples concepts logiques *(res secundae intentionis)*, les
principes formels visés sont ce qu'ils sont *secundum rem*
sans jamais être des *res secundae intentionis (solum sunt
secundum rem id, quod sunt)*. Dieu ou l'Un n'est pas le
genre logique de tout ce qui vient après lui. Cela étant,
comme pour les universaux, on peut dire que la
déterminabilité de l'Un déterminable coïncide avec la
vertu du déterminant dans une identité d'essence [217].
Berthold conclut donc : « Tout ce qui devient un par
détermination devient un par participation à l'Un, et est
un dans la mesure où, par cette détermination, il
soutient la présence de l'Un, le déterminant
activement [218]. » Le thème de la processualité universelle
étant définitivement éclairé pour chaque être un, reste à
régler le problème général de la procession de « l'univers
total » à partir de l'Un.

*La procession de l'univers :*
*Réfutation du péripatétisme*

Le commentaire de la proposition 5 (« Toute multiplicité est subordonnée à l'Un ») est consacré à l'explication de la procession « de la multiplicité totale de
l'univers ». C'est l'occasion pour Berthold d'affirmer
avec éclat l'originalité du néoplatonisme rhénan comme
néoplatonisme chrétien en l'opposant, au nom même de

Platon, à l'aristotélisme plus ou moins néoplatonisant des Arabes.

De fait, il y a deux grandes manières d'expliquer l'origine du processus d'émanation de l'univers : l'une, «platonicienne» *(secundum viam platonicorum)*, l'autre «aristotélicienne» *(secundum viam peripateticorum)*.

Le représentant du péripatétisme contre lequel Berthold va polémiquer est Avicenne. Cela n'a rien d'étonnant puisque le problème de l'émanation de l'univers n'est pas un problème *aristotélicien*. En outre, on sait que «péripatéticien» est le titre habituel des philosophes arabes commentateurs d'Aristote. C'est donc, non pas Aristote lui-même, mais, si l'on ose dire, un Aristote péripatéticien, qui est ici visé, tout de même que la voie des platoniciens n'est pas celle de Platon lui-même, mais bien plutôt celle de Denys. Cela posé, il faut toutefois souligner que Berthold fait à certains moments référence à Platon et à Aristote eux-mêmes. Nous y reviendrons.

La complexité de la stratégie de Berthold nous avertit que les péripatéticiens sont certainement aussi ses propres contemporains. L'intervention du prêcheur se fait manifestement au sein d'un ensemble de lieux, de thèmes et de doctrines où, jusqu'à un certain point, chacun emprunte à qui il veut pour définir une position doctrinale globalement caractérisable comme «platonicienne» ou «péripatéticienne». Ce n'est donc pas seulement Avicenne lui-même qui nous paraît visé ici, mais plus vraisemblablement encore l'augustinisme avicennisant. Si Berthold se retourne ainsi contre certaines de ses propres sources, c'est que certains aspects de la controverse théologique et philosophique de son siècle doivent l'y inviter puissamment.

Notons enfin d'un mot que la supériorité de la voie platonicienne est l'affirmation de la solidité du bloc doctrinal formé par Proclus et Denys. C'est le moyen de prouver sur un terrain décisif la compatibilité de la philosophie grecque et de la théologie chrétienne.

La voie péripatéticienne est tirée de la métaphysique d'Avicenne et de l'exposé de l'émanatisme avicennien proposé à la fois par Ulrich de Strasbourg dans sa *Somme du Bien suprême* et par Albert le Grand dans le *De causis et processu universitatis*.

Un passage d'Ulrich-Albert, qui clôt le rappel de Berthold, résume bien cette position des péripatéticiens *de esse multitudinis ab una omnium causa prima* : « Dans l'ordre de l'émanation, ce qui flue immédiatement du Premier est seulement la première Intelligence. Ensuite, par l'intermédiaire de cette première Intelligence, une deuxième Intelligence procède dans l'être, puis l'âme du premier ciel et le premier ciel lui-même. Et il [= Avicenne] dit que, semblablement, la deuxième Intelligence, cause la troisième et l'âme de la deuxième sphère, et la deuxième sphère elle-même. Et il y a la même disposition, d'Intelligence en Intelligence, d'âme en âme, de ciel en ciel, jusqu'à ce qu'on atteigne l'Intelligence qui illumine la sphère des actifs et des passifs et les âmes des hommes, qui, dit-il, sont également causées par elle [219]. »

La position péripatéticienne tient donc en une formule : la Cause première ne produit immédiatement que la première Intelligence. Tout ce qui vient ensuite est produit médiatement, c'est-à-dire, par l'intermédiaire de cette Intelligence.

Comme on l'a laissé entendre, la position platonicienne est exposée à partir de Denys. Les platoniciens s'accordent avec Avicenne pour dire que le Premier Principe est « un par soi », mais ils disent plus encore : le Premier est selon eux un « de manière absolument simple » et « identique en lui-même », « suressentiellement éternel, impassible *(inconversibile)*, demeurant en lui-même, et se comportant toujours de façon identique, partout également présent » [220]. De plus, et c'est là toute la différence, les platoniciens soutiennent que de cet Un procède immédiatement non pas un autre un, mais la multiplicité elle-même *(dicunt a tali uno immediate multitudinem procedere)* : « La discrétion divine est une procession sauvegardant l'unition de la suprême unité divine qui agit et se multiplie elle-même par sa Bonté dans la multiplicité[221]. »

La thèse platonicienne est donc celle-là même qu'Eckhart oppose à Avicenne dans son *Commentaire de la Genèse* : ce qui procède de Dieu « un et uniforme dans sa façon d'être » (= le « comportement » de Denys) est bien « un », mais cet « un » « est tout l'univers lui-même » qui reste « un dans la multiplicité des parties qui le constituent »[222]. Autrement dit : l'action créatrice de Dieu ne produit pas d'abord un un (= la première Intelligence), mais la multiplicité même comme « univers total », l'univers comme « multiplicité totale ».

Ayant exposé la thèse platonicienne avec force citations de Denys[223], Berthold examine une objection : « [...] on dira peut-être que la procession de l'Un dans la multiplicité n'est pas immédiate mais médiate. » Cette objection essaie maladroitement de préserver une partie de la thèse d'Avicenne : on concède que Dieu produit le multiple, mais on y veut un intermédiaire (ce qui, évidemment, revient au même). Le prêcheur l'écarte donc par une simple citation de Denys sur la multiplicité des rayons producteurs. Le Bien « distribue les rayons de son entière bonté à tous les êtres, par son essence même, proportionnellement à leur force. C'est à ces rayons que doivent de subsister tous les intelligibles et les intelligents, les substances, les vertus et les opérations [...]. C'est par eux qu'existent et vivent tous les êtres qui possèdent une vie[224]. »

La suite de l'objection est plus intéressante, car elle permet à Berthold de définir sa position sur les rapports de la philosophie et de la théologie.

L'objecteur oppose que Denys est un théologien, ou

plutôt qu'il parle en théologien «qui considère la procession des choses à partir de Dieu dans l'ordre de la Providence volontaire». Il n'est donc pas étonnant qu'il dise autre chose qu'Avicenne, «car autre est la procession des choses dans l'ordre de la Providence naturelle, où le procès de l'Un au multiple se fait de manière ordonnée». Or, c'est de cette procession-là que «parlent les philosophes qui théologisent ou les théologiens qui philosophent» *(philosophi theologizantes sive theologi philosophantes)*. Et Berthold de conclure sa présentation de l'objection en citant un passage de la *Summa theologiae* d'Albert : «Il semble qu'on ne puisse rien contre leur principe fondamental, car il est inébranlable *(inconcussum)* : "D'un un existant comme singulier, ne doit procéder que de l'un, et ce qui demeure le même de la même façon ne peut, par nature, faire que du même." La position des péripatéticiens semble donc elle-même inébranlable [225]. »

Elle est d'ailleurs d'autant plus solide qu'elle paraît s'accorder avec ce que dit Platon !

Sur ce point, Berthold, sans la moindre hésitation, se plaît à accumuler tout ce qui peut contredire sa propre thèse. Il ne fait, toutefois, que reprendre là le dossier déjà établi par Albert dans la *Summa*.

Le premier argument est tiré du *Timée* [226]. Pour Platon, le «monde archétypal» est absolument un *re et forma*. Il ne peut donc produire que quelque chose d'un *re et forma*, sans quoi il n'y aurait plus la moindre ressemblance entre le producteur et le produit. Les réalités tirées exemplairement de l'Un étant une seule chose dans la forme de leur exemplaire unique seront donc, procédant immédiatement de lui, au plus haut point semblables à lui. Il n'y aura donc pas place là pour une multiplicité [227].

Le second argument est tiré de la considération de la volonté divine. La volonté de Dieu est une et immuable. Ce qui procède immédiatement d'elle restera donc nécessairement soumis à cette unité et à cette immutabilité[228].

Le troisième repose sur la simplicité du Premier Principe. Bien que la Première Cause soit à la fois cause efficiente, formelle et finale de toutes choses, elle n'en reste pas moins absolument simple et identique à elle-même. Le premier principité *(principiatum)* du Premier Principe ne peut donc être la multiplicité, puisque celle-ci n'a aucune espèce de similitude à ce qui « est simplement un et identique ». Le premier principité sera donc un « un singulier »[229].

Avant de répondre aux arguments du dossier compilé par Albert, Berthold reformule la thèse platonicienne authentique : « La position de la philosophie platonicienne est que ce qui procède immédiatement de l'Un — qui est simplement Un et demeure le même, de la même façon, absolument et sous tous les rapports — est la multiplicité ; et que l'Un lui-même s'agit lui-même dans la multiplicité et qu'ainsi il s'y multiplie [...]. Cette multiplicité [...] n'est pas simplement la multiplicité partielle de ces unités, qui est immédiate au Premier Un lui-même, elle est aussi la multiplicité totale de l'univers, dans la mesure où l'univers même subsiste dans l'intention de l'Un et du Bien, laquelle n'est pas seulement raison exemplaire dans l'absolument premier, mais aussi raison efficiente et finale, car c'est l'Un lui-même, identique au Bien selon Boèce, qui est à lui-même la raison originaire de la production[230]. »

Après cette déclaration générale où l'on reconnaît la même inspiration que dans le *Commentaire de la Genèse* d'Eckhart, le prêcheur montre que la thèse d'une procession immédiate de la multiplicité à partir de l'Un repose sur « trois prémisses que les péripatéticiens eux-mêmes concèdent » :

— le Premier agit par la connaissance et le bon plaisir (*i.e.* la volonté) et non, par mode de nature *(secundum viam naturae)* ;

— Toutes choses existent dans le Premier comme monde archétypal ;

— L'art (= le savoir pratique ou *technê*) de l'artiste se dévoile dans le produit, tout comme la science de l'art se dévoile dans l'artiste lui-même.

Ce sont ces mêmes prémisses qu'Eckhart avait lui aussi condensées dans sa réfutation de l'émanatisme nécessaire, notant successivement que « c'est par l'intellect que Dieu produit les choses dans l'être », « qu'il possède d'avance toutes les formes et celles de toutes les choses » [231].

Comme la réfutation du péripatétisme ne peut manifestement porter sur des prémisses communes aux deux positions, Berthold concentre son attaque sur l'unique argument spécifique des péripatéticiens : l'affirmation — effectivement d'origine aristotélicienne — que « ce qui est un et identique, demeurant identique à lui-même, ne peut produire immédiatement qu'un un singulier ».

Ce principe — qu'Eckhart avait attribué à un « maître célèbre » et non à Aristote lui-même — est incontestablement le nerf de l'argumentation des partisans de l'éternité du monde. De fait, c'est exclusivement sur cette base que l'unité numérique de l'effet immédiat de l'action divine est affirmée comme une thèse « aristotélicienne » dans la littérature de la fin du XIIIᵉ siècle. C'est par exemple le cas, dans ce passage extrait de *Questions anonymes sur la Métaphysique* : « Selon la conception d'Aristote, d'Avicenne, de Gâzâli et de presque tous les péripatéticiens, il faut dire que seul un un singulier procède immédiatement de Dieu », ou de cet autre passage extrait de *Questions sur les Météorologiques* : « Il faut soutenir que de la Cause première ne procède immédiatement rien d'autre qu'un certain un, car rien d'autre qu'un un ne peut procéder de l'Un en tant qu'un [232]. »

Pour Berthold, ce principe est doublement fautif, car

il ne vaut ni pour les agents volontaires, ni pour ceux qui agissent par nécessité de nature. Insistant exclusivement sur le cas de l'agent volontaire — puisque pour lui Dieu agit « intellectuellement » —, le prêcheur reprend purement et simplement l'argumentation d'Albert lui-même. Un agent volontaire agit pour une raison qui est précisément la fin ou le but de son action. Tout dépend donc ici de la fin poursuivie et non de l'unicité de l'agent. Si un même agent veut produire des choses différentes, il le fait. S'il veut un seul effet, il le fait aussi. Le principe aristotélicien n'est donc pas valide en soi. Un même agent peut bien demeurer identique à lui-même et dans son comportement, tout en agissant « d'après la diversité même de l'œuvre » qu'il se propose. Il peut donc à la fois produire de l'un et du multiple.

Cela posé, Berthold-Albert répond à chacun des arguments de ses adversaires :

— Le monde archétypal de Platon est bien un dans « l'esprit du premier artisan ». Il n'en porte pas moins sur des réalités différentes *(tamen est de multis)*. De plus, si Dieu se rapporte lui-même de façon identique à tout ce qu'il produit, chaque produit se rapporte lui-même différemment à sa cause productrice : « Toute chose participe l'Être divin — c'est-à-dire la Bonté divine — sous un rapport différent selon sa propre analogie[233]. » C'est là la thèse même de la symétrie, analogie ou mensuration du créé, constitutive de la Hiérarchie dionysienne ;

— La volonté de Dieu est bien une dans l'unité du sujet qui veut, elle ne l'est pas pour autant dans l'unité des objets qu'il veut. Or, c'est uniquement de ce côté que procède sa multiplicité ;

— Enfin, si Dieu est bien Un et cause unique sous trois raisons causales (efficiente, formelle, finale), les raisons causales elles-mêmes restent référées à la multiplicité des effets qu'elles produisent à titre de formes exemplaires[234].

Le rejet du péripatétisme est ainsi consommé. Ce qui procède immédiatement de l'Un n'est pas un autre un, mais l'univers lui-même comme multiplicité totale.

Reste à expliquer la manière dont procèdent la multiplicité totale et les multiplicités partielles qui la composent.

Berthold traite ce problème de différentes manières. La plus saisissante est, selon nous, la théorie de la lumière. De fait, cette théorie est manifestement exigée par la thématique même de la théologie rhénane, puisque, on l'a vu, le *de fluxu entis* est, depuis Albert, intimement corrélé à une doctrine de l'effusion lumineuse du « Père des lumières ». La théorie de la Lumière n'en est pas moins, comme telle, quasiment absente de l'*Elementatio theologica* ! C'est donc à un double coup de force que Berthold procède pour donner la formulation synthétique finale des thèses de son école. Tout d'abord, en retrouvant dans Proclus une théorie qui n'y figure pour ainsi dire pas. Ensuite, en donnant à cette théorie une importance centrale pour la compréhension de l'hénologie générale. Ce double coup de force est ainsi comme l'emblème d'une opération d'identification entre Proclus et Denys, caractéristique de toutes les stratégies particulières de Berthold — ici, consommée en grand —, opération qui réalise l'effectuation décisive de cette « position platonicienne » élevée au rang de vérité *à la fois* théologique et philosophique.

C'est elle que nous étudierons pour conclure cette première tentative de pénétration de l'univers bertholdien.

## La théorie de la lumière

Berthold traite de la lumière en quatre occasions : dans le commentaire des propositions 36, 37, 125 et 143 de l'*Elementatio*. Rappelons-en le contenu :

— *Prop. 36* : « De tous les êtres qui se multiplient en procédant, les premiers sont plus parfaits que les seconds, les seconds plus parfaits que les rangs inférieurs, et ainsi de suite[235]. »

— *Prop. 37* : « De tous les êtres qui se constituent en se convertissant, les premiers sont moins parfaits que les seconds, et les seconds que leur suite. Les derniers sont les plus parfaits[236]. »

— *Prop. 125* : « Quel que soit l'ordre qu'il inaugure pour se manifester, chaque Dieu procède à travers tous ses dérivés, multipliant et divisant sans cesse ses communications, mais sauvegardant le caractère qui distingue sa propre subsistance[237]. »

— *Prop. 143* : « Tous les êtres inférieurs se soustraient à la présence des dieux. Même si le sujet est capable d'y avoir part, tout ce qui est étranger à la Lumière divine écarte de celle-ci, alors que tous les êtres sont illuminés ensemble par les dieux[238]. »

Sur ces quatre propositions, seule la proposition 143 contient une référence expresse à la Lumière. Avec le commentaire de la proposition 185 (« puisque certaines âmes jouissent de la Lumière divine qui les éclaire d'en haut, alors que d'autres sont perpétuellement pensantes, et d'autres enfin, bénéficient de cette perfection de manière intermittente »[239]), c'est donc seulement en deux occasions que Proclus utilise le terme de « lumière » dans l'ensemble de l'*Elementatio*.

C'est dire que le point de départ de Berthold est mince.

Cette modeste base lui permet cependant de donner une théorie d'ensemble de la lumière. Encore faut-il marquer ici deux domaines de problèmes bien différents : 1° — La théorie de la distinction entre lumière physique, lumière intellectuelle et lumière supersubstantielle, exposée à propos des propositions 36 et 37 de Proclus ; 2° — La théorie de la signification du mot « lux » développée à propos de la proposition 143 —

le commentaire de la proposition 125 constituant, en un sens, un sous-domaine du premier, puisque Berthold y explique pourquoi la Lumière illumine « essentiellement, universellement et incessamment ».

Ayant esquissé le contenu du commentaire de la proposition 143 en présentant la théorie ulricienne de la lumière dont Berthold s'inspire étroitement, nous nous centrerons ici sur les propositions 36 et 37.

A ce sujet, il faut noter d'emblée que les deux propositions de Proclus forment un véritable système. La première porte sur la procession, la seconde porte sur la conversion et, toutes deux, sur leurs propriétés hiérarchiques respectives : dans la procession qui « multiplie », l'ordre est descendant, dans la conversion qui « constitue », il est ascendant. Donc, du point de vue de la procession, les plus parfaits sont les premiers, les moins parfaits, les derniers ; du point de vue de la conversion, en revanche, « les moins parfaits sont les premiers et les plus parfaits les derniers [240] ».

Cette mise en place très générale des caractères de l'univers hiérarchique n'est donc à aucun degré une théorie de la lumière. Ce n'est pas seulement le mot qui est absent de Proclus, mais bien aussi, semble-t-il, la chose.

On est alors surpris de voir Berthold l'y rattacher. Ce geste est, cependant, parfaitement justifié de son point de vue. De fait, si le principe suprême, Dieu ou le Bien, est pour lui, comme pour ses prédécesseurs dionysiens, cette lumière supersubstantielle qui diffuse dans son irradiation les splendeurs de l'intelligible ; si, d'autre part, la conversion est pour lui cette conversion « lucide » qui de lumière en lumière remonte jusqu'au « Père des lumières » ; on peut fort bien admettre qu'un exposé général de la procession comme diffusion multiplicatrice et de la conversion comme réduction unifiante soit aussi, pour lui, l'occasion de déployer entièrement ce cycle de la lumière qu'est, en un sens, le double mouvement de l'Un vers l'Un.

Voyons si tel est bien le chemin qu'il emprunte dans son *Commentaire*.

### La procession des lumières et la Métaphysique des flux

Par « êtres qui se multiplient en procédant » Berthold entend, non les êtres qui, en général procèdent, mais les « multiples par procession » : 1° — dans la nature corporelle ; 2° — dans la nature intellectuelle ; 3° — dans la nature supersubstantielle [241]. Ces multiples sont « les formes radieuses », c'est-à-dire la lumière et la couleur — ce que l'on appelle la lumière « physique » —, la « lumière intellectuelle » et la lumière « supersubstantielle ».

On l'a dit, en identifiant lumière et multiples, ou multipliés, Berthold ne suit pas Proclus. La source de cette identification se trouve, selon nous, chez le pseudo-Witelo qui, dans la proposition VII (2) de son *Liber de Intelligentiis* écrit : « Les propriétés de la lumière sont la simplicité et la multiplication de soi [242] », puis commente : « En effet, ce qui a cette nature est diffusif de son être et influe en autre chose [243]. » En d'autres termes : lisant le terme witelien de « *multiplicatio* » dans le « *multiplicantur* » proclusien, Berthold identifie sémantiquement la « diffusion de la lumière » et « la multiplication processive ».

L'ordre de son énumération n'en reste pas moins surprenant.

Étant donnée la hiérarchie des natures, la nature supersubstantielle, la plus parfaite de toutes, devrait normalement être traitée la première, la lumière physique occupant le dernier rang. Or, tel n'est pas le cas.

Ce renversement de l'ordre proclusien sous-jacent s'explique mal de prime abord. On peut évidemment le comprendre en notant, avec B. Faës de Mottoni, que le néoplatonisme de Berthold est celui d'un « néoplatonicien qui a assimilé la leçon des "perspectivistes" [...], d'un néoplatonicien du xiv$^e$ siècle qui ne considère plus la lumière physique comme la simple image de la lumière divine, mais lui attribue une dignité et une valeur liées à la découverte de ses lois » [244]. Dans cette interprétation, la greffe pratiquée par Berthold ne consisterait donc pas à enter une métaphysique émanatiste de la lumière sur le cycle proclusien de la procession et de la conversion.

Cette explication est certainement fondée. On peut cependant la préciser davantage, voire en corriger la portée.

En fait, comme on va le voir, Berthold ne rejette ni la hiérarchie des natures, ni l'ordre des multiples selon leur degré de perfection. Son initiative consiste uniquement à démontrer la véracité de la proposition 36 en retrouvant le même ordre aux trois niveaux de natures distingués, niveaux qu'il étudie lui-même dans l'ordre inverse de leurs perfections respectives. Autrement dit, ni l'ordre des natures ni l'ordre des processions ne sont en cause : le plus parfait dans l'ordre de chaque nature reste le premier dans l'ordre de la procession interne à cette nature, et la plus parfaite des natures reste évidemment la première dans l'ordre général de la procession des natures (supersubstantielle, intellectuelle, physique). Ce qui change et surprend ici, c'est que l'ordre d'exposition retenu par Berthold est celui qui devrait normalement correspondre à la seule conversion. On peut cependant trouver à cela deux justifications, d'ailleurs complémentaires. D'une part, il peut sembler naturel de montrer que l'ordre processif est le même dans toutes les natures, de la moins parfaite à la plus parfaite. D'autre part, il est sans doute plus convaincant de partir du plus connu pour remonter au moins connu.

Reste que la lumière physique a bien pour Berthold sa «valeur et sa dignité» et que les travaux des «perspectivistes» sont eux-mêmes reconnus dans leurs droits. C'est ainsi qu'il semble parfois que le prêcheur s'inspire du *De luce* de Thierry de Freiberg, dont il reprend, au moins en partie, la terminologie[245]. Sa démarche n'en est pas moins souvent difficile à suivre, puisque, contrairement aux habitudes médiévales qui appelaient *lux* la lumière pure en sa source et *lumen* la lumière diffusée dans le milieu, il fait du *lumen* l'origine de la *lux*[246].

On peut toutefois résumer à grands traits sa position. Dans le diaphane, le *lumen* constitue le *perspicuum* qui «compénétré» *(conculcatum)* par lui donne naissance à la lumière visible ou *lux*. Celle-ci à son tour se diffuse et se propage à l'extérieur d'elle-même[247]. La propriété fondamentale du *lumen* — que l'on retrouve aussi dans la *lux* —, propriété qui le rattache à la notion proclusienne d'un être «qui se multiplie en procédant», est donc bien de «se diffuser et de se multiplier à l'extérieur» d'un sujet. Ici, la multiplication se fait à l'extérieur du diaphane — le *lumen* étant précisément défini comme «la forme propre du diaphane en tant que tel»[248]. De fait, le diaphane est «transparent et transmetteur» de tout ce qui se trouve en lui[249], il est diaphane «à cause d'une certaine éjection mutuelle de ses parties de tous les côtés» qui fait qu'elles ont «un ordre et une relation à l'extérieur»[250].

La forme du diaphane en tant que diaphane ne peut donc consister que dans un certain «flux vers l'extérieur»[251].

Comme le *lumen*, la *lux* se propage à l'extérieur. Le milieu de sa diffusion est le *lucidum*. Forme propre du diaphane, le *lumen* est également la forme du *lucidum*, mais arrivé à «l'achèvement de son actualité»[252].

Telle que la présente Berthold, la théorie de la lumière est donc une théorie de l'effusion vers l'extérieur. C'est, si l'on peut dire, une morphologie du flux. La lumière est un être qui se multiplie « en procession rectiligne » *(per processum rectum)*. Comme la ligne droite des mathématiciens est un « flux imaginaire du point » qui consiste en une certaine « éjection » marquée par « la distance, la différence des termes et l'éloignement de parties en parties »[253], la diffusion de la lumière se fait « quasiment par une éjection dans la distance en tant que telle » et « sans retour »[254].

On le voit, le thème de la lumière et celui du *de fluxu entis*, dont la charge métaphorique est, pour ainsi dire, fondatrice dans toute la théologie rhénane, trouvent leur formulation scientifique la plus radicale dans l'explication bertholdienne de la multiplicité processive *in natura corporali* de Proclus.

Mais on peut dire aussi que l'ontologie du flux, qui porte ici la physique de la lumière, permet de déplier l'ensemble des « processions multiplicatrices » comme une véritable métaphysique des flux. Berthold ne pose pas simplement que tout est lumière, mais bien plutôt que tout est flux. Toutes les lumières sont des flux. Toutes les processions dans toutes les natures sont des flux.

Reste à construire cette métaphysique. C'est ce que fait notre commentateur en examinant successivement les processions dans la nature intellectuelle, puis dans la nature supersubstantielle.

La multiplication dans la nature intellectuelle est analogue à la processivité dans la nature corporelle. De même que la *lux* corporelle s'origine dans la nature du transparent *(perspicuum)* au titre de « qualité du transparent compénétré par le *lumen* », puis, de là, se propage et se multiplie à l'extérieur, identique en nature *(secundum naturam)* mais différente selon l'être *(secundum esse)*, de même, la lumière intellectuelle tire son origine de l'immatérialité — analogue incorporel de la transparence — et de la simplicité — analogue incorporel de la compénétration — de sa nature, à titre non de qualité, mais «d'essence séparée, impassible et non mélangée, qui est, dans sa substance, activité, se diffuse essentiellement, universellement et sans trêve»[255].

On relève évidemment ici une nouvelle application de la conception théodoricienne de la causalité essentielle. Telle que la formule Berthold, la théorie de l'effusion de la lumière *in natura intellectuali* rend cependant un son globalement dionysien qui rappelle l'ensemble de la position rhénane. La *lux* intellectuelle s'origine dans sa propre activité, plus exactement dans l'activité de sa propre substance. Demeurant essentiellement elle-même *(secundum essentiam)*, elle se diffuse ensuite dans tous les êtres intellectuels à la mesure de leurs capacités réceptrices. Cette réceptivité hiérarchisée des Intelligences et des âmes raisonnables, constitue l'équivalent de ce qu'est la distance spatiale entre les corps dans le cas de la lumière physique.

La diffusion de la lumière intellectuelle s'arrête aux substances corporelles qui, selon l'image empruntée à Ibn Gebirol «réverbèrent la forme et l'action de la substance spirituelle, comme les corps le font pour la lumière du soleil»[256].

Le thème de la réverbération du flux de la lumière intellectuelle reprend l'idée ulricienne de l'ombre portée par le corps et la matière sur la clarté de l'intellect.

L'analyse de la multiplication dans la nature supersubstantielle nous rappelle également des thèses familières. La lumière supersubstantielle est «le Bien premier» qui est «la seule vraie Lumière»[257]. A cet endroit de son exposé, Berthold jette d'ailleurs les rudiments d'une métaphysique de la lumière construite sur l'ontologie du flux. Le contenu de cette métaphysique étant le bien commun de la théologie rhénane, il ne le développe pas outre mesure. Comme le note B. Faës de Mottoni, il se contente de rappeler les célèbres propositions VI-VIII du *De Intelligentiis* du Pseudo-

Witelo qui posent que « la première des substances est la lumière, que toute substance qui influe dans une autre est, dans son essence, lumière » et que « plus une chose a de lumière, plus elle garde en elle de l'être divin » [258]. Puis il cite et glose rapidement un célèbre passage du chapitre II des *Noms divins* où Denys montre que la procession du bien dans la multiplicité de ses participes n'entame pas sa propre unité [259].

On le voit, c'est bien une nouvelle application du thème de la causalité essentielle que nous propose ici Berthold. Se communiquant par son essence, la cause essentielle, qu'est la lumière supersubstantielle, reste identiquement elle-même dans son essence, et toutes choses prises en elle y sont cette même essence. La différence commence au-dehors et se monnaie ou se multiplie dans l'être. La théorie albertinienne des universaux rejoint ainsi la cause essentielle de Thierry dans une même théorie unitaire de la diffusion du Bien. Une fois de plus, la pensée de Berthold nous apparaît comme tissée de multiples convergences. C'est une pensée qui révèle, presque à chaque pas, l'accord profond de ses sources, par-delà la variété des domaines de problèmes, la différence des disciplines et des thèmes explicites.

De fait, dans cette théorie de la diffusion lumineuse du Bien, on retrouve à la fois l'affirmation dionysienne de la communication radieuse du Bien [260], celle, avicennienne et albertinienne, du caractère essentiel *(per essentiam)* de l'activité productrice de Dieu [261], en même temps que l'utilisation « analogique » de la lumière physique, déjà tirée de Denys par Albert. On peut notamment songer à ce passage : « De même que *notre soleil*, c'est-à-dire celui qui apparaît aux sens, *par cet être même*, qui est le *lucidum, illumine* comme en communiquant son intention, qui est la lumière, *selon la raison propre*, c'est-à-dire d'après la capacité de chacun *des récepteurs*, de même, le *Bien* envoie un *archétype*, c'est-à-dire un exemplaire principal, *séparément*, c'est-à-dire excellemment, *supérieur au soleil sensible, comme sur une image obscure* — c'est-à-dire représentant de façon imparfaite, parce qu'elle n'est pas simple et que son essence n'est pas la lumière, par laquelle elle agit, et qu'elle n'est pas non plus absolument parfaite, au point d'agir par l'ordre de la Sagesse et de la liberté de la volonté —, *proportionnellement*, c'est-à-dire d'après la proportion de l'effet, non de la cause qui, quant à elle, se rapporte de façon égale à toutes choses, *dans les rayons*, c'est-à-dire les processions, *de sa Bonté*[262]. »

Berthold justifie d'ailleurs la seconde partie de la proposition 36 de Proclus (« les premiers sont plus parfaits que les seconds [...], et ainsi de suite ») en s'appuyant explicitement sur le Pseudo-Denys, dont il combine plusieurs extraits[263], puis sur Avicenne (pour la multiplication des Intellects jusqu'à la dernière Intelligence présidant au monde sublunaire) et à nouveau sur Denys (pour la gradation décroissante des perfections dans la Hiérarchie céleste)[264].

## *La conversion rectiligne et le modèle optique*

Contrairement à celui de la proposition 36, qui faisait la part plus large à la métaphysique et à l'ontologie, le commentaire de la proposition 37, consacré à la conversion des trois lumières — corporelle, intellectuelle, supersubstantielle —, est d'abord fondé sur une théorie optique de la lumière.

Revenant sur le thème de la *radiatio*, Berthold distingue trois types :

— La propagation rectiligne de la lumière dans un milieu transparent *(per medium unius diaphotatis)*, par exemple : l'air[265] ;

— La réflexion de la lumière sur un miroir selon une incidence déterminée[266] ;

— La réfraction *(fractum)* de la lumière par un corps transparent [267].

Le premier type de *radiatio* est le modèle de la procession, le deuxième, celui de la conversion.

Encore ne s'agit-il pas de n'importe quel type de réflexion. Le modèle conversif choisi par Berthold est, en termes d'optique moderne, celui de « l'incidence normale », autrement dit le type de réflexion caractérisant un rayon incident perpendiculaire à la surface du miroir. Dans cette incidence orthogonale, en effet, le rayon repart, si l'on peut dire, exactement d'où il vient [268]. C'est ce modèle de réflexion que Berthold applique à la conversion de la lumière intellectuelle.

Cette application se fait en plusieurs étapes. Berthold commence par présenter le flux de la procession comme étant identiquement l'activité de connaissance conversive d'un être dont l'essence est l'intellectualité : « En effet, le rayon de la lumière intellectuelle, produit par des causes supérieures à partir d'une origine et à travers un milieu récepteur et transmetteur de son impression, procède intellectuellement selon un certain flux *(defluxum)* formel, dans lequel tout ce qui est distinct dans l'être *(in esse)* saisit *(capit)* son essence en connaissant son principe *(eo et capit suam essentiam quod intelligit suum principium)* et est ainsi dans son essentialité substantielle cela même qu'il est dans la connaissance qu'il a de lui-même *(est illud quod est in sua ipsius intellectione)* [269]. »

Cette première caractérisation inscrit dans le thème de la lumière une théorie des intellects par essence manifestement héritée de Thierry de Freiberg. Ce geste est répété dans la seconde étape de l'application du modèle, quand Berthold met en place la notion proclusienne de l'ordre *(ordo)* en se référant aux relations de « fixation » qui ordonnent entre eux les « êtres conceptionnels » : « De même que dans l'ordre des choses qui est par soi quant à la disposition des causes essentielles et des causés, on ne rencontre pas de réalités postérieures sans réalités antérieures, ni de réalités antérieures sans une réalité absolument première ; de même, les actes qui sont des contenus de pensée *(conceptus)* par essence toujours en acte et qui, en tout degré de leur ordre, restent fixés par la conception *(conceptione)* qui est leur propre essence ne conçoivent-ils rien sans cette conception même par laquelle ils conçoivent l'émanation de leur propre principe [...] comme étant ce sans quoi ils ne posséderaient aucune étantité *(entitatem)* [270]. »

Dans ce texte difficile, Berthold ne fait que redire la thèse fondamentale de Thierry, selon laquelle l'intellect agent procède et subsiste dans « la conception même par laquelle il conçoit son principe », conversion qui est, pour ainsi dire, une réflexion du principe en lui-même. La conversion est donc la réflexion de la procession définie comme flux « du plus parfait au plus imparfait » : « Elle commence là où précisément finit la procession. » Le « dernier degré » est alors « réfléchi en lui-même et par lui-même vers le degré qui lui est immédiatement supérieur, et ainsi de suite, jusqu'à ce que toutes choses soient réfléchies dans leur principe émané » [271].

Le modèle optique de la réflexion permet à Berthold de penser unitairement ce qu'il faut bien appeler une « procession conversive ».

De fait, si le terme final de la procession est le terme initial de la conversion, la procession n'est jamais accomplie que la conversion ne soit par là même accomplie [272]. Le modèle de l'incidence normale permet donc de considérer le double mouvement de la procession et de la conversion comme un seul et même rayon de lumière, puisque « la *lux intellectualis,* qui rayonne dans la ligne incidente, rayonne aussi dans la ligne réfléchie » [273].

La coïncidence des deux lignes en un seul et même rayon fait que tout point de la ligne unique est à la fois un moment de la descente et un moment du retour.

La procession et la conversion ne se rejoignent donc pas à la limite, c'est-à-dire où s'achève la conversion, mais bien en tout point de la trajectoire de la lumière.

On ne saurait distinguer dans le rayon ce qui émane et ce qui revient.

Le modèle optique de l'unité de la procession conversive proposé par Berthold a donc l'avantage d'écarter d'emblée toutes les interprétations temporelles de la conversion constituante. Contrairement à ses prédécesseurs, et à Proclus lui-même, Berthold ne présente pas la communication réversive de l'origine comme formation d'un cycle de l'absolu.

Le double mouvement de l'Un vers l'Un est bien un seul mouvement — ce qu'affirment tous les néoplatoniciens —, mais la seule image qui lui soit fidèle est celle de la réflexion du rayon d'incidence normale, non celle du cercle. L'une, en effet, permet de penser la conversion comme ce qui est à la fois toujours déjà effectué et toujours en train de se faire, alors que l'autre est plus rétive à exprimer cette paradoxale coïncidence de l'Un avec lui-même dans le mouvement un-anime de sa procession conversive, de lui-même vers lui-même.

La supériorité du modèle optique de Berthold montre bien que son rôle dans la théologie rhénane n'est pas celui d'un simple compilateur. La métaphore du cercle suggérait que l'absolu n'était véritablement lui-même qu'une fois revenu en lui-même, risquant ainsi d'inscrire dans le temps une autoconstitution éminemment non temporelle. Avec l'incidence normale, Berthold arrive à penser le caractère atemporel de la communication comme autoposition de l'Absolu.

Ce recours n'est cependant pas une simple illustration. C'est bien d'un modèle qu'il s'agit, puisque la loi de la réflexion vaut pour les trois natures distinguées : la physique, l'intellectuelle et la supersubstantielle [274].

On voit ici toute la plasticité de la théologie rhénane.

Eckhart avait su en son temps accueillir la théorie
physique aristotélicienne de la génération et de l'altération pour rendre compte de l'homologie des lois de la
production *in naturalibus, in moralibus* et *in divinis.*
Quelques années plus tard, c'est l'optique qui fournit à
Berthold un schème d'intelligibilité du réel pour le
même monde «néoplatonicien».

Cette double rencontre de la théologie et de la
science montre combien les dissociations modernes de la
foi et de la raison sont profondément inopérantes dans le
milieu rhénan. On s'explique mieux, du même coup,
qu'un Thierry de Freiberg ait pu passer simultanément
pour «le plus grand clerc et le plus saint des hommes de
son temps». Travaillant sur la couleur ou sur la lumière,
il travaillait dans le même espace de rationalité qui
organisait et portait son discours théologique.

# NOTES

1. *Cf.* E. KREBS, *Meister Dietrich. Sein Leben, seine Werke, seine Wissenschaft, Beiträge* V/5-6, Münster/West., 1906, p. 50, note 2 et ms. Bâle, F IV 30. Il s'agit de la reconstitution de deux figures de *Meteor.*, III, 5. Une main anonyme écrit : «Descriptio figurae, in qua explicitur intentio Philosophi in 3. *Meteorolog.* cum textus expositione inventa a fr. Bertholdo de Mosburch, or. Praed. anno Domini 1318.»

2. La meilleure synthèse des rares données biographiques concernant Berthold est donnée par B. FAËS DE MOTTONI, «Il Commento di Bertoldo di Moosburg all' *Elementatio theologica* di Proclo. Edizione delle proposizione riguardante il tempo e l'eternità», *Studi Mediaevali* 12 (1971), pp. 417 *sqq.* Sur Berthold et Adélaïde Langmann, *cf.*, PH. STRAUCH, *Die Offenbarungen der Adelheid Langmann* (Quellen und Forschungen zur Sprach — und Culturgeschichte der germanischer Völker XXVI), Strasbourg, 1878, p. 73. L'association des dominicains et des mystiques semble avoir été fréquente à cette époque. Un bon exemple en est donné par Pierre de Dacie (élève colonais d'Albert en 1267-1269) et la Béguine stigmatisée Christine de Stommeln († 1312). *Cf.* sur ce point la belle édition du *De gratia naturam ditante sive de virtutibus Christinae Stumbelensis* de Pierre par M. Asztalos (Acta Universitatis Stockholmiensis XXVIII), Stockholm, 1982.

3. W. RUBCZYNSKI, «Studja neoplatinski», *Przeglad Filosoficny* 3 (1900), pp. 41-69.

4. R. CREYTENS, «Les écrivains dominicains dans la Chronique d'Albert de Castelo», *Archivum Fratrum Praedicatorum* 30 (1960), p. 283.

5. Ce commentaire est contenu dans deux manuscrits : Oxford, *Balliol College* 224 B et *Vat. lat.* 2192. La tradition manuscrite est analysée par L. STURLESE, *Bertoldo di Moosburg, Expositio super Elementationem theologicam Procli*, 184-211, *De animabus* (Temi e Testi 18), Rome, 1974, pp. LXVIII-LXXIII. Le même ouvrage donne pp. XV-XXII tous les documents fondamentaux pour la biographie de Berthold.

6. *Cf.*, L. STURLESE, *Bertoldo di Moosburg, Expositio super Elementationem...*, noté par la suite : *Expositio*, pp. 3-347.

7. *Cf.*, B. FAËS DE MOTTONI, «Il Commento...», pp. 431-461 ; «Il problema della luce nel Commento di Bertoldo di Moosburg all' *Elementatio theologica* di Proclo», *Studi Mediaevali* 16 (1975), pp. 325-352. *Cf.* également W. ECKERT, «Berthold von Moosburg. Ein Vertreter der Einheitsmetaphysik im Spätmittelalter», *Philos. Jahrbuch* 65 (1957), pp. 120-133 ; du même : *Berthold von Moosburg O.P. und sein Kommentar zur Elementatio theologica des Proklos*, Diss., Münich, 1956 ; E. PASCHETTO, «L'*Elementatio theologica* di Proclo e il Commento di Bertoldo di Moosburgo. Alcuni aspetti della nozione di causa», *Filosofia* 27 (1976), pp. 353-378.

8. *Cf.* surtout M.R PAGNONI-STURLESE, «A propos du Néoplatonisme...», pp. 635-654. L'édition critique de Berthold comprendra neuf volumes. Le premier (*CPTMA* VI, 1) consacré au *Prologue* et au commentaire des propositions 1-13 est paru (éd. M.R. Pagnoni-Sturlese & L. Sturlese), le deuxième (*CPTMA* VI, 2) — propositions 14-34 — est en préparation (éd. M.R. Pagnoni & B. Mojsisch). Grâce à l'amitié de ses éditeurs, nous avons pu utiliser ici les épreuves du *CPTMA* VI, 1. Sans elle nous n'aurions pu rédiger ce chapitre. Nous espérons que ces quelques pages seront un témoignage de reconnaissance digne d'elle. Pour conclure sur la bibliographie bertholdienne, signalons enfin les remarques de R. KLIBANSKY, *Ein Proklosfund...*, p. 21 et M. GRABMANN, «Der Neoplatonismus in der deutschen Hochscholastik», *Philos. Jahrbuch* 23 (1910), pp. 53-54. *Cf.* également R. IMBACH, «Le (Néo)-platonisme médiéval...», pp. 437-439.

9. *Cf.*, E. MASSA, «Presentazione», *in* : L. STURLESE, *Expositio*, p. VI, qui renvoie, notamment, au *De providentia*.

10. *Cf.* L. STURLESE, *Expositio*, pp. 360-361 ; 366-367 ; 368-369. La *Clavis physicae* d'Honorius Augustodunensis est éditée par P. Lucentini (Temi e Testi 21), Rome, 1974. L. Sturlese a montré que Berthold avait pris connaissance de la *Clavis* vers 1327, *Expositio*, pp. XXI-XXII. L'identité d'Honorius pose de nombreux problèmes. L'appellation française d'«Honoré d'Autun» semble devoir être abandonnée. «Honorius» est, plus vraisemblablement, un moine irlandais du XIIᵉ siècle mort en allemagne, à Regensburg. Sur ce problème, *cf.* essentiellement J.A. ENDRES, *Honorius Augustodunensis. Beitrag zur Geschichte des geistigen Lebens im 12. Jahrhundert*, Münich, 1906 ; M.-O. GARRIGUES, «Qui était Honorius Augustodunensis ?», *Angelicum* 50 (1973), pp. 36 *sqq.* ; Y. LEFÈVRE, «Honorius Augustodunensis», *in* : *Dictionnaire de spiritualité*, VII, col. 730 *sqq.*

11. E. MASSA, «Presentazione», pp. VII *sqq.*

12. Nous citons dans toute cette section les textes transcrits par

B. Faës de Mottoni, « Il Commento... ». Nous indiquons à chaque fois la référence dans le ms. *Vat. lat.* 2192 (= V) et la page de l'édition Faës (= Faës). Sur la « double procession » identitaire de l'Un, *cf.* les remarques de B. Faës, *op. cit.*, p. 423.

13. V, f. 5ra ; Faës, p. 423.

14. V, f. 5ra ; Faës, p. 423, note 41.

15. V, f. 5rb ; Faës, p. 423, note 42.

16. *Cf. supra*, p. 32. Sur la connaissance naturelle des « philosophes », *cf.* V, f. 5rb ; Faës, p. 423, note 43.

17. V, f. 7ra ; Faës, p. 424, note 49 : « Comprehenditur etiam ultimo per li "Elementatio theologica" finale perfectivum sive causa finalis, ita ut Elementatio theologica, id est divine rationis, importet scalarem ascensum a divinis per participationem ad divina per essentiam, et per hoc ad divinum principaliforme, quod est divinum secundum causam contemplandi, cuius contemplatione contemplator non solum efficitur beatus in assequendo statum omnium bonorum aggregatione perfectivum, sed etiam Deus. »

18. V, f. 5vb ; Faës, p. 425 : « Per Elementationis theologicae altissimam philosophiam ascendendo redit homo ad suam perfectionem finalem, propter quam creatus est, scilicet felicitatem immo [...] beatitudinem. »

19. V. f. 6va ; Faës, p. 424, note 46 : « Totus iste liber tractat de rerum divinarum universitate secundum processum eius a summo bono et regressum in unum, et hoc *secundum dispositionem et proprios modos earum inditos ipsis rebus divinis ab eo quod est divinum* principaliformiter sive secundum causam. »

20. *Cf.* Thierry de Freiberg, *Fragmentum de subiecto theologiae*, 3, 5 ; éd. L. Sturlese, *CPTMA* II, 3, p. 281, 69-72.

21. V, f. 6va ; Faës, p. 424, note 46.

22. *De subiecto theologiae*, 3, 5 ; Sturlese, p. 281, 74-76.

23. Faës, p. 423.

24. *De subiecto theologiae*, 3, 9 ; Sturlese, pp. 281, 100-282, 109. La distinction entre « Providence naturelle » et « Providence volontaire » est empruntée à Augustin, *De Genesi ad litteram*, VIII, IX, 17 ; BA 49, pp. 36-39. Thierry met en œuvre la distinction des deux « Providences » dans le *De visione beatifica*, 4.3.2.4 ; Mojsisch, p. 114, 16-21. Il s'agit, à cet endroit, d'expliquer l'ordre des êtres conceptionnels dans l'univers et notamment l'immédiation *(immediatio)* de l'intellect agent (dernier des intellects séparés) à l'intellect possible de l'homme, laquelle rend possible « l'union immédiate » de l'un à l'autre, « en tant que forme pour l'intellect possible actualisé » comme « intellect acquis » [*De vis.*, 4.3.2., 5 ; Mojsisch, p. 114, 22-28]. De cette « union » Thierry écrit qu'« il est possible, et même *raisonnable* qu'un « intellect supérieur » — s'il en est — devienne la

forme d'un intellect inférieur» [*De vis.*, 4.3.2., 3 ; Mojsisch, p. 114, 14-15]. C'est alors que — sans doute pour se prémunir contre toute imputation d'averroïsme — il ajoute : «Je dis que cela est raisonnable, je ne dis pas que cela soit nécessaire, car ce dont je parle n'advient pas selon la nécessité de l'ordre que l'on trouve dans la Providence naturelle mais dépend de la seule grâce de Dieu et du mérite des bons, ce qui relève de la Providence volontaire, qui est le complément et l'accomplissement de l'ordre de la Providence naturelle [...].» [*De vis.*, 4.3.2., 4 ; Mojsisch, p. 114, 16-20] Une seconde application de la distinction est fournie dans le *De animatione caeli*, 20, 1-6 ; Sturlese, pp. 30, 76-31, 113, cette fois pour réfuter la thèse de ceux qui font des anges les moteurs des corps célestes. Pour Thierry, en effet, ces deux types d'entités, pour procéder d'un Principe unique, Dieu, n'en procèdent pas moins dans «deux ordres différents : les «anges» dans l'ordre de la Providence volontaire, les corps célestes dans celui de la Providence naturelle. Or : «Le mouvement du ciel relève par soi de l'ordre de la Providence naturelle. Rien donc n'y dépend de ces substances [= les anges] dont certains disent qu'ils sont les principes moteurs des corps célestes. En fait, les uns et les autres [= les corps célestes et les anges] sont absolument différents *(disparati)* et appartiennent à des ordres distincts. Les anges sont par conséquent absolument étrangers [...] au principe d'un mouvement du ciel qui est naturel.» Si dans ce dernier texte la polémique anti-thomiste est dominante [*cf.* K. FLASCH ; «Einleitung III», pp. XV-XXXVIII], le premier, en revanche, confirme la thèse de L. Sturlese, selon laquelle les questions débattues par Thierry s'inscrivent dans les disputes sur l'averroïsme parisien autour des années 1277 : «La dottrina della duplice provvidenza è una risposta al problema dei rapporti fra fede e ragione, che Theodorico probabilmente maturo fin dal periodo della sua permanenza a Parigi, intorno al 1276, negli anni cruciali delle condanne contro l'averroismo latino.» [L. STURLESE, «Il *De animatione caeli* di Teodorico di Freiberg», II, 2, p. 185. *Cf.*, R. IMBACH, «Le (Néo-)platonisme... p. 436]. On trouve une troisième occurrence de la distinction dans le *De cognitione entium separatorum*, 56, 1-2 ; Steffan, p. 219, 58-68, cette fois à propos de la connaissance angélique. La reprise de la distinction chez Berthold sert un propos plus général — fonder systématiquement la distinction de la philosophie et de la théologie — tout en limitant d'avance sa portée réelle — Proclus s'étant «élevé» à Dieu *à la fois* en philosophe (obliquement) et en théologien inspiré (directement). Si nous comprenons bien, c'est une manière très habile de garantir l'autonomie de la recherche philosophique !

25. V, f. 6va ; Faës, p. 423, note 46.
26. V, f. 6vb ; Faës, p. 424, note 47.

27. M.R. PAGNONI-STURLESE, « A propos du Néoplatonisme... », p. 654.

28. Trouillard, p. 177.

29. *Expositio*, 193A ; Sturlese, p. 134, 11-13. Tous les textes cités dans cette section sont empruntés à l'édition Sturlese, Rome, 1974. Nous indiquons chaque fois la division du texte (193A = commentaire de la proposition 193, division A) et la pagination de l'édition moderne. Pour Alfred, *cf. ibid.*, note 1.

30. *Expositio*, 193B ; Sturlese, p. 135, 12-15. DENYS, *Les Noms divins*, chap. IV, § 1 ; PG 3, 693B ; trad. (modifiée), p. 94.

31. *Ibid.*, Sturlese, p. 135, 17-19 ; *Les Noms divins*, chap. IV, § 2 ; PG 3, 696B ; trad. p. 95.

32. *Ibid.*, Sturlese, p. 135, 21-27 ; *Les Noms divins*, chap. IV, § 2 ; PG 3, 696B-C ; trad. p. 96. Le texte cité par Berthold dit « a deiformi Bono » : « le Bien déiforme ».

33. *Expositio*, 193B ; Sturlese, p. 135, 30-32.

34. « Partiales » s'oppose à « universales » comme le particulier à l'universel et le divisible — le « partiel » — à l'indivisible. Nous nous conformons ici aux habitudes des traductions de Proclus, *cf.* les propositions 202-211 de l'*Elementatio theol.*, Trouillard, pp. 183-189.

35. *Expositio*, 193B ; Sturlese, p. 136, 6-10.

36. DENYS, *La Hiérarchie céleste*, chap. XIII, § 4 ; PB 3, 305B ; trad. Gandillac (SC), pp. 157-159. *Expositio*, 193B ; Sturlese, p. 136, 11-19.

37. *Expositio*, 193B ; Sturlese, p. 136, 21-23.

38. *Expositio*, 193D ; Sturlese, p. 137, 12. « Concausa » rend le grec « sunaition ». Nous traduisons « cause auxiliaire » selon une suggestion d'A. Segonds. Pour ce terme, *cf. De malorum subsistentia*, 34 ; Isaac, p. 72, 4, qui choisit « cause connexe ».

39. *Expositio*, 193D ; Sturlese, p. 136, 21-23.

40. *Expositio*, 193D ; Sturlese, p. 137, 24-30. Les propositions 99 et 101 alléguées par Berthold stipulent respectivement que : « Aucun imparticipable en tant que tel ne tient sa subsistance d'une autre cause que lui-même, mais il est lui-même principe et cause de tous ses participes » [Trouillard, p. 119] et que : « Tout ce qui participe à l'intellect est dominé par l'intellect imparticipable... » [Trouillard (modif.), p. 120].

41. *Expositio, ibid.*, Sturlese, p. 137, 31-37. Voici les textes sur lesquels s'appuie Berthold : « Tout intellect divin participé est participé par des âmes divines » — prop. 182 ; Trouillard, p. 170 —, « Tout intellect participé, mais seulement pensant, est participé par des âmes qui ne sont ni divines ni sujettes à osciller de la pensée à l'inconscience » — prop. 183 ; Trouillard, p. 171 —, « Tout ce qui se fait participer en demeurant séparé est présent au participant *à travers une puissance inséparable qu'il lui infuse* » — prop. 81 ;

Trouillard, p. 110. Nous substituons «intellect» à «esprit» pour coller à la pensée de Berthold.

42. *Expositio, ibid.*, Sturlese, p. 137, 38-42.

43. *Cf. De int.*, II, 4, 1 ; Mojsisch, p. 149, 98-102, d'après Augustin, *De Genesi ad litteram*, VII, xiii-xxi ; BA 48, pp. 534-552.

44. *De int.*, II, 2 ; Mojsisch, p. 147, 48-49 ; II, 2, 3 ; Mojsisch, pp. 147, 64-148, 70.

45. *Expositio*, 193E ; Sturlese, p. 138, 2-3.

46. *Cf. supra*, p. 35.

47. *Expositio*, 193E ; Sturlese, p. 139, 38-44. *Cf.* Proclus, *De decem dub.*, X, 64 ; Isaac, p. 134, 12-14 ; *De provid*, V, 31 ; Isaac, p. 54, 6-8. «On» — c'est-à-dire : «les théologiens».

48. *Cf. supra*, p. 310, note 156.

49. *Expositio*, 193E ; Sturlese, p. 139, 45-47.

50. *De int.*, II, 2, 3 ; Mojsisch, p 148, 72-73.

51. *Expositio*, 193E ; Sturlese, pp. 139, 54-140, 58.

52. *Expositio, ibid.*, Sturlese, p. 139, 50-52.

53. *Expositio, ibid.*, Sturlese, p. 140, 59-60.

54. *De int.*, II, 5, 2 ; Mojsisch, p. 149, 12-14.

55. *De int.*, II, 10, 1 ; Mojsisch, p. 153, 34.

56. *Expositio*, 193E ; Sturlese, p. 140, 62-65.

57. *Expositio*, 193E ; Sturlese, p. 140, 74-75 ; *De int.*, II, 7, 2 ; Mojsisch, pp. 150, 51-151, 52.

58. *Expositio, ibid.*, Sturlese, p. 140, 75-77 ; *De int., ibid.*, Mojsisch, p. 151, 52-53.

59. *Expositio, ibid.*, Sturlese, p. 140, 78 ; *De int.*, II, 7, 3 ; Mojsisch, p. 151, 56.

60. *Expositio, ibid.*, Sturlese, pp. 140, 89-141, 93 ; *De int.*, II, 7, 4 ; Mojsisch, p. 151, 66-67. *Cf. De int.*, II, 1, 2 ; Mojsisch, p. 146, 13-22. *Cf.* Proclus, *Elementatio theol.*, prop. 140 (comm.) ; Trouillard, p. 145 : «Chaque perfection [...] a trois façons d'exister, dans sa cause, dans sa propre subsistance, par participation.»

61. *Expositio, ibid.*, Sturlese, p. 141, 94-98 ; *De int.*, II, 7,4 ; Mojsisch, p. 151, 67-75.

62. *Expositio, ibid.*, *Sturlese*, pp. 141, 98-142, 124 ; *De int.*, II, 8, 1-5 ; Mojsisch, pp. 151, 79-152, 107.

63. *De int.*, II, 9, 4 ; Mojsisch, p. 153, 23-27. *Cf.* également II, 10, 3 ; Mojsisch, p. 154, 49-55.

64. *Expositio, ibid.*, Sturlese, p. 142, 124-130.

65. *Expositio, ibid.*, Sturlese, p. 141, 105.

66. *Expositio, ibid.*, Sturlese, p. 141, 115-122.

67. *De int.*, II, 10, 1 ; Mojsisch, pp. 153, 34-154, 48.

68. *Cf.* L. Sturlese, *Expositio*, p. LXXIX : «L'*Expositio* est une continuelle vérification du contenu philosophique des *Éléments* de Proclus à travers les écrits de la tradition» — texte traduit par R.

Imbach, « Le (Néo-)platonisme... », qui commente : « Il ne semble pas exact de dire que Berthold n'est qu'un collectionneur ; car s'il est vrai qu'il réunit tout le matériel possible pour exposer les théorèmes de Proclus, ce travail de compilation obéit à un projet précis que l'on pourrait définir ainsi : Berthold veut constituer une somme philosophique *ad mentem Platonicorum.* » [*Op. cit.*, p. 438]. Sur Berthold simple « compilateur », *cf.* en sens inverse, W. Eckert, *Berthold von Moosburg...*, p. 124.

69. *De int.*, II, 1, 1 ; Mojsisch, p. 146, 5-6.

70. *In Genesim*, § 115 ; *LW* I, p. 272, 3-5.    71. *Expositio*, 194F ; Sturlese, p. 152, 74-78.

72. *Elementatio theol.*, prop. 194 ; Trouillard, p. 177.

73. *Expositio*, 194A ; Sturlese, p. 144, 1-2 ; Alcher de Clairvaux, *De spiritu et anima*, IV ; PL 40, 783.

74. *Expositio*, 194B ; Sturlese, p. 144, 6-8.

75. *Expositio, ibid.*, Sturlese, pp. 144, 4-145, 18.

76. *Expositio, ibid.*, Sturlese, p. 145, 20-35 ; Ibn Gabirol, *Livre de la source de vie* (= *Fons vitae*), III, 23 ; Baeumker, pp. 132, 22-133, 14 ; trad. Schlanger, p. 155.

77. *Expositio*, 194C ; Sturlese, p. 146, 1-17.

78. *Expositio*, 194D ; Sturlese, p. 148, 31-32.

79. *Expositio, ibid.*, Sturlese, p. 148, 20-22. Pour ce qui précède, *cf. ibid.*, p. 147, 1-15.

80. *Expositio*, 194E ; Sturlese, p. 149, 39-42.

81. *Expositio, ibid.*, Sturlese, p. 149, 37-39.

82. *Expositio, ibid.*, Sturlese, p. 151, 41-53.

83. *Expositio, ibid.*, Sturlese, p. 151, 54-56 : « Non solum autem anima secundum partem sensitivam quoad rationem particularem prehabet artificiata, sed etiam quoad sensus particulares prehabet sensata. »

84. *Expositio, ibid.*, Sturlese, p. 152, 71-73.

85. *Elementatio theol.*, Trouillard, p. 163.

86. *Expositio*, 194E ; Sturlese, p. 152, 74-90.

87. *Expositio, ibid.*, p. 152, 91-102. *Cf.* Augustin, *De immortalitate animae*, IV, 6 ; BA 5, pp. 180-183.

88. *De int.*, II, 37, 4 ; Mojsisch, p. 175, 10-14.

89. *De int.*, II, 37, 6 ; Mojsisch, pp. 175, 20-176, 29.

90. *Elementatio theol.*, Trouillard, p. 164. Tous les textes de Berthold cités dans cette section sont empruntés à M.R. Pagnoni-Sturlese, « A propos du Néoplatonisme... », pp. 635-654. Comme pour les textes édités par L. Sturlese nous citons d'abord la division du texte (exemple : 174A), puis la pagination dans le corps de l'article.

91. *Expositio*, 174A ; Pagnoni, p. 638. Seuls les passages en

italique sont de Berthold — le reste du texte est un centon d'Ulrich de Strasbourg et d'Albert le Grand.

92. *Cf.* M.R. Pagnoni-Sturlese, « A propos du Néoplatonisme... », pp. 638 *sqq*. Berthold fait un montage subtil d'Albert, *De causis et processu...*, I, 2, 1 ; Borgnet 10, p. 387a-b et d'Ulrich, *De summo Bono*, IV, 1, 2.7. [Les divisions du texte d'Ulrich sont celles de l'édition S. Pieperhoff (*CPTMA* I, 4 (1))].

93. *Expositio*, 174A ; Pagnoni, p. 639.

94. Ulrich de Strasbourg, *De summo Bono*, IV, 1, 2.7.

95. Albert le Grand, *De causis et processu...*, I, 2, 1 ; Borgnet 10, p. 388b et a.

96. Albert le Grand, *De causis et processu...*, I, 2, 1 ; Borgnet 10, p. 541b.

97. *Expositio*, 174B ; Pagnoni, p. 641.

98. M.R. Pagnoni-Sturlese, « A propos du Néoplatonisme... », p. 641.

99. *Expositio, ibid. Cf.* Thierry de Freiberg, *De cognitione...*, 24, 2-3 ; éd. H. Steffan, *CPTMA* II, 2, p. 187, 7-17.

100. *Expositio, ibid. Cf. De cognitione...*, 24, 4 ; Steffan, p. 188, 23-27.

101. *Elementatio theol.*, Trouillard, p. 72.

102. *Cf.* Trouillard, p. 72, note 1, qui écrit : « *Agir par son être même*, thème fréquent chez Proclos, ne désigne nullement un automatisme de nature opposé à une initiative libre (pour l'esprit, agir par son être, c'est agir par la spontanéité de sa pensée) (*cf.* théor. 174), mais la liberté fondamentale en face d'une décision épisodique. Plotin et Proclos avaient surmonté, avant Kant et des écoles contemporaines, l'antinomie de la nécessité et du libre arbitre contingent. La liberté n'est pas fondée sur une nature, mais au contraire toute nature est la projection d'une autoconstitution. » Il va de soi que chez Berthold, comme chez ses confrères rhénans, le « dispensateur » *agit par son essence* (« per essentiam suam ») et non par son « être » (en latin : « esse »). La différence de l'essence et de l'être est le *fundamentum inconcussum* de toute la noétique spéculative issue de l'enseignement d'Albert. La manquer serait manquer, du même coup, sa plus radicale spécificité.

103. *Expositio*, 18B ; Pagnoni, pp. 644-645. La différence entre *lux* et *lumen* alléguée à la fin de tout ce développement est une pièce essentielle de la pensée de Berthold. *Cf. supra,* pp. 415-416. Le texte d'Honorius Augustodinensis qui forme la cheville ouvrière du passage se lit aux pages 126-127 de l'édition Lucentini. On notera qu'au § 8, du chap. 2 des *Noms divins* allégué par Berthold, Denys formule la notion même de « cause essentielle », quand il écrit : « Tout ce qui appartient à l'effet appartient d'abord à la cause de façon supérieure (= le *nobiliori modo* de Thierry) et essentielle » —

trad. Gandillac, p. 85, note 2 (au lieu de « éminemment et formellement »). Le texte du chap. IV, § 1 ; trad. p. 94 est un véritable lieu commun de la théologie rhénane.

104. ALBERT LE GRAND, *De animalibus*, XX, 2, 1 ; Stadler, pp. 1306, 34.38-1307, 3 ; XX, 2, 1 ; Stadler, p. 1306, 31-33 ; XX, 2, 1 ; Stadler, p. 1307, 14-15 ; XX, 2, 1 ; Stadler, p. 1307, 12-13. *Cf.* M.R. PAGNONI-STURLESE, « A propos du Néoplatonisme… », p. 646.

105. M.R. PAGNONI-STURLESE, « A propos du Néoplatonisme… », p. 647. ALBERT LE GRAND, *De animalibus*, XX, 2, 1 ; Stadler, p. 1307, 39-41 ; XX, 2, 2 ; Stadler, p. 1309, 9-15.

106. « Talis causa essentialiter est suum causatum secundum aliud esse ». *Cf.* THIERRY DE FREIBERG, *De animatione caeli*, 8, 3 ; Sturlese, pp. 19, 25-20, 30 [notamment, p. 20, 30].

107. *Expositio*, 18C ; Pagnoni, pp. 648-649. Comme d'habitude ce texte est une condensation : ULRICH DE STRASBOURG, *De summo Bono*, IV, 1, 5.2-3 et ALBERT LE GRAND, *De causis et processu…*, I, 4, 1 ; Borgnet 10, pp. 410b-411a ; puis ULRICH, *De summo Bono*, IV, 1, 5.5 et ALBERT, *De causis et processu…*, I, 4, 1 ; Borgnet 411b.

108. *Expositio*, 18D ; Pagnoni, p. 652.

109. Pour tout ceci, *cf.* ALBERT LE GRAND, *Liber de praedicabilibus*, II, 6 ; Borgnet 1, pp. 33b-36a. *Cf.* notamment, II, 6, pp. 34b-35a : « Et dicendum, quod id unum, quod in tribus ipsum facit esse, est vis intelligentiae primae, quae causa universi esse est in omnibus, cuius etiam ipsa simplex natura, quae est hoc, quod est universale vel illud, contingens radius est. Et quia contactus talis multiplex est secundum diversas naturas, ad quas pertingit, ideo universalia multa sunt, reducibilia tamen aliquo modo ad unum, quod causae primae primum causatum est. »

110. *De praedicab., ibid.*, p. 35a.

111. *De praedicab., ibid.*, p. 35a-b : « Et ideo una et eadem est essentia in se et in anima et in singulari, sed in anima secundum esse spirituale, in singulari secundum esse materiale et naturale, in se autem in esse simplici. »

112. *De praedicab.*, II, 5 ; Borgnet 1, p. 32a-b : « Si autem quaeratur, utrum idem esse sit, quod universale habet per se acceptum et quod habet determinatum et particulatum, dicendum, quod nec idem omnino, nec diversum omnino, sed idem vel unum dupliciter. In substantia enim idem est, duplex autem ut idem et unum indeterminatum et determinatum. »

113. ULRICH DE STRASBOURG, De summo Bono, IV, 1, 5.1. Voici le texte de l'édition Pieperhoff : « *Fons autem huius fluxus est ipse, quem Plato vocat datorem formarum, eo quod ipse ita est prima origo formarum, quod, quidquid aliud dat sive fundit formam, facit hoc virtute huius fontis et de thesauris ab ipso mutuatis*, ita quod unum est secundum essentiam, quod a primo per omnia secunda fluit, licet esse

sit alterum secundum quod haec natura est in diversis, sicut differentia non multiplicat essentiam generis, sed esse.» Les passages en italique sont empruntés à ALBERT LE GRAND, *De causis et processu...*, I, 4, 1 ; Borgnet 10, p. 411a. Sur le *dator formarum* platonicien *cf., Albert le Grand, Super Dion. De div. nom.*, cap. 2, § 44, éd. P. Simon ; Ed. Colon. XXXVII/1, p. 72, 37 et notes. Berthold reprend le texte d'Ulrich-Albert en *Expositio*, 181A. *Cf.* sur ce point, M.R. PAGNONI-STURLESE, «A propos du Néoplatonisme...», p. 649, note 59. Le passage d'Ulrich sur la «multiplication» de l'être du genre est une condensation du *De causis et processu...*, I, 4, 4 ; Borgnet 10, p. 417a : «Differentia [...] coarctans essentiam non variat, sed facit esse alterum et alterum. Sicut differentia constitutiva addita generi, essentiam generis non multiplicat, sed esse generis facit alterum et alterum.» Noter que ce passage ponctue l'exposé de la «position» platonicienne.

114. *Cf.* M.R. PAGNONI-STURLESE, «A propos du Néoplatonisme...», p. 649, note 60, qui renvoie à *De causis et processu...*, I, 4, 1. Sur l'importance de la logique d'Albert pour la noétique rhénane, *cf.* A. DE LIBERA, «Théorie des universaux et réalisme logique chez Albert le Grand», pp. 71-73.

115. THIERRY DE FREIBERG, *De int.*, III, 26, 4 ; Mojsisch, p. 200, 17 ; III, 26, 5 ; p. 200, 19.

116. THIERRY, *De int.*, III, 27, 2 ; Mojsisch, p. 200, 30. *Cf.* AVERROÈS, *In Aristot. De anima, III, t. comm. 6 ; Crawford, p. 415, 62-64.*

117. *De int.*, III, 27, 3 ; Mojsisch, p. 200, 40-42.

118. *De int.*, III, 28, 1 ; Mojsisch, p. 201, 45 *sqq*. Thierry s'appuie ici sur «les philosophes» — autrement dit Averroès ou, plus généralement, le péripatétisme gréco-arabe.

119. *De int.*, III, 29, 1 ; Mojsisch, p. 201, 63-64.

120. *De int.*, III, 29, 2 ; Mojsisch, p. 201, 66-70.

121. *De int.*, III, 29, 3 ; Mojsisch, p. 201, 71-79.

122. Pour une comparaison de Thierry de Freiberg et des Modistes — notamment Radulphus Brito — *Cf.* ALAIN DE LIBERA, «La problématique des *intentiones primae et secundae* chez Dietrich de Freiberg», *CPTMA*, Beiheft 2, pp. 68-94. *Cf.* également, J. PINBORG, «Die Logik der Modistae», *Studia mediewistyczne* 16, (1975), pp. 39-97.

123. *De int.*, III, 30, 1 ; Mojsisch, p. 202, 87 ; III, 30, 3 ; Mojsisch, p. 202, 95-98.

124. *De int.*, III, 31, 1 ; Mojsisch, p. 202, 102-104.

125. *De int.*, III, 17, 1 ; Mojsisch, p. 170, 1-2.

126. B. MOJSISCH, «La psychologie philosophique...», p. 691.

127. *De int.*, I, 4 ; Mojsisch, p. 138, 43.

128. *Elementatio theol.*, prop. 20 ; Trouillard (modif.), p. 73. Le

texte latin Vansteenkiste, p. 273 dit exactement : « Omnibus corporibus superior est animae substantia et omnibus animabus superior intellectualis natura et omnibus intellectualibus hypostasibus superius ipsum unum. » *Cf. De int.*, I, 4, 2 ; Mojsisch, p. 138, 47-49.

129. *De substantiis spiritualibus...*, 5, 2 ; Pagnoni-Sturlese, p. 307, 9-11.

130. H. STEFFAN, *Dietrich von Freibergs Traktat De cognitione entium separatorum. Studie und Text*, Diss., Bochum, 1977, pp. 105-106.

131. E. KANT, *Critique de la Raison pure. Logique transcendantale* I : *Analytique transcendantale*, chap. II, § 13 (Bibliothèque de Philosophie contemporaine), trad. A. Tremesaygues et B. Pacaud, Paris, ⁴1965, p. 100.

132. *De subs. spir.*, 6, 1-3 ; Pagnoni-Sturlese, pp. 307, 18-308, 44.

133. *De subs. spir.*, 4, 8 ; Pagnoni-Sturlese, p. 306, 107-108.

134. *De subs. spir.*, 4, 8 ; Pagnoni-Sturlese, p. 306, 109-110.

135. *De subs. spir.*, 4, 8 ; Pagnoni-Sturlese, p. 306, 110-111.

136. *De subs. spir.*, 4, 8 ; Pagnoni-Sturlese, p. 306, 111-114.

137. *De subs. spir.*, 4, 3 ; Pagnoni-Sturlese, p. 305, 81-83.

138. *De subs. spir.*, 4, 4 ; Pagnoni-Sturlese, p. 305, 84-90. *Cf.* également *De vis. beat.*, 1.1.2.1., 3-4 ; Mojsisch, p. 46, 8-17.

139. *De subs. spir.*, 4, 5 ; Pagnoni-Sturlese, p. 305, 93-94.

140. *De subs. spir.*, 4, 5 ; Pagnoni-Sturlese, p. 305, 94-95.

141. *De subs. spir.*, 4, 6 ; Pagnoni-Sturlese, p. 306, 98.

142. *De subs. spir.*, 4, 6 ; Pagnoni-Sturlese, p. 306, 99-101.

143. *De subs. spir.*, 4, 7 ; Pagnoni-Sturlese, p. 306, 102-105.

144. *De subs. spir.*, 4, 9 ; Pagnoni-Sturlese, p. 306, 121-122.

145. *De subs. spir.*, 4, 9 ; Pagnoni-Sturlese, p. 306, 122-123.

146. *De subs. spir.*, 4, 9 ; Pagnoni-Sturlese, p. 306, 123-124.

147. *De subs. spir.*, 4, 9 ; Pagnoni-Sturlese, p. 306, 125-128.

148. *De subs. spir.*, 6, 1 ; Pagnoni-Sturlese, p. 307, 20-27.

149. *De subs. spir.*, 6, 2 ; Pagnoni-Sturlese, p. 307, 28-35.

150. *De subs. spir.*, 6, 3 ; Pagnoni-Sturlese, p. 308, 36-43.

151. *De subs. spir.*, 8-13 ; Pagnoni-Sturlese, pp. 308, 56-312, 11.

152. *Elementatio theol.*, prop. 21 ; Trouillard (modif.), p. 75. Le texte latin dit : « ad unam unitatem », Vansteenkiste, p. 273. La traduction Trouillard (sur l'original grec) : « à une monade unique ».

153. *De subs. spir.*, 7, 1 ; Pagnoni-Sturlese, p. 308, 50-52.

154. *Exposition*, 136L. Cité par M.R. PAGNONI-STURLESE, *in* : « Filosofia della natura e filosofia del intelletto in Teodorico di Freiberg e Bertoldo di Moosburg » [*CPTMA*, Beiheft 2, pp. 115] : « Genus metaphysicum est duplex, quia vel secundum considerationem Aristotelis vel Platonis [...]. Sciendum, quod genus hic accipitur

secundum positionem Platonis, unde et magis proprie volentes exprimere talia genera vocant ea distinctas rerum maneries.»
155. *Expositio*, 136E. *Cf.* M.R. PAGNONI-STURLESE, «Filosofia della natura...», p. 117.
156. *De cognitione entium separatorum...*, 79, 3 ; Steffan, p. 242, 36-46. La distinction entre diffusion *intentionnelle* et diffusion *réelle* exprime dans le langage logique des arabes la double répartition des intelligibles dans les âmes et dans la matière, caractéristique du «flux» avicenno-albertinien. «Intentio» signifie donc ici à la fois le medium et l'aire de la diffusion intellectuelle de l'intelligible, et non, évidemment, l'«intention volontaire» (= l'allemand «Absicht»). L'opposition *secundum intentionem/secundum rem* est un lieu commun de la terminologie logique d'Albert.
157. *De cognitione...*, 79, 3 ; Steffan, p. 242, 46-48. *Cf.* PROCLUS, *Elementatio theol.*, prop. 145 ; Vansteenkiste, p. 507 ; Trouillard, p. 147. Le texte latin dit : «Per omnia secunda contingit et dat se ipsam omnibus.»
158. *Expositio*, 29A.Cité par M.R. PAGNONI-STURLESE, «Filosofia della natura...», p. 117.
159. *Cf. supra.*, pp. 25-26.
160. «Omnis multitudo participat aliqualiter uno». PROCLUS, *Elementatio theol.*, prop. 1 ; Trouillard, p. 61.
161. *Expositio*, 1A. Dans toute cette section nous citons le texte de l'édition du *CPTMA*, VI, 1 dont L. Sturlese a bien voulu nous communiquer les épreuves. La pagination est celle du volume actuellement paru. Le texte que nous mentionnons se lit p. 72, 48-49.
162. *Expositio*, 1A ; Pagnoni & Sturlese (noté par la suite P.S.), p. 72, 50-52.
163. *Expositio*, 1A ; P.S., p. 73, 88-89.
164. *Expositio*, 1A ; P.S., p. 73, 60.64. *Cf.* THIERRY DE FREIBERG, *De natura contrariorum*, 15, 2, éd. R. Imbach ; *CPTMA*, II, 2, p. 95, 21-24.
165. *Expositio*, 1A ; P.S., p. 73, 68-69. *De natura contrar.*, 16, 2 ; Imbach, p. 95, 30-35 : «Unum enim est indistinctum in se et distinctum a quolibet alio.» Sur ce thème chez Eckhart, *cf. supra*, p. 313, note 184. Sur l'*unum/distinctum/indistinctum, cf.* B. MOJSISCH, *Meister Eckhart...*, pp. 84-95.
166. *Expositio*, 1A ; P.S., p. 73, 70-71. *De nat. contrar.*, 17, 1-2 ; Imbach, p. 96, 54-57.
167. *Expositio*, 1A ; P.S., p. 74, 99-102.
168. *Expositio*, 1A ; P.S., p. 74, 102-105.
169. *Expositio*, 1A ; P.S., p. 74, 106-112.
170. C'est parce qu'il adhère à la conception «aristotélicienne» qu'Eckhart fait de la *negatio negationis* la «moelle» de l'affirmation [*In Iohannem*, § 556 ; *LW* III, p. 485, 6 *sqq.*] : «Unum ipsum est

negatio negationis, negationis, inquam, quam multitudo omnis cui
opponitur unum includit ; negatio autem negationis medulla, puritas
et geminatio est affirmati esse, Exodi 3 : "Ego sum qui sum". » ; [*In
Exodum*, § 74 ; *LW* II, p. 77, 11] : «Negatio vero negationis
purissima et plenissima est affirmatio» : «La négation de la négation
est l'affirmation la plus pure et la plus entière.» Tel n'est pas le cas de
Thierry de Freiberg. De fait, si les deux maîtres s'accordent pour
faire de l'opposition de l'affirmation (c'est-à-dire de l'être) et de la
négation (c'est-à-dire du non-être) «l'opposition première et absolue» (thèse «aristotélicienne»), ils se séparent ensuite nettement
dans leur analyse de l'*unum*. Pour Thierry, en effet, l'«un» contient
deux «privations» : la première est l'opposition même de l'être et du
non-être implicite à l'un, la seconde est la suppression négative de
cette opposition — négative, en ce que, précisément, elle ne redonne
pas une affirmation ou position. Thierry écrit donc que la «privation
de la première opposition» (celle de l'être et du non-être) «a le mode
d'une privation plutôt que d'une» nouvelle «position» [*De nat.
contrar.*. 16, 5 ; Imbach, p. 96, 51]. Ce dépassement «négatif» de
l'opposition de l'être et du non-être réalisé par la privation de la
privation implicite à l'un libère une dimension proprement transcendante de l'un par rapport à l'être/non-être. La privation de la
privation «ouvre» ainsi l'Un transcendant de Platon dans l'un
transcendantal d'Aristote. Sur ce point — sans équivalent chez
Eckhart — Thierry anticipe donc bien la distinction systématique des
deux «un» proposée par Berthold. On comprend du même coup
pourquoi celui-ci utilise le *De natura contrariorum* dont le point de
départ aristotélicien explicite semblait contredire son propos. Sur
l'*unum* chez Thierry de Freiberg, *cf.* B. Mojsisch, *Meister Eckhart...*,
pp. 82-84.

171. *Expositio*, 1A ; P.S., p. 74, 113-117. Cf. Eustrate, *In Ethic.
Nicom. comm.*, I, 4 ; Heylbut, p. 45, 11-15. Sur Eustrate, *cf.* R.A.
Gauthier, «Introduction», *in* : R.A. Gauthier et J.Y. Jolif,
*L'Éthique à Nicomaque, Introduction, trad. et comm.*, tome I ;
Louvain-Paris, 1970, pp. 104-105, notamment p. 105 : «Eustrate
n'est [...] pas un véritable Aristotélicien ; ses préférences vont au
Platonisme, et il ne manque pas, notamment dans son commentaire
sur le chapitre 4 du premier livre de l'Éthique, de prendre
longuement la défense de Platon attaqué injustement à son gré par
Aristote.»

172. *Expositio*, 1A ; P.S., p. 74, 120-123.

173. *Expositio*, 1B ; P.S., p. 74, 132-134.

174. *Expositio*, 1B ; P.S., p. 75, 137-144.

175. Denys, *Les Noms divins*, chap. XIII, § 2 ; PG 3, 980A ; trad.
p. 173.

176. *Cf.* ARISTOTE, *Métaphysique*, V, 6, 1015b 16-1017a 6; X, 2, 1053b 20-22.

177. AVERROÈS, *In Metaph.*, X, comm. 6; Venetiis, 1562, f. 225vL.

178. *Cf.* ALGAZEL, *Metaphysica*, I, 1, 3; Muckle, pp. 32-33.

179. *Expositio*, 1D; P.S., p. 77, 230-231. DENYS, *Les Noms divins*, chap. XIII, § 2; PG 3, 977C; trad. (modif.), p. 173.

180. *Expositio*, 1D; P.S., p. 77, 232-233. *Les Noms divins*, chap. XIII, § 2; PG 3, 977C; trad. p. 173.

181. *Les Noms divins*, chap. XIII, § 2; PG 3, 980C-D; trad. (modif.), p. 174.

182. *Expositio*, 1D; P.S., p. 78, 239-244. PROCLUS, *De decem dubit...*, 10, § 63; Isaac, p. 132, 9-16.

183. *Expositio*, 1E, p. 79, 271-280. DENYS, *Les Noms divins*, chap. XIII, § 2, PG3, 977C-D; trad. p. 173.

184. PROCLUS, *De decem dubit....*, 3, § 11; Isaac, p. 68, 28-39.

185. DENYS, *Les Noms divins*, chap. V, § 6; PG 3, 820D-821A; trad. p. 132.

186. *Expositio*, 1E, P.S., p. 79, 294-296.

187. *Expositio*, 1E; P.S., pp. 79, 304-80, 308.

188. *Expositio*, 2A; P.S., pp. 82, 15-83, 5. HONORIUS AUGUSTO-DUNENSIS, *Clavis physicae*, 118; Lucentini, p. 88, 4-14; 116; Lucentini, p. 86, 31-41.

189. THIERRY DE FREIBERG, *De ente et essentia*, II, 2, 2; Imbach, p. 40, 70-73.

190. *Expositio*, 2A; P.S., p. 83, 34-38; *Clavis physicae*, 124; Lucentini, p. 92, 22-25; 126; Lucentini, p. 93, 7-9.

191. *Expositio*, 2A; P.S., p. 83, 39-40; *De ente et essentia*, II, 2, 3; Imbach, p. 40, 78-79.

192. *Expositio*, 2A; P.S., p. 83, 48-53.

193. *Cf.* BOÈCE, *Quomodo substantiae in eo quod sint bonae sint, cum non sint substantialia bona* (= *De hebdomadibus*); Stewart-Rand, pp. 40-42.

194. Pour tout ceci, *cf. Expositio*, 2A; P.S., pp. 83, 54-84, 93.

195. *Expositio*, 2B; P.S., pp. 84, 93-85, 127.

196. *Expositio*, 2C; P.S., p. 85, 129-132.

197. *Expositio*, 2C; P.S., p. 85, 133-134.

198. *Expositio*, 2C; P.S., p. 86, 143-158. DENYS, *Les Noms divins*, chap. II, § 5-6; PG 3, 644A-C; trad. p. 83.

199. *Expositio*, 2C; P.S., p. 86, 158-159.

200. Pour tout ceci, *cf. Expositio*, 2C; P.S., p. 86, 160-167. *Cf.* également DENYS, *Les noms divins,* chap. V, § 3; PG 3, 817B; trad. p. 130.

201. *Expositio*, 2C; P.S., p. 86, 168-172.

202. *Expositio*, 3A; P.S., p. 92, 14-16.

203. Denys, *Epist.* IX, § 3 ; PG 3, 1109C ; trad. p. 356.

204. *Expositio*, 3A ; P.S., p. 92, 24-26. *Clavis physicae*, 136-137 ; Lucentini, pp. 104, 20-105, 4.

205. On sait que la tradition physique « aristotélicienne » distingue entre le changement dans la catégorie de substance et le mouvement selon les « trois catégories de l'accident » (qualité, quantité, lieu). La distinction de la *mutatio* et du *motus* est alléguée dès le XIIIe siècle pour résoudre les problèmes théologiques liés à l'assignation d'un « instant du changement » : transsubstantiation, mouvement angélique, etc. Sur tout ceci, *cf.* A. de Libera, « L'instant du changement selon saint Thomas d'Aquin », *in : Métaphysique, Histoire de la Philosophie...*, pp. 99-109.

206. Pour tout ceci, *cf. Expositio*, 3A ; P.S., p. 93, 33-48.

207. *Cf. supra*, p. 62, note 22.

208. *Expositio*, 3B ; P.S., p. 93, 58.

209. *Expositio*, 3B ; P.S., p. 94, 81-84.

210. *Expositio*, 3B ; P.S., pp. 94, 102-95, 107.

211. *Expositio*, 3D ; P.S., p. 97, 192-193.

212. *Expositio*, 3D ; P.S., p. 97, 194.

213. « Exclusa omni differentia participantis et participati ». Pour tout ceci *cf. Expositio*, 3D ; P.S., p. 97, 199-205.

214. *Expositio*, 3E ; P.S., p. 97, 211-213. *Cf.* Thierry de Freiberg, *Quaestio utrum in deo...*, 1.4.2.2, 10 ; Pagnoni-Sturlese, p. 302, 70-74.

215. Pour tout ceci, *cf. Expositio*, 3E ; P.S., p. 98, 216-226.

216. *Cf.* Thierry de Freiberg, *Quaestio utrum in deo...*, 1.4.2.2., 5-7 ; Pagnoni-Sturlese, p. 301, 43-60.

217. *Expositio*, 3E ; P.S., p. 98, 238-241.

218. *Expositio*, 3E ; P.S., p. 98, 244-247.

219. *Expositio*, 5A ; P.S., p. 114, 61-68. *Cf.* Ulrich de Strasbourg, *De summo Bono*, IV, 2, 9, cité par les éditeurs d'après ms. Vat. lat. 1311, f. 82ra ; Albert le Grand, *De causis et processu...*, I, 4, 8 ; Borgnet 10, p. 429a-b.

220. Denys, *Les Noms divins*, chap. IV, § 4 ; PG 3, 912B ; trad., p. 155.

221. Denys, *Les Noms divins*, chap. II, § 5 ; PG 3, 644A ; trad. (modif.), p. 83.

222. Maître Eckhart, *In Genesim*, § 12 ; *LW* I, p. 195, 11-12.

223. *Cf.* Denys, *Les Noms divins*, chap. II, § 11 ; PG 3, 649B-C ; trad. p. 88.

224. *Expositio*, 5B ; P.S., pp. 115, 98-116, 103. *Cf.* Denys, *Les Noms divins*, chap. IV, § 1 ; PG 3, 693B-C ; trad. p. 94.

225. Pour tout ceci, *cf. Expositio*, 5B ; P.S., p. 116, 104-112. *Cf.* Albert, *Summa theologiae*, II[a] Pars, tract. I, q. 3, mbr. 3, a. 1 ; Borgnet 32, p. 23a. On notera que la *Summa theologiae* est le seul

ouvrage d'Albert influencé par l'*Elementatio theologica*. Sur ce point, *cf.* R. KAISER, «Die Benutzung proklischer Schriften durch Albert den Grossen», *Arch. für Gesch. der Philos.* 45 (1963), pp. 1-22.

226. *Cf.* PLATON, *Timée*, 31a 2-b 3 ; Wazsink, pp. 23, 20-24, 4.

227. *Summa theol.*, IIᵃ Pars, *ibid.*, Borgnet 32, p. 23a.

228. *Summa theol.*, *ibid.*, Borgnet 32, p. 23b.

229. *Summa theol.*, *ibid.*, Borgnet 32, p. 23b. *Expositio* 5B ; P.S., p. 116, 114-123.

230. *Expositio*, 5B ; P.S. pp. 116, 130-117, 138. Sur la supériorité de l'hénologie platonicienne sur la métaphysique aristotélicienne de l'être, *cf. Expositio, Preambulum libri* (C) : «Evidenter apparet scientiam istam in suorum principiorum certitudine ratione principii cognitivi per quod circa divina versatur, non solum omnibus particularibus scientiis, sed etiam Metaphysice perypathetici, que est de ente in eo quod ens, incomparabiliter eminere.» Cité par R. IMBACH, «Le (Néo-)platonisme... », p. 438 d'après la transcription de P.S.

231. MAÎTRE ECKHART, *In Genesim*, § 11 ; *LW* I, p. 195, 7-8. On trouve la même doctrine dans *In Sapientiam*, § 36 ; *LW* II, pp. 355, 5-357. 4 : «Le Premier agent, Dieu, a produit et créé premièrement et à titre principal l'univers contenant toutes choses. Les singuliers, en revanche, en tant que parties de l'univers et parties de toutes choses, n'ont été créés qu'à cause de l'univers et dans l'univers. Ainsi disparaît la question ou la difficulté qui a pesé sur beaucoup d'esprits jusqu'à aujourd'hui : comment la multiplicité peut-elle venir immédiatement de l'Un simple qu'est Dieu ? Il y a, en effet, des gens qui, comme Avicenne et ses partisans, pensent que le Premier a premièrement et immédiatement produit une Intelligence créée, puis tout le reste par son intermédiaire. A cela je réponds que tout l'univers en tant qu'Un-Tout — ce qu'indique son nom même, puisqu'on le dit "univers" en tant qu'un — vient de l'Un simple, l'un de l'Un, premièrement et immédiatement [...]. Car, de même que Dieu, qui dans son être est en tout quelque chose de simple, est "multiple" en "raison", de même l'univers est aussi quelque chose d'un — puisqu'il n'y a qu'un seul monde — tout en étant multiple dans ses parties et réalités distinctes. On a ainsi un un, multiple dans ses parties, qui procède d'un Dieu un, multiple dans les raisons des choses.» Les «partisans d'Avicenne» : peut-être — quoique la chose ne soit guère vraisemblable — SIGER DE BRABANT, *Quaestiones in Metaphys.*, V, q. 10 ; Graiff, p. 301, 71-74.

232. *Cf. Quaestiones in Metaphys.*, ms. Cambridge, Peterhouse 152, f. 291vb ; *Quaestiones in lib. Meteor.*, ms. Münich, Clm 9559, f. 52va. Texte latin et commentaire dans R. HISSETTE, *Enquête...*, pp. 66 et 72. *Cf.* sur tout ceci GILLES DE ROME, *Errores philosophorum*,

VI, 6 ; Koch, p. 28, 13-18. *Cf.* également Avicenne lui-même, *Metaphysica*, IX, 4 ; Van Riet, II, p. 447 *sqq.*
233. *Expositio*, 5C ; P.S., p. 119, 219-221. Albert, *Summa theol.*, II[a] Pars, tract. I, q. 3, mbr. 3, a. 1 ; Borgnet 32, p. 26b.
234. Pour tout ceci, *cf. Expositio*, 5C ; P.S., p. 119, 208-231. *Summa theol., ibid.*
235. Trouillard, p. 85.
236. Trouillard, p. 86.
237. Trouillard, p. 136.
238. Trouillard, p. 146.
239. Trouillard, p. 172.
240. Trouillard, p. 86.
241. V, f. 81va ; Faës, p. 330, note 22. Tous les textes de Berthold cités dans cette section sont empruntés à B. Faës de Mottoni, « Il problema della luce... ». Nous indiquons à chaque fois la référence dans le *Vat. lat.* et la pagination dans l'édition moderne.
242. Texte latin dans Cl. Bauemker, *Witelo, Ein Philosoph und Naturforscher des XIII. Jahrhunderts*, Beiträge III/2, Münster, 1908, p. 8, 23 et p. 9, 7-9.
243. *De Intelligentiis, ed. cit.*, p. 9, 7-9.
244. B. Faës de Mottoni, « Il problema della luce... », p. 330.
245. *Cf.* B. Faës de Mottoni, « Il problema della luce... », *ibid.* *Cf.* Thierry de Freiberg, *De luce et eius origine* ; Wallace, pp. 349-364 ; *De coloribus* ; Wallace, pp. 364-376.
246. Sur les théories de la lumière au moyen âge, *cf.* E. Grand (éd.), *A source Book in medieval Science*, § 62 ; « Late XIIIth century synthesis in optics. Translations, introduction and annotation by D.C. Lindberg », Harvard-Cambridge (USA), 1974, pp. 392-435. Un bon exemple de la terminologie traditionnelle se trouve chez Bonaventure, *I Sent.*, d. 17, part. 1, a. unic, q. 1 ; Quarrachi, p. 294a : « Sicut lux potest tripliciter considerari, scilicet in se et in transparenti et in extremitate perspicui terminati : primo modo est lux, secundo modo lumen, tertio modo hypostasis coloris. » Sur les origines de cette terminologie, *cf.* É. Wéber, « La lumière principe de l'univers, d'après Robert Grosseteste », *in : Lumière et Cosmos*, Paris, 1981, pp. 17-30.
247. V, f. 81va ; Faës, p. 333, note 30.
248. B. Faës de Mottoni, « Il problema della luce... », p. 333.
249. « Transparens et transmissivum cuiuscumque formae, quae in eo est. » V, f 81va ; Faës, p. 333.
250. *Ibid.*
251. « Forma diafani inquantum diafanum, quasi in quodam fluxu ad extra consistit. »
252. *Ibid.*, Faës, p. 334 : « In sua actualitate completum. »
253. V, f. 75vb ; Faës, p. 334, note 38.

254. V, f. 81vb ; Faës, p. 334.

255. *Cf.* B. FAËS DE MOTTONI, « Il problema della luce... », p.
335. La distinction *secundum naturam vel essentiam/secundum esse*
permet à Berthold d'homologuer théorie de la lumière et théorie de
la causalité essentielle dans une même métaphysique du flux. Il faut,
cependant, souligner que la distinction *essentia/esse* était bien établie
avant lui dans ce contexte. Son « originalité » en ressort d'autant plus.
Sur ce point, *cf.* par exemple BONAVENTURE, *II Sent.* d. 13, a. 3, q. 2 ;
Quarrachi, p. 327b : « Maxime cum luminis et lucis non videatur alia
essentia esse, sed solummodo differre videantur per modum essendi
sive per esse. »

256. *Cf.* B. FAËS, « Il problema della luce... », p. 336. IBN
GEBIROL, *Fons vitae*, III, 18 ; Baeumker, p. 121, 4-15 ; Schlanger, pp.
145-146.

257. V, f 82va ; Faës, p. 337.

258. *Cf.* Pseudo-WITELO, *Liber de Intelligentiis*, prop. VI :
« Prima substantiarum est lux. Ex quo sequitur naturam lucis
participare alia » ; VII 1 : « Omnis substantia influens in aliam est lux
in essentia vel naturam lucis habens » ; VII 2 : « Lucis próprietates
sunt simplicitas et sui multiplicatio ; puritas et impuritas lucidi sunt
differentiae propriae. Ex quo sequitur terram elementorum faecem
esse » ; VIII 1 : « Unumquodque quantum habet de luce, tantum
retinet esse divini » ; VIII 2 : « Unaquaeque substantia habens magis
de luce quam alia dicitur nobilior ipsa » ; VIII 3 : « Perfectio omnium
eorum quae sunt in ordine universi est lux » ; VIII 4 : « Unumquodque primorum corporum est locus et forma inferioris sub ipso per
naturam lucis ». *Cf.* Baeumker, pp. 8, 6-7 ; 8, 21-25 ; 9, 18-26.

259. DENYS, *Les Noms divins*, chap. II, § 11 ; PG 3, 649B-C ;
trad. p. 88.

260. DENYS, *Les Noms divins*, chap. IV, § 1 ; PG 3, 693B ; trad.
p. 94.

261. *Cf.* notamment ALBERT, *Super Dion. de div. nom.*, cap. IV,
§ 8-9 ; Ed. Colon., pp. 117, 15-119, 31, avec appui sur AVICENNE,
*Metaph.*, tract. IX, cap. 4 ; Venetiis 1508, f. 104vA.

262. ALBERT, *Super Dion. de div. nom.*, cap. IV, § 9 ; Ed. Colon,
p. 119, 18-31 d'après DENYS, *loc. cit.*, PG 3, 693B.

263. *Cf.* B. FAËS DE MOTTONI, « Il problema della luce... », p.
338, note 50. DENYS, *Les Noms divins*, chap. IV, § 4 ; PG 3, 697C-D ;
trad. p. 97 ; chap. IV, § 1 ; PG 3, 693B ; trad. p. 94.

264. Pour tout ceci, *cf.* V, f. 82va ; Faës, p. 339, notes 56 et 57.

265. V, f. 82vb-83ra ; Faës, p. 343, note 74 : « Unus modus
simplicior et primus est per lineam rectam unam et per medium unius
diaphotatis, puta per aerem vel aliqua similia. »

266. V, f. 83ra ; Faës, p. 343, note 75 : « Secundus modus est per
incidentiam linee radialis in corpus politum' speculare et conversio-

nem seu reflexionem linee ab eodem corpore polito ad determinatum locum talis incidente linee radialis reflexe.»

267. V, f. 83ra ; Faës, p. 343, note 76 : «Tertius modus est qui fit per lineam radialem transeuntem directe vel reflexe, quem communiter perspectivi "fractum" dicunt, per corpora diversa diaphana, qualia sunt aer et aqua.»

268. V, f. 83ra ; Faës, p. 343, note 77 : «Verum quia primus modus assimilatur processioni, secundus autem conversioni, ideo de eo ad propositum aliquid est tangendum, ubi sciendum, quod lux diffundendo et multiplicando se modo, quo prius dictum est, semper procedit regulariter, quoad usque incidat corpori polito speculari et ponatur ad presens, quod incidat perpendiculariter, que incidentia est per se et prior natura et causali ratione aliis incidentiis obliquis, ubi etiam differentia adtenditur penes diversam habitudinem partium linee ad ipsam formam radiantem»; *ibid.*, Faës, p. 345, note 82 : «Ex premissis omnibus apparet qualiter radius procedens per directum et incidens corpori polito ortogonaliter convertitur et reflectitur in primam fontem, scilicet lucem, ita quod ibi incipit converti, ubi terminavit processum.»

269. V, f. 83rb ; Faës, p. 345.

270. *Ibid.*, Faës, p. 345.

271. *Ibid.*, Faës, p. 346 : «Conversio autem ibi incipit ubi terminatur processus, et sic ultimum reflectitur in se ipsum et se ipso in immediate superlocatum, et sic deinceps quo usque omnia reflectantur in principium productum.»

272. V, f. 83rb ; Faës, p. 346, note 87 : «Ubi terminatur processio, reflexio inchoetur.»

273. *Ibid.*, Faës, *ibid.* : «Lux intellectualis radians per lineam incidentie, radiat etiam per lineam reflexam.» *Cf.* également V, f. 83va ; Faës, p. 347, note 89 : «Prime intellectus radiat incidens directo incessu per medium a prime bono, prime infinito, prime ente et prime vita elaboratum, quoad usque linea intellectualis quam imaginamur compositam ex diversis et distinctis gradibus intellectualitatis, sicut ex punctis, incidat quasi perpendiculariter medio animeali, quod, quia tantum superiori suo, quasi superficie, actingit inferius talis radiationis, scilicet secundum ultimum gradum sui ; ideo quasi sistit et terminat ipsam et per consequens reflectit eam in se ipsam et in principium immediatum sui et in principium principii, quoad usque in prime intellectu conversio terminetur.»

274. B. Faës de Mottoni, «Il problema della luce...», pp. 347 *sqq.*

# BILAN
# ET PERSPECTIVES

Nous n'entendons pas ici conclure, c'est-à-dire clôturer un champ dont le moins qu'on puisse dire est que ses limites sont encore très indécises.

La théologie rhénane existe. L'école d'Albert existe. C'est là la base, le fonds de la « mystique allemande ».

Ces faits, que nous espérons avoir suffisamment établis, épuisent-ils l'intérêt que l'on peut prendre à lire aujourd'hui les écrits des « disciples » d'Albert le Grand ?

Non.

Pourquoi ?

Si les recherches en cours montrent que l'albertisme est une réalité historique bien antérieure au xv$^e$ siècle, la perspective purement « spiritualiste » des premiers historiens d'Eckhart, qui a prévalu jusqu'ici, a largement contribué à minimiser l'importance philosophique des travaux des théologiens des xiii$^e$ et xiv$^e$ siècles rhénans. Réciproquement, l'affirmation brutale de l'équivalence des démarches philosophiques, théologiques et spirituelles ne ferait que reproposer l'image d'une « sagesse » post-albertinienne, d'autant plus difficile à cerner en elle-même qu'elle s'avérerait historiographiquement accueillante.

L'étude ici commencée n'aura pas été inutile si elle incite le lecteur à s'interroger à nouveaux frais sur la signification générale d'« Albert » et de l'albertisme pour l'histoire de la philosophie et de la théologie. Envisagée de ce point de vue, plus heuristique que totalisateur, l'histoire de « la théologie de la mystique rhénane d'Albert le Grand à Maître Eckhart » suscite autant de questions qu'elle ouvre de domaines de récurrence et de cohérence entre textes ou auteurs.

Un des caractères majeurs de la pensée rhénane est d'avoir formulé une théologie métaphysique du flux, articulée sur une nouvelle doctrine de la causalité, la causalité essentielle, le *proêchein* Proclusiano-dionysien.

Cette révolution devrait être étudiée pour elle-même. Cela impliquerait une lecture et une confrontation systématiques du commentaire albertinien du *De causis* avec la *Summa de Bono* d'Ulrich de Strasbourg et le commentaire bertholdien de l'*Elementatio*, dont on n'a pu donner ici que de simples échantillons.

De fait, si les sources de la doctrine sont évidentes, la manière dont elle s'est construite, les détours qu'elle a empruntés, les intermédiaires qui l'ont modelée, restent largement inconnus.

A titre exemplaire : Albert a-t-il ou non, sur ce point, subi l'influence de Scot Érigène ? Sa doctrine de l'universel *ante rem* est-elle ou non un développement de la doctrine des « causes primordiales » ? Si oui, quel est le rôle exact du *fluxus* avicennien dans cette théologie de l'autocréation de la Cause dans ses Idées créatrices ?

Plus avant : Albert a-t-il consciemment voulu cette logique de la participation qui, semble-t-il, a permis à Thierry puis surtout à Berthold d'affirmer efficacement la suprématie de l'hénologie « platonicienne » sur l'ontologie « aristotélicienne » ?

Encore : l'idée du Dieu en devenir — ou du Dieu naissant — partout attestée de Maître Eckhart à Berthold, de Berthold à Thierry — idée typiquement

« allemande », que le XIX<sup>e</sup> siècle a si puissamment illustrée —, est-elle une donnée spécifique de la théologie rhénane ? Si oui — et tel est, semble-t-il, le cas —, est-ce une idée albertinienne ? D'où vient la notion d'*ebullitio* ? Pourquoi avoir pensé le problème de l'origine radicale des choses dans les termes d'une exubérance intellectuelle de l'Un-Tout.

D'autres questions se pressent. Comment comprendre l'utilisation de la philosophie « péripatéticienne », c'est-à-dire gréco-arabe, dans le milieu rhénan ? Comment évaluer la prise de conscience progressive de la distinction et des rapports entre « science divine des philosophes » et « théologie des théologiens » d'Albert à Berthold ? Comment expliquer l'audace d'un commentateur proclusien qui, tout en affectant de subordonner la Providence naturelle à la Providence volontaire, ne laisse jamais d'affirmer l'absolue autonomie de la recherche philosophique ? Comment comprendre la manie « augustinisante » d'un Thierry et d'un Eckhart partout où, précisément, la pensée, la recherche, l'intention philosophiques ou théologiques qui sont les leurs, sont au maximum de leur « étrangeté » ? Comment, d'Albert à Berthold, apprécier la portée réelle de l'implication à la fois réciproque et croissante de la noétique et de l'hénologie, de la doctrine de l'âme intellective et de l'Un déiforme et déiformateur, bref, de la pensée « arabe » et de la pensée « grecque » ? Comment prendre la mesure de cette extraordinaire fusion des disciplines et des problèmes, des traditions et des ruptures, des mémoires et des innovations, dans un milieu pour nous encore un peu conjectural, mais dont le peu que l'on sait indique qu'il existait véritablement pour ceux qui l'ont habité ?

Les réponses commencent à se dessiner. Risquons-en une qui, sans les résumer toutes, se trouve, au moins, appelée à un moment quelconque par chacune d'entre elles.

Si l'on suit ses historiens, ce qu'Albert a effectivement transmis aux Latins est souvent nébuleux, parfois
contradictoire, rarement univoque. Acceptons le dia-
gnostic, même s'il est sévère. Reste ce qu'il a transmis à
ses disciples allemands.

Ici le paysage change, car il y a eu dialogue, travail,
relecture et déplacement. Les Allemands ont hérité
quelque chose de l'évêque de Ratisbonne. Ce quelque
chose est la philosophie même, approchée sous les
masques divers et les exigences variables de la pensée
néoplatonisante des Grecs et des Arabes, la philosophie
tout de même, on dirait presque : la philosophie enfin.

L'époque d'Albert n'est pas une de ces époques de
« renaissance » que le Moyen Age a connues en nombre
quasiment indéfini. C'est une époque de naissance tout
court. L'arrivée de Proclus a cristallisé un processus de
formation lente et souterraine, engagé par Albert,
commentateur du *Livre des causes* et d'Avicenne. Ce
processus a véritablement abouti dans le commentaire
bertholdien, quand l'idée d'une complémentarité nécessaire de la philosophie de l'intellect et de la philosophie
de la nature au sein d'une même théorie de l'Un et de
l'univers a réclamé pour elle-même le droit des multiples
héritages qui l'avaient, jusque-là, écrasée ou dispersée.

La reconnaissance de l'Intellectualité apparaît, de ce
point de vue, comme le moment privilégié d'une prise de
conscience plus générale de l'autonomie de la Pensée.
Pensée humaine, certes, mais aussi et si l'on peut dire
« Pensée en général ». Car c'est bien de la Pensée qu'il
s'agit — autrement dit : de la liberté et de l'intériorité
pures, de l'origine inassignable, rebelle à toute ontologie
régionale, rétive à toute répartition disciplinaire, à tout
cloisonnement séparateur.

L'âme et le néant. Il faudrait plutôt dire : l'âme (est
le) néant, car la Pensée n'est ni ici ni maintenant, ni
mienne ni tienne. C'est un événement de l'univers, un
« instant » de la cosmologie. La philosophie alberti-

nienne est l'expérience de la Pensée. Ce n'est ni une théorie du Moi, ni une philosophie de la nature, ni une théologie de l'Un. Ce que les Rhénans ont cherché après Albert, c'est à penser la Pensée. Ce geste ne peut pas plus se fondre dans une psychologie que dans une théologie rationnelles. Il n'a de sens qu'à l'intérieur d'une hénologie ou, si l'on préfère, d'une pensée de la Procession qui soit à la fois et au plus haut point une procession de la Pensée.

La théorie du flux est en même temps théorie de l'intellect, théorie de l'Un et théorie de la lumière. Cette richesse n'est cependant pas un disparate, car, sous ses différents aspects, la notion du *fluxus* dit la même chose : l'acte de penser ne connaît ni commencement ni fin, c'est un emportement sans étendue, ni figure, ni mouvement, un trajet immobile de soi vers soi, une identité sans sujet fonctionnaire, une vie et une mort, une ombre et un éclat, de l'âme à son néant, du néant à son âme.

Si la philosophie allemande moderne a pu ici ou là passer pour une philosophie de l'Esprit, la théologie rhénane, sa devancière, sera une philosophie du flux de la Pensée.

L'achèvement du *Corpus Philosophorum Teutonicorum Medii Aevi* le confirmera sans doute. Bien d'autres choses, aujourd'hui imprévisibles, apparaîtront alors. Songeons que nous ignorons encore presque tout de Jean Picard de Lichtenberg, d'Henri de Lübeck et de Nicolas de Strasbourg ; qu'Ulrich de Strasbourg et Berthold de Moosburg sont aux trois quarts inédits, Thierry de Freiberg lui-même, aux trois quarts édité, l'œuvre allemande d'Eckhart, pour ainsi dire, arrêtée là où la mort de son éditeur l'a figée.

Puissent les pages que nous avons consacrées aux théologiens rhénans aider à une prise de conscience de leur intérêt philosophique. Si seulement le lecteur moderne veut bien admettre que les dissociations habituelles entre philosophie et théologie, noétique et spiritualité, demandent à être repensées, que la double dictature d'«Aristote» et du «mode de représentation issu du judéo-christianisme» ne saurait par elle-même rendre compte du complexe philosophico-théologique que nous avons évoqué, bref, s'il veut bien regarder un instant le néoplatonisme médiéval comme une entité véritable, nous aurons atteint l'objectif que nous nous étions fixé en commençant cette première synthèse prospective.

# BIBLIOGRAPHIE

*Traductions*

De tous les auteurs étudiés ici, seul Maître Eckhart a été traduit en français. Citons :
— Œuvre «allemande» : MOLITOR J. ET AUBIER F., *Traités et Sermons*, Paris, 1942, introduction de M. de Gandillac (sur la traduction allemande de SCHULZE-MAIZIER F., *Meister Eckharts deutsche Predigten und Traktate*, ausgewählt, übertragen und eingeleitet, Leipzig, [1]1927) ; ANCELET-HUSTACHE J., *Traités*, Paris, 1971 ; *Sermons* 1-30, Paris, 1974 ; *Sermons* 31-59, Paris, 1978 ; *Sermons* 60-86, Paris, 1979 (sur l'original moyen haut-allemand).
— Œuvre «latine» : LIBERA (DE) A., WÉBER E., ZUM BRUNN E., *Le Commentaire de la Genèse*, précédé de BRUNNER F., *Les Prologues (Prologue à l'Œuvre Tripartite, Prologue à l'Œuvre des Propositions), in : L'œuvre latine de Maître Eckhart*, vol. I, Paris, 1984.
Il existe une remarquable traduction allemande du *De intellectu et intelligibili* de Thierry de Freiberg par B. MOJSISCH [référence *infra*], indispensable même aux latinistes.
Deux traductions françaises de Thierry de Freiberg et Ulrich de Strasbourg sont actuellement en préparation. Elles trouveront place dans la présente collection.

*Sources*

Nous indiquons ici les textes indispensables à la pénétration de l'univers des «Rhénans». Le lecteur trouvera des références complémentaires dans nos notes.

Alain de LILLE (Alanus ab insulis), *De fide catholica contra haereticos* ; PL 210.
—, *Regulae caelestis iuris*, éd. N.M. Häring, *in : Archives d'histoire*

*doctrinale et littéraire du Moyen Age* XLVIII (1982), pp. 97-226.

Albert le GRAND (Albertus Magnus), *De anima*, éd. Cl. Stroick ; Editio Coloniensis VII/1, Monasterii/Westf. 1968.

—, *De animalibus Libri XXVI*, éd. H. Stadler (Beiträge zur Geschichte der Philosophie und Theologie des Mittelalters XV-XVI), 1916-1920.

—, *De causis et processu universitatis*, éd. A. Borgnet, *in : Opera omnia*, Tom. 10, Parisiis, 1891.

—, *De intellectu et intelligibili*, éd. A. Borgnet, *in : Opera omnia*, Tom. 9, Parisiis, 1890.

—, *De Praedicabilibus*, éd. A. Borgnet, *in : Opera omnia*, Tom. 1, Parisiis ; 1890.

—, *In I-IV Sententiarum,* éd. A. Borgnet, *in : Opera omnia*, Tom. 25-30, Parisiis, 1893-1894.

—, *Metaphysica*, éd. B. Geyer ; Editio Coloniensis XVI/1, Monasterii/Westf. 1960.

—, *Summa de creaturis*, éd. A. Borgnet, *in : Opera omnia*, Tom. 34-35, Parisiis, 1895.

—, *Summa theologiae*, éd. A. Borgnet, *in : Opera omnia*, Tom. 31-33, Parisiis, 1895.

—, *Summa theologiae* I, éd. D. Siedler ; Editio Coloniensis XXXIV/1, Monasterii/Westf. 1978.

—, *Super Dionysium, De divinis nominibus*, éd. P. Simon ; Editio Coloniensis XXXVII/1, Monasterii/Westf. 1972.

—, *Super Dionysii mysticam theologiam et Epistulas*, éd. P. Simon ; Editio Coloniensis XXXVII/2, Monasterii/Westf. 1978.

Alexandre d'APHRODISE, *De intellectu et intellecto,* éd. G. Théry, *Autour du décret de 1210* : II.- *Alexandre d'Aphrodise, aperçu sur l'influence de sa noétique* (Bibliothèque thomiste VII), 1926, pp. 74-83.

Alexandre de HALÈS, *Summa theologica* [= *Summa Halensis*], Ad Claras Aquas (Quarrachi), 1924 *sqq.*

ALFARABI, *De intellectu et intellecto*, éd. É. Gilson, « Les sources gréco-arabes de l'augustinisme avicennisant », *in : Archives d'histoire doctrinale et littéaire au Moyen Age* IV (1929), pp. 115-141.

AUGUSTIN (saint), *Confessiones* ; BA 13-14.

—, *De civitate dei* ; BA 33-37.

—, *De diversis quaestionibus octoginta tribus* ; BA 10.

—, *De Genesi ad litteram* ; BA 48-49.

—, *De Trinitate* ; BA 15-16.

AVERROÈS, *Aristotelis opera cum Averrois commentariis*, 12 vol., Venetiis 1562-1574 (rep. Francfort/Main 1962).

—, *Commentarium magnum in Aristotelis De anima libros*, éd. F. St.

Crawford (Corpus commentariorum Averrois in Aristotelem, versionum Latinarum VI/1), Cambridge (Mass.), 1953.

—, *Averrois in librum V Metaphysicorum Aristotelis commentarius*, éd. R. Ponzalli (Scritti pubblicati sotto gli auspici della Societa Svizzera di Scienze morali 13), Berne, 1971.

AVICENNE, *Opera*, Venetiis 1508 (rep. Francfort/Main 1961).

Berthold de MOOSBURG, *Expositio super Elementationem Theologicam Procli, Prol.* 1-13, éd. M.-R. Pagnoni-Sturlese et L. Sturlese, *in : Corpus Philosophorum Teutonicorum Medii Aevi* VI/1, Hambourg, 1984.

—, *Expositio super Elementationem Theologicam Procli*, 184-211, *De animabus*, éd. L. Sturlese (Temi e Testi 18), Rome, 1974.

BOÈCE (Boethius), *The Theological Tractates. The Consolation of Philosophy*. With an English Translation by H.F. Stewart/E.K. Rand, Londres, [7]1962.

Denys le PSEUDO-ARÉOPAGITE, *Opera* ; PG 3.

—, *Œuvres complètes du Pseudo-Denys l'aréopagite*. Traduction, commentaires et notes par M. de Gandillac, Paris, [2]1980.

—, *La Hiérarchie Céleste*. Introduction par R.Roques, Étude et texte critiques par G. Heil, Traduction et notes par M. de Gandillac ; SC 58 bis, Paris, [2]1970.

ECKHART (Eckardus, Meister Eckhart), *Die deutschen und lateinishen Werke*, hrsg. im Auftrage der Deutschen Forschungsgemeinschaft, Stuttgart, 1936 *sqq.*

—, *Deutsche Mystiker des vierzehnten Jahrhunderts*, hrsg. von F. Pfeiffer, Bd. 2 : *Meister Eckhart*, Aalen, 1962 (rep. de Leipzig, 1857).

—, G. Théry, «Édition Critique des Pièces Relatives au Procès d'Eckhart contenues dans le Manuscrit 33b de la Bibliothèque de Soest», *in : Archives d'histoire doctrinale et littéraire du moyen âge* I (1926), pp. 129-268.

Eckhart de GRUNDIG, *Von der wirkenden und möglichen Vernunft*, *in :* W. Preger, *Der altdeutsche Tractat von der wirkenden und möglichen Vernunft* (Sitzungsberichte der philosophisch-philologischen und historischen Classe der k.b. Akademie der Wissenschaften I), Münich, 1871, pp. 159-189.

Honorius AUGUSTODUNENSIS, *Clavis physicae*, éd. P. Lucentini (Temi e Testi 21), Rome, 1974.

Ibn GABIROL (Gebirol, Avencebrol), *Fons vitae ex arabico in Latinum translatus ab I. Hispano et D. Gundissalino*, éd. Cl. Baeumker (Beiträge zur Geschichte der Philosophie und Theologie des Mittelalters I/2-4), 1895.

—, *Salomon Ibn Gabirol, Livre de la source de vie* (Fons vitae). Introduction, traduction, notes par J. Schlanger (Bibliothèque philosophique), Paris, 1970.

Jean Picard de Lichtenberg (Iohannes Picardi), *Quaestio XXII — Utrum imago Trinitatis sit in anima vel secundum actus vel secundum potentiam*, éd. B. Mojsisch, *Meister Eckhart. Analogie, Univozität und Einheit*, Hambourg, 1983, pp. 148-161.

Jean Scot Ériugène (Érigène), *De divisione naturae*, PL 122.

—, *Periphyseon (De Divisione Naturae)*, lib. I-III, éd. I.P. Sheldon-Williams with the collaboration of L. Bieler (Scriptores Latini Hiberniae VII, IX, XI), Dublin, ¹1968, 1972, 1981.

—, *Omelia*, éd. É. Jeauneau, *Jean Scot, Homélie sur le Prologue de Jean* ; SC 151, Paris, 1969.

Jean Tauler, *Predigten*, éd. F. Vetter, *Die Predigten Taulers* (Deutsche Texte des Mittelalters XI), Berlin, 1910.

*Liber de causis*, éd. A. Pattin, *in : Tijdschrift voor Filosofie* 28 (1966), pp. 134-203.

*Liber XXIV Philosophorum*, éd. Cl. Baeumker (Beiträge zur Geschichte der Philosophie und Theologie des Mittelalters XXV/1-2), 1927, pp. 194-214.

Pierre Lombard (Petrus Lombardus), *Sententiae in IV libris distinctae*, 2 vol. (Specilegium Bonaventurianum 4-5), Grottaferrata, 1971-1981.

Proclus (Proclos), *Elementatio theologica*, éd. E. Vansteenkiste, *Procli Elementatio theologica translata a Guilelmo de Moerbeke (textus ineditus), in : Tijdschrift voor Filosofie*, 13 (1951), pp. 263-302 ; 491-531.

—, *Proclus, Éléments de théologie*, traduction, introduction et notes par J. Trouillard (Bibliothèque philosophique), Paris, 1965.

—, *Proclus, Trois études sur la Providence* : I, *Dix problèmes concernant la Providence*, trad. D. Isaac (Collection des Universités de France), Paris, 1977 ; II, *Providence, fatalité, liberté*, trad. D. Isaac (Collection des Universités de France), Paris, 1979 ; III, *De l'existence du mal*, trad. D. Isaac (Collection des Universités de France), Paris, 1982.

Thierry de Freiberg (Theodoricus de Vribergh), *De animatione caeli*, éd. L. Sturlese, *in : Dietrich von Freiberg, Opera omnia*, Tom. III : *Schriften zur Naturphilosophie und Metaphysik*, mit einer Einl. von K. Flasch hrsg. von J.-D. Cavigioli, R. Imbach, B. Mojsisch, M.R. Pagnoni-Sturlese, R. Rehn, L. Sturlese, Hambourg, 1983, pp. 1-46.

—, *De cognitione entium separatorum et maxime animarum separatarum*, éd. H. Steffan, *in : Dietrich von Freiberg, Opera omnia*, Tom. II : *Schriften zur Metaphysik und Theologie*, mit einer Einl. von K. Flasch hrsg. von R. Imbach, M.R. Pagnoni-Sturlese, H. Steffan, L. Sturlese, Hambourg, 1980, pp. 151-260.

—, *De coloribus*, éd. W.A. Wallace, *The Scientific Methodology of*

*Theodoric of Freiberg* (Studia Friburgensia N.F. 26), Fribourg (Suisse), 1959, pp. 364-376.

—, *De ente et essentia*, éd. R. Imbach, *in :* Dietrich von Freiberg, *Opera omnia*, Tom. II : *Schriften zur Metaphysik und Theologie*, mit einer Einl. von K. Flasch hrsg. von R. Imbach, M.R. Pagnoni-Sturlese, H. Steffan, L. Sturlese, Hambourg, 1980, pp. 17-42.

—, *De intellectu et intelligibili*, éd. B. Mojsisch, *in :* Dietrich von Freiberg, *Opera omnia*, Tom. I : *Schriften zur Intellekttheorie*, mit einer Einl. von K. Flasch hrsg. von B. Mojsisch, Hambourg, 1977, pp. 125-210.

—, *De luce et eius origine*, éd. W.A. Wallace, *The Scientific Methodology of Theodoric of Freiberg* (Studia Friburgensia N.F. 26), Fribourg (Suisse), 1959, pp. 349-364.

—, *De natura contrariorum*, éd. R. Imbach, *in :* Dietrich von Freiberg, *Opera omnia*, Tom. II : *Schriften zur Metaphysik und Theologie*, mit einer Einl. von K. Flasch hrsg. von R. Imbach, M.R. Pagnoni-Sturlese, H. Steffan, L. Sturlese, Hambourg, 1980, pp. 69-135.

—, *De origine rerum praedicamentalium*, éd. L. Sturlese, *in :* Dietrich von Freiberg, *Opera omnia*, Tom. III : *Schriften zur Naturphilosophie und Metaphysik* mit einer Einl. von K. Flasch hrsg. von J.-D. Cavigioli, R. Imbach, B. Mojsisch, M.R. Pagnoni-Sturlese, R. Rehn, L. Sturlese, Hambourg, 1983, pp. 119-201.

—, *De subiecto theologiae*, éd. L. Sturlese, *in :* Dietrich von Freiberg, *Opera omnia*, Tom. III : *Schriften zur Naturphilosophie und Metaphysik*, mit einer Einl. von K. Flasch hrsg. von J.-D. Cavigioli, R. Imbach, B. Mojsisch, M.R. Pagnoni-Sturlese, R. Rehn, L. Sturlese, Hambourg, 1983, pp. 275-282.

—, *De substantiis spiritualibus et corporibus futurae resurrectionis*, éd. M.R. Pagnoni-Sturlese, *in :* Dietrich von Freiberg, *Opera omnia*, Tom. II : *Schriften zur Metaphysik und Theologie*, mit einer Einl. von K. Flasch hrsg. von R. Imbach, M.R. Pagnoni-Sturlese, H. Steffan, L. Sturlese, Hambourg, 1980, pp. 290-342.

—, *De visione beatifica*, éd. B. Mojsisch, *in :* Dietrich von Freiberg, *Opera omnia*, Tom. I : *Schriften zur Intellekttheorie*, mit einer Einl. von K. Flasch hrsg. von B. Mojsisch, Hambourg, 1977, pp. 1-124.

—, *Quaestio utrum in Deo sit aliquis vis cognitiva inferior intellectu*, éd. M.R. Pagnoni-Sturlese, *in :* Dietrich von Freiberg, *Opera omnia*, Tom. III : Schriften zur Naturphilosophie und Metaphysik, mit einer Einl. von K. Flasch hrsg. vont J.-D. Cavigioli, R. Imbach, B. Mojsisch, M.R. Pagnoni-Sturlese, R. Rehn, L. Sturlese, Hambourg, 1983, pp. 283-315.

Ps-WITELO, *Liber de Intelligentiis*, éd. Cl. Baeumker, *Witelo, Ein Philosoph und Naturforscher des XIII. Jahrunderts* (Beiträge zur Geschichte der Philosophie und Theologie des Mittelalters III/2), 1908, pp. 1-126.

*Littérature secondaire*

Il n'existe pas de bibliographie exhaustive sur l'École dominicaine allemande d'Albert le Grand à Maître Eckhart. La plus complète (arrêtée à 1978) est offerte par R. IMBACH, « Le (Néo-)Platonisme médiéval... », pp. 439-448.

Il existe, en revanche, plusieurs bibliographies détaillées pour certains auteurs. Citons pour Thierry de Freiberg : B. MOJSISCH, *Die Theorie des Intellekts...*, pp. 95-96 ; *Dietrich von Freiberg. Abhandlung über den Intellekt...*, pp. 118-120 ; pour Maître Eckhart : F. O'MEARA, *in : Maître Eckhart. Sermons*, III, Présentation et traduction par J. Ancelet-Hustache, Paris, 1979, pp. 187-214 (arrêtée à 1979) ; B. MOJSISCH, *Meister Eckhart...*, pp. 166-173 (arrêtée à 1983). La bibliographie de J. LESCOE, *God as First Principle...*, pp. 246-260 donne une première approximation de la littérature sur Ulrich de Strasbourg.

D'une manière générale, le lecteur consultera avec profit les différentes bibliographies qui accompagnent chacun des volumes du *CPTMA*.

Les titres que nous indiquons ci-dessous sont ceux qui nous paraissent les plus topiques dans la littérature récente que nous avons utilisée.

ALBERT K., *Meister Eckharts These vom Sein. Untersuchungen zur Metaphysik des Opus Tripartitum*, Kastellaun, 1976.

ANCELET-HUSTACHE J., *Maître Eckhart et la mystique rhénane*, Paris, 1956.

BEIERWALTES W., *Proklos. Grundzüge seiner Metaphysik*, Francfort/Main, 1965.

—, *Platonismus und Idealismus* (Philosophische Abhandlungen 40), Francfort/Main, 1972.

BREUNING W., *Erhebung und Fall des Menschen nach Ulrich von Strassburg* (Trierer theologische Studien 10), Trèves, 1959.

BRUNNER F., « L'analogie chez Maître Eckhart », *Freiburger Zeitschrift für Philosophie und Theologie* 16 (1969), pp. 333-349.

—, *Maître Eckhart* (Philosophes de tous les temps 59), Paris, 1969.

COLLINGWOOD F., « *Summa de Bono* of Ulrich of Strasbourg. Liber II : Tractatus 2, Cap. I, II, III ; Tractatus 3, Cap. I, II », *in : Nine Mediaeval Thinkers*, ed. R. O'Donnell (Pontifical Institute of

Mediaeval Studies. Studies and Texts I), Toronto, 1955, pp. 293-307.

DAGUILLON J., *Ulrich de Strasbourg, O.P. La Summa de Bono, Livre I. Introduction et édition critique*, (Bibliothèque thomiste XII), Paris, 1930.

De VAUX R., O.P., *Notes et textes sur l'Avicennisme latin* (Bibliothèque thomiste XX), Paris, 1934.

DÉCHANET J., «*Amor ipse intellectus est.* La doctrine de l'amour intellection chez Guillaume de Saint-Thierry», *Revue du Moyen Âge latin* 1 (1945), pp. 349-374.

DONDAINE H.-F., O.P., «L'objet et le medium de la vision béatifique chez les théologiens du XIIIᵉ siècle», *Revue de Théologie ancienne et médiévale* 19 (1952), pp. 60-130.

—, *Le Corpus dionysien de l'université de Paris au XIIIᵉ siècle*, Rome, 1953.

ECKERT W., *Berthold von Moosburg O.P. und sein Kommentar zur Elementatio theologica des Proklos*, Diss., Münich, 1956.

—, «Berthold von Moosburg. Ein Vertreter der Einheitsmetaphysik im Spätmittelalter», *Philosophisches Jahrbuch* 65 (1957), pp. 120-133.

ENDRES J.-A., *Honorius Augustodunensis. Beitrag zur Geschichte des geistigen Lebens im 12. Jahrhundert*, Münich, 1906.

FAËS de MOTTONI B., «Il Commento di Bertoldo di Moosburg all' *Elementatio theologica* di Proclo. Edizione delle proposizione riguardante il tempo e l'eternita», *Studi medievali* 12 (1971), pp. 417-461.

—, «Il problema della luce nel Commento di Bertoldo di Moosburg all' *Elementatio theologica* di Proclo», *Studi medievali* 16 (1975), pp. 325-352.

—, «Il problema del male nella *Summa de Bono* di Ulrico di Strasburgo», *Medioevo* 1 (1975), pp. 29-61.

—, «La distinzione tra causa agente e causa motrice nella *Summa de Summo Bono*, di Ulrico di Strasburgo», *Studi medievali* 20 (1979), pp. 313-355.

FILTHAUT E., O.P., «*Johannes Tauler und die deutsche Dominikaner-scholastik des XIII/XIV. Jahrhunderts*», in : *Johannes Tauler. Ein deutscher Mystiker*, hrsg. von E. Filthaut, Essen, 1961, pp. 94-121.

FLASCH K., «Kennt die mittelalterliche Philosophie die konstitutive Funktion des menschlichen Denkens? Eine Untersuchung zu Dietrich von Freiberg», *Kant Studien* 63 (1972), pp. 182-206.

—, «Die Intention Meister Eckharts», *in : Sprache und Begriff. Festschrift B. Liebrucks*, Meisenheim am Glan, 1974, pp. 292-318.

—, «Einleitung zu *Dietrich von Freiberg. Opera Omnia*, Bd. I», Hambourg, 1977, pp. IX-XXVI [= *CPTMA* II, 1].

—, «Zum Ursprung der neuzeitlichen Philosophie im späten Mittelalter. Neue Texte und Perspektiven», *Philosophisches Jahrbuch* 85 (1978), pp. 1-18.

—, «Einleitung zu *Dietrich von Freiberg. Opera Omnia*, Bd. II», Hambourg, 1980, pp. XIII-XXXI [= *CPTMA* II, 2].

—, «Einleitung zu *Dietrich von Freiberg. Opera Omnia*, Bd. III», Hambourg, 1983, pp. XV-LXXXV [= *CPTMA* II, 3].

GANDILLAC M. de, «Tradition et développement de la mystique rhénane», *Mélanges de sciences religieuses* 3 (1946), pp. 37-60.

GILSON É., «Les sources gréco-arabes de l'augustinisme avicennisant», *Archives d'histoire doctrinale et littéraire du Moyen Age* IV (1929), pp. 5-158.

—, «L'âme raisonnable chez Albert le Grand», *Archives d'histoire doctrinale et littéraire du Moyen Age* XIV (1943), pp. 5-72.

—, *La philosophie au moyen âge. Des origines patristiques à la fin du XIVᵉ siècle*, Paris, ²1962.

GLORIEUX P., «Les Correctoires. Essai de mise au point», *Revue de Théologie ancienne et médiévale* 14 (1947), pp. 287-304.

GRABMANN M., «Des Ulrich Engelberti von Strassburg O.P. († 1277) Abhandlung *De Pulchro*. Untersuchungen und Texte (Sitzungsberichte der Bayerischen Akademie der Wissenschaften, phil.-hist. Klasse), München, 1926, pp. 3-84.

—, «Studien über Ulrich von Strassburg. Bilder wissenschaftlichen Lebens und Strebens aus der Schule Alberts des Grossen», in : *Mittelalterliches Geistesleben*, I, München, 1926, pp. 147-221.

—, «Forschungen zur Geschichte der ältesten deutschen Thomistenschule des Dominikanerordens», in : *Mittelalterliches Geistesleben*, I, München, 1926, pp. 392-431.

—, «Die Lehre des heiligen Albertus Magnus vom Grunde der Vielheit der Dinge und der lateinische Averroismus», in : *Mittelalterliches Geistesleben*, II, München, 1936, pp. 287-312.

—, «Der Einfluss Alberts des Grossen auf das mittelalterliches Geistesleben. Das deutsche Element in den mittelalterlichen Scholastik und Mystik», in : *Mittelalterliches Geistesleben*, II, München, 1936, pp. 325-412.

—, «Die Proklosübersetzungen des Wilhelm von Moerbeke und ihre Verwertung in der lateinischen Literatur des Mittelalters», in : *Mittelalterliches Geistesleben*, II, München, 1936, pp. 413-424.

HISSETTE R., *Enquête sur les 219 articles condamnés à Paris le 7 mars 1277* (Philosophes médiévaux XXII), Louvain-Paris, 1979.

HOF H., *Scintilla animae. Eine Studie zu einem Grundbegriff in Meister Eckharts Philosophie mit besonderer Berücksichtigung des Verhältnisses der Eckhartschen Philosophie zur neuplatonis-chen und thomistischen Anschauung*, Lund-Bonn, 1952.

IMBACH R., *Deus est intelligere. Das Verhältnis von Sein und Denken in seiner Bedeutung für das Gottesverständnis bei Thomas von Aquin und in der Pariser Quaestionen Meister Eckharts* (Studia Friburgensia N.F. 53), Fribourg (Suisse), 1976.

—, « Le (Néo-)Platonisme médiéval, Proclus latin et l'École domini-caine allemande », *Revue de Théologie et de Philosophie* 110 (1978), pp. 427-448.

—, « *Gravis iactura verae doctrinae*. Prolegomena zu einer Interpre-tation der Schrift *De ente et essentia* Dietrichs von Freiberg *O.P.* », *Freiburger Zeitschrift für Philosophie und Theologie* 26 (1979), pp. 369-425.

KAISER R., « Die Benutzung proklischer Schriften durch Albert den Grossen », *Archiv. für Geschichte der Philosophie* 45 (1963), pp. 1-22.

KLEIN A., *Meister Eckhart. La dottrina mistica della giustificazione* (Biblioteca di Filosofia. Ricerche 4), Milan, 1978.

KOCH J., « Augustinischer und Dionysischer Neuplatonismus und das Mittelalter », *in : Kleine Schriften*, I (Storia e Letteratura. Raccolta di Studi e Testi 127), Rome, 1973, pp. 3-25.

—, « Kritische Studien zum Leben Meister Eckharts », *in : Kleine Schriften*, I (Storia e Letteratura. Raccolta di Studi e Testi 127), Rome, 1973, pp. 247-347.

KREBS E., *Meister Dietrich. Sein Leben, seine Werke, seine Wissenschaft* (Beiträge zur Geschichte der Philosophie und Theologie des Mittelalters V/5-6), Münster/Westf., 1906.

LABOURDETTE M.-M., « Les mystiques rhéno-flamands », *La vie spirituelle* 652 (1982), pp. 644-651.

LESCOE F., *God as First Principle in Ulrich of Strasbourg. Critical Text of "Summa de Bono", IV, 1, based on hitherto unpublished Manuscripts and philosophical Study*, New York, 1980.

LIBERA A. de, *Le Problème de l'être chez Maître Eckhart. Logique et métaphysique de l'analogie* (Cahiers de la Revue de Théologie et de Philosophie 4), Genève-Lausanne-Neuchâtel, 1980.

—, « Logique et existence selon saint Albert le Grand », *Archives de Philosophie* 43 (1980), pp. 529-558.

—, « A propos de quelques théories logiques de Maître Eckhart : Existe-t-il une tradition médiévale de la logique néo-platonicienne ? », *Revue de Théologie et de Philosophie* 113 (1981), pp. 1-24.

—, « Théorie des universaux et réalisme logique chez Albert le Grand », *Revue des sciences philosophiques et théologiques* 65 (1981), pp. 55-74.

—, « L'instant du changement selon saint Thomas d'Aquin », *in :*

*Métaphysique, Histoire de la Philosophie, Recueil d'études offert à Fernand Brunner*, Neuchâtel, 1981, pp. 99-109.

—, «Les "Raisons d'Eckhart"», *in : Maître Eckhart à Paris. Une critique médiévale de l'ontothéologie. Les Questions Parisiennes n° 1 et n° 2 d'Eckhart*. Études, textes et traduction par E. Zum Brunn, Z. Kaluza, A. de Libera, P. Vignaux et É. Wéber (Bibliothèque de l'École des Hautes Études. Section des sciences religieuses LXXXV), Paris, 1984, pp. 109-140 [*ibid.* «La Question de Gonzalve d'Espagne contenant les "Raisons d'Eckhart"*. Traduction et notes par A. de Libera, pp. 200-223].

—, «La problématique des *intentiones primae* et *secundae* chez Dietrich de Freiberg», *in : Von Meister Dietrich zu Meister Eckhart, hrsg. von K. Flasch* (Beihefte zum *CPTMA*, Beiheft 2), Hambourg, 1984, pp. 68-94.

—, «L'Être et le Bien. Exode 3, 14 dans la théologie rhénane», *in : Celui qui est. Exégèses d'Exode 3, 14* (Patrimoines. Christianisme), Paris, à paraître.

LÖHR G.-M., *Die Kölner Dominikanerschule vom 14. bis zum 16. Jahrhundert*, Fribourg (Suisse), 1946.

LOSSKY V., *Théologie négative et connaissance de Dieu chez Maître Eckhart* (Études de philosophie médiévale XLVIII), Paris, [2]1980.

MAURER A., «The *De Quidditatibus Entium* of Dietrich of Freiberg and its Criticism of Thomistic Metaphysics», *Mediaeval studies* 18 (1956), pp. 173-203.

MOJSISCH B., *Die Theorie des Intellekts bei Dietrich von Freiberg* (Beihefte zum *CPTMA*, Beiheft 1), Hambourg, 1977.

—, «La psychologie philosophique d'Albert le Grand et la théorie de l'intellect de Dietrich de Freiberg. Essai de comparaison, *Archives de Philosophie* 43 (1980), pp. 675-693.

—, *Dietrich von Freiberg. Abhandlung über den Intellekt und den Erkenntnisinhalt. Ubersetzt und mit einer Einleitung herausgegeben von B. Mojsisch* (Philosophische Bibliothek 332), Hambourg, 1980.

—, *Meister Eckhart. Analogie, Univozität und Einheit*, Hambourg, 1983.

—, «Sein als Bewusst-Sein. Die Beideutung des ens conceptionale bei Dietrich von Freiberg, *in : Von Meister Dietrich zu Meister Eckhart, hrsg. von K. Flasch* (Beihefte zum *CPTMA*, Beiheft 2), Hambourg, 1984, pp. 95-105.

—, «Der Begriff "causa essentialis" bei Dietrich von Freiberg und Meister Eckhart», *in : Von Meister Dietrich zu Meister Eckhart, hrsg. von K. Flasch* (Beihefte zum *CPTMA*, Beiheft 2), Hambourg, 1984, pp. 106-114.

—, «Die Theorie des Ich in seiner Selbst — und Weltbegründung bei

Meister Eckhart», *in : L'Homme et son univers. Actes du colloque de la S.I.E.Ph.M.*, Louvain, 1982, à paraître.

MORARD M.-ST., «Ist, istic, istikeit bei Meister Eckhart», *Freiburger Zeitschrift für Philosophie und Theologie* 3 (1956), pp. 169-186.

PAGNONI-STURLESE M.-R., «La *Quaestio utrum in Deo sit aliquis vis cognitiva inferior intellectu* di Teodorico di Freiberg», *in : Xenia Medii Aevi historiam illustrantia oblata Thomae Kaeppeli O.P.*, Rome, 1978, pp. 100-139.

—, «A propos du néoplatonisme d'Albert le Grand. Aventures et mésaventures de quelques textes d'Albert dans le Commentaire sur Proclus de Berthold de Moosburg», *Archives de Philosophie* 43 (1980), pp. 635-654.

—, «Filosofia della natura e filosofia dell' intelletto in Teodorico di Freiberg e Bertoldo di Moosburg», *in : Von Meister Dietrich zu Meister Eckhart, hrsg. von K. Flasch* (Beihefte zum *CPTMA*, Beiheft, 2), Hambourg, 1984, pp. 115-127.

PASCHETTO E., «L'*Elementatio theologica* di Proclo e il Commento di Bertoldo di Moosburgo. Alcuni aspetti della nozione di causa», *Filosofia* 27 (1976), pp. 353-378.

PEGIS A.-C., *Saint Thomas and the Problem of the Soul in the thirteenth Century*, Toronto, 1934.

PFLEGER L., «Der Dominikaner Hugo von Strassburg u. das *Compendium theologicae veritatis*», *Zeitschrift für katholische Theologie* 28 (1904), pp. 429-440.

RUELLO F., *Les "Noms Divins" et leurs Raisons selon saint Albert le Grand commentateur du De Divinis Nominibus* (Bibliothèque thomiste XXXV), Paris, 1963.

—, «La mystique de l'Exode (Exode 3, 14 selon Thomas Gallus, commentateur dionysien, † 1246)», *in : Dieu et l'Être. Exégèses d'Exode 3, 14 et de Coran 20, 11-14* (Études Augustiniennes), Paris, 1978, pp. 213-243.

—, «Le Commentaire du *De Divinis Nominibus* par Albert le Grand. Problèmes de méthode», *Archives de Philosophie* 43 (1980), pp. 589-613.

SCHMITT K., *Die Gotteslehre des «Compendium theologicae veritatis»*, Diss., Münster/Westf., 1940.

SPAMER A., *Texte aus der deutschen Mystik des 14. und 15. Jahrhunderts*, Iéna, 1912.

STEFFAN H., *Dietrich von Freibergs Traktat De cognitione entium separatorum. Studie und Text*, Diss., Bochum, 1977.

STURLESE L., «Gottebenbildlichkeit und Beseelung des Himmels in den Quodlibeta Heinrichs von Lübeck O.P.», *Freiburger Zeitschrift für Philosophie und Theologie* 24 (1977), pp. 191-233.

—, «Alle origini della mistica speculativa tedesca. Antichi testi su Teodorico di Freiberg», *Medioevo* 3 (1977), pp. 21-87.

—, « Il _De animatione caeli_ di Teodorico di Freiberg », _in : Xenia Medii Aevi historiam illustrantia oblata Thomae Kaeppeli O.P._, Rome, 1978, pp. 175-247.

—, « Dietrich von Freiberg », _in : Deutsche Literatur des Mittelalters : Verfasserlexikon_, Bd. 2, Berlin, 1979, pp. 127-137.

—, « Saints et magiciens : Albert le Grand en face d'Hermès Trismégiste », _Archives de Philosophie_ 43 (1980), pp. 615-634.

—, « Albert der Grosse und die deutsche philosophische Kultur des Mittelalters », _Freiburger Zeitschrift für Philosophie und Theologie_ 28 (1981), pp. 133-147.

—, « Eckhart, Teodorico e Picardi nella _Summa Philosophiae_ di Nicola di Strasburgo », _Giornale critico della filosofia italiana_, Anno LXI (LXIII), Fasc. II (1982), pp. 183-206.

—, « Proclo ed Ermete in Germania. Da Alberto Magno a Bertoldo di Moosburg », _in : Von Meister Dietrich zu Meister Eckhart_ (Beihefte zum _CPTMA_, Beiheft 2), Hambourg, 1984, pp. 22-23.

—, _Dokumente und forschungen zu Leben und Werk Dietrichs von Freiberg_ (Beihefte zum _CPTMA_, Beiheft 3), Hambourg, 1984.

—, « Idea di un _Corpus Philosophorum Teutonicorum Medii Aevi_ », à paraître.

TARDIEU M., « ΨΥΧΑΙΟΣ ΣΠΙΝΘΗΡ, Histoire d'une métaphore dans la tradition platonicienne jusqu'à Eckhart », _Revue des Études Augustiniennes_ 21 (1975), pp. 225-255.

THÉRY G., « Originalité du plan de la _Summa de Bono_ d'Ulrich de Strasbourg », _Revue thomiste_ 27 (1922), pp. 376-397.

TROUILLARD J., _L'Un et l'âme selon Proclos_, Paris, 1972.

WALLACE W.-A., _The Scientific Methodology of Theodoric of Freiberg. A Case Study of the Relationship between Science and Philosophy_ (Studia Friburgensia N.F. 26), Fribourg (Suisse), 1959.

—, « Gravitational Motion according to Thierry of Freiberg », _The Thomist_ 24 (1961), pp. 327-372.

WEBER E., _O.P._, « Les apports positifs de la noétique d'Ibn Rushd à celle de Thomas d'Aquin », _in : Multiple Averroès_, Paris, 1978, pp. 211-248.

—, « La relation de la philosophie et de la théologie selon Albert le Grand », _Archives de Philosophie_ 43 (1980), pp. 559-588.

—, « L'interprétation par Albert le Grand de la Théologie mystique de Denys le Ps-Aréopagite », _in : Albertus Magnus Doctor Universalis 1280/1980_, hrsg. von G. Meyer, _O.P._ und A. Zimmermann, Mayence, 1980, pp. 409-439.

—, « La lumière principe de l'univers d'après Robert Grosseteste », _in : Lumière et Cosmos_, Paris, 1981, pp. 17-30.

—, « Langage et méthode négatifs chez Albert le Grand », _Revue des sciences philosophiques et théologiques_ 65 (1981), pp. 730-749.

—, «Mystique parce que théologien : Maître Eckhart», *La vie spirituelle* 652 (1982), pp. 730-749.

—, «*Commensuratio* de l'agir par l'objet d'activité et le sujet agent chez Albert le Grand, Thomas d'Aquin et Maître Eckhart», *in : Mensura, Mass, Zahl, Zahlensymbolik im Mittelalter* (Miscellanea mediavalia 16/1), Berlin-New York, 1983, pp. 43-64.

—, «Eckhart et l'ontothéologisme : histoire et conditions d'une rupture», *in : Maître Eckhart à Paris. Une critique médiévale de l'ontothéologie. Les Questions Parisiennes n° 1 et n° 2 d'Eckhart.* Études, textes et traductions par E. Zum Brunn, A. de Libera, P. Vignaux et É. Wéber (Bibliothèque de l'École des Hautes Études. Section des sciences religieuses LXXXV), Paris, 1984, pp. 13-83.

—, «Eléments néoplatoniciens en théologie mystique au XIIIᵉ siècle», à paraître.

WURSCHMIDT J., «Dietrich von Freiberg. Uber den Regenbogen und die durch Strahlen erzeugten Eindrücke» (Beiträge zur Geschichte der Pilosophie und Theologie des Mittelalters XII/5-6), Münster/Westf., 1914, pp. 33-204.

Zum BRUNN É., *Le Dilemme de l'Être et du Néant chez saint Augustin. Des premiers Dialogues aux Confessions* (Études Augustiniennes), Paris, 1969.

—, «Maître Eckhart et le Nom inconnu de l'âme», *Archives de philosophie* 43 (1980), pp. 655-666.

—, «Une source méconnue de l'ontologie eckhartienne», *in : Métaphysique, Histoire de la Philosophie. Recueil d'études offert à Fernand Brunner*, Neuchâtel, 1981, pp. 111-117.

—, «Dieu n'est pas être», *in : Maître Eckhart à Paris. Une critique médiévale de l'ontothéologie. Les Questions Parisiennes n° 1 et n° 2 d'Eckhart.* Études, textes et traductions par E. Zum Brunn, Z. Kaluza, A. de Libera, P. Vignaux et E. Wéber (Bibliothèque de l'École des Hautes Études. Section des sciences religieuses LXXXV), Paris, 1984, pp. 84-108.

—, De LIBERA A., *Maître Eckhart. Métaphysique du Verbe et théologie négative* (Bibliothèque des Archives de philosophie), Paris, 1984.

# NOTICES INDIVIDUELLES

**Alain de** LILLE **(Alanus ab Insulis)**

Principale figure du «platonisme» du XIIᵉ siècle. Mort en 1203. Théologien et polémiste. Connu sous le nom de «Docteur universel».

Textes : *Œuvres* dans la *Patrologie latine*, tome 210. Ses *Regulae Caelestis iuris*, éditées par N.M. Häring (AHDLMA, tome XLVIII, année 1981, Paris, 1982, pp. 97-226), constituent une des premières «axiomatisations» du savoir théologique. Leur influence sur les théologiens rhénans — particulièrement Ulrich de Strasbourg et Maître Eckhart — est plus que méthodologique.

Étude : M.-Th. d'Alverny, *Alain de Lille. Textes inédits.* (Études de philosophie médiévale 52), Paris, 1965.

**Albert le** GRAND **(Albertus Magnus, Albert de Cologne)**

Né vers 1200, mort en 1280. Entre chez les Prêcheurs en 1223. Lecteur en allemagne de 1220 à 1230 environ, il est envoyé à Paris vers 1240. Il y devient «maître en sacrée théologie» en 1245. Il retourne à Cologne en 1248 et y enseigne au *Studium* des Dominicains. Thomas d'Aquin et Ulrich de Strasbourg comptent parmi ses élèves.

Textes : *Œuvres* «complètes» dans Borgnet (1890-1899), 38 volumes. Édition critique en cours (1951 —) par B. Geyer *et al.*, Münster (édition dite «de Cologne»).

Études : le septième centenaire d'Albert a vu la parution de nombreuses monographies ou recueils. Signalons : *Archives de Philosophie* 43 (1980) ; J.A. Weisheipl, éd., *Albertus Magnus and the Sciences*, Toronto (Pontifical Institute of Mediaeval Studies), 1980 ; G. Meyer OP et A. Zimmermann, éds., *Albertus magnus Doctor Universalis*, Mayence, 1980.

**Alexandre de** HALÈS

Né vers 1185, mort en 1245. Études et enseignement à Paris. Franciscain. La *Summa theologica* d'Alexandre a sans doute eu plusieurs rédacteurs. C'est, en tout cas, la première grande synthèse médiévale et l'un des premiers ouvrages fondés sur une connaissance complète d'Aristote et de ses commentateurs arabes. Il semble que la *Summa d'Ulrich de Strasbourg lui soit assez largement redevable.*

Textes : *Summa theologica*, édition par le Collegium S. Bonaventurae, Quaracchi, 1924-1948 ; *Glossa in quatuor libros Sententiarum*, même éditeur, Quaracchi, 1951-1957.

Études : les *Prolegomena* insérés par V. Doucet dans les volumes de la *Summa theologica* restent le meilleur instrument de travail pour qui veut aborder les sources et les grands thèmes de la pensée du maître Franciscain. Signalons en complément : E. Gössmann, *Metaphysik und Heilsgeschichte. Eine theologische Untersuchung der Summa Halensis*, München, 1964.

AVICENNE (Abû 'Ali Husayn ibn Abdallâh Ibn Sinâ)

Médecin, philosophe, et mystique d'origine iranienne, né en 980, mort en 1037, élève de Fârâbi, c'est le grand représentant de l'aristotélisme « néoplatonisant ». Son œuvre philosophique a été l'un des principaux ferments de la pensée d'Albert le Grand. Sa conception de l'« émanatisme nécessaire », ses vues sur le rôle « médiateur » du Premier causé dans le processus de la création, sa théorie de l'intellect agent séparé ont joué un rôle fondamental dans le développement de la pensée médiévale occidentale.

Textes : l'œuvre d'Avicenne est assez largement accessible en latin. Outre l'édition de Venise (1508), réimpr. Francfort/Main (1962), le lecteur consultera l'édition critique du *Liber de philosophia prima sive scientia divina* (= *Metaphysica*) par S. Van Riet, Louvain-Leyde, 1977-1980 (deux volumes). Parmi les traductions françaises signalons : *Ibn Sīnā (Avicenne), Livre des directives et des remarques*, trad. A.-M. Goichon, Paris, 1951.

Études : A.-M. Goichon, *La distinction de l'essence et de l'existence d'après Ibn Sīnā (Avicenne)*, Paris, 1937, *Cf.* également Gilson, 1929. (réimpr. Paris, 1981).

AVERROÈS (Abû al-Walid Muhammad ibn Ahmâd ibn Muhammad ibn Rushd)

Né en 1126 (Cordoue), mort en 1198 (Marrakech). Grand interprète d'Aristote (les latins l'appellent « le Commentateur »), Averroès a, notamment sur le plan « noétique », littéralement bouleversé les données traditionnelles de la théologie chrétienne médiévale. Sa théorie de l'« unité de l'Intellect » (l'Intellect agent — ou Intelligence agente — substance intelligible séparée, identique pour tous les hommes), celle de l'« intellect passif » (distinct de l'« intellect possible » d'Avicenne, celle, enfin, de l'« intellect matériel» (combinaison résultant du «contact» noétique des deux précédents) ont ouvert une crise chez les latins, dont les «condamnations parisiennes de 1277» ont été l'aboutissement. Le rôle d'Averroès dans la théologie rhénane reste à évaluer : on sait que la notion du «contact» noétique a permis à Albert de proposer une nouvelle théologie de la vision bienheureuse (Wéber), mais n'y a-t-il pas chez Thierry de Freiberg l'amorce d'une interprétation «non cosmologique» de la transcendance de l'intellectualité (Mojsisch)? Si oui, c'est l'idée même de l'«averroïsme latin» qui devrait être remise en perspective.

Textes : l'œuvre d'Averroès est aisément accessible en latin (voir ici-même la bibliographie générale).

Études : la meilleure introduction d'ensemble à la pensée du philosophe cordouan est le recueil collectif *Multiple Averroès*, Paris, 1978. Pour les rapports des rhénans à Averroès, consulter Sturlese, 1978 et Mojsisch, 1977. Voir également B. Mojsisch, «Dynamik der Vernunft bei Dietrich von Freiberg und Meister Eckhart», à paraître dans les *Actes du Colloque d'Engelberg* (septembre 1984).

Boèce (Anicius Manlius Severinus Boetius)

Né à Rome en 480, mort en 525. Héritier de la culture grecque (notamment de Plotin), Boèce a également été le premier interprète latin «néoplatonisant» d'Aristote (dont il a traduit ou adapté une partie de l'œuvre logique, la *logica vetus*). Son influence sur la pensée médiévale s'est principalement exercée à travers ses «Opuscules théologiques» *(De hebdomadibus, De Trinitate)*, véritables textes fondateurs d'une métaphysique et d'une logique de la «participation», et sa *Consolation de Philosophie*, dont l'exemplarisme «platonicien» a constamment soutenu les théologies de la «création dans le Verbe».

Textes : l'œuvre de Boèce est accessible dans la *Patrologie latine*, tome 64. Les œuvres théologiques existent en traduction anglaise : *Bœthius, The Theological Tractates*, trad. H.F. Stewart-E.K. Rand, Harvard-Londres, [8]1973 (avec le texte latin).

Études : H. Chadwik, *Bœthius : the Consolations of Music, Logic, Theology and Philosophy*, Oxford, 1981 ; M. Gilson, éd. *Bœthius : His Life, Thought and Influence*, Oxford, 1981. Sur les *Opuscula sacra*, cf. V. Schurr, *Die Trinitätslehre des Bœthius im Lichte der Skythischen Kontroversen»*, Paderborn, 1935. Sur la *Consolation de Philosophie*, cf. P. Courcelle, *La consolation de philosophie dans la tradition littéraire* (Études Augustiniennes), Paris, 1967.

BONAVENTURE (Jean de Fidanza)

Né vers 1217, mort en 1274. Études à Paris à partir de 1234/1235. Maître ès-arts vers 1243. Franciscain. Maître en théologie vers 1255. Ministre général des Franciscains en 1257. La lutte de Bonaventure contre l'«aristotélisme radical» ou «averroïsme latin» est bien connue, ses prises de position contre la noétique «philosophique» également. Sa théologie de l'union bienheureuse, qui place l'amour au-dessus de l'intellect, le situe, en quelque sorte, à l'opposé même du projet «rhénan». Le tableau d'ensemble doit, cependant, être nuancé : on voit mieux aujourd'hui, par exemple, que sa théorie de l'*expressio* constitue une certaine «réception» du thème dionysien des théophanies, médiatisé par Scot Eriugène. L'étude systématique de ses *Quaestiones disputatae de scientia Christi* (dont paraît ici-même la première traduction française) amènera certainement une révision de l'interprétation exclusivement «affective» ou «caritative» de sa théologie.

Textes : l'œuvre de Bonaventure est éditée par le Collegium S. Bonaventurae, *Opera omnia*, Quaracchi, 1882-1902. Parmi les traductions françaises, on retiendra essentiellement : *Itinéraire de l'esprit vers Dieu*, trad. par H. Duméry, Paris, [1]1960.

Études : E. Gilson, *La philosophie de saint Bonaventure* (Études de philosophie médiévale 4), Paris, [1]1924 ; E. Weber, *Dialogues et dissensions entre saint Bonaventure et saint Thomas d'Aquin à Paris*, (1252-1253), préf. de Y. Congar (Bibliothèque thomiste 41), Paris, 1974.

GABIROL (Gebirol, Salomon Ibn Gabirol, Avicebron, Avicembron, Avencebrol)

Philosophe juif, né à Malaga vers 1020/1021, mort à Valence vers 1058. Sa *Source de vie*, rédigée primitivement en arabe, nous est essentiellement connue par la traduction latine de Gundissalinus. Le nom de Gabirol est au XIIIe siècle synonyme d'hylémorphisme (composition universelle des substances — Dieu excepté — en matière et forme, y compris les «substances simples», dotées d'une «matière spirituelle»). Anticipant les théories «franciscaines» de la «pluralité des formes», théoricien d'un monde où tous les êtres «s'emboîtent» les uns dans les autres selon leur degré formel, le philosophe de Malaga propose une version de la hiérarchie néoplatonicienne dont l'aspect cosmologique reste, en même temps, profondément «biblique», puisqu'il subordonne toutes choses au Principe d'une «Volonté» suprême (Dieu lui-même ou sa première «Hypostase» ?), décrivant ainsi une sorte d'«univers néoplatonicien qui aurait été *voulu* par Dieu» (Gilson). L'hylémorphisme de

Gabirol a fait l'objet des plus vives critiques dans les milieux dominicains en général (Thomas d'Aquin en fait son adversaire principal quand il formule sa théorie de l'unité de la forme et la «simplicité» absolue des «créatures spirituelles») et dans le milieu rhénan en particulier. Les élèves d'Albert, qui le classent le plus souvent parmi les «péripatéticiens», ne dédaignent cependant pas de lui emprunter tout ce qui peut aller dans le sens de l'hénologie — témoignant ainsi de la difficulté à faire entrer les «complexes» théologiques ou philosophiques du moyen âge dans les clivages stricts de l'historiographie moderne («néoplatonisme» vs. «aristotélisme»).

Textes : le *Fons vitae* est disponible dans l'édition Baeumker (voir bibliographie générale). Outre la traduction Schlanger, 1970, le lecteur consultera avec profit F. Brunner, *Ibn Gabirol (Avicembron), La source de vie. Livre III*, Paris, 1950.

Études : F. Brunner, «Sur le *Fons vitae* d'Avicembron (Ibn Gabirol), livre III», *Studia philosophica* 12 (1952), pp. 171-183 ; «Sur l'hylémorphisme d'Ibn Gabirol», *Les Études philosophiques* 8 (1953), pp. 23-28 ; «Études sur le sens et la structure des systèmes réalistes. Ibn Gabirol. L'Ecole de Chartres», *Cahiers de civilisation médiévale*, 1,3 (1958), pp. 295-317 ; *Platonisme et aristotélisme. La critique d'Ibn Gabirol par saint Thomas* d'Aquin (Chaire Cardinal Mercier 1963), Louvain-Paris, 1965 ; «Sur la philosophie d'Ibn Gabirol. A propos d'un ouvrage récent», *Revue des études juives. Historia judaica*, 128, 4 (1969), pp. 317-337.

GUNDISSALINUS (Dominique Gondisalvi)

Philosophe espagnol du XIIe siècle, Gundissalinus est l'un des premiers traducteurs latins d'Avicenne *(Métaphysique)* et de Gabirol *(Source de vie)*. C'est aussi — peut-être — le seul véritable «disciple» occidental d'Avicenne et — sans doute — l'un des plus grands témoins du «christianisme néoplatonisant», voire — pourquoi pas ? — du «néoplatonisme chrétien» *tout court*. Ses opuscules philosophiques et théologiques, *De processione mundi, De immortalitate animae, De unitate*, sont, en tout cas, les plus beaux exemples d'une cosmologie chrétienne pénétrée du «platonisme» hérité de la philosophie juive et arabe. On notera que le *De anima* généralement attribué au «Tolédan» (thèse rejetée, notamment par De Vaux, 1934, pp. 141-146) soutient la théorie de la «création ministérielle des âmes par les anges» (théorie simplement attribuée aux «philosophes» dans le *De processione mundi*). On reconnaît là une version christianisée de la conception avicennienne du «rôle médiateur» de la Première intelligence dans la création, conception rejetée à la fois par Ulrich, Eckhart et Berthold, à la suite d'Albert : faut-il, de ce point de vue, ranger Gondisalvi parmi les «sectateurs d'Avicenne» stigmatisés par Eckhart? Le fait que la polémique de Berthold soit directement tournée contre Avicenne, sans y inclure son traducteur, semble plutôt plaider la cause de De Vaux.

Textes : *De processione mundi*, dans M. Pelayo, *Historia de los heterodoxos Espanoles*, Madrid, 1880 (tome I, pp. 691-711) et G. Bülow, *Baeumkers Beiträge* 24, 3 (1925) ; *De unitate*, dans P. Correns, *Baeumkers Beiträge* 1, 1 (1891). Pour le *De anima, cf.* De Vaux, 1934, pp. 141-178.

Études : Gilson, 1929 (réimpr. Paris, 1981), De Vaux, 1931. *Cf.* également M.-Th. d'Alverny, «Les pérégrinations de l'âme dans l'autre monde d'après un anonyme de la fin du XIIIᵉ siècle», AHDLMA, tome XIII, Paris, 1940-1942, pp. 239-299. *Cf.* enfin L. Baur, *Dominicus Gundissalinus, De divisione philosophiae, Baeumkers Beiträge*, 4, 2-3 (1903).

## Gunsalvus Hispanus (Gonzalve d'Espagne)

Maître en théologie vers 1301, maître régent à l'université de Paris en 1302-1303, ministre général des Franciscains en 1304 (chapitre général d'Assise), mort à Paris le 13 avril 1313. Longtemps confondu avec Gonzalve de Balboa ou Vallebona (lecteur régent à la Curie romaine en … 1423, procurateur général de l'ordre en 1424), Gonzalve d'Espagne est le type accompli du théologien traditionaliste, résolument fermé aux apports philosophiques de la noétique du péripatétisme «gréco-arabe». Principal adversaire d'Eckhart à Paris (1302-1303), il a soutenu contre lui le primat de la volonté sur l'intellect et de l'amour sur la connaissance, allant même jusqu'à réduire l'*intellectus* à la *ratio inferior* («raison inférieure») d'Augustin, ici redéfinie comme simple «capacité du langage» *(potentia locutiva)*. Sa théologie de l'union bienheureuse constitue ainsi l'expression extrême du «volontarisme», théorie unanimement rejetée par l'école de Cologne.

Textes : l'œuvre de Gonzalve a été éditée par L. Amoros *(Bibliotheca Franciscana Scholastica Medii Aevi* 9, Firenze-Quaracchi, 1935).

Études : B. Martel, *La psychologie de Gonzalve d'Espagne* (Publications de l'Institut d'Études médiévales de Montréal 31), Paris, 1968. Sur la controverse avec Eckhart, *cf.* A. de Libera, «Les *Raisons d'Eckhart*» (réf. dans la bibliographie générale).

## Honorius Augustodunensis (Honoré d'Autun, pseudo-Honoré d'Autun)

«Le grand inconnu du XIIᵉ siècle» (Massa), désigné sous le pseudonyme d'«Honorius Augustodunensis» n'était certainement pas natif d'Autun. Beaucoup d'historiens voient en lui un moine irlandais qui aurait fini ses jours au monastère de Saint-Jacques de Regensburg. C'est, en tout cas, de cette région que provient la plus grande partie de la tradition manuscrite de son œuvre. On a beaucoup attribué à Honoré. Le texte le plus célèbre est une encyclopédie, le *De`imagine mundi* (pratiqué notamment par Eckhart dans son *Commentaire de la Genèse*). C'est, cependant, par sa *Clavis physicae* qu'il a exercé le plus d'influence en Allemagne. Simple compilation du *De divisione naturae* d'Erigène, la *Clavis* est l'une des sources principales de Berthold de Moosburg. Nicolas de Cues en sera, lui aussi, un lecteur attentif (dans le manuscrit annoté par Berthold lui-même).

Textes : *Patrologie latine*, tome 172 ; *Elucidarium*, dans : Y. Lefèvre, *L'Elucidarium et les lucidaires*, Paris, 1954 ; *Clavis physicae*, dans P. Lucentini, Rome, 1974.

Études : M.-O. Garrigues, « Qui était Honorius Augustodunensis ? », *Angelicum* 50 (1973) ; J. Endres, *Honorius Augustodunensis : Beitrag zur Geschichte des geistigen Lebens in 12. Jahrhundert*, Kempten-Münich, 1906. Sur la *Clavis* : M.-Th. d'Alverny, « Le cosmos symbolique du XIIᵉ siècle », AHDLMA, tome XX, Paris, 1953, pp. 31-81.

## Jean de DAMAS (Jean Damascène)

Docteur de l'Église grecque, né à Damas, mort près de Jérusalem en 749. Son œuvre principale, *La source de la connaissance (Pègè gnôséôs)*, a pour sa troisième partie, traduite en 1151 par Burgundio de Pise, largement circulé en occident sous le titre de *De fide orthodoxa*. C'est l'une des grandes sources de la théologie médiévale. Les rhénans lui empruntent essentiellement sa théorie des noms divins (distinction entre les noms « négatifs » qui nous disent ce que Dieu n'est pas, non ce qu'il est, et les noms « positifs » qui nous disent « ce qui convient » à la nature de Dieu, et non cette nature elle-même) et sa conception de la transcendance divine (Dieu au-delà de la connaissance, parce que — tel le Bien de Platon — au-delà de l'essence). Son interprétation d'Exode 3, 14 est également reçue chez tous les disciples d'Albert : le nom d'« être » signifie l'incompréhensibilité même de Dieu, puisqu'il signifie que Dieu « possède et rassemble en soi la totalité de l'être, comme quelque océan de substance infini et illimité ».

Textes : *Patrologie grecque*, tomes 94-96. Le *De fide orthodoxa* (traduit par Burgundio) est édité par E.M. Buytaert (Franciscan Institute Publications. Text series 8), St. Bonaventure, 1955.

Études : V. Ermoni, *Saint Jean Damascène*, Paris, 1904.

Jean Scot Eriugène (Erigène, Eriugena)

Né en Irlande vers 810, il arrive en France entre 840 et 847. Professeur à l'École du Palais de Charles le Chauve, auteur d'un *De praedestinatione* (851) qui lui vaut d'être condamné par les conciles de Valence et de Langres (855, 859), Jean Scot est, avant tout, le traducteur de Denys le pseudo-Aréopagite, des *Ambigua* de Maxime le Confesseur et du *De hominis opificio* de Grégoire de Nysse. C'est aussi l'auteur inspiré du *De divisione naturae* (ou *Peryphyseon*), du *Commentaire sur la Hiérarchie céleste* et de différents ouvrages récemment édités et traduits par E. Jeauneau. Principal médiateur du «néoplatonisme dionysien» en Occident, Scot Erigène a attaché son nom à une grande réévaluation du thème des théophanies, proposant une théorie de l'«auto-création» de Dieu comme «auto-révélation» qui, prolongée par une théologie négative rigoureuse et complétée par une doctrine de la causalité exemplaire d'une rare profondeur, a incontestablement favorisé, dynamisé et éclairé l'apparition du néoplatonisme colonais. Malgré les diverses condamnations qui ont frappé la notion de théophanie au début du xiiie siècle, il ne fait aucun doute que l'érigénisme a survécu à sa censure universitaire. Le *Corpus dionysien de Paris* (ms. B.N. lat. 17341), connu sous le titre d'*Opus alterum*, savante juxtaposition de textes de Denys et d'Erigène, a, pour l'école d'Albert, joué un rôle dont on commence d'entrevoir l'importance : d'Albert à Berthold, en effet, les références au «Commentator» vont se répétant. Ajoutée à celle de la *Clavis physicae* du pseudo-Honoré d'Autun, l'influence souterraine et persistante du *Corpus* marque à coup sûr le rôle crucial de la théophanie érigénienne dans la tradition rhénane. Aux recherches en cours d'en prendre maintenant la mesure exacte.

Textes : *Patrologie latine*, tome 122. Édition critique du *Periphyseon* interrompue par la mort de son promoteur I.P. Sheldon-Williams (réf. dans la bibliographie générale). *De praedestinatione* et *Commentaire de la Hiérarchie céleste*, dans G. Madec (éd.), *CC(cm)* 50 (1978) et J. Barbet (éd.), *CC(cm)* 31 (1975). Texte et traduction de : *Homélie sur le Prologue de Jean* et de *Commentaire sur Jean*, dans E. Jeauneau, SC 151 (1969) et SC 180 (1972).

Études : M. Cappuyns, *Jean Scot Erigène : sa vie, son œuvre, sa pensée*, Louvain-Paris, 1933. Cf. également le recueil *Jean Scot Erigène et l'histoire de la philosophie* (Colloques internationaux du CNRS 561), Paris, 1977. Cf. enfin T. Gregory, *Giovanni Scoto Eriugena : tre studi*, Florence, 1963 et R. Roques, *Libres sentiers vers l'érigénisme*, Rome, 1975.

PSEUDO-WITELO      *

Le *De intelligentiis* ou *Memoriale rerum difficilium naturalium*, œuvre éclectique où prédominent le néoplatonisme (*Liber de causis*, Augustin) et Avicenne a longtemps été attribué au philosophe polonais du XIII$^e$ siècle Witelo, auteur du célèbre traité d'optique connu sous le titre de *Perspective*. Cette attribution, toutefois, n'est plus soutenue. Le *De intelligentiis* a vraisemblablement été composé à Paris entre 1210 et 1230 par un maître du nom d'«Adam de Belle-Femme» *(Pulchrae-Mulieris)*. C'est l'exposé (ordonné en propositions) d'une «métaphysique de la lumière», forme et perfection de tout ce qui existe, «auto-diffusive» par essence et source de toute vie. Outre Berthold de Moosburg, il semble qu'Ulrich de Strasbourg l'ait, lui aussi, pratiqué.

Texte : *De intelligentiis* dans : Cl. Baeumker, *Witelo, ein Philosoph und Naturforscher des XIII. Jahrhunderts*, Baeumkers Beiträge 3, 2 (1908).

Études : Cl. Baeumker, «Zur Frage nach Abfassungszeit Und Verfasser des irrtümlich Witelo zugeschrieben *Liber de intelligentiis*», *Miscellanea Francesco Ehrle*, Rome, 1924, pp. 87-202.

# LEXIQUE
## des termes scolastiques

ACCIDENT. — Tout ce qui ne fait pas partie de l'essence d'un sujet. Un accident reçoit son être dans le sujet auquel il est inhérent. On distingue les accidents séparables («blanc» pour un homme) et les accidents inséparables («blanc» pour un cygne). Latin : *accidens*.

ACTE. — Ce qui est parfait ou achevé. S'oppose à puissance. Le terme d'«actualité» (latin : *actualitas*) désigne l'état de ce qui est «en acte» (latin : *in actu*). La forme (latin : *forma*) est ce qui confère l'acte d'être (latin : *actus essendi*).

ALTÉRATION. — Mouvement (latin : *motus*) selon la qualité. L'altération est un processus continu qui s'effectue entre contraires (passage du blanc au noir).

ÂME. — Dans la tradition aristotélicienne : forme de l'être vivant, présente tout entière en toute partie du corps. Dans la tradition avicennienne : l'âme n'est pas essentiellement forme d'un corps. L'âme humaine est une «substance spirituelle», noyau résistant d'une personnalité qui persiste après la mort. Latin : *anima*. Synonyme (dans certains contextes) : *mens*.

ÂME PARTICULIÈRE. — Notion proclusienne développée, notamment, par Berthold de Moosburg. L'âme «particulière» est celle qui, indivisible selon la qualité, possède néanmoins des «parties intrinsèques essentielles» : intellective, sensitive et végétative. C'est l'âme humaine. S'oppose à âme universelle (latin : *universalis*), *i.e.* «sans parties». Latin : *anima partialis*.

APOTHATIQUE. — Négatif. La théologie apophatique ou «théologie négative» procède par négations jusqu'à reconnaître l'incognoscibilité de Dieu dans son essentiel anonymat. S'oppose à théologie cataphatique ou «affirmative».

APPROPRIATION. — Attribution à une Personne trinitaire d'un terme commun aux trois. Le concept d'un ou d'unité est dit «approprié» au

Père, celui de vrai ou de vérité est «approprié» au Fils. Latin :
*appropriatio.*

BÉATITUDE. — Bien et bonheur suprêmes. Plus spécialement : état
des justes appelés à l'union ou vision bienheureuse. La source de
toute béatitude est Dieu lui-même en tant que suprêmement bon
*(summe bonus)* et suprêmement heureux *(summe beatus).* Latin :
*beatitudo.*

BOUILLONNEMENT. — Dynamisme interne de la vie intra-trinitaire
(latin : *bullitio*). Par extension : dynamisme externe de la productivité divine (latin : *ebullitio*). Synonymes : exubérance (latin : *exube-
rantia*), sortie *(exseritio)*. L'image du bouillonnement est empruntée
à la qualification dionysienne du Séraphin.

CAUSE. — La tradition aristotélicienne distingue quatre sortes de
causes : la cause formelle (ce qui fait qu'une chose est ce qu'elle est),
la cause matérielle (ce dont une chose est faite), la cause efficiente
(ce ou celui qui «fait» la chose), la cause finale (ce pourquoi une
chose est faite). Latin : *causa formalis, causa materialis, causa
efficiens* (ou *agens*), *causa finalis.*

CAUSE ESSENTIELLE. — Cause qui «précontient» (latin : *praeconti-
net*) et «possède d'avance» (latin : *praehabet*) en elle-même son
effet. C'est la conception «dionysienne» et «proclusienne» de la
causalité. La causalité essentielle caractérise Dieu et les êtres
spirituels. Elle exprime également la productivité de l'Un. Latin :
*causa essentialis.* Certains auteurs (Thierry de Freiberg, Berthold de
Moosburg et avant eux Albert le Grand) rapprochent ici ou là la
cause «essentielle» et la cause «par soi» (latin *per se*) d'Aristote. Ce
rapprochement est, évidemment, purement dialectique.

CAUSE PREMIÈRE. — Dieu, selon le *Livre des Causes.*

CAUSE PRIMORDIALE. — Version érigénienne de la «cause essentielle». La cause primordiale est l'idée, archétype ou exemplaire
éternel, la raison qui contient d'avance dans la pensée divine tout ce
que la chose sera en elle-même, à l'extérieur. Latin : *causa
primordialis.*

COGITATIVE. — Au neutre *(cogitativum)*, pouvoir de connaissance
discursif qui analyse et compose les «intentions» (latin : *intentiones*)
de l'âme. C'est, dans la psychologie de la connaissance, l'instance
psychique à laquelle est dévolue la capacité abstractive. La cogitative
est, en ce sens, subordonnée à l'intellect possible. L'origine de cette
terminologie est la théorie de l'âme d'Avicenne. Au féminin
*(cogitativa)*, terme d'origine «augustinienne» employé par Thierry
de Freiberg pour désigner l'intellect possible par rapport à l'intellect
agent (défini comme «fond secret de l'âme», latin : *abditum mentis*).

Il importe de bien maintenir la distinction conceptuelle, même si par endroits la terminologie est quelque peu flottante.

CONVERTIBILITÉ. — Propriété des transcendantaux résultant de leur non-différence du point de vue de la chose signifiée (latin : *secundum rem*). L'être, l'un, le bien, le vrai sont «convertibles», dans la mesure où *ce qui est* est en même temps, *un, bon* et *vrai*. Ils cessent, en revanche, d'être convertibles, si l'on considère les concepts qu'ils véhiculent (latin : *secundum intentionem*) : *étantité, unité, bonté* et *vérité* n'ont évidemment pas la même signification. Latin : *convertibilitas*.

COPULE. — Le verbe «être» en tant que foncteur reliant un sujet et un attribut. Latin : *copula*.

DESCENTE. — Terme d'origine dionysienne et proclusienne. Désigne la sortie et l'effusion du supérieur dans l'inférieur. Latin : *descensus*.

DISPOSITION. — Latin : *habitus*. Désigne la possession d'une certaine qualité, fruit d'une acquisition consolidée par la pratique. Par extension : état ou aptitude potentiels (s'oppose alors à *actus*). Latin : *dispositio*. Seuil à partir duquel une chose reçoit une forme sous l'action de l'agent qui l'y a préparée par altération. Exemple : la forme du feu s'introduit dans un corps, lorsque celui-ci y a été «disposé» sous l'action de la chaleur. Par extension : ce qui précède l'actualisation par la forme.

ÉMANATION. — La création comme processualité et flux. Plus généralement : toute espèce d'effusion du supérieur dans l'inférieur, telle que la cause et l'effet causé, identiques en essence *(secundum essentiam)*, y diffèrent seulement par l'être *(secundum aliud et aliud esse)*. D'origine avicennienne, le terme d'émanation occupe à peu près le même champ sémantique que ceux d'influence (latin : *influentia*), influx (latin : *influxio*) ou flux (latin : *fluxus*). La causalité essentielle est une causalité d'émanation. Le terme d'émanation semble s'imposer dans les contextes où domine le modèle (méta)physique de l'effusion lumineuse. Latin : *emanatio*.

ÉTANT. — Ce qui est. Latin : *ens*. S'oppose à être. Latin : *esse*. La distinction de l'étant et de l'être est parfois exprimée dans le vocabulaire boècien du *quod est* (ce qui est) et du *quo est* (mot-à-mot : «ce par quoi c'est»).

ÉTANT CONCEPTIONNEL. — Apparemment création terminologique de Thierry de Freiberg. Au sens large : tout étant doté d'une connaissance intellectuelle qui lui permet «de se concevoir lui-même dans cette connaissance, grâce à l'indifférence de l'essence du concevant et du conçu», autrement dit : les êtres séparés ou

« Intelligences » quels qu'ils soient. Au sens restreint (ou propre) : tout étant pour qui concevoir, c'est « se saisir cognitivement de quelque chose d'étranger à son propre concept », autrement dit : l'homme. Il semble que le terme d'*ens conceptionale* ait été forgé par Thierry pour désigner les réalités à la fois intelligentes et intelligibles qui se constituent sur le modèle de la procession-conversive de Proclus. On parle en ce sens de l'« ordre des étants conceptionnels » (latin : *ordo entium conceptionalium).*

ÉTINCELLE DE L'ÂME. — Symbole de l'incréé en l'âme selon Eckhart. Latin : *scintilla animae.* Moyen-haut allemand : *Vûnkelin.* L'étincelle est parfois assimilée au *grûnt* (« fond de l'âme »). En la rigueur des termes, l'étincelle est *quelque chose dans l'âme (aliquid in anima),* non *quelque chose de l'âme (aliquid animae).* Synonyme : syndérèse, étincelle de la syndérèse.

FOND. — Chez Thierry de Freiberg et Berthold de Moosburg, le « fond » (latin : *abditum)* est le « fond secret de l'âme » augustinien identifié à l'intellect agent des philosophes arabes. Chez Eckhart, c'est le *grûnt,* c'est-à-dire ce qu'il y a d'incréé et d'incréable en l'âme.

GÉNÉRATION. — Changement (latin : *mutatio)* selon la substance. La génération est un événement discret qui s'effectue entre contradictoires (exemple : la naissance, passage du non-homme à l'homme). Chez Eckhart le thème physique de la génération instantanée sert à illustrer la naissance du Fils dans l'âme.

GRÂCE. — Don accordé par Dieu. La tradition distingue la grâce au sens spécial ou grâce *gratis data* et la grâce au sens propre ou grâce *gratum faciens* : la première est une « aide que Dieu nous donne pour préparer à recevoir le don de l'Esprit-Saint », la seconde est une « aide que Dieu nous donne pour mériter ». Chez Eckhart, la grâce *gratis data* désigne la création, la grâce *gratum faciens* la justification. Latin : *gratia.*

HYPOSTATIQUE. — Personnel. L'union hypostatique désigne l'union des natures divine et humaine dans la Personne de Jésus Christ. Latin : *suppositale.* Dans le dogme trinitaire l'hypostase (latin : *hypostasis)* est la Personne divine : il y a en Dieu trois « hypostases ».

IDÉE. — Raison, exemplaire ou prototype du créé en Dieu. Latin : *idea.*

IMAGE. — En théologie trinitaire le Christ est dit « Image » parfaite du Père. La théologie de la création, prenant appui sur le livre de la *Genèse,* distingue « image » (latin : *imago)* et « ressemblance » (latin :

*similitudo*). Selon Thierry de Freiberg et Maître Eckhart, c'est l'intellectualité qui constitue en l'homme l'image et la ressemblance de Dieu. Thierry, toutefois, fait correspondre à cette dualité celle de l'intellect agent et de l'intellect possible. Chez Eckhart, le thème de l'Image se rencontre également avec celui de l'«exemplaire» (latin : *exemplar*).

INTELLECT. — Dans la tradition philosophique : puissance supérieure de l'âme rationnelle. Certains théologiens identifient l'intellect et la «raison supérieure» d'Augustin, «face» ou «visage» de l'âme «tourné vers l'intelligible».

INTELLECT AGENT. — Ce qui dans l'âme est «capable de tout produire» (Aristote). Dans la tradition philosophique arabe l'intellect agent est une substance séparée, unique pour tous les hommes, qui infuse ou déverse les intelligibles dans l'âme humaine. Chez Albert le Grand, l'intellect agent est une partie de l'âme. Latin : *intellectus agens*.

INTELLECT POSSIBLE. — Ce qui dans l'âme est «capable de tout devenir» (Aristote). L'intellect possible est l'instance de la réceptivité dans la pensée humaine finie. Latin : *intellectus possibilis*.

INTENTION. — Concept. Latin : *intentio*. L'intention d'une réalité est cette réalité même en tant qu'elle est conçue.

MANIÈRE. — Formulation «platonicienne» du genre «aristotélicien» (Berthold de Moosburg). Les «manières» (latin : *maneries*) de l'être sont les différentes sortes d'«étants conceptionnels».

MONADE. — Un, unité. Latin : *monas*. En théologie trinitaire : Dieu en tant qu'Un.

NÉGATION DE LA NÉGATION. — Mode suprême de l'affirmation selon Eckhart. L'Un est «négation de la négation» ou «privation de la privation» (latin : *negatio negationis, privatio privationis*). Chez Thierry de Freiberg : mode suprême de la négation. La privation de la privation ne rétablit pas l'être. L'Un comme privation de la privation reste donc transcendant à la sphère «ontologique» déterminée par la convertibilité des transcendantaux.

NOÉTIQUE. — Psychologie philosophique. Théorie de l'intellect.

PARTICIPATION. — Relation de dépendance ontologique de l'inférieur au supérieur. Latin : *participatio*. L'inférieur qui participe au supérieur y a part à son être : «Participer, c'est avoir part à» *(participare est partem capere)*. Les thèmes de la participation et de l'émanation sont étroitement associés.

PLATONICIENS. — Dans la théologie rhénane : Proclus et Denys le pseudo-Aréopagite. S'oppose à PÉRIPATÉTICIENS : philosophes juifs et arabes commentateurs d'Aristote. Les « péripatéticiens » ne sont pas des « aristotéliciens » au sens pris par ce terme dans l'historiographie moderne. Beaucoup seraient considérés aujourd'hui comme des « néoplatonisants ». La distinction entre « péripatéticiens » et « aristotéliciens » apparaît clairement dans le cas d'Avicenne. Latin : *platonici, peripatetici.*

PRÉCONTENANCE. — Modalité de la cause essentielle relativement à ses effets. Latin : *praecontinentia.*

PRÉDICABLE. — Ce qui peut être dit de plusieurs réalités. Les « prédicables » sont les différentes sortes de prédicats généraux susceptibles d'être prédiqués : genre, espèce, différence, propre et accident. Latin : *praedicabile.* Le prédicable exprime au niveau du langage ce que l'universel exprime au niveau de l'être.

PROCESSION. — Élément « descendant » de la processualité intellectuelle. S'oppose à CONVERSION. Synonyme : descente. Dans la théologie d'inspiration dionysienne et proclusienne, la processualité est à la fois procession et conversion, c'est une « procession conversive ». Chez Eckhart, la « procession de l'un sous la raison de l'un » désigne l'émanation des Personnes dans la vie trinitaire, la « procession de l'un hors de l'un » désigne la création. Latin : *processio.*

QUIDDITÉ. — Essence ou nature d'une chose (« ce qu'est une chose »). S'oppose à être, anité, quoddité (le fait qu'une chose « soit »). Latin : *quiditas.*

RAISON. — 1. Concept ou définition. — 2. Argumentation ou argument. — 3. Idée divine. — 4. Faculté de l'âme (la « raison inférieure » et la « raison supérieure » d'Augustin). Latin : *ratio.* En tant qu'Idée la *ratio* est à la fois concept et cause de la réalité créée. Le système des Idées divines constitue lui-même la Raison première de toutes choses, le Verbe et le lieu de la « première création » : « Qui nie les Idées nie le Fils de Dieu » (Augustin).

RESSEMBLANCE. — Latin : *similitudo.* Désigne à la fois l'intention ou « espèce intentionnelle » et la ressemblance du créé au Créateur (création à l'image, *ad imaginem et similitudinem Dei*).

SUBSTANCE. — Sujet ontologique et première des catégories. S'oppose à accident. On distingue la « substance première », sujet individuel numériquement un, et la « substance seconde » ou espèce. Latin : *substantia.*

SUBSTANCES SÉPARÉES. — L'intellect agent et les Intelligences qui composent la hiérarchie intellectuelle. Ames motrices des sphères. Anges.

SUPÉRIEUR. — Degré ou niveau de réalité dans la hiérarchie. Plus généralement instance médiatrice du flux émané de la Cause première. S'oppose à inférieur. Latin : *superior*.

SUPPÔT. — Sujet individuel numériquement un. En théologie trinitaire : Personne. Dans la psychologie philosophique : noyau de l'être personnel. Latin : *suppositum*.

SYNDÉRÈSE. — Dans la tradition théologique : puissance pratique de discrimination du bien et du mal. Chez Eckhart : expression du fond incréé et incréable de l'âme. Synonyme : étincelle. Latin : *synderesis*.

THÉOPHANIE. — Révélation de Dieu dans la lumière de ses effets créés. Dans la tradition dionysienne, médiatisée par Érigène, Dieu se révèle à lui-même dans ses théophanies.

TRANSCENDANTAUX. — Termes généraux : étant, un, vrai, bon, qui, pris absolument, s'identifient à l'être même de Dieu. Latin : *termini transcendentales*.

UNITION. — Mode transcendant de la connaissance de Dieu selon Denys. Avec Albert la « connaissance selon l'unition » devient connaissance par l'intellect.

UNIVERSEL. — Ce qui peut être en plusieurs réalités.

UNIVERSEL LOGIQUE. — L'universel défini par sa prédicabilité. S'oppose à UNIVERSEL THÉOLOGIQUE. Chez Thierry et Berthold, l'universel logique ou universel de prédication est identifié à l'universel selon Aristote et référé épistémologiquement à la cogitative. L'universel théologique ou universel de séparation est identifié à l'universel selon Platon (Idée ou cause primordiale) et référé épistémologiquement à l'intellect possible actualisé par l'intellect agent.

# INDEX AUCTORUM

*Les chiffres ordinaires renvoient aux pages, les chiffres en italique précisent la note.*

# TABLE DES MATIÈRES

Achevé d'imprimer en octobre 1984
sur les presses de l'imprimerie Laballery et C$^{ie}$ — 58500 Clamecy
Dépôt légal : octobre 1984          Numéro d'imprimeur : 407002